TAMI HOAG

GEHEIMEN IN HET GRAF

the house of books

Oorspronkelijke titel
Secrets of the Grave
Uitgave
Published by Dutton, a member of Penguin Group (USA) Inc.
Copyright © 2010 Tami Hoag
Copyright voor het Nederlandse taalgebied © 2012 by The House of Books,
Vianen/Antwerpen

Vertaling
Corry van Bree
Omslagontwerp
Will Immink Design
Omslagillustratie
Hollandse Hoogte / Arcangel Images Ltd
Foto auteur
© Jan Cobb
Opmaak binnenwerk
ZetSpiegel, Best

ISBN 978 90 443 3372 5
D/2012/8899/51
NUR 332

www.tamihoag.com
www.thehouseofbooks.com

1

November 1986

Het huis stond afgelegen in een veld met verdroogd goudkleurig gras, half verborgen door brede eikenbomen. Het ooit witgepleisterde gebouw met een combinatie van stijlen – deels Spaans, deels boerderij – was verweerd, waardoor het onderdeel leek te zijn van de landelijke omgeving, alsof het uit de aarde was ontsproten en het net zozeer op deze plek thuishoorde als de honderd jaar oude bomen.

Het tafereel was een schilderij in plein-airstijl, zacht en impressionistisch: het goudkleurige gras; de donkere bomen; de blauwpaarse bergen op de achtergrond; de zachtblauwe hemel met de langgerekte roze wolken; en het kleine witte huis met zijn oude pannendak. Aan de andere kant van de bergen was de zon begonnen aan zijn afdaling naar de oceaan, maar hier leek de dag te pauzeren om zijn eigen perfectie te bewonderen.

Er waren geen aanwijzingen voor wat er in het huis was voorgevallen.

De oprit was een modderig grindpad, waartussen gras en onkruid groeiden als de manen van een wilde pony. Aan weerszijden van het pad stonden hekken met de kleur van drijfhout, waarachter twee overwoekerde weilanden lagen waarin ooit vee en paarden hadden gestaan.

Een Woody-stationcar die ver voorbij zijn gloriedagen was, was nonchalant naast een open schuur vol roestig boerderijgereedschap geparkeerd. Een oude, rode Radio Flyer-bolderkar stond eenzaam naast de veranda. Er zat een oranje gestreepte poes in, die wachtte op een ritje. Op de veranda speelden twee kittens kiekeboe tussen overwoekerde potten met verdorde geraniums en keukenkruiden. Een van de katjes ging tegen de hordeur staan en keek naar binnen. Daarna miauwde het, maakte een sprongetje en rende met zijn staart omhoog weg.

Binnen in het huis bewoog niets, behalve de vliegen.

Op de Saltillo-tegels in de keuken was een gruwelijk stilleven in scène gezet.

Een vrouw lag dood op de vloer, haar haar als een donkere wolk uitgespreid rond haar hoofd. Haar huid had een melkachtige kleur. Haar lippen waren rood als een roos, net zo rood als het bloed was geweest toen het uit de wonden stroomde die in haar huid waren gekerfd. Haar bruine ogen waren troebel en levenloos. Ze was afgedankt als een levensgrote, kapotte pop: geschminkt, vernield en opzij gesmeten.

Naast haar lag een kleinere pop – haar kind – met haar hoofd op haar moeders schouder en vegen op haar gezicht die afkomstig waren van het bloed van haar moeder.

De vliegen zoemden, de klok aan de muur boven het aanrecht tikte.

De telefoonhoorn, die boven de vloer bungelde, was bedekt met kleine, bloederige vingerafdrukken. De laatste woorden die erin waren gesproken hingen als een fluistering in de lucht: 'Papa heeft mijn mama pijn gedaan...'

2

'Het slachtoffer is Marissa Fordham, achtentwintig jaar, alleenstaande moeder en kunstenares.'

Rechercheur Tony Mendez ratelde de feiten op alsof hij onaangedaan was door wat hij in het huis had gezien, maar niets was minder waar. Hij was vlak nadat hij bij de plaats delict was gearriveerd de keuken uit gerend om onder een boom in de achtertuin te braken.

Hij was de tweede die op de plaats delict arriveerde omdat de woning in zijn deel van de stad lag. De jonge agent die het eerst op de plaats delict was verschenen, had onder dezelfde boom gebraakt. Mendez had nog nooit zoveel bloed gezien en de stank ervan zat nog steeds vuistdik achter in zijn keel. Telkens als hij zijn ogen dichtdeed zag hij de slachtoffers voor zich, als stilstaande beelden van een horrorfilm.

Zijn maag draaide om.

'Je zei dat er twee slachtoffers zijn.'

Vince Leone was negenenveertig jaar, voormalig *special agent* bij de legendarische afdeling Gedragswetenschappen van de FBI en voormalig rechercheur bij de afdeling Moordzaken in Chicago. Leone was zijn mentor geweest tijdens zijn opleiding aan de National Academy van de FBI, een trainingsprogramma voor politieagenten, niet alleen uit het hele land maar uit de hele wereld. Leone was meer dan een jaar geleden naar Oak Knoll gekomen, deels om een seriemoordenaar te ontmaskeren, deels om te proberen Mendez voor de FBI te rekruteren. De zaak van de seriemoordenaar was nog niet afgesloten en geen van beiden was vertrokken.

Leone was net op de plaats delict gearriveerd. Ze liepen langzaam van zijn auto naar het huis terwijl ze de koele, naar eucalyptus geurende lucht inademden.

'De vierjarige dochter van de vrouw had een zwakke hartslag,' zei Mendez. 'Ze is op weg naar het ziekenhuis. Ik verwacht niet dat ze het redt.'

Leone mompelde een krachtterm.

Hij was een statige man met een lengte van één meter negentig en een dikke bos golvend staalgrijs haar. Een forse snor leidde de aandacht af van het kleine, glanzende litteken dat de inschotwond markeerde van de kogel die een eind aan zijn leven had moeten maken. In plaats daarvan zat het ding nog steeds in zijn hoofd, inoperabel vanwege de riskante locatie.

'Ik haat het als het om een kind gaat,' zei hij.

'Ja, ik ook. Wat heeft een vierjarige gedaan om zoiets te verdienen?'

'Getuige zijn.'

'Ze kende de moordenaar.'

'Of hij is gewoon een gemene klootzak.'

Ze liepen via het kleine hek naar de tuin en volgden het stenen pad langs de zijkant van het huis en een oude betonnen fontein, die ondanks de situatie kalmerend kabbelde.

'Wie heeft de moord gemeld?'

'Een vriend die toevallig langskwam.'

Leone bleef staan en keek hem aan. 'Zo vroeg? Het is pas half acht en de zon is net op.'

'Klopt,' zei Mendez. 'Wacht maar tot je hem ontmoet. Het is een vreemde vent.'

'Op wat voor manier?'

'Vreemd op een verdachte manier. Wie gaat er om zes uur 's ochtends bij een buurvrouw langs?'

'Is hij hier?'

'Hij is bij Bill.'

Bill Hicks, rechercheur en partner van Mendez, had het talent om mensen op hun gemak te stellen.

'Komt Cal hiernaartoe?' vroeg Leone. Sheriff Cal Dixon was de baas van Mendez.

'Hij is onderweg.'

'Ik wil hem niet voor de voeten lopen.'

Leone stond niet op de loonlijst van het politiebureau, maar hij was een te waardevolle hulp om hem niet te bellen. Nadat hij de ergste seriemoordenaars van het land langer dan tien jaar had bestudeerd, had hij nagenoeg alle gruwelijkheden gezien die mensen elkaar konden aandoen. Nog belangrijker was dat hij in staat was om veel aanwijzingen te ontdekken op de plaats delict, die hen in een bepaalde richting konden leiden in hun zoektocht naar de dader.

'Ik heb met hem gepraat,' zei Mendez. 'Hij vond het goed.'

'Mooi.'

Ze bleven bij de keukendeur staan. Mendez wees naar de boom.

'De officiële kotsplek. Voor het geval je die nodig hebt.'

'Goed om te weten.'

De scène die bij binnenkomst op hem wachtte, raakte hem bijna net zo hard als de eerste keer dat hij een plaats delict had gezien. Hij had altijd moeite met de contrasten. De keuken met zijn ouderwetse geschilderde kasten, gietijzeren gootsteen, geruite gordijnen en antieke apparatuur leek uit een ander tijdperk te stammen. Het was het soort knusse keuken die je in tv-series uit de jaren zestig zag. Maar nu waren hier technisch rechercheurs druk bezig met vingerafdrukken veiligstellen en foto's maken rond het opzwellende, verkleurde lichaam van de vermoorde vrouw op de met bloed doordrenkte, Mexicaanse tegelvloer.

Leone bekeek het tafereel met een sombere frons op zijn voorhoofd en zijn handen op zijn heupen.

'Ze is al een tijdje dood.'

'Een paar dagen, zou ik zeggen.'

'Ik zie maden,' merkte Leone op. 'Is ze verplaatst?'

'Nee. Ik wilde niet dat het ambulancepersoneel haar aanraakte. Er bestond geen enkele twijfel dat ze dood was.'

De keel van het slachtoffer was zo barbaars doorgesneden dat ze bijna onthoofd was. Iemand had haar lippen rood geverfd met bloed.

'En waar was het meisje?'

'Ze lag met haar hoofd op haar moeders linkerschouder. Ik heb haar verplaatst toen ik een hartslag voelde,' zei Mendez.

'Wat is er met haar gebeurd? Is ze gestoken?'

'Dat weet ik niet. Ze zat onder het bloed. Ik kan niet zeggen of dat van haar of van haar moeder afkomstig is. Ik denk dat ze misschien gewurgd is. Er zaten bloederige vingerafdrukken op haar keel.'

Leone haalde een zakdoek uit zijn zak om voor zijn mond te houden, waarna hij naar het lijk op de vloer liep. Hij zorgde ervoor dat hij niet in het bloed stapte en hurkte om het vanuit een andere hoek te bekijken.

De borsten van de vrouw waren afgesneden, maar lagen niet in de keuken. De moordenaar had ze waarschijnlijk meegenomen toen hij vertrok, bij wijze van luguber souvenir. In de gapende wonden krioelden vliegenlarven.

Ze lag met gespreide armen en benen op haar rug, haar gezicht naar het plafond gericht. Ze was naakt en had wonden op haar armen, benen en romp. Ze was zo vaak in haar onderbuik gestoken dat die net een brok gehakt leek.

Het lemmet van een slagersmes stak uit haar vagina.

Leone trok zijn wenkbrauwen op.

'Heb je dat ooit gezien?' vroeg Mendez.

'Ik heb lemmeten uit wonden zien steken, maar nog nooit zoals dit. Wat denk jij ervan?'

Leone keek naar hem, op en top de mentor. Hij had natuurlijk een mening. De man was een legende. Hij was waarschijnlijk in gedachten al begonnen met het opstellen van het daderprofiel. Tegen de tijd dat hij koffiepauze nam, had hij vastgesteld dat de dader stotterde en mank liep.

Hij wilde echter dat Mendez zelf nadacht, de scène interpreteerde, terugdacht aan de zaken die hij had bestudeerd en de dingen die hij had geleerd op de National Academy en op andere plaatsen delict.

'Ik denk dat het gebaar meer met haar te maken heeft dan met de moordenaar,' zei Mendez.

Leone knikte. 'Daar lijkt het inderdaad op.'

Hij kwam overeind, deed een stap naar achteren en sloeg zijn armen over elkaar. Zijn blik ging onderzoekend door de keuken terwijl hij alle details in zich opnam. Buiten het huis werd een motor afgezet en een portier sloeg dicht.

'Hij had het mes niet bij zich,' zei hij terwijl hij naar het houten messenblok op het aanrecht wees. 'Het grote mes ontbreekt.'

'Nogal buitensporig geweld voor een gelegenheidsmisdaad,' zei Mendez.

Leone humde zachtjes. 'Zijn er tekenen van een beroving?'

'Ik heb een snelle ronde door het huis gemaakt. Er zijn geen sporen van inbraak. Een paar kamers zijn doorzocht, maar ik weet niet waarom. Er liggen kostbaar lijkende sieraden op het dressoir en het lijkt er niet op dat er elektronica verdwenen is.'

'Drugs?'

'Ik heb geen hulpmiddelen gevonden. En het huis is te schoon voor een junk. Ik geloof niet dat het hier om drugs ging. Zo voelt het niet.'

'Nee,' beaamde Leone. 'Dit was persoonlijk. Absoluut. Ze heeft zo'n dertig tot veertig steekwonden.'

De hordeur ging open en Cal Dixon kwam binnen. Dixon was vierenvijftig jaar, had zilvergrijs haar en een fit voorkomen. Zijn uniform zag er altijd uit alsof het net geperst was. Hij richtte zijn doordringende blauwe ogen eerst op het slachtoffer en daarna op Leone en Mendez. Zijn gezichtsuitdrukking was verbeten en hij zag bleek.

'Waar gaat het in jezusnaam naartoe met de wereld?'

'De eerste moord in een jaar, baas,' zei Mendez alsof het een lichtpuntje in hun leven was.

Dixon kwam met zijn handen in zijn zij bij hen staan. Hij keek nadrukkelijk niet naar wat er over was van Marissa Fordham.

'De centrale heeft gisteren een 112-gesprek binnengekregen,' zei hij. ''s Ochtends vroeg. Een kinderstem zei dat papa haar mama pijn had gedaan. Dat was alles. Geen adres. Geen naam. Het gesprek werd verbroken en dat was het. De centrale heeft het meteen gemeld, maar wat kon ik doen? Ik kan niet elk huis in het gebied laten doorzoeken omdat er misschien een misdaad heeft plaatsgevonden.'

'Ik heb gelezen dat Orange County het verbeterde 112-systeem heeft,' zei Mendez. 'De namen en adressen verschijnen tijdens het gesprek op het scherm.'

'Dat kost een vermogen,' zei Dixon. 'Ik heb de papieren ingevuld om toestemming te vragen voor de aanschaf ervan, maar dat kan nog een hele tijd duren.'

Opnieuw naderde de vooruitgang Oak Knoll in Californië met een pijnlijke slakkengang. Mendez hield zich op de hoogte van de nieuwste technologieën die werden ontwikkeld op het gebied van misdaadbestrijding, maar die lagen helaas buiten het bereik van vooral de kleinere politiebureaus omdat ze niet voldoende budget en invloed hadden.

Hij keek naar het lichaam van Marissa Fordham, dat inmiddels twee dagen aan het ontbinden was en stonk als een open riool op een warme zomerdag. 'Dat komt voor haar te laat.'

3

Vince verontschuldigde zich, liep naar de bewuste boom en gaf over. Tijdens zijn carrière bij de FBI had hij alle soorten gruweldaden gezien. Zijn levenstaak bestond uit het bestuderen van moordenaars. Hij was drie jaar lang van de ene zwaarbewaakte gevangenis naar de andere gereisd om de mannen te interviewen die een aantal van de meest weerzinwekkende misdaden in de geschiedenis van de mensheid hadden gepleegd, omdat de FBI informatie verzamelde die ze wilden gebruiken als hulpmiddel bij hun jacht op menselijke roofdieren. Hij had op allerlei plaatsen delict gestaan, de een nog bloederiger en gewetenlozer dan de ander. Hij had zoveel lichamen in zoveel staten van ontbinding gezien dat hij lang geleden al had geleerd om de aanblik ervan niet te verbinden met allerlei emoties, behalve afgrijzen voor het misdrijf.

Het visuele aspect deerde hem niet, maar de kogel in zijn hoofd wel. Daar leefde hij nu anderhalf jaar mee en hij was gewend geraakt aan de trucs die het metaal met hem uithaalde. De pijn kwam en ging. Soms was het alsof er een onweersbui in zijn schedel woedde, een andere keer was het alsof er een draak net onder de oppervlakte sliep.

Er was geen medische informatie over de bijwerkingen die veroorzaakt werden door een .22 kaliber kogel in iemands hoofd. Aangezien het merendeel van de mensen het niet overleefde als ze van dichtbij werden neergeschoten, was er nauwelijks iets over bekend. Vinces dokters hadden gewoonlijk maar één ding te zeggen als hij ze over zijn symptomen vertelde: 'Hmm.'

Een van de vreemdere bijwerkingen was de plotselinge overgevoeligheid van zijn zintuigen. Soms was zijn zicht zo scherp, waren de kleuren zo intens en het licht zo helder dat het pijn deed aan zijn ogen. Soms werden de kleinste geluiden zo versterkt in zijn hoofd dat hij ineenkromp. Soms – op dit moment – was zijn reukzintuig zo gevoelig dat alle geurmoleculen vergroot leken en zo verzadigd dat hij ze letterlijk kon proeven.

Vandaag werd hij niet gehinderd door de aanblik, maar door de stank. Net als bij elk dood wezen gebeurde, was het lichaam van

Marissa Fordham bezig met het ontluisterende ontbindingsproces. De natuur kent geen genade of discretie. Er bestonden geen uitzonderingen op de regels. De dood werd op een nuchtere, praktische manier aangepakt. Als het hart het bloed niet meer rondpompte, stopten alle processen en begonnen de chemische veranderingen waarmee het hoogste wezen in de voedselketen tot voedsel voor andere wezens werd gereduceerd.

Het zou niet lang duren, vooral niet nu het zo warm was. Zonder de ziel worden de ogen glazig en vlak, verliest de huid zijn kleur en begint de lichaamstemperatuur te dalen. De vleesvliegen verschijnen alsof ze zijn opgeroepen en leggen hun eieren in de wonden en openingen. Een paar uur na de laatste ademhaling begint de rigor mortis bij de kaak en nek en verspreidt zich langzaam door het lichaam. Bacteriën in de buikstreek vormen gassen die zwelling veroorzaken en de stank begint toe te nemen.

Die stank speelde hem vandaag parten.

Vince haalde een pakje Doublemint uit zijn zak, wikkelde twee repen uit de folie en begon te kauwen om de smaak van het braaksel weg te krijgen.

Hij voelde zich slap en duizelig, maar had daar geen tijd voor. Om zijn hoofd helder te krijgen dacht hij aan de vrouw met wie hij vijf maanden geleden was getrouwd en die in hun bed had gelegen terwijl hij zich aankleedde om naar deze plaats delict te gaan. Een warm, kalmerend gevoel stroomde door hem heen en hij glimlachte even omdat hij zo had geboft.

'Wil je met de buurman praten?' Mendez kwam vanuit de keuken naar buiten lopen. Hij ademde de koele ochtendlucht diep in om de stank die een gewelddadige dood met zich meebracht kwijt te raken. De tuin rond het huis stond vol potten geraniums, goudsbloemen en kruiden. Vince haalde eveneens diep adem.

Mendez, midden dertig en ambitieus, zou een goede kandidaat voor de FBI zijn. Het rekruteren van Mendez was een van de twee redenen geweest waarom Vince afgelopen jaar naar Oak Knoll was gekomen. De andere reden was helpen met het ontmaskeren van de Zie-Geen-Kwaad-moordenaar. Met nog wat opleiding en ervaring zou Mendez aangenomen worden bij de afdeling Onderzoeksondersteuning, het actieve deel van de afdeling Gedragswetenschappen. Hij had tijdens zijn opleiding aan de National Academy veel interesse en talent voor het werk getoond. Maar de Zie-Geen-Kwaadmoordenaar had de jonge rechercheur volkomen in beslag genomen, net als Vince. Mendez werkte nog steeds aan de zaak. Hij hielp de officier van justitie zo veel mogelijk om een zo solide mogelijke zaak te hebben tegen de man die minstens drie vrouwen – volgens Vince waren het er waarschijnlijk meer – had vermoord.

'Ja, natuurlijk,' zei hij. 'Waar is hij?'

Ze liepen door de tuin naar de voorkant van het huis waar Bill Hicks met zijn onderarmen op zijn dijbenen op een bank op de veranda zat te praten met de man die de misdaad had gemeld. Hicks was lang en broodmager, had rood haar en was een cowboy in zijn vrije tijd. Hij was goed in ondervragen en had een kalme uitstraling waardoor hij in staat was de scherpte uit een gespannen situatie te halen.

Hicks keek op en glimlachte traag. 'Hallo, Vince. Fijn om je te zien. Hoe bevalt het getrouwde leven?'

Vince ging op een oude, geschilderde, metalen stoel zitten. 'Fantastisch. Hoe is het met jou, Bill?'

'Ik heb niets te klagen.' Hicks gebaarde met zijn hoofd in de richting van de buurman. 'Vince, dit is meneer Zahn. Meneer Zahn had de pech om het lijk vanochtend te vinden.'

Vince stak zijn hand uit naar de man die naast Hicks op de bank zat. Zahn staarde even naar de hand voordat hij opkeek met een vreemd uitdrukkingsloos gezicht.

'Het spijt me,' zei hij met een zachte, hese stem. Zijn handen lagen verstrengeld op zijn schoot, maar hij kon ze niet stilhouden en wrong ze voortdurend. 'Ik geef geen hand. Ik ben... eh... daar heb ik een probleem mee. Het spijt me.'

Zahn was eind dertig of begin veertig en vroeg grijs. Zijn haar stond als een zachte wolk rond zijn hoofd. Zijn gezicht was lang en smal met scherpe trekken, zijn ogen waren groot en doorschijnend bleekgroen, en hij was afwezig op de manier van iemand die een gruwelijk beeld voor zijn geestesoog ziet.

'Gecondoleerd met het verlies,' zei Vince zachtjes. 'Ik neem aan dat Marissa Fordham een vriendin was, als u zo vroeg in de ochtend bij haar op bezoek bent gegaan.'

'Ja,' zei Zahn. 'Marissa en ik waren bevriend.'

'Waarom zo vroeg?' vroeg Mendez terwijl hij met zijn armen over elkaar tegen een pilaar leunde.

Te bot, dacht Vince. Dit was het punt waarop zijn protegé finesse miste. Zahn was al zenuwachtig en kromp ineen door de toon in de stem van de rechercheur.

'Ik deed niets verkeerd,' zei Zahn. 'Marissa is altijd vroeg op. Ze houdt van het vroege ochtendlicht.'

'Zijn jullie al lang bevriend?' vroeg Vince.

'Zo lang ze hier woont. Zo lang ik hier woon. Vier jaar?' vroeg hij alsof Vince dat kon weten.

'Misschien kunt u ons dan helpen, meneer Zahn,' opperde Vince. 'Wat kunt u ons vertellen over Marissa Fordham? Was ze getrouwd? Gescheiden?'

'Single. Ze was single.'

'En het kleine meisje dan?'

'Haley... Zeg alsjeblieft dat Haley niet dood is,' smeekte Zahn. 'Ik zou het niet kunnen verdragen als Haley dood of gewond is.'

'Ze is naar het ziekenhuis gebracht,' zei Vince. 'Ze is niet dood.'

'O mijn god. Godzijdank.'

'Hoe zit het met Haleys vader? Komt hij hier wel eens?'

'Ik ken hem niet. Ik weet niet wie hij is. Marissa was erg gesloten.'

'Weet u of ze familie in de buurt heeft wonen?'

'Nee.' Hij schudde zijn hoofd. 'Ze gingen niet met elkaar om. Ze praatte nooit over ze.'

'Weet u waar ze vandaan kwam?'

'De oostkust, denk ik. Ongetwijfeld uit een gegoede familie.'

'Meneer Zahn...'

'Noem me alsjeblieft Zander. Alex-zander. Ik word altijd Zander genoemd. Zo noemen de mensen me. Noem me alsjeblieft zo.'

'Goed, Zander. Ik ben Vince en dit is Tony,' zei hij terwijl hij met zijn duim naar Mendez wees. 'Je kent Bill al.'

'Vince en Tony,' mompelde Zahn terwijl hij zijn handen wrong. 'Vince en Tony.'

'Weet je of Marissa Fordham ruzie met iemand had?' vroeg Mendez. 'Is ze de afgelopen tijd lastiggevallen? Was ze bang voor iemand?'

'Marissa was nooit bang. Ze geloofde niet in angst. Ze omarmde het leven. Elke dag. Ze had de moedigste geest die ik ooit ben tegengekomen.'

Terwijl hij over zijn overleden vriendin praatte, kreeg het gezicht van Zahn een gelukzalige, opgetogen glans, alsof hij een engel had gezien.

'Weet je of iemand haar heeft bedreigd?' vroeg Mendez.

'Tegenstanders van haar kunst,' zei Zahn. 'Tegenstanders van haar kunst bedreigden haar creativiteit.'

'Ik bedoelde eerder een fysieke dreiging,' corrigeerde Mendez zichzelf.

Een punt voor geduld, dacht Vince. Het leek alsof Zahn niet in staat was om rechtstreeks antwoord te geven. Waarschijnlijk het syndroom van Asperger of een soortgelijke stoornis, dacht hij. Iets wat verwant was aan autisme. De man was sociaal gehandicapt, hij praatte op een merkwaardige manier en hij herhaalde zijn woorden vaak. Hij vond het niet prettig om oogcontact te maken, maar als hij dat deed ging hij staren. Fascinerend om te bestuderen, als hij daar tijd voor had gehad. Nu moesten ze echter antwoorden hebben om zo snel mogelijk aan het moordonderzoek te kunnen beginnen.

Zahn keek weg. 'Nee,' zei hij. Vince had het gevoel dat hij het niet meende.

'Was Marissa kunstenares?' vroeg Vince.

'Jazeker. Ken je haar niet? Ze was vrij bekend. Het verbaast me dat je niet over haar hebt gehoord.'

'Ik ben nieuw in deze omgeving,' legde Vince uit.

Zahn knikte. 'Vrij bekend. Dat was ze.'

'Wat doe je voor de kost, Zander?'

Hij leek na te denken over het antwoord. 'Ik ben ook kunstenaar,' zei hij. 'Mijn leven is mijn kunst.'

'Jij houdt dus ook van het vroege ochtendlicht,' zei Vince terwijl hij naar hem glimlachte alsof hij een oude vriend was.

'Ja. Ik mediteer ook. Ik mediteer heel vroeg. En daarna ga ik op visite bij Marissa en Haley. We drinken mimosacocktails. Haley niet, natuurlijk,' voegde hij er haastig aan toe. 'Marissa is een uitstekende moeder.'

'Maar vanochtend heb je geen mimosa's gedronken,' zei Vince. 'Vertel ons je verhaal, Zander. Hoe je hiernaartoe bent gekomen, wat je onderweg hebt gezien.'

'Mijn verhaal,' zei Zahn terwijl het begrip ronddraaide in zijn brein. Het beviel hem. 'Ik heb tot vijf uur drieëntwintig gemediteerd en daarna ben ik hiernaartoe gelopen.'

'Waar woon je?' vroeg Mendez.

'Aan de andere kant van de heuvel. Bij Dyer Canyon Road.'

'Dat is een flinke wandeling.'

'Ik hou van wandelen.'

'Heb je iets ongewoons gezien terwijl je naar het huis toe liep?' vroeg Mendez.

'Helemaal niets. Het was nog vrij donker.'

'Wat gebeurde er toen je hier aankwam?'

'Ik liep naar de keukendeur. Die stond open, zoals altijd. Ik riep

Marissa. Ze had geen koffie gezet. Ik rook geen koffie, maar iets anders... En toen zag ik ze.'

Zahn stond zo plotseling op dat ze allebei schrokken.

'Ik ben klaar met mijn verhaal. Ik kan dit verhaal niet vertellen,' zei hij geagiteerd terwijl hij met zijn handpalmen over zijn dijbenen wreef, alsof hij iets vettigs probeerde weg te vegen. 'Ik ga nu weg. Ik moet gaan. Dit is erg schokkend. Ik ben hier zo geschokt door.'

Vince stond langzaam op van zijn stoel en stak een hand uit naar Zander alsof hij hem wilde steunen, maar hij zorgde ervoor dat hij hem niet aanraakte.

'Het is goed, Zander. Je hebt een enorme schok gehad,' zei hij kalm. 'Een van ons kan je naar huis rijden. We kunnen een andere keer verder praten.'

'Ik ben erg geschokt,' zei Zahn. 'Bedankt, maar ik loop liever. Tot ziens.'

Ze zagen hem naar het pad lopen waarover hij was gekomen. Hij liep erg snel, met zijn armen langs zijn zij alsof ze waren vastgebonden.

'Hij is geschokt,' zei Vince.

Mendez rolde met zijn ogen. 'Dat weet ik wel zeker.'

4

'Hoe gaat het vandaag met je, Dennis?'

'Ik haat deze rotplek. Ze zijn hier verdomme allemaal krankzinnig.'

Anne negeerde de vloek die was bedoeld om haar op stang te jagen. Dennis Farman was een gestoorde kleine jongen. Hij staarde nu naar haar terwijl ze aan de andere kant van de witte kunststoftafel in de bezoekerskamer zat. Dennis had fel oranjerood haar en oren die een beetje te laag op zijn hoofd zaten, waardoor hij een enigszins vreemd uiterlijk had. Afhankelijk van zijn stemming drukten zijn kleine blauwe ogen woede of leegte uit, zelden iets daartussenin.

Hij was nu twaalf. Anne had hem in 1985 aan het begin van het schooljaar ontmoet, toen ze les had gegeven aan groep zeven van de Oak Knoll basisschool.

Ze had vanaf de eerste dag geweten dat Dennis problemen zou veroorzaken. Ze was gewaarschuwd door zijn leerkracht van groep zes. Omdat Dennis in groep vijf was blijven zitten, was hij iets groter dan de andere jongens in haar klas. Hij zag eruit als een pestkop, wat hij ook was, maar ze had er op dat moment geen idee van gehad hoe gestoord Dennis Farman in werkelijkheid was.

'Haat je vandaag iemand in het bijzonder?'

Hij stak zijn kin naar haar uit. 'Ja. U.'

'Waarom haat je mij?' vroeg ze kalm. 'Ik ben de enige die bij je op bezoek komt.'

'U kunt weggaan,' zei hij terwijl hij op zijn stoel heen en weer schoof. 'Ik niet. Ik moet bij deze monsters blijven.'

'Dat spijt me.'

'Waarom?' vroeg hij bot. 'U denkt dat ik een monster ben.'

'Dat heb ik nooit gezegd.'

Anne had zichzelf nooit naïef gevonden. Ze wist uit ervaring dat niet elk kind in een ideale omgeving opgroeide. Maar niemand had er een vermoeden van gehad hoe afschuwelijk Dennis' leven was geweest. Hij was geestelijk en lichamelijk mishandeld, en was een jaar geleden wees geworden doordat zijn vader, een *deputy*, zijn moeder had vermoord en daarna zelfmoord had gepleegd.

Een paar uur voor zijn vaders zelfmoord had Dennis zijn klasgenootje Cody Roache neergestoken. De jongen, die zijn enige vriend was geweest, had het overleefd.

Het moest nog blijken of Dennis ooit weer een normaal leven zou kunnen leiden. Vince zei van niet. Hij had de ervaring dat kinderen die zo beschadigd waren als Dennis niet konden genezen. Anne wilde dolgraag hopen dat dat niet waar was. Misschien was ze toch een beetje naïef, maar zelf noemde ze het liever hoopvol.

Het juridische systeem wist niet wat het met Dennis aan moest. Hij was te jong om naar een jeugdinrichting te gaan, laat staan een gevangenis, ook al was hij op zijn minst schuldig aan geweldpleging en waarschijnlijk aan poging tot moord. Hij had geen familieleden die de verantwoordelijkheid voor hem op zich wilden nemen en geen enkel pleeggezin wilde hem in huis.

De tijdelijke oplossing was geweest om hem op te nemen in het psychiatrische districtsziekenhuis. Dat was eigenlijk haar schuld, dacht Anne. Zij was degene geweest die had gevochten om hem uit het jeugdsysteem te houden door te argumenteren dat hij ziek was en hulp nodig had.

Dennis Farman was deels de reden dat ze was gestopt met lesgeven en verder was gegaan met haar studie kinderpsychologie. En speciaal voor Dennis had ze een cursus gevolgd om een door de rechtbank aangewezen pleitbezorgster van kinderen te worden. Iemand moest hem binnen het rechtssysteem vertegenwoordigen en hem uitleggen wat er gebeurde.

Hoe gestoord en schuldig hij ook was, hij was eveneens een kleine, verloren jongen die niemand had die voor hem opkwam. Anne had besloten die taak op zich te nemen.

Dat was niet omdat ze het zo graag wilde. Het was niet omdat ze genegenheid voelde voor Dennis Farman. Hij had een naar karakter en de misdaad die hij had gepleegd was schokkend en verschrikkelijk. Het was niet eens omdat ze geloofde dat hij kon worden gered. Ze kon gewoon niet aan de kant staan toekijken terwijl een kind de rest van zijn leven stuurloos was.

Vince was er niet gelukkig mee. Hij maakte zich zorgen dat ze teleurgesteld zou raken door de nutteloosheid van haar gevecht en dat ze er uiteindelijk veel verdriet van zou hebben. Hij was een van de toonaangevende experts op het gebied van het misdadige brein, en daarom was het moeilijk om daar met hem over te discussiëren. Anne kende maar één moordzuchtig kind.

Het leed geen twijfel dat Dennis de klassieke tekenen vertoonde van een psychopaat die het vermogen miste zich in anderen te verplaatsen. Hij zat vol woede over de slechte kaarten die het leven hem had gegeven. Anne vermoedde dat hij Cody had aangevallen omdat hij wilde dat iemand anders net zoveel pijn had als hij. Om de situatie nog ingewikkelder te maken, had Dennis duistere, seksueel getinte fantasieën, wat bijzonder verontrustend was bij zo'n jong kind.

'U denkt dat ik een monster ben. Ik weet dat het zo is. Iedereen denkt dat. Iedereen haat me.'

'Ik haat je niet, Dennis. Niemand haat je. We haten alleen wat je Cody hebt aangedaan.'

Hij fronste zijn voorhoofd, keek naar de tafel en deed alsof hij met zijn duim op het blad tekende. Anne vroeg zich af waaraan hij dacht. Ze zou de dag nooit vergeten waarop ze Dennis' tekening van naakte vrouwen met messen in hun borsten had gevonden.

'Hij is niet dood,' zei Dennis. 'Wat is het probleem?'

'Hoe zou je het gevonden hebben als hij dood was gegaan?'

Hij haalde zijn schouders op met een achteloosheid die verbijsterend zou zijn als ze dit gesprek niet eerder hadden gevoerd. 'Waarom heb je het gedaan, Dennis?' vroeg ze.

Dennis rolde met zijn ogen. 'Dat blijft u me vragen en ik blijf zeggen dat het gewoon zomaar was. Ik wilde weten hoe het voelde.'

Ze had hem nog nooit gevraagd om te vertellen hoe het had gevoeld om een mes in de buik van zijn enige vriend te steken. 'Heb je je huiswerk gemaakt?' vroeg ze.

'Waarom zou ik?' vroeg hij uitdagend. 'Wat gaat u met me doen als ik het niet doe? Me in de gevangenis gooien? Me in het gekkenhuis stoppen?'

'Ik ga niets met je doen, maar je zou jezelf helpen als je het deed. Wil je groep zeven overdoen als je hieruit komt?'

Ze had de taak op zich genomen om hem les te geven. Niemand anders had de behoefte om dat te doen.

'Ik kom hier nooit meer uit,' zei hij. 'Of ik ga naar de gevangenis. De gevangenis kan cool zijn.'

'Waarom zeg je dat?'

'Omdat daar moordenaars zitten.'

Anne bleef heel even met haar hand onder haar kin zitten. Het was net een schaakspel. Hoe wist ze of ze de juiste zet deed? Ze voelde zich hier helemaal niet tegen opgewassen.

'Denk je dat moordenaars cool zijn?' vroeg ze. 'Waarom?'

Er verscheen een opgewonden glans in zijn ogen. Annes maag draaide om.

'Daarom,' zei hij. 'Als ze iemand niet aardig vinden, vermoorden ze hem gewoon en dan hoeven ze hem nooit meer te zien.'

Wat moest ze daarop zeggen? Dat moorden verkeerd is? Wie zou hij willen vermoorden? Ze hield zich voor dat hij dat soort dingen voornamelijk zei om te choqueren en probeerde zich niet door hem te laten provoceren. Maar stel dat ze het mis had? Eén moment had ze het gevoel dat ze verdronk.

Dennis keek naar haar vanuit zijn ooghoeken terwijl hij opzij draaide op zijn stoel.

'Ik wil Tommy Crane vermoorden,' zei hij.

Anne reageerde niet. Het was geen verrassing. Hij had het al eerder gezegd.

'Ik weet dat je Tommy niet aardig vindt,' zei ze. 'Je denkt dat hij een perfect leven heeft, maar dat is niet zo, Dennis. Zijn vader gaat naar de gevangenis.'

'Ja. Hij is een moordenaar. Dat is zó cool.'

Dat was die van jou ook, wilde Anne zeggen. Wat zou hij doen? Zou hij reageren? Zou ze daarmee tot hem doordringen? Zou hij huilend instorten?

Tommy Crane was het onderwerp van Dennis' jaloezie en pesterijen geweest. Ogenschijnlijk had Tommy het perfecte gezin. Zijn vader was een gerespecteerde tandarts, zijn moeder was makelaar. Ze hadden in een mooi huis in een mooie buurt gewoond, maar Tommy's leven was niet mooi geweest.

Tommy's vader zat in de gevangenis in afwachting van zijn proces, omdat hij ervan werd verdacht dat hij de Zie-Geen-Kwaad-seriemoordenaar was, hoewel hij nog niet in staat van beschuldiging was gesteld. Hij zou eerst berecht worden voor de mishandeling van en de poging tot moord op Anne Navarre-Leone.

'Tommy woont hier niet meer,' was het enige wat ze zei.

Ze stond op van de plastic stoel en pakte haar tas.

'Ik ben even naar buiten,' zei ze. 'Als ik terugkom wil ik je wiskundehuiswerk zien. Als je het niet hebt gemaakt, blijf je hier zitten tot het af is.'

De jongen keek naar haar op, een beetje geschrokken door haar plotseling ijskoude houding.

'Ik probeer je te helpen, Dennis,' zei ze. 'Maar dan moet je wel meewerken.'

5

Anne liep de kamer uit en de gang door, langs een man in pyjama die tegen een rookmelder praatte. Ze liep zonder op te kijken langs de verpleegsterspost. Ze had het personeel inmiddels goed leren kennen, maar ze moest alleen zijn, al was het maar in haar hoofd. De vertrouwde druk in haar borstkas nam toe. Ze kon niet goed ademhalen en herinnerde zich het gevoel van een hand op haar keel.

Ze liep via de beveiligingsdeur naar buiten. De zon scheen en het werd snel warmer. Een nieuwe dag in het paradijs. Anne was opgegroeid in Oak Knoll, dat ver genoeg ten noordwesten van Los Angeles lag om geen last te hebben van de tekortkomingen van de stad. Daarna was ze gaan studeren aan de UCLA, de universiteit van Los Angeles, hoewel haar vader lesgaf op het uiterst prestigieuze particuliere college in Oak Knoll, maar misschien was het juist daarom. Ze was niet van plan geweest om terug te komen, maar het leven had andere plannen met haar gehad.

Anne ging zitten op een betonnen bank die tegen de gevel van het gebouw stond en legde haar hoofd in haar handen terwijl de emoties haar bestormden. Posttraumatisch stress-syndroom. Niet alleen oorlogsveteranen, maar ook slachtoffers van geweldsmisdrijven leden daaraan.

De herinneringen schoten als flitsen door haar hoofd; handen rond haar keel die haar wurgden; vuisten die haar stompten; voeten die haar schopten, haar ribben braken; een ingeklapte long.

Zelfs een jaar na haar ontvoering en de poging tot moord was angst het eerste en sterkste gevoel dat haar terroriseerde als ze terugdacht aan wat er was gebeurd. Pure, primitieve angst. Daarna volgde boosheid, of eigenlijk woede, en ten slotte een intens gevoel van verlies.

Haar therapeut had haar verteld dat ze de emoties als een golf over zich heen moest laten komen en er niet tegen moest vechten. Hoe sneller ze de gevoelens accepteerde, des te sneller kon ze ze loslaten.

Dat was gemakkelijker gezegd dan gedaan. De angst om in die golf te verdrinken was immens; het gevoel om de controle te verliezen overweldigend; de woede over wat ze had verloren verpletterend.

Ze probeerde opnieuw diep adem te halen. Ze had het gevoel dat er stalen banden rond haar borstkas klemden.

'Hallo, schoonheid,' zei een donkere, vertrouwde stem. Een grote hand streelde haar haar en bleef op haar schouder liggen. Ze boog zich opzij toen hij naast haar kwam zitten en draaide haar gezicht naar hem toe, waarna haar hoofd instinctief de perfecte plek op zijn schouder vond.

'Je lijkt heel veel op mijn vrouw,' zei hij zachtjes terwijl hij zijn armen om haar heen sloeg. 'Alleen is mijn vrouw altijd gelukkig. Daar zorg ik voor.'

Haar adem bleef in haar keel steken terwijl ze opkeek naar hem. 'H-hoe wist je dat ik je n-nodig heb?'

Hij veegde met zijn duim een traan van haar wang. 'Tja, ik denk graag dat je me elk moment van de dag nodig hebt,' zei hij met glanzende, donkere ogen.

Anne snoof en probeerde te glimlachen. 'Dat is ook zo.'

Hij bukte zich en gaf een zachte kus op haar lippen.

Anne nam aan dat ze een onwaarschijnlijk stel leken voor mensen die hen niet kenden. Vince was negenenveertig, gehard door het leven, een man die zich had gewijd aan het begrijpen van het kwaad; en Anne was negenentwintig, had lesgegeven aan groep zeven van de Oak Knoll basisschool en had haar leven gewijd aan het begrijpen van kinderen.

Toch was hun relatie voor haar vanzelfsprekend. Zelfs als tiener was Anne vroeg volwassen geweest, en ze had nooit belangstelling gehad voor jonge mannen. Vince was volwassen, sterk en rechtvaardig, een man die wist wat hij wilde. Een man die niet van plan was om zijn tweede kans op een leven te verspillen.

'Een zware ochtend met het duivelskind?' vroeg hij.

'Zeg niet dat je me hebt gewaarschuwd.'

Vince schudde zijn hoofd. 'Ik weet dat je het moet proberen. Ik snap het. Ik vind het niet prettig, maar ik snap het.'

'Dank je.'

'Wil je erover praten?'

Ze schudde haar hoofd. 'Het is het oude liedje. Dennis zei iets... wat ik gewoon even moest verwerken. Het komt wel goed met me.'

Hij streek haar donkere haar naar achteren. 'Bikkel.'

'Als het moet.'

'Het punt is dat het niet hoeft.'

'Ik weet het,' gaf ze toe, waarna ze handig van onderwerp veranderde. 'Waarvoor had Tony je zo vroeg nodig?'

'Eén moord,' zei hij met een blik in zijn ogen die niets prijsgaf en die Anne zijn politieblik noemde.

'Dat weet ik,' zei ze met een zweem van irritatie. 'Was het erg?'

Het was een stomme vraag. Niemand belde Vince Leone voor een caféruzie die ermee eindigde dat de ene idioot de schedel van de andere idioot insloeg. Hij kreeg midden in de nacht telefoontjes van rechercheurs in Boedapest, FBI-agenten in New York, politiebureaus overal ter wereld, om zijn advies te vragen met betrekking tot de meest macabere, gestoorde zaken. Als Tony Mendez hem voor het aanbreken van de dag belde, had hij daar een heel goede reden voor.

'Ken je Marissa Fordham?'

'Nee,' zei Anne, 'maar de naam komt me bekend voor.'

'Ze was kunstenares.'

Anne dacht na. 'O, ja. Ze heeft vorig jaar een prachtige poster voor het Thomas Centrum gemaakt.'

Ze realiseerde zich dat Marissa Fordham dood was. Ze zou de vrouw die zo'n mooie poster had gemaakt om geld in te zamelen voor liefdadigheidsdoeleinden nooit leren kennen.

'Wat is er gebeurd?'

'Een buurman heeft haar dood in haar huis gevonden. Samen met haar dochtertje. Het meisje is in het Mercy General opgenomen.'

'Hoe oud is ze?'

'Vier jaar.'

'O mijn god. Wat...'

Halverwege de vraag stopte ze. Wilde ze echt weten wat een of andere zieke klootzak met een vierjarig kind had gedaan?

'Het was afschuwelijk,' merkte Vince op. Hij streek haar haar weer naar achteren. 'Ik had jou net zo erg nodig als jij mij. Ik wist dat je hier zou zijn.'

'Was het een willekeurige daad of denk je dat het iemand was die haar kende?'

Anne wist niet wat erger was. Een willekeurige misdaad bracht iedereen in een staat van paniek. Het was beter als de moordenaar iemand was die een probleem met het slachtoffer had. Behalve als dat Peter Crane bleek te zijn. De buurman als seriemoordenaar.

'Het leek persoonlijk,' zei Vince.

Dat had Peter Cranes eerste moord ook geleken, tot hij er nog een pleegde, en daarna nog een.

'Ik ben op weg naar het ziekenhuis om naar het meisje te informeren,' zei hij. 'Maar ik wilde eerst hiernaartoe om jou te zien.'

Om te controleren of alles goed met haar was. Het slachtoffer was niet de enige die leed onder de nasleep van de misdaad. Wat er met haar was gebeurd, had bij Vince net zo goed sporen nagelaten. Hij was een uur na haar ontvoering bij haar woning gearriveerd en maakte zichzelf verwijten. Was hij er maar eerder geweest. Had hij de puzzel maar eerder opgelost. Hij was een van de beste profilers ter wereld. Waarom had hij niet kunnen voorkomen wat er was gebeurd?

Al die gedachten kwelden hem al een jaar lang en het gevolg daarvan was dat hij haar nauwlettend in de gaten hield en ervoor zorgde dat hij wist waar ze naartoe ging en met wie ze had afgesproken. Hij vond het nog steeds niet prettig als ze niet bij hem in de buurt was.

Ze waren allebei beschadigd. Gelukkig konden ze elkaar in vertrouwen nemen en steunen terwijl ze de nasleep probeerden te verwerken. Niet alle slachtoffers hadden het geluk om zoveel gedeeld begrip te vinden bij iemand die dicht bij hen stond.

Anne sloeg haar armen om haar echtgenoot heen en drukte hem even stevig tegen zich aan. Vince hield haar vast en gaf een kus boven op haar hoofd.

'Ik moet weer naar binnen,' zei ze. 'Anders maak ik Dennis' verlatingsangst nog groter.'

'Ik moet ook gaan.'

Ze verroerden zich geen van beiden.

'Hoe ziet de rest van je dag eruit?' vroeg Vince.

'Ik heb om half twee college, daarna heb ik een gesprek met de assistent-officier van justitie. En ik heb met Franny afgesproken om een glas wijn bij Piazza Fontana te gaan drinken. Ik ben tegen half zeven thuis.'

'Dan kom ik ook,' zei hij. Hij wreef met zijn lippen langs haar oorschelp. 'En na het avondeten ga ik je heerlijk verwennen, mevrouw Leone. Denk daaraan als je je weer een beetje gespannen begint te voelen.'

Anne keek glimlachend naar hem op. 'Weet je hoeveel ik van je hou?'

Hij schudde zijn hoofd en grijnsde, zodat één mondhoek omhoogging. 'Ik denk dat je me dat vanavond moet laten zien.'

'Dat beloof ik.'

Vince liep met haar mee naar de deur van het ziekenhuis en gaf haar een afscheidskus. Anne keek hem na terwijl hij naar zijn auto liep, en ging daarna naar binnen, klaar om de confrontatie met Dennis Farman opnieuw aan te gaan.

6

Mendez was al aan zijn vijfde kop koffie tegen de tijd dat de lijk-
wagen met Marissa Fordhams lichaam langzaam over de lange oprit
wegreed. Het was even na tien uur en hij was al meer dan drie uur
op de plaats delict.

Dixon had toezicht gehouden op het werk en had gevraagd om
extra foto's en video-opnamen van alle vertrekken in de woning. Het
was niet zijn gewoonte om de leiding te nemen op een plaats delict,
maar bij een zaak als deze was het vanzelfsprekend. Hij had jarenlang op de afdeling Moordzaken van het politiebureau in LA County
gewerkt en had meer moorden onderzocht dan Mendez ooit hoopte
te zien.

De worsteling tussen het slachtoffer en de dader leek te zijn begonnen in Marissa Fordhams slaapkamer, waar lampen waren ge-
sneuveld en meubels waren verschoven en omgevallen. Laden waren
opengetrokken, de inhoud was op de vloer gegooid.

Een grote bloedvlek kleurde de gebloemde lakens van het bed. Op
het plafond zaten bloedspetters, een indicatie voor het geweld waarmee was gestoken.

Een deel van de inhoud van de ladekast lag boven op de bloedvlekken op de vloer.

'Hij is teruggekomen om iets te zoeken,' mompelde Dixon terwijl
hij de politieagent met de camera opdracht gaf in te zoomen.

'Ongewoon veel geweld voor een diefstal,' merkte Bill Hicks op.

'Hij heeft haar eerst vermoord,' zei Mendez. 'Alles wat er daarna
is gebeurd, is bewust gedaan. Hij heeft zoveel tijd voor de moord genomen dat het zijn prioriteit moet zijn geweest.'

'En hij heeft haar sieraden laten liggen,' zei Dixon terwijl hij naar
een aantal kostbaar uitziende sieraden wees die op het dressoir lagen.
'Hij zocht iets speciaals.'

'Ik vraag me af of hij het gevonden heeft,' zei Hicks.

'Ik weet het niet, maar hij heeft zich gewassen voordat hij ernaar
op zoek ging. Er zit geen bloed op de spullen die uit de laden zijn gehaald. Hij heeft het bloed afgespoeld voor hij ging zoeken.'

'Jezus, dat is ijskoud,' zei Mendez. 'Het kleine meisje lag halfdood in de keuken terwijl hij zich waste en rondkeek.'

'Hij dacht waarschijnlijk dat ze dood was. Geen getuigen, dus geen haast om weg te komen.'

Dixon gaf instructie om alle kranen in de badkamer en de keuken te onderzoeken op vingerafdrukken en sporen, die in een later stadium aan een verdachte konden worden gekoppeld.

Mendez was ervan overtuigd dat de DNA-gegevens van veroordeelde criminelen ooit zouden worden opgeslagen in een enorme database die toegankelijk was voor politiebureaus uit het hele land. Ze zouden alleen het DNA van een achtergebleven haar, een druppel bloed van de moordenaar of een stukje huid in de database hoeven te controleren, waarna ze de naam van hun dader zouden hebben.

Helaas was het 1986 en was die dag nog een heel eind weg. Op dit moment verzamelden ze bewijs en bewaarden dat in de hoop dat ze het aan een verdachte konden koppelen als ze die eenmaal hadden.

Op een of andere manier was het slachtoffer erin geslaagd de slaapkamer uit te komen. Het bloedspoor en de omgevallen stoelen en lampen waren eenvoudig te volgen.

Mendez kon het niet helpen dat hij een beeld in zijn hoofd kreeg van Marissa Fordham, die hevig bloedend probeerde te vluchten. Haar handen zaten onder het bloed, alsof ze wanhopig had geprobeerd de wonden dicht te drukken. Haar hart bonkte keihard. Ze voelde blinde paniek.

Waar was het kind geweest toen dit gebeurde? Had het kleine meisje alles gezien? Was ze wakker geworden door het kabaal en uit bed gekomen? Was ze slaperig haar slaapkamer uit gestrompeld om er getuige van te zijn dat haar moeder vocht voor haar leven? Het was verschrikkelijk als een klein kind dat moest zien.

Tijdens het laatste telefoontje met het ziekenhuis hadden ze gehoord dat het meisje nog steeds leefde. Zou ze bruikbaar zijn als getuige?

De centrale van 112 had het telefoontje aan Dixon gemeld: 'Papa heeft mijn mama pijn gedaan.'

Als het zo eenvoudig was, hoefden ze alleen op zoek te gaan naar de vader van het kind. Misschien wist Zander Zahn niet wie dat was, maar iemand wist dat wel. Vrouwen hielden dat soort dingen niet geheim. Marissa Fordham had een vriendin in vertrouwen genomen. Ze moesten alleen achterhalen wie haar vriendinnen waren.

De politieagent die het eerst op de plaats delict was gearriveerd, kwam op zoek naar Mendez de keuken in.

'Er is een vrouw die een afspraak met het slachtoffer heeft.'

Mendez volgde hem naar buiten en liep om het huis naar de voortuin.

De plaatselijke media hadden vlak nadat Vince was gearriveerd hun tenten opgeslagen. Een busje van een televisienieuwsprogramma uit Santa Barbara was al voor negen uur ter plaatse geweest. Slecht nieuws deed snel de ronde.

De deputy's hielden ze aan het eind van de oprit op een eerbiedige afstand. Een blauwe Chrysler MPV had mogen passeren. De vrouw achter het stuur staarde naar Mendez terwijl hij naar haar portier liep.

Hij herkende haar onmiddellijk. Het was Sara Morgan, met haar korenbloemblauwe ogen en het verwarde, zeemeerminachtige blonde haar. Haar dochter Wendy was een van de vier kinderen geweest die vorig jaar het lichaam van de vermoorde Lisa Warwick hadden gevonden. Ze had een terughoudende uitdrukking op haar gezicht terwijl hij naderde. Haar raam stond open. Hij vermoedde dat ze dat het liefst wilde sluiten, de auto keren en wegrijden.

'Dag mevrouw Morgan.'

Ze bleef in de auto zitten. 'Wat is er aan de hand? Is er iets gebeurd? Is Marissa er? Is alles goed met haar?'

'Hebt u een afspraak met Marissa Fordham?' vroeg hij. 'Wat voor soort afspraak?'

'Waar is Marissa?' vroeg ze, geïrriteerd en geschrokken. 'U mag mijn vraag eerst beantwoorden, inspecteur.'

'Marissa Fordham is dood,' zei hij botweg, waarna hij de kleur uit haar gezicht zag wegtrekken.

'Is er een ongeluk gebeurd?' vroeg ze met een ijle stem terwijl haar handen het stuur afwisselend omklemden en loslieten. 'Heeft ze een ongeluk gehad?'

'Nee,' zei Mendez.

Sara Morgan keek langs hem naar het huis. 'O mijn god. O mijn god,' mompelde ze. Tranen welden in haar ogen op.

'Het spijt me, mevrouw Morgan,' zei Mendez.

'En Haley? Waar is Haley?'

'Haar dochtertje is naar het ziekenhuis gebracht.'

'O mijn god.' Twee grote, kristalheldere tranen gleden over haar wimpers en rolden langs haar wangen naar beneden. Ze begon te trillen.

'Hoe kende u Marissa Fordham?' vroeg Mendez. 'Waren jullie vriendinnen?'

'Ik kan niet geloven dat dit gebeurt,' mompelde ze, haar ogen nog steeds op het huis gericht.

'De deputy vertelde dat jullie een afspraak hadden. Wat voor soort afspraak was dat?'

'Wat?' vroeg ze terwijl ze hem aankeek alsof ze verbaasd was hem te zien en te horen praten.

'Wat voor soort afspraak hadden jullie?'

'Marissa leert... leerde me op zijde schilderen,' zei ze. Ze worstelde met de verandering van de werkwoordstijd, wat een bittere smaak in haar mond veroorzaakte. 'Ze is een fantastische kunstenares. Was.'

'U geeft toch ook les in kunst?' vroeg Mendez.

Ze schudde haar hoofd minachtend. 'Kunstgeschiedenis, aan de Volkshogeschool. Dat is niets. Marissa... O mijn god. Ze is dood. Waarom zou iemand dat doen? Wie kan dat gedaan hebben?'

'Hoe goed kenden jullie elkaar?' vroeg Mendez.

Sara Morgan haalde haar schouders op. 'Ik weet het niet. We waren vriendinnen... Bevriend... Oppervlakkige vriendinnen.'

'Weet u of ze een relatie met iemand had?'

'Nee, dat weet ik niet. We praatten nooit over dat soort dingen.'

'Weet u iets over de vader van het meisje?'

Ze leek geërgerd dat hij het vroeg. 'Nee, natuurlijk niet.' Er viel een korte stilte. 'Ik wil heel graag weg, inspecteur,' zei ze. 'Ik weet zeker dat ik u niet kan helpen. Ik wil naar huis. Dit is heel... Ik weet niet wat ik moet zeggen.'

Mendez negeerde haar wens. 'Ik heb geen atelier in het huis gezien. Waar maakte ze haar kunst?'

'Het atelier is in de oude schuur.'

'Kunt u me dat laten zien?'

'Het is achter het huis. Daar hebt u mij niet voor nodig,' redeneerde ze.

'Misschien ziet u of er iets ontbreekt.'

'Ontbreekt?' vroeg ze. 'Denkt u dat iemand haar heeft beroofd? Denkt u dat ze is vermoord omdat iemand haar kunst wilde stelen?' vroeg ze. Haar opwinding nam toe. 'Dat is belachelijk.'

'Kunt u een andere reden bedenken waarom iemand haar dood wilde hebben?'

'Natuurlijk niet!' snauwde ze terwijl ze het stuur gefrustreerd omklemde. Ze had verband rond haar hand en blauwe smurfenpleisters op drie vingers. 'Hoe zou ik dat moeten weten?'

Er rolden nog meer tranen over haar wangen. Mendez observeerde haar reactie en had medelijden met haar. Ze had net een vriendin verloren. Hij kon het haar niet kwalijk nemen dat ze van streek was.

'Mevrouw Morgan… Mag ik Sara zeggen?'

Sara knikte.

'Wil je me het atelier alsjeblieft laten zien?' vroeg hij haar opnieuw.

Ze aarzelde even en zette daarna berustend de motor uit. Mendez trok het portier voor haar open.

Ze liepen samen onder de peperbomen door naar de schuur. Sara Morgan droeg een spijkeroverall die onder de gele en rode verfvlekken zat. Het was niet moeilijk om haar voor zich te zien met verf op haar handen, op haar kin, op het puntje van haar sierlijke neus. En het zou haar goed staan, dacht hij. Hoewel de ochtend warm was, had ze haar armen om zich heen geslagen alsof ze het ijskoud had en ze probeerde niet te rillen.

'Wat is er met je handen gebeurd?' vroeg hij toen hij zag dat er op de vingers van haar rechterhand ook een paar smurfenpleisters zaten.

'Ik werk aan een sculptuur die onder meer uit metaal bestaat,' zei ze. 'Het is lastig materiaal, maar ik hou er niet van om met handschoenen te werken.'

'Je lijdt voor je kunst?'

Ze maakte een geluid dat ongeduld of sarcasme zou kunnen uitdrukken.

'Hoe gaat het met Wendy?'

Ze keek met een gefronst voorhoofd naar haar oude Keds-tennisschoenen. 'Ze heeft het moeilijk. Ze heeft nog steeds nachtmerries over het lijk dat ze in het park hebben gevonden, en omdat Dennis Farman heeft geprobeerd haar te verwonden. Ze mist Tommy. Ze vindt dat jullie hem moet zoeken.'

'Dat doen we,' zei hij. 'We proberen het in elk geval. We hebben alleen geen flauw idee waar we moeten zoeken. Janet Crane heeft met niemand contact opgenomen, of haar familieleden zeggen het niet als ze dat wel heeft gedaan. We hebben geen spoor dat we kunnen volgen. We hebben helemaal niets om mee te werken.'

'Ik neem aan dat ik ook samen met mijn kind zou verdwijnen als ik ontdekte dat mijn man een seriemoordenaar was.'

De grote schuifdeur die naar Marissa Fordhams atelier leidde stond ongeveer een meter open. De ruimte was verbouwd tot een grote werkplek aan één kant en een galerij aan de andere kant. De ochtend-zon stroomde via een glazen wand naar binnen en alles baadde in een boterachtig, geel licht.

'O, nee,' zei Sara Morgan terwijl ze naar binnen liep. 'Nee, nee, nee...'

Het had een mooie plek kunnen zijn. Het was een mooie plek ge-weest, gevuld met Marissa Fordhams bijzondere kunst, maar alles was verscheurd, kapot gesneden, gebroken. Schilderijen en beelden waren ten prooi gevallen aan de razernij van de moordenaar en waren geruïneerd.

Sara Morgan bedekte haar gezicht met haar handen en begon te huilen, niet alleen treurend om het verlies van de vrouw die ze had gekend, maar ook om het verlies van de schoonheid die Marissa Fordham in haar kunst tot uitdrukking had gebracht. Ze liep het atelier in terwijl ze ervoor zorgde dat ze nergens op trapte; ze hurkte en stak haar hand uit naar een impressionistisch schilderijtje van een klein kind met donker haar in een veld gele bloemen. Het was nage-noeg in tweeën gesneden.

Mendez legde zijn hand troostend op haar schouder. 'Raak alsje-blieft niets aan, Sara. Dit is een plaats delict.'

7

'Ik snap niet hoe iemand zoiets kan doen,' zei Sara Morgan zachtjes. Ze klonk verslagen en doodmoe.

Mendez liep met haar bij de schuur vandaan terwijl de technische recherche naar binnen ging. Er moesten foto's worden genomen en er moest naar vingerafdrukken worden gezocht. Ze liep naar een oude, vervallen bank onder een eik en staarde ernaar.

'Kunnen we hier zitten?' vroeg ze. 'Of hoort dit ook bij de plaats delict?'

'Het is goed. Ga maar zitten.'

De bank onder de boom leek een kleine, maagdelijke oase tussen de slachting in het huis en de slachting in de schuur. Een oude waskom was beplant met fuchsia's, en zachtpaarse lobelia's stroomden over de zijkanten. Een volkskunstfee hing glimlachend aan een tak terwijl ze haar toverstokje uitstak naar de overvloedige begroeiing.

Sara Morgan stak haar hand uit en raakte de glinsterende, gouden punt van het toverstokje aan; ze wenste ongetwijfeld dat ze de verschrikkelijke dingen die hadden plaatsgevonden kon veranderen.

'Het spijt me dat je hierbij betrokken bent geraakt,' zei Mendez, die aan het andere eind van de bank was gaan zitten. Hij leunde met zijn onderarmen op zijn dijbenen terwijl de werking van de cafeïne wegebde en hij de druk van de afgelopen uren voelde.

Sara Morgan zei niets. Ze keek naar haar verbonden handen, die op haar schoot lagen. Het bloed begon door het verband te sijpelen.

'Kun je me de namen van een aantal van haar vriendinnen noemen?' vroeg hij. 'Mensen met wie we moeten praten?'

'De Acorn Galerie verkoopt veel werk van haar. Ze kennen haar daar waarschijnlijk goed.' Ze bleef naar haar handen kijken, die ze tot een bol had gevormd, alsof ze er beelden in kon zien van Marissa Fordham en de mensen die haar kenden.

'Ze heeft een rare buurman,' zei ze. 'Hij is heel eng. Hij is een paar keer langsgekomen terwijl ik met Marissa aan het werk was. Ze begroette hem en hij hing wat rond en keek naar haar. Hij zei nooit veel. Hij bleef een tijdje en daarna ging hij weer weg.'

'Leek Marissa bang voor hem?'

'Nee. Ik was bang voor hem,' gaf ze toe. 'Het is vreemd, vind je niet? Dat hij gewoon... gewoon... rondhing als een soort... Ik weet het niet... Een soort perverseling of zo.'

'Maar Marissa vond het niet vervelend?'

'Nee. Als ik er iets over zei, haalde ze alleen haar schouders op. "Zo is Zander nu eenmaal," zei ze altijd. "Hij is vreemd, maar hij is een vriend", zei ze. "Hij is onschuldig."'

Ze keek hem doordringend aan, op zoek naar antwoorden die hij haar niet kon geven. 'Stel dat hij niet onschuldig was?'

'We hebben al met meneer Zahn gepraat,' zei Mendez.

Ze ging iets meer rechtop zitten. 'En? Vonden jullie hem niet raar?'

'Ken je meer vrienden of vriendinnen van haar?'

'Weet je wat heel irritant is?' snauwde ze terwijl ze een lok van het ontembare, krullende haar achter haar oor duwde. 'Dat je nooit antwoord geeft op vragen.'

Hij glimlachte schaapachtig, waardoor één kant van zijn snor omhoogging. 'Dat heeft met het werk te maken. Sorry.'

Sara Morgan zuchtte. 'Ze heeft met Jane Thomas samengewerkt aan het ontwerp van de liefdadigheidsposter voor het vrouwencentrum. En ze ging om met Gina Kemmer. Gina is de eigenares van Girls, een boetiek aan de Via Verde in de buurt van het college. Ik ken haar alleen van gedag zeggen, maar ik heb ze vaak samen gezien. En ze heeft een weldoener... weldoenster. Milo Bordain, de vrouw van Bruce Bordain, sponsort haar.'

Mendez noteerde de namen in zijn notitieboekje. Bruce Bordain, de parkeerkoning van Zuid-Californië, was niet alleen in Oak Knoll, maar tot Los Angeles een grote speler. Hij had zijn geld eerst verdiend met het opkopen en beheren van parkeerterreinen, waarna hij overging op het bouwen van parkeergarages van meerdere verdiepingen die miljoenen kostten. Bij wijze van hobby was hij eigenaar van een aantal dure autobedrijven en hij zat in het bestuur van het McAster College en het Mercy General ziekenhuis en waarschijnlijk in nog veel meer besturen.

Zijn vrouw was een bekende sponsor van kunst en hielp bij de organisatie van het prestigieuze Oak Knoll Muziekfestival, dat elke zomer plaatsvond en bekende klassieke musici uit de hele wereld aantrok.

'En je hebt haar nooit met een partner gezien?' vroeg Mendez. 'Een ex-vriend? Een minnaar?'

Sara Morgan staarde naar de bloedvlekken op het verband rond haar hand. 'Nee.'

'Die moet ze hebben gehad,' drong hij aan. 'Ze heeft een kind. Heeft ze nooit over de vader van het meisje gepraat?'

'Niet tegen mij.'

'Heb je er nooit naar gevraagd?'

'Het is mijn zaak niet. Ik snuffel niet in de levens van andere mensen. En mag ik nu naar huis?' vroeg ze zachtjes.

'Kun je zelf rijden?' vroeg hij. 'Ik kan je door een deputy laten brengen of hem achter je aan laten rijden.'

'Nee,' zei ze terwijl ze opstond. 'Ik wil niet onbeleefd zijn, maar ik heb meer dan genoeg met de politie te maken gehad.'

Hij keek haar na terwijl ze naar haar auto liep.

8

'Het meisje is nog niet bij bewustzijn,' verkondigde Vince terwijl hij ging zitten in wat ze de strategiekamer noemden.

Dit was de kamer waar Cal Dixon zijn zes fulltime rechercheurs liet samenkomen om de strategie van belangrijke onderzoeken te bespreken. Ze hadden het afgelopen jaar veel tijd in deze ruimte doorgebracht. De muren en het whiteboard hingen nog steeds vol informatie met betrekking tot de Zie-Geen-Kwaad-zaken, waaraan nog steeds werd gewerkt ter voorbereiding op de aanstaande rechtszaak tegen Peter Crane.

Dixon had geluk; de meeste grote districten ontbeerden de luxe van een speciale eenheid voor een moordonderzoek. Omdat het misdaadcijfer in zijn district relatief laag was, kon Dixon al zijn rechercheurs inzetten om een misdrijf dat veel publiciteit kreeg gezamenlijk aan te pakken. En Dixon, die jarenlang rechercheur Moordzaken in LA County was geweest, kon zijn administratieve taken overdragen aan zijn assistent en het onderzoek leiden.

'Ze is opgenomen met ernstige uitdrogingsverschijnselen en hypothermie,' ging Vince verder. 'Ik kan bevestigen dat ze met de hand gewurgd is... In elk geval deels.'

'Wat bedoel je met "deels"?' vroeg Dixon terwijl hij wat papieren op het podium recht legde.

'Het meisje is klein. Elke volwassene zou haar strottenhoofd met gemak kunnen vermorzelen, maar dat is niet gebeurd. Ze heeft verwondingen aan de binnenkant van haar lippen, waar haar tanden in haar vlees hebben gebeten, wat duidt op verstikking. Het kan dat jullie dader is begonnen haar te wurgen en niet in staat was verder te gaan, waarna hij iets op haar gezicht heeft geduwd. Gelukkig dácht hij alleen dat hij het werk had afgemaakt.'

'Zieke klootzak,' bromde Dixon met een frons op zijn voorhoofd. 'Ik ben blij dat we jou erbij hebben, Vince. Ik praat vanmiddag met de budgetbeheerder om te zien of we je een advieshonorarium kunnen bieden.'

'Maak je daar maar geen zorgen over, Cal. Ik heb het uitstekend voor elkaar. Vergeleken met wat ik verdien met advies geven lijkt mijn salaris van de FBI het minimumloon. Ik heb je geld niet nodig. En je weet dat jullie altijd op mijn prioriteitenlijst staan.'

Vince was Dixon en zijn werknemers gaan beschouwen als zijn familie. Hoewel hij in het begin naar Oak Knoll was gekomen om een seriemoordenaar te grijpen, had hij hier een thuis, een tweede leven en Anne gevonden. Wat Cal ook nodig had, Vince was blij als hij hem van dienst kon zijn.

'Dat waardeer ik,' zei Dixon.

Mendez ging naast Vince zitten. 'De aanval op Marissa Fordham was buitensporig. Ontembare razernij. Ik vind het vreemd dat het niet gewoon oversloeg op het kind. Het is alsof hij de moeder heeft vermoord en daarna zijn woede heeft uitgeschakeld.'

'Hij heeft de vrouw vanuit een gevoel van woede vermoord,' zei Vince. 'Het kind had de pech een toevallig slachtoffer te zijn.'

'Hij moest haar vermoorden omdat ze een getuige is,' zei Hicks. 'De vraag is of ze daar ooit toe in staat is.'

'Tot nu toe lijkt haar hersenactiviteit normaal,' zei Vince. 'Maar er zijn veel factoren die in ons nadeel werken. Zo'n trauma bij zo'n jong kind. Het meisje kan de gebeurtenis vanuit een gevoel van zelfbehoud voor de rest van haar leven blokkeren.'

'Denk je dat Anne in staat is ons te helpen als het meisje bijkomt?' vroeg Mendez.

Vinces instinctieve reactie was nee zeggen, maar niet omdat hij dacht dat zijn vrouw niet kon helpen. Het tegenovergestelde was waar. Anne had talent om met kinderen om te gaan. Hij had haar zelfs aangemoedigd om weer te gaan studeren en haar graad in kinderpsychologie te halen. Zijn instinct vertelde hem echter dat hij haar moest beschermen. Ze had genoeg meegemaakt. Hij wilde niet dat ze opnieuw bij een moordonderzoek betrokken raakte.

'Is dat geen taak van de kinderbescherming?'

'Dit lijkt hun capaciteiten te boven te gaan,' zei Mendez.

Het was een vrij landelijk gebied met een misdaadcijfer dat onder het gemiddelde lag. Oak Knoll, met zijn ongeveer twintigduizend inwoners (de studenten niet meegerekend), was de Grote Stad. De misdaad bestond hier voornamelijk uit kleine drugshandel, inbraken, een enkele aanranding en zo nu en dan een moord.

Het politiebureau van Oak Knoll, met aan het hoofd sheriff Dixon, was niet groot. Er was geen afdeling Moordzaken, maar een groep rechercheurs die onderzoek deed naar alle soorten misdaden. De plaatselijke kinderbescherming had geen psycholoog in het team, maar bestond uit een aantal administratieve medewerkers, twee full-time maatschappelijk werkers en een aantal vrijwilligers. Anne was een van de twee door de rechtbank aangestelde wettelijke vertegen-woordigers van de kinderen in het district.

Dat zou allemaal veranderen als meer mensen vanuit de agglome-ratie Los Angeles naar het noorden trokken, maar op dit moment was het leven in Oak Knoll en omstreken min of meer idyllisch.

'Strikt genomen is het hun taak,' zei Dixon. 'Ik heb met de manager gepraat. Hun beleid is erop gericht een familielid te vinden. Als die er niet is, valt het kind onder pleegzorg.'

'Hoeveel mensen zullen de enige levende getuige van een geweld-dadige moord in hun huis willen hebben?' vroeg rechercheur Tram-mell.

'Is er al ergens familie gevonden?' vroeg Mendez.

'Tot nu toe niet,' antwoordde Dixon. 'We hebben geen adresboek-je, geboortebewijs van het kind of ID van de vrouw in het huis ge-vonden. Ik wil dat jullie bij de plaatselijke banken navraag doen of Marissa Fordham ergens een kluis huurde.'

'Als we het geboortebewijs hebben, hebben we de naam van de vader en daarmee onze hoofdverdachte,' zei Mendez.

'Misschien heb je daarom geen geboortebewijs gevonden,' opper-de Vince. 'De buurman, die naar verluidt een goede vriend was, weet niet eens wie de vader van het meisje is.'

'Kun je je voorstellen dat een vrouw – of wie dan ook – die kerel in vertrouwen neemt?' vroeg Hicks. 'Ik vind hem een rare snijboon.'

'Bill en ik hebben over het pad gelopen dat Zahn naar huis heeft genomen,' zei Mendez. 'Het is een flinke wandeling. Ik vind het moeilijk te geloven dat iemand dat pad neemt om voordat het licht wordt op bezoek te gaan.'

'Ik wil meer over die man weten,' zei Dixon. 'Wie is hij? Wat doet hij voor de kost? Wat voor relatie had hij met Marissa Fordham?'

'Hoe heet hij?' vroeg rechercheur Hamilton.

'Alexander alias Zander Zahn. Z-a-h-n,' zei Mendez.

'Hij is een genie,' zei Trammell. 'Hij geeft les op het college. Wis-kunde of natuurkunde of filosofie of zoiets.'

Ze draaiden zich allemaal naar hem om en keken hem achter-dochtig aan.

'Hoe weet jij dat in vredesnaam?' vroeg Mendez.

Trammell was het soort man die sportstatistieken kon spuien en het volkslied kon meebrullen. Niemand zou aan hem denken als ze iets over natuurkunde of filosofie wilden weten.

Trammell spreidde zijn armen. 'Wat zitten jullie me nou aan te kijken? Mijn kind zit op die school.'

'Heb je banken beroofd in je vrije tijd?' vroeg Hicks.

'Het is een slim joch. Hij heeft een beurs.'

'Dan lijkt hij vast op zijn moeder,' zei rechercheur Campbell.

Iedereen lachte, wat vandaag voor het eerst was. Hoe serieus hun werk ook was, het was belangrijk om even te ontspannen als de gelegenheid zich voordeed. Anders zou de ernst van het werk hen allemaal in een zwart gat trekken.

'Loop maar naar de bliksem,' zei Trammell goedgehumeurd.

'Laten we terugkomen op Zahn,' opperde Dixon.

'Sara Morgan zei dat Marissa Fordham het geen probleem vond om hem in haar buurt te hebben,' zei Mendez.

'Sara... Is dat Wendy's moeder?' vroeg Vince.

'Ja, zij is ook kunstenares. Marissa Fordham leerde haar op zijde schilderen, wat dat ook mag inhouden. Ze zou vanochtend les van haar krijgen.'

Vince glimlachte scheef. 'Mijn oom Bobo uit Southside had een zijden stropdas met een afbeelding van Wrigley Field-honkbalstadion erop. Als die mode terugkomt, weet ik waar ze te koop zijn. Jullie kunnen jullie bestellingen bij mij plaatsen, mannen.'

Ze grinnikten allemaal.

'Laten we er een voor Trammell bestellen,' stelde Hamilton voor. 'Met een afbeelding van Einstein erop.'

'Hoe dan ook,' zei Mendez. 'Sara zei dat Zahn soms langskwam. Ze vond hem een griezel, maar Marissa Fordham leek het niet erg te vinden.'

'Ze voelde zich op haar gemak bij hem,' zei Vince.

'Blijkbaar.'

'Ik wil hem in zijn natuurlijke omgeving zien,' zei Vince. 'Ik ben nieuwsgierig. En ik denk dat hij absoluut meer weet dan hij ons vanochtend heeft verteld. Ik neem junior mee,' zei hij tegen Dixon terwijl hij met zijn duim naar Mendez wees. 'Hij maakt de man zenuwachtig.'

'Ik heb gehoord dat zijn afspraakjes dezelfde reactie vertonen,' zei Trammell.

'Als hij ze niet altijd hun rechten zou vertellen...' zei Hicks.

'Ik dacht dat het door de handboeien kwam,' pareerde Mendez.

Dixon schraapte zijn keel. 'Hebben we namen van vriendinnen om te polsen?'

Mendez las de namen op die hij van Sara Morgan had gekregen.

'Geen partners?' vroeg Vince.

'Voor zover Sara dat wist niet.'

'Maar ze waren vriendinnen.'

Mendez haalde zijn schouders op. 'Ze zei dat ze daar nooit over praatten.'

'Ik heb nog nooit een vrouw meegemaakt die zichzelf kan inhouden en niet doordraaft over de man met wie ze naar bed gaat,' zei Trammell.

'Behalve als de man met wie ze een relatie heeft van iemand anders is,' opperde Vince.

'Een getrouwde minnaar?' vroeg Dixon. 'Dat is altijd een mogelijkheid... en een motief. Laten we met die vrouwen gaan praten en zien wat we boven water kunnen krijgen. Het is moeilijk om een geheim te bewaren in een stadje van deze omvang, vooral als het een sappig geheim is.'

'Ik weet dat de meesten van jullie aan andere zaken werken,' ging hij verder terwijl hij zijn aantekeningen raadpleegde met zijn leesbril op het puntje van zijn neus. 'Maar ik zet jullie in eerste instantie allemaal op deze zaak. De media zullen door het dolle heen zijn: een gruwelijke moord in Oak Knoll, bijna precies een jaar na de Zie-Geen-Kwaad-moorden. Ik wil deze zaak oplossen voordat ze pagina's vol schrijven.'

'We hebben een slachtoffer met veertig steekwonden, haar borsten ontbreken en er steekt een mes uit haar vagina,' zei Mendez. 'Op een of andere manier denk ik niet dat ze deze zaak aan zich voorbij laten gaan.'

Dixon richtte zich tot Vince. 'Wat zijn je vermoedens tot nu toe, Vince?'

Vince haalde zijn schouders op. 'Het is duidelijk een seksuele moord, maar waar gaat het om? Woede? Ja. Maar waarover? Heeft ze hem iets aangedaan? Ze moet hem iets heel ergs aangedaan hebben. Iemands borsten afsnijden duidt op jaloezie,' zei hij. 'Borsten zijn symbolisch voor de schoonheid van een vrouw, voor haar kracht.'

'Pak haar borsten, pak haar kracht,' zei Mendez.

'Juist. Een andere keer heeft het verwijderen van lichaamsdelen met bezit te maken, het slachtoffer bezitten door een deel van hem te houden.'

'Net als Ed Gein.'

'Net als Ed Gein.'

Ze doelden op de beruchte 'slager van Plainfield' uit de jaren vijftig. De man uit Wisconsin had lampenkappen en stoelzittingen gemaakt van de huid van zijn slachtoffers, en schalen van hun schedels, om een paar van zijn gruwelijkheden te noemen.

'Maar Ed wilde zijn vrouwelijke slachtoffers niet alleen bij zich houden,' zei Vince. 'Hij wilde ze zíjn. Hij maakte een "vrouwenpak" voor zichzelf van de huid en delen van de lijken.'

'Jezus, dat is walgelijk,' zei Hicks.

'Dus jij denkt dat dat walgelijk is? Ik kan je vertellen over een stel kannibalen en op welke manier zij hun slachtoffers bezitten.'

'Misschien na de lunch,' opperde iemand sarcastisch.

'Soms zijn de lichaamsdelen alleen een trofee,' ging Vince verder. 'We hopen bij god dat dat niet het geval is, want dat suggereert dat hij een jager is, en jagers stoppen niet met jagen.'

'Jezus, dat hebben we net nodig,' zei Dixon. 'Nog een seriemoordenaar. Eén was meer dan genoeg.'

'De kans dat je opnieuw met een seriemoordenaar te maken hebt is uitermate klein,' zei Vince. 'We hebben het over een buitengewoon zeldzaam verschijnsel, hoeveel er elke week ook op de televisie verschijnen. Ik ben van mening dat de aanval op Marissa Fordham persoonlijk was. Zoveel steekwonden moet iets persoonlijks zijn. Het lijkt echter dat het slagersmes van het slachtoffer was, wat het waarschijnlijker maakt dat het een gelegenheidsmisdaad was, een opwelling. Iemand werd boos, pakte het mes en gebruikte het. Ik denk dat de moordenaar iets over het slachtoffer wil vertellen door middel van het mes dat uit haar vagina steekt.'

'Neuk haar niet, ze is gevaarlijk?'

'Precies.'

'Juist,' zei Dixon. 'Laten we eropuit gaan en uitzoeken wie het gevoel had dat hij deze boodschap moest verspreiden.'

9

'Hoe is het met Sara Morgan?' vroeg Vince toen ze in de auto stapten.
Mendez keek naar hem terwijl hij de sleutel in het contactslot stak.
'Ze was niet blij om me te zien, dat kan ik je wel vertellen.'
'Ze heeft vorig jaar veel meegemaakt,' zei Vince. 'Anne gaat af en toe langs bij haar en Wendy. Ze wil contact met de kinderen houden. Wendy heeft moeite ermee om te gaan. Ze is een beetje teruggetrokken. Het is een treurige zaak.'
'Is de echtgenoot nog steeds in beeld?'
'Voor zover ik weet wel.'
'Dat snap ik niet.' Mendez schudde zijn hoofd. 'Die vent heeft haar bedrogen met een vrouw die vermoord is, heeft erover gelogen en heeft informatie achtergehouden in een moordonderzoek. Hij is een eersteklas klootzak en zij blijft bij hem. Wat is er mis met vrouwen? Ze is mooi en getalenteerd. Ze verdient beter.'
'Hij is de vader van haar kind,' zei Vince. 'Ik weet zeker dat Wendy van haar vader houdt. Als ze kunnen kiezen, willen kinderen dat hun ouders bij elkaar blijven. Spanning in een huwelijk is een angstige zaak voor een kind, maar minder angstig dan een van de twee belangrijkste mensen uit hun leven kwijtraken.'
'Jij bent eerder getrouwd geweest. Hoe hebben jouw kinderen daarop gereageerd?'
Vince trok een gezicht. 'Ik ben het grootste deel van hun leven een afwezige vader geweest. Mijn dochters wisten al hoe het was om zonder me te leven. Hun dagelijks leven veranderde niet zoveel toen ik wegging.'
'Heb je daar spijt van?'
'Jezus, ja. Het zijn mijn dochters. Ik hou van ze. Ik heb het verknald door mijn carrière boven mijn gezin te verkiezen.'
'Maar denk aan alles wat je in je carrière hebt gedaan. Je bent een pionier. De afdeling Gedragswetenschappen zou zonder jou niet zo ver zijn. Denk aan de zaken die je hebt helpen oplossen, de moordenaars die mede dankzij jou achter de tralies zijn beland. Dat is veel waard.'

'Dat is zo, en dat bestrijd ik ook niet,' zei Vince. 'Ik heb een belangrijke bijdrage aan de wereld geleverd. Helaas heeft die bijdrage me veel gekost. Maar we maken onze keuzes en leven zowel met de goede als de slechte kanten ervan. Ik maak dezelfde vergissing geen tweede keer, dat is alles.'

'Ja,' bromde Mendez goedmoedig. 'Peper het me maar in, waarom niet?'

Vince grinnikte. Hij was zijn beschermeling te vlug af geweest wat betreft Anne en dat deed hem nog steeds goed. 'Je moet je kans grijpen als die zich voordoet, junior. Maar vat het niet te zwaar op. Misschien vernoemen we onze eerstgeborene naar jou.'

'Klootzak.'

'Ha!'

Hun eerste bestemming was het secretariaatsgebouw van het McAster College. De campus van de school was prachtig, onberispelijk onderhouden en schaduwrijk door de enorme eiken. Het college was gesticht in de jaren twintig en de gebouwen vormden een mix van traditionele, met klimop begroeide steen en Spaans pleisterwerk.

Het secretariaatsgebouw zou ook uitstekend op zijn plaats zijn op de campus van Princeton. Een brede trap leidde naar een imponerend stel deuren.

'Wat denk je dat daar staat?' Mendez wees naar de in steen uitgehouwen inscriptie boven de deuren.

'Dat zou ik je kunnen vertellen als ik iets had onthouden van het Latijn dat de nonnen van mijn school er bij me in probeerden te stampen.'

'Ik denk dat er staat: Als je het moet vragen, kun je het je niet veroorloven.'

Ze namen de lift naar de derde verdieping en liepen door de hal naar het kantoor van de rector. Vince had de rector van het McAster, Arthur Buckman, bijna een jaar geleden ontmoet, nadat de media uiteindelijk lucht hadden gekregen van Vinces rol in de Zie-Geen-Kwaad-zaken. Hij was overstelpt met verzoeken voor interviews en voordrachten.

Omdat hij op dat moment nog een special agent was, moest hij alle verzoeken via de FBI laten lopen. De FBI was niet happig op agenten die op de voorgrond traden of freelanceten. De meeste verzoeken waren afgewezen. Vince had verschillende mensen gevraagd om te wachten tot na zijn pensionering. Arthur Buckman was een van hen geweest.

'Vince!' begroette Buckman hem terwijl hij zijn kantoor uit kwam lopen. Hij was van oorsprong een New Yorker, had een klein, corpulent postuur, was kalend en droeg een bril met een metalen montuur en een driedelig kostuum. Hij glimlachte altijd, maar als rector van een van de beste particuliere colleges had hij dan ook veel om over te glimlachen.

Vince gaf hem een hand. 'Art, dit is rechercheur Mendez. Tony, Arthur Buckman.'

Buckman nodigde hen uit in een indrukwekkend, met hout betimmerd hoekkantoor dat uitzicht bood op de binnenplaats van het McAster, waar leerlingen van het ene klaslokaal naar het andere liepen. 'Het zal je niet verbazen om te horen dat je voordrachten al volgeboekt zijn, Vince. Onze afdeling Psychologie is dolenthousiast.'

'Ik zal mijn best doen aan de verwachtingen te voldoen,' zei Vince terwijl hij ging zitten. De geur van meubelwas met citroen steeg op in zijn neusgaten en leek in de achterkant van zijn ogen te prikken. Verdomde kogel.

'Wat kan ik voor jullie doen, heren?' vroeg Buckman.

'We willen wat achtergrondinformatie over een van jullie docenten.'

De glimlach van de rector verdween. 'Is er iets gebeurd?'

'Het gaat om Alexander Zahn,' zei Mendez. Hij haalde zijn notitieboekje uit de binnenzak van zijn colbertje.

'Doctor Zahn? Is er iets met hem gebeurd?'

'Nee, nee,' verzekerde Vince hem. Hij ging achterover zitten en legde zijn enkel over zijn knie, als het toonbeeld van ontspanning. 'Hij heeft vanochtend een misdrijf op een buurvrouw van hem gemeld. We willen gewoon graag weten hoe hij is. Iemand heeft ons verteld dat hij hier lesgeeft.'

'Dat klopt. Af en toe,' zei Buckman.

Mendez keek naar hem. 'Is hij geen lid van het docentenkorps?'

De rector kneep zijn ogen tot spleetjes, op een of andere manier pijnlijk getroffen. 'Het is... gecompliceerd...'

'We hebben doctor Zahn vanochtend gesproken,' zei Vince. 'Hij is een gecompliceerde man.'

'Ja. Dat kun je wel zeggen,' beaamde Buckman. 'Zander is een onvervalst genie. We prijzen ons erg gelukkig om hem op onze school te hebben, in welke rol dan ook. Maar hij heeft bepaalde... beperkingen.'

'Het syndroom van Asperger?' vroeg Vince.

'Goed geraden.'

'Wat is dat?' vroeg Mendez.

'In principe is het een milde vorm van autisme,' legde Vince uit.

'En die man kan docent zijn? Hier?'

'Hij heeft geen intellectuele stoornis,' zei Vince. 'Hij is sociaal gehandicapt.'

Mendez trok een gezicht terwijl hij naar zijn notitieboekje staarde. 'Dat zal dan wel.'

'Jullie zullen begrijpen dat ik de geestelijke gezondheid van onze docenten niet met jullie kan bespreken.'

'Nee, natuurlijk niet,' zei Vince. 'Ik probeer alleen inzicht in de man te krijgen. Zodat we de dingen in perspectief kunnen plaatsen.'

'Je zei dat er iets met zijn buurvrouw gebeurd is?' vroeg Buckman.

'Zijn buurvrouw, met wie hij bevriend was, is vermoord,' zei Mendez tegen hem. 'Zahn heeft het lijk gevonden.'

'O mijn god,' zei Buckman. 'Is er nog een vrouw vermoord? Niet weer. Is het net als de andere...'

'Nee, nee,' verzekerde Vince hem. 'Daar houdt het geen verband mee.'

'Dat is geen goed nieuws, nietwaar? Denken jullie dat doctor Zahn...?'

'We hebben geen enkele reden om dat te denken,' zei Mendez. 'Hij heeft de misdaad gemeld en heeft vanochtend volledig meegewerkt.'

'Godzijdank,' zuchtte Buckman. 'Dat verklaart waarom hij vandaag niet is gekomen. Hij zou vanochtend een college geven. Zijn assistent heeft gemeld dat hij het niet zou redden en dat hij verschrikkelijk van streek was, maar dat hij niet wilde zeggen waarom.'

'Doet hij dat vaker?' vroeg Vince. 'Afbellen?'

'Soms wel. Andere keren raakt hij zo verdiept in het onderwerp dat hij urenlang doorgaat met zijn college. Hij is moeilijk, maar hij is een briljant wiskundige. De leerlingen kennen zijn beperkingen, en toch is er altijd een wachtlijst voor zijn colleges.'

'Heeft hij een assistent?' vroeg Mendez.

'Rudy Nasser,' zei Buckman. 'Een briljante jongeman. Hij heeft graden in natuurkunde en wiskunde van de USC. Hij kan een topbaan krijgen aan alle eersteklas universiteiten, maar hij is hiernaartoe gekomen om met doctor Zahn te werken. Rudy Nasser is waarschijnlijk een van de weinige mensen op de wereld die in staat zijn om de briljante gedachtegangen van Zahn te volgen. Hij begrijpt de man waarschijnlijk beter dan wie dan ook. Jullie moeten met hem praten.'

'Is Marissa Fordham dood?'

Mendez was onmiddellijk op zijn hoede. Het enige wat hij had gezegd was dat doctor Zahns buurvrouw vermoord was.

'Het moet Marissa zijn,' legde Nasser uit. 'Zij is de enige buurvrouw bij wie doctor Zahn op visite gaat.'

Rudy Nasser leunde tegen de rand van het bureau. De collegezaal was leeggestroomd, op een paar leerlingen na die notities van het grote schoolbord overnamen. Voor Vince was het abracadabra. De leerlingen – twee knappe meisjes – leken meer interesse te hebben in het gluren naar hun docent dan in zijn wiskundige berekeningen.

'Kende u haar?' vroeg Mendez.

Nasser haalde diep adem en blies daarna uit terwijl hij de informatie en wat die voor hem betekende verwerkte.

'Dit is erg.'

Hij was midden twintig en zag eruit als een beatnik met zijn zwarte baardje en gevoelige donkere ogen, en hij kleedde zich als een *Miami Vice*-drugsbaron in een nonchalant donkergrijs kostuum met een zwart T-shirt en instapschoenen zonder sokken. Hij was ongetwijfeld net zo sociaal gewiekst als zijn mentor sociaal onhandig was.

'Ja, ik kende haar,' zei hij. 'Doctor Zahn...'

Hij schudde zijn hoofd en maakte de zin niet af.

'Doctor Zahn wat?'

Nasser haalde zijn schouders op. Hij wilde niet te veel zeggen. 'Hij mocht haar graag. Heeft hij het lichaam gevonden?'

'Ja,' zei Vince. 'Hij heeft 112 gebeld.'

'Dat heeft hij me niet verteld. Toen hij vanochtend belde, wist ik dat er iets gebeurd was. Hij was zo opgewonden.'

Vince zag dat Nasser zich afvroeg hoe hij de schade zo veel mogelijk kon beperken en zijn excentrieke baas uit de buurt van het moordonderzoek kon houden.

'Hoe goed kende u haar?' vroeg Mendez.

'Goed genoeg om een gesprek te voeren. Ik heb haar mijn telefoonnummer gegeven, zodat ze me kon bellen als ze me nodig had.'

'Waarvoor had ze u nodig?'

'Om doctor Zahn te halen. Hij weet niet altijd wanneer hij te lang blijft. Als hij manisch wordt, verliest hij elk besef van tijd.'

'Gebeurt dat vaak?' vroeg Vince terwijl hij zich Zahn in een manische toestand probeerde voor te stellen. Vanochtend had hij eerder apathisch geleken.

'Niet vaak.'

'Pas geleden nog?'

'Een paar weken terug.'

'Hoe is hij tijdens die aanvallen?' vroeg Vince.

'Gelukkig,' antwoordde Nasser. 'Euforisch. Alsof hij in trance is. Hij is geanimeerd en kan niet stoppen met praten over het idee dat hem op dat moment bezighoudt. Hij heeft zijn beste werk gemaakt in die gemoedstoestand.'

'Hoe reageerde Marissa Fordham als dat gebeurde?' vroeg Mendez. 'Was ze bang?'

Nasser schudde zijn hoofd. 'Nee, Marissa accepteerde het vrolijk. Ze is al een paar jaar zijn buurvrouw. Ze weet dat doctor Zahn geen gewelddadige man is. Ik kan me niet voorstellen dat hij ooit iemand pijn zou doen. Hij vindt het niet prettig om mensen aan te raken of aangeraakt te worden. Ik weet zeker dat het nooit bij Marissa is opgekomen dat hij haar pijn zou kunnen doen.'

'Hadden ze een relatie?'

'Seksueel?' Nasser lachte en toonde een rij stralend witte tanden. 'Nee, hemel, nee. Zoals ik al zei houdt doctor Zahn er niet van om anderen aan te raken. Als je hem een hand geeft, pakt hij een nieuw stuk zeep en boent hij zich schoon als een chirurg.'

'Heeft hij een dwangneurose?' vroeg Vince, die niet verbaasd was dat te horen. Hij dacht eraan hoe Zahn zijn handen telkens weer had gewrongen terwijl ze hem vragen stelden.

'Tot de tiende macht.'

'En u, meneer Nasser?' vroeg Mendez. 'Marissa Fordham was een mooie vrouw.'

'Ja, dat was ze. Maar mijn prioriteit ligt bij doctor Zahn. Ik zou het werk dat ik voor hem doe nooit op het spel zetten. De man is briljant. Hij bezit een van de helderste breinen van onze tijd.'

'En u bent een van de weinige mensen die hem begrijpen,' zei Vince.

'Ik ben al heel lang een volgeling van hem. Ik realiseer me hoe gelukkig ik ben dat ik met hem mag werken.'

'Wat is uw rol hier eigenlijk?' vroeg Vince.

'Doctor Zahn houdt er niet van om met mensen samen te werken,' zei Nasser.

'Dan moet het moeilijk voor hem zijn om les te geven.'

'Daar heeft hij mij voor,' zei Nasser. 'Wiskunde is zijn wereld. Hij voelt zich het prettigst met getallen. Hij houdt ervan om die wereld voor anderen toegankelijk te maken, maar hij is sociaal gehandicapt.

Ik ben hier voor het contact met de studenten. Je zou me een tussenpersoon kunnen noemen.'

'Dat klinkt logisch.'

'En Marissa Fordham?' vroeg Mendez. 'Hoe was uw relatie met haar?'

Nasser keek weg en haalde zijn schouders op. 'Ze leek aardig, maar ik ben geen fan van haar kunst. Te zoet, te idyllisch naar mijn smaak.'

Vince dacht aan het tafereel in Marissa Fordhams ouderwetse boerenkeuken. Daar was niets zoets of idyllisch aan geweest, behalve misschien in de ogen van de persoon die haar dood had gewild.

'We hebben nog wat aanvullende vragen voor doctor Zahn,' zei hij. 'Kunt u ons vertellen hoe we bij zijn huis moeten komen?'

'Ik ben hier klaar,' zei Nasser. 'Ik breng jullie wel.'

10

Rudy Nasser loodste hen in zijn oude, zwarte cabrio uit de BMW 3-serie de stad uit. De tweebaansweg kronkelde door het prachtige landschap dat was bezaaid met hekken met vier dwarsliggers en wijd uitgroeiende eiken. Ze passeerden paardenranches en wijngaarden, en een lavendelboerderij die de bodem van de vallei tot zover het oog reikte paars kleurde.

'Het verbaast me dat je hem mee laat gaan,' zei Mendez terwijl hij naar Vince keek.

'Ik wil de dynamiek tussen die twee zien,' zei Vince. 'Ik wil zien hoe Zahn reageert op iemand bij wie hij zich waarschijnlijk op zijn gemak voelt. Misschien is hij dan minder op zijn hoede.'

'In dat geval verbaast het me dat je mij mee laat gaan. Ik maak hem zenuwachtig.'

'Jij moet leren geduldig te zijn.'

Mendez rolde met zijn ogen. 'Ik weet het, ik weet het.'

'Je bent net een honkbalwerper die heel snel kan werpen,' zei Vince. 'Maar je kunt niet de hele wedstrijd snelle ballen werpen. Je krijgt te maken met spelers die je snelste ballen uit het veld slaan. Je arm raakt vermoeid en je krijgt ze niet allemaal over de thuisplaat. Je hebt een speelplan nodig. Je hebt een slider nodig. Een spitball.'

Dit was een van de redenen waarom Mendez ervoor had gekozen om in Oak Knoll te blijven, hoewel Leone hem had aangemoedigd de overstap naar de FBI te maken om na verloop van tijd deel uit te gaan maken van de afdeling Onderzoeksondersteuning. Hij wilde les krijgen van de beste. Vince Leone was de beste, en Vince Leone was hier.

Hij ging langzamer rijden, stuurde de Taurus de Dyer Canyon Road op en gaf gas om de snellere BMW in te halen.

'Wat vind je van hem?' vroeg Vince.

'Nasser? Hij heeft het helemaal voor elkaar, met zijn intelligentie, zijn uiterlijk en zijn droombaan bij zijn held,' zei hij grijnzend. 'Min of meer net als ik.'

Vince lachte.

'Hij is een beetje gladjes,' ging Mendez verder. 'Hij lijkt in elk geval niet op de wiskundeleraren die ik heb gehad.'

'Ik neem aan dat de nieuwe wiskunde sexy is,' zei Vince. 'Mijn wiskundeleraren hadden allemaal hoornen brillen en dikke enkels.'

Zander Zahns huis stond achter een hoge, gepleisterde muur. Alleen de dakpannen van het huis waren zichtbaar vanaf de plek waar ze de auto's aan de kant van de weg parkeerden.

'Hij zal niet willen dat jullie in huis komen,' legde Nasser uit. 'En hij vindt het niet prettig als jullie in de tuin iets aanraken.'

Hij toetste de code van het hek in en de massiefhouten poort gleed open.

Mendez had op het punt gestaan te vragen waarom ze niet gewoon naar binnen reden, maar die reden was nu duidelijk. Elke centimeter van Zahns tuin stond vol spullen. Wat ooit gazon was geweest, was vervangen door grind, waarmee plek was gecreëerd voor de rommel, die allemaal netjes in categorieën bij elkaar was gezet.

Groepen oude keukenstoelen. Een collectie potplanten op volgorde van grootte, met de kleinste op de eerste rij en de grootste achteraan. Betonnen beelden, van waterspuwers en leeuwen tot replica's van Michelangelo's David en het Vrijheidsbeeld.

Hij leek een speciale affiniteit met koelkasten te hebben – die als een peloton in rijen achter elkaar opgesteld stonden – en met vrieskisten. Ze zagen rechthoekige kist na rechthoekige kist, alsof het heel veel roestige witte doodskisten waren.

'Ik bel aan bij de voordeur,' ging Nasser verder terwijl ze hem over het smalle pad naar het huis volgden. 'Hopelijk wil hij naar buiten komen. Het is beter als jullie een meter of drie achter me blijven staan.'

Hij haastte zich voor hen de trap op.

Mendez keek naar Leone. 'Wat is dit in jezusnaam?'

'Hij is een hamsteraar,' zei Vince terwijl hij door zijn pilotenbril met spiegelglazen naar de verzameling keek. 'Interessant.'

'Is dat een onderdeel van zijn stoornis?'

'Dat zou je niet denken, maar er zijn veel tegenstrijdige meningen over dat onderwerp. We hebben bijvoorbeeld al gemerkt dat Zahn smetvrees heeft, maar hamsteren creëert onhygiënische omstandigheden. Die twee lijken niet samen te gaan, en toch gebeurt het.'

'Toen ik uniformdienst deed in Bakersfield, werd ik opgeroepen voor een vermissing,' zei Mendez. 'Een vrouw gaf haar bejaarde moeder als vermist op nadat ze dagenlang niets van haar had gehoord.

Ze was naar het huis van haar moeder gegaan, maar daar was ze niet. Mijn partner en ik gingen ernaartoe en geloofden onze ogen niet. Het was daarbinnen net een vuilnisbelt... en het stonk er verschrikkelijk. Je kon binnen nauwelijks lopen. Alle ramen waren gebarricadeerd. Er liepen muizen en ratten rond, alsof we in een horrorfilm beland waren. Om een lang verhaal kort te maken: het kostte drie dagen en een lijkenhond om het lichaam van de vrouw te vinden. Ze was levend begraven onder een stapel rommel die boven op haar was gevallen.'

Vince keek achter zich naar de tuin. 'Doctor Zahn is in elk geval netjes.'

In weerwil van Nassers instructies liep Vince de trap op en hij nam een nonchalante houding aan met zijn handen in zijn broekzakken. De wind waaide zijn stropdas over zijn schouder.

Zahns stem klonk uit de intercom boven de bel. 'Wie is daar?'

Nasser gaf antwoord. 'Ik ben het... Rudy.'

'Wie heb je bij je? Er is iemand bij je. Waarom neem je mensen mee? Je weet dat je niemand mee mag nemen. Waarom doe je dat?'

'Het zijn detectives, Zander. Het gaat over Marissa. Ze willen met je praten.'

Geen antwoord.

Vince boog zich naar voren langs de fronsende Nasser en drukte de intercomknop zelf in. 'Ik ben Vince Leone, Zander,' zei hij op een plezierige, nonchalante toon. 'We hebben elkaar vanochtend bij Marissa's woning gesproken. Het spijt me dat ik je lastigval, maar ik heb nog een paar vragen waarmee je me misschien kunt helpen.'

'Ik denk het niet, Vince,' zei Zahn. 'Ik denk niet dat ik je kan helpen. Ik ben verschrikkelijk van streek door wat er gebeurd is.'

'Ik weet het. Dat is iedereen... Vooral mensen die van Marissa hielden. Stel je voor wat het voor haar zou betekenen als jij kunt helpen om haar moordenaar te vinden. Je bent zo'n goede vriend voor haar geweest.'

Er kwam een tijdlang geen geluid uit de intercom. Mendez keek van Vince naar Nasser en terug.

'Ik heb goed nieuws uit het ziekenhuis,' zei Vince. 'Ik ben naar de kleine Haley geweest, en het komt goed met haar.'

Er ging nog een moment voorbij, daarna klonk het geluid van sloten die opengedraaid werden. Zahn verscheen in een zwarte Chinese pyjama en een paar klompen aan zijn voeten.

'Haley?' zei hij terwijl hij rechts langs Leones hoofd omhoogkeek, alsof hij een visioen aan de hemel zag. 'Is alles goed met Haley? Komt het goed met haar?'

'Ik heb met haar dokter gepraat.'

'O mijn god. Godzijdank,' fluisterde Zahn, die zijn handen afwezig wrong terwijl hij praatte. 'Mag ik bij haar op bezoek? Denk je dat het mogelijk is... dat ik met haar kan praten en haar kan zien?'

'Je zult naar het ziekenhuis moeten om bij haar op bezoek te gaan, Zander,' zei Nasser.

Zahn keek hem scherp aan.

Zijn assistent haalde zijn schouders op. 'Ziekenhuizen zijn vol zieke mensen.'

'Maar Haley is niet ziek,' merkte Zahn op. 'Ze is gewond. Ze is op een of andere manier gewond geraakt en haar hart is gebroken. Ze heeft een gebroken hart door Marissa. Mijn hart is ook gebroken.'

'Ze mag vast nog geen bezoek hebben,' zei Vince. 'Maar ik laat het je weten zodra ze toestemming geven, Zander. Ik bel jou als eerste.'

'Dank je wel, Vince. Dat waardeer ik omdat ik haar wil zien. Ik... ik ben zo van streek door wat er is gebeurd. Dat zal Haley ook zijn.'

'Ik begrijp het,' zei Vince. Hij knikte en keek daarna om zich heen. 'Is er een plekje waar we een paar minuten kunnen zitten, Zander?'

Hun zonderlinge gastheer leek te schrikken van de vraag.

'Ik wil niet bijdragen aan je stress,' verzekerde Vince hem. 'Ik hoop alleen dat we een paar minuten kunnen gaan zitten om te praten. Je kende Marissa zo goed. Misschien heb je zinvolle informatie waar je je niet eens bewust van bent. Snap je wat ik bedoel, Zander?' vroeg hij. 'Soms weten we dingen die niet belangrijk lijken te zijn, tot je ze in een ander perspectief plaatst. Ik weet zeker dat dat bij wiskunde ook zo is. Een getal is gewoon een getal tot je het een bestemming geeft, nietwaar?'

Zahn hield zijn hoofd scheef als een vogel, daarna begon hij langzaam en tevreden te knikken. 'Dat is een erg interessante bewering, Vince. Dat bevalt me. Dat bevalt me.'

Zijn gezicht kreeg een wonderlijke uitdrukking waardoor Mendez dacht dat de man een soort psychedelische, caleidoscopische hallucinatie voor zijn geestesoog zag.

'Zoveel mensen denken dat wiskunde heel statisch en absoluut is,' zei hij. 'Maar dat is helemaal verkeerd. Abstract denken maakt de hersenen vrij voor de grootste mogelijkheden.'

Zahn praatte met meer hartstocht en helderheid dan Mendez tot nu toe van hem had gehoord. Hij staarde naar Leone en hij deed een stap in zijn richting. 'We moeten hierover praten, Vince.'

Vince trok een komisch gezicht. 'Ik ben bang dat je me op dat gebied heel ver vooruit bent, Zander. Wiskunde is nooit mijn sterkste punt geweest.'

'Natuurlijk, dat komt omdat je les hebt gehad van mensen die gevangen zaten in de betweterige wereld die ik de wezenloze academische wereld noem. En met wezenloos bedoel ik geesteloos of verward, in tegenstelling tot wezenlíjk.'

Hij keek opnieuw scherp naar Nasser. 'Heb je Vinces gedachtegang gehoord, Rudy? Contextuele wiskunde. Dat is een andere verbale benadering om te verwoorden dat we willen dat onze studenten hun hersenen openstellen voor ons onderwerp. Denk je ook niet, Rudy?'

Nasser keek enigszins geïrriteerd, dacht Mendez. Of misschien was jaloers een beter woord. Iemand anders kreeg een compliment van zijn mentor. Interessant.

Hij verborg het echter goed en antwoordde: 'Het is briljant. Dat moeten we gebruiken bij de oriëntatielessen.'

'Briljant,' zei Zander terwijl hij het woord in zijn mond proefde alsof het boterachtig en zacht was. 'En je dacht dat je dat niet wist, nietwaar, Vince?'

'Nee, dat is zo,' gaf Vince toe. 'Zie je? Het is net als ik zei: misschien weet jij onbewust iets waarmee je Marissa kunt helpen.'

Zahn leek niet blij te zijn dat het idee naar hem teruggeleid werd, maar hij kon niet ingaan tegen de logica.

'Ik heb stoelen,' zei hij. In plaats van hen in huis uit te nodigen, gebaarde hij als een slechte spreker in het openbaar naar de verzameling stoelen van chroom en vinyl die in vijf rijen van vijf opgesteld stonden in zijn graveltuin.

Terwijl Zahn hen voorging over het pad, boog Mendez zich naar Vince toe en mompelde: 'Denk je dat hij ons iets te drinken aanbiedt uit een van die koelkasten?'

Leone gaf hem een por met zijn elleboog.

Ze gingen op een rij zitten, alsof ze naar een toneelstuk gingen kijken. Nasser, Zahn, Vince. Mendez koos met opzet een oranje stoel, trok hem uit de rij en ging tegenover de anderen zitten. Zahn keek naar hem alsof hij de vleesgeworden duivel was, maar zei niets. Vince besloot niet te reageren.

'Het spijt me,' zei Mendez terwijl hij zijn hoofd berouwvol boog. 'Dit is pijnlijk voor me, maar ik hoor een beetje moeilijk, doctor Zahn.

Op mijn negende heb ik een ongeluk gehad. Eerlijk gezegd... heeft mijn moeder me tegen de zijkant van mijn hoofd geslagen. Daar ben ik een beetje doof van geworden. Het is mijn hele leven al een probleem.'

Vince trok één wenkbrauw op.

Zahn bestudeerde hem een paar seconden terwijl hij het verhaal liet bezinken. 'Dat vind ik heel naar voor je, Tony. Het is moeilijk om kind te zijn. Ik ben ooit kind geweest. Het was moeilijk. Haley zal het nu moeilijk hebben, maar niet om dezelfde redenen.'

'Ik ben er niet op uit dat mensen medelijden met me hebben of zo,' zei Mendez. 'Ik zet de stoel terug als we klaar zijn. Ik wil alleen niet dat je denkt dat ik probeer je te intimideren, want dat is absoluut niet mijn bedoeling.'

Zahn knikte en keek naar zijn schoot. Hij wreef in zijn handen en streek daarna met zijn handpalmen over zijn dijbenen. Zijn benen waren broodmager.

'Natuurlijk, Tony. Natuurlijk, Tony,' mompelde hij.

'Rechercheur Mendez heeft met een vriendin van Marissa gesproken,' zei Vince, waarna hij zijn stem verhief. 'Dat is toch zo, Tony?'

'Ja,' zei Mendez met een uitgestreken gezicht. 'Met Sara Morgan.'

'Sara, ja. Ze mag me niet,' zei Zahn. 'Dat maakt niet uit. Ik begrijp het. Ik denk dat ze erg verdrietig is.'

'Waarom zeg je dat, Zander?' vroeg hij, waarbij hij Vinces manier overnam om Zahns naam te gebruiken of ze oude bekenden waren overnam.

Zahn staarde in de verte. 'Omdat ik dat denk. Ik denk dat ze erg verdrietig is. Dat lees je in haar ogen. Ze heeft prachtige ogen, vinden jullie niet? Blauw als de Egeïsche Zee. Maar verdrietig. En bang. Ze is bang voor me.'

'Hoe komt dat?'

'Misschien denkt ze dat ik gevaarlijk ben.'

'Dat is belachelijk, Zander,' zei Nasser.

'Niet voor haar,' zei Zander. 'Haar beleving is haar werkelijkheid. Ze begrijpt niet wie ik ben. Mensen zijn bang voor wat ze niet begrijpen.'

'Je bent heel beroemd op jouw terrein,' zei Nasser.

Zahn knikte en keek weg. 'Maar niet in háár perspectief. Dat is toch zo, Vince?'

'Ik denk het wel. Ze kent je niet echt.'

'Ik ben gewoon de vreemde buurman,' zei Zahn. 'Ik ben onbekend.

Mensen zijn bang voor het onbekende. Ik ben bang voor het onbekende. Wat we niet kennen kan ons kwetsen.'

Hij begon heen en weer te wiegen op zijn rode vinylstoel terwijl hij zijn handen afwisselend wrong en over zijn dijbenen wreef.

Nasser leek nog steeds de behoefte te voelen om Zahn te vleien. 'Maar toch,' zei hij, 'jij zou nooit een vrouw iets aan kunnen doen.'

'O, maar dat kan ik wel,' zei Zahn openhartig terwijl hij naar zijn assistent keek.

Mendez voelde zijn politie-instinct in actie komen. Hij keek naar Vince, die helemaal niet leek te reageren. Leone sloeg zijn benen over elkaar en plukte aan de vouw van zijn broek.

'Dat heb ik gedaan,' zei Zahn terwijl hij Mendez recht in zijn ogen keek. 'Ik heb mijn moeder vermoord.'

11

Niemand bewoog, niemand haalde adem.

Rudy Nasser leek verbijsterd en volkomen sprakeloos. Zander Zahn wrong zijn handen en wreef zijn handpalmen tegen zijn dijbenen.

Bloed, dacht Mendez. Hij probeert het bloed van zijn handen te vegen.

Hij moest een kind zijn geweest, concludeerde Mendez. Hoogstens een tiener. Anders zou hij levenslang in een of andere gevangenis zitten. Dan zou hij absoluut niet lesgeven aan het McAster College in Oak Knoll, Californië en zou hij geen wereldwijde bekendheid genieten. Mendez vroeg zich af of Arthur Buckman het wist.

'Het is moeilijk om kind te zijn,' herhaalde Zahn nadat hij had nagedacht over Mendez' verhaal dat hij doof was geworden door een klap van zijn moeder. 'Ik ben kind geweest. Het was moeilijk.'

'Heeft je moeder je mishandeld, Zander?' Het was meer een vaststelling dan een vraag van Leone.

'Ik ben klaar met dat verhaal, Vince,' zei Zahn kalm. 'Het is geen verhaal dat ik graag vertel.'

Waarom heb je het dan verteld? wilde Mendez vragen. Hij wilde gebruikmaken van de gelegenheid om meer antwoorden uit hem te krijgen, maar Leone keek achter de spiegelglazen van zijn zonnebril naar hem en Zahn begon weer op zijn stoel te schommelen terwijl de herinneringen en oude emoties in hem rondwervelden. Dit was geen moment om druk uit te oefenen.

'Ik weet zeker dat die herinneringen verwarrend zijn,' zei Mendez kalm. Geduldig. 'Ik weet dat ze dat zijn. Dan moet het des te schokkender voor je zijn geweest om Marissa op die manier te vinden,' zei hij. 'Al dat bloed.'

'Verschrikkelijk, verschrikkelijk,' mompelde Zahn terwijl hij schommelde en opzij keek en in zijn handen wreef. 'Zoveel bloed. Zoveel bloed.'

Mendez vroeg zich af welk tafereel hij voor zich zag: de moord op zijn moeder of de moord op Marissa Fordham? Hoe was zijn moeder omgekomen? Had hij een mes gebruikt? Kon hij een mentale instorting of flashback gehad hebben en Marissa aangevallen hebben omdat hij haar op een of andere manier in verband bracht met zijn moeder, of had hij de twee vrouwen misschien door elkaar gehaald?

'Heb je Marissa's lichaam aangeraakt?'

'Nee, nee, nee.' Zahn schudde zijn hoofd. 'Dat kon ik niet. Dat heb ik niet gedaan. Dat kon ik niet. Dat heb ik niet gedaan.'

Als dat waar was, verklaarde het waarom hij zich niet had gerealiseerd dat het kleine meisje nog leefde. Hij had haar niet aangeraakt, had niet geprobeerd haar hartslag te vinden. Hij kon zich er niet toe brengen het bloed aan te raken.

Rudy Nassers hersenen werkten razendsnel om het moment te vinden waarop hij zijn mentor kon redden.

'Dit begint heel erg op een verhoor te lijken,' zei hij. 'Zander, ik denk dat je niets meer moet zeggen tot je met een advocaat hebt gepraat.'

'Waarvoor heeft hij een advocaat nodig?' vroeg Vince. 'We beschouwen Zander niet als een verdachte.'

Nasser stond op, klaar om hen haastig de poort uit te werken. 'Laten we dat zo houden.'

Leone bewoog niet. Hij zat een beetje zijwaarts op zijn vinylstoel en leunde met een arm op de stoelrug. Hij was een grote man die veel ruimte innam en niet de indruk gaf dat iemand in staat zou zijn hem te verplaatsen voordat hij daaraan toe was.

'Is dat wat je wilt, Zander?' vroeg hij. 'Wil je dat we weggaan? Of wil je ons helpen de moordenaar van Marissa te vinden?'

'Hij weet niet wie haar heeft vermoord,' zei Nasser terwijl hij zijn rug rechtte. 'Waarom praten jullie niet met mensen die een reden hadden om haar te vermoorden? Waarom praten jullie niet met de mannen met wie ze een relatie heeft gehad?'

'Weet je wie dat zijn?' vroeg Mendez met zijn pen op het papier.

Nasser krabbelde terug en keek weg. 'Tja... Ik...'

'Je weet het niet,' zei Mendez. Zijn geduld raakte op. 'Je kletst gewoon uit je nek.'

'Ze heeft die woning niet gekocht met de opbrengst van haar kunst,' antwoordde Nasser. 'Iemand betaalde haar rekeningen.'

'Maar jij weet niet wie dat was.'

Nasser gaf geen antwoord.

'Rudy,' zei Vince kalm. 'Als je iets nuttigs kunt bijdragen, dan moet je dat doen. Als je alleen een vrouw die zichzelf niet kan verdedigen zwart probeert te maken in een poging ons af te leiden, dan moet je je mond houden.'

'Zo was ze niet,' zei Zahn terwijl hij harder schommelde. 'Zo was ze niet.'

Nasser deed zijn ogen dicht. 'Zander, in vredesnaam. Ze had een kind. Wie is de vader? Waar is hij?'

'Dat weet je niet. Je kent haar niet. Je weet helemaal niets.'

'Je weet dat ze geen heilige was.'

Zahn stond plotseling op en duwde Nasser met al zijn kracht weg. 'Je kent haar niet!' schreeuwde hij.

Nasser wankelde verbaasd naar achteren, struikelde en belandde hard op het grind.

Zahn schudde zijn handen alsof ze nat waren, vol afgrijzen omdat hij een ander levend wezen had aangeraakt.

'O mijn god. O mijn god,' mompelde hij. 'Het spijt me zo. Het spijt me zo. Ik moet nu gaan. Ik moet gaan. Het is tijd om te gaan.'

Hij draaide zich om en rende terug naar het huis zoals hij die ochtend bij Marissa Fordhams huis was weggerend, met zijn armen langs zijn zij.

Mendez en Vince stonden allebei op. Mendez keek van Zahn naar zijn assistent, die overeind krabbelde, en daarna naar Leone. 'Als mijn kind op die school zat, zou ik mijn geld terugvragen.'

12

Kathryn Worth kon in een vroeger leven een koningin zijn geweest. Ze had een rechte, trotse, koninklijke houding, een aristocratische neus en goudblond haar dat ze uit haar gezicht droeg. Haar afkeuring liet ze blijken door middel van een ijskoude blik in haar ogen, waardoor volwassen mannen huiverden en ineenkrompen.

In dit leven was Kathryn Worth assistent-officier van justitie. Ze was tweeënveertig en had hard gewerkt om een leidende positie te bereiken in wat nog steeds een mannenbolwerk was, en ze maakte geen geheim van haar verlangen om hoger op de ladder te komen. Ze was bekwaam, intelligent en meedogenloos, drie eigenschappen waarmee ze het ver zou brengen in het door haar gekozen beroep.

Al die kwaliteiten en haar sekse hadden haar de begerenswaardige positie bezorgd van hoofdaanklager in de rechtszaak van de staat Californië tegen Peter Crane.

Officier van justitie Ed Benton, een man die de afgelopen twintig jaar niet meer had geprocedeerd, had de zaak snel aan Kathryn Worth toegewezen, die een indrukwekkend cv met overwinningen in de rechtszaal bezat. Een vrouw aanwijzen om te procederen in een gruwelijke misdaad tegen een vrouw had hem lof in de media en de brede basis van liberale kiezers in Oak Knoll opgeleverd.

Anne had geen probleem met Bentons keuze. Ze vond Kathryn Worth slim en taai, en ze was absoluut niet geïntimideerd door Peter Cranes advocaten met grote namen.

Ze liep Worths kantoor op de tweede verdieping van het gerechtsgebouw binnen en ging op de vertrouwde, oude, leren stoel tegenover het bureau zitten. Net als veel van Oak Knolls prominente gebouwen, was het gerechtsgebouw gebouwd in de jaren dertig. Het was een juweel in Spaanse stijl met een vleugje art nouveau. De rechtszalen en kantoren stonden vol zwaar eiken meubilair in de mission-stijl van Stickley. De gangen bevatten een originele Malibu-tegellambrisering en met de hand geschilderde lijsten. Het was een solide, robuuste plek waardoor mensen geloofden dat Vrouwe Justitia aan hun kant stond.

Kathryn Worth glimlachte naar haar terwijl ze haar enorme lees-bril afzette. 'Anne, hoe is het met je?'

'Goed, hoop ik,' zei Anne. 'Ik neem aan dat het afhangt van wat je me te vertellen hebt.'

Worth haalde haar schouders op, in een poging de ernst van wat ze ging zeggen af te zwakken. 'Er is een verzoek ingediend om bewijs uit te sluiten. Dat verliezen ze natuurlijk.'

Anne ging iets meer rechtop zitten. Haar hartslag versnelde. 'Welk bewijs?'

'De tube superlijm.'

'Om wat voor reden?' vroeg ze.

'Ze beweren dat het bewijs daar is neergelegd.'

'Hij ging het in mijn ogen doen!' riep Anne geschokt.

De herinnering schoot als een flits door haar heen, alsof het een scène uit een film was: Peter Crane die boven haar uit torende terwijl hij haar met één knie op haar borstkas tegen de grond hield, zijn lin-kerhand in een wurgende greep om haar keel. Hij zocht met zijn rech-terhand in zijn jaszak en haalde een kleine tube tevoorschijn. De lijm. De ogen en monden van zijn slachtoffers waren dichtgelijmd.

'Ik zag hem!' riep ze. 'Ik heb hem uit zijn hand geslagen!'

'Ik weet het. En dat ga je ook getuigen.'

'Niet als het niet wordt toegestaan!'

'Anne, kalmeer,' zei de assistent-officier van justitie kalm. 'Ze krij-gen dat op geen enkele manier voor elkaar.'

'Er moet een reden zijn waarom ze denken dat het gaat lukken.'

'Michael Harrison denkt dat hij de Rode Zee kan splijten als dat nodig is. Het is gewoon overmoed. Het is een waardeloze tactiek om het onafwendbare uit te stellen.'

'En?'

'En wat?'

'Je vertelt me niet alles.'

Worth fronste haar voorhoofd. 'Je zou een uitstekende aanklager zijn,' mompelde ze. 'Er zitten geen bruikbare vingerafdrukken op de tube. Ik kan niet uitleggen waarom dat is. Misschien omdat de tube klein is, of omdat een van de technisch rechercheurs ze heeft uit-geveegd toen ze hem ophaalden. Niemand weet het. Het is niet be-langrijk.'

'Voor mij is het wel belangrijk,' zei Anne. Ze begon zich misselijk te voelen.

'Anne, je moet je op het grote geheel richten. Geen enkele jury in

Zuid-Californië zal Peter Crane vrijspreken van ontvoering en poging tot moord. Daar is geen enkele kans op. De lijm doet niet ter zake. Het is niet belangrijk.'

'Het brengt hem in verband met de moorden op Julie Paulson en Lisa Warwick. En niet te vergeten de poging tot moord op Karly Vickers.'

'Hij staat niet terecht voor die moorden. Hij staat terecht voor wat hij jou heeft aangedaan. En daar komt hij met geen mogelijkheid onderuit.'

'Waarom ben ik dan zo bang dat het hem gaat lukken?' vroeg Anne. De tranen sprongen in haar ogen. Ze drukte een hand tegen haar mond en voelde zich overweldigd door haar eigen angst. De woede zou volgen: woede dat ze zich zo moest voelen, en daarna woede omdat ze niet in staat was tegen het gevoel te vechten.

Kathryn Worth legde haar armen op het bureau en zuchtte. 'Omdat dat er een onderdeel van is, Anne. Peter Crane heeft een slachtoffer van je gemaakt, en dat houdt niet op. Het verdwijnt niet.'

'Dank je,' zei Anne. 'Dat is precies wat ik wilde horen.'

'Ik wil niet dat je je beroerder gaat voelen, Anne. Dat is niet zo. Maar ik heb tegenover veel slachtoffers gezeten, aan dit bureau en andere bureaus. Ik weet hoe het werkt.'

'Ik haat het,' fluisterde Anne, haar keel dichtgesnoerd rond een hard brok wanhoop.

'Ik weet het. Ik weet dat je het haat. Het spijt me zo,' zei Worth. 'Ga je nog steeds naar je therapeut?'

'Twee keer per week.'

'Het kost tijd. Mijn moeder zegt altijd dat de tijd alle wonden heelt.'

'Je moeder kletst uit haar nek,' zei Anne bot.

Worth knikte. 'Ja, dat klopt. Het beste waarop we kunnen hopen, is dat de wonden littekens krijgen zodat we ze niet de hele tijd voelen. En we gaan door. We moeten wel. Anders winnen de slechteriken.'

'Ik weet het. Dat zegt Vince ook altijd.'

'Je hebt je eigen deskundige thuis,' merkte Worth op. 'Dat geeft je een voorsprong.'

'Dat is waar,' zei Anne met een glimlachje. 'En ik zit bij een slachtoffergroep in het Thomas Centrum. Dat helpt.'

'Zien dat Peter Crane wordt veroordeeld tot levenslang zonder kans op voorwaardelijke vrijlating, zal meer helpen.'

'Absoluut.'

'Maak je niet druk over dit verzoek, Anne. Ik ben niet bezorgd. Ik wilde alleen dat je het van mij hoort in plaats van dat je het op het avondnieuws ziet.'

'Dat waardeer ik, Kathryn.'

'Hoe gaat het verder met je?'

'Goed. Hoewel... Ik maak me zorgen over Dennis Farman,' bekende ze. 'Ik weet niet of hij op de juiste plek zit. Hij is daar zo geïsoleerd. Hij heeft niemand van zijn eigen leeftijd om mee om te gaan.'

Worth spreidde haar handen. 'Hij zit daar of hij zit in een jeugdgevangenis. Dat zijn de mogelijkheden. Ik weet zeker dat ik je er niet aan hoef te herinneren dat hij een jongen van zijn eigen leeftijd heeft neergestoken. Dat is niet echt een gezonde manier om met elkaar om te gaan.'

Anne zuchtte. 'Ik weet het. En ik weet dat er geen jongens van zijn leeftijd in de jeugdgevangenis zitten. Er is gewoon geen goede oplossing voor hem. Als de kinderbescherming hem ergens zou kunnen plaatsen... in een reclasseringscentrum of zoiets.'

'Hij heeft een geweldsmisdrijf gepleegd, Anne,' zei Worth. 'Als hij achttien was, zou je niet zo graag iets voor hem willen vinden buiten een strafinrichting.'

'Dat is het probleem toch ook? Hij is geen achttien. Hij is een jochie.'

Worth knikte nadenkend terwijl ze de voors en tegens van wat ze op het punt stond te zeggen tegen elkaar afwoog.

'Laat me je vertellen over een "jochie" met wie ik te maken heb gehad toen ik daders van zedenmisdrijven aanklaagde in Riverside,' zei ze. 'Hij heet Brent Batson. Toen ik Batson aanklaagde, was hij achtentwintig jaar. Hij was een serieverkrachter. Een kwaadaardig, barbaars monster. Ik heb hem drie keer levenslang achter de tralies gekregen. Voor zover ik wist had hij negentien vrouwen verkracht. Later vertelde hij een verslaggever dat hij minstens twee keer zoveel misdaden had gepleegd.

Toen hij zijn eerste gewelddaad pleegde – een verkrachting – was hij twaalf jaar. Hij heeft in zijn jeugd het ene programma na het andere doorlopen omdat allerlei mensen hem op het rechte pad probeerden te krijgen. Toen hij achttien werd, vierde hij dat door op stap te gaan en met behulp van een mes een veertienjarig meisje te verkrachten. Toen hij uit de gevangenis kwam, waar hij zijn straf voor die daad had uitgezeten, vierde hij dat door een dakloze vrouw en haar tienjarige dochter te verkrachten.'

'Je zegt dus dat het niet goed komt met Dennis Farman,' zei Anne.

'Ik zeg dat de hulpverlener die 's nachts om hem wakker lag toen hij twaalf was die tijd nooit terugkrijgt,' zei Worth. 'Gerechtigheid is een moeizame zaak, Anne. Je doet jezelf geen plezier door je te veel zorgen te maken.'

'Dat weet ik allemaal,' zei Anne. 'Geloof me, als Dennis één persoon in zijn leven zou hebben die in de rechtszaal naast hem zit, dan zou je mij daar niet zien.'

'Je hebt een advocaat voor hem geregeld,' merkte Worth op.

'Ik ben zijn wettelijke vertegenwoordiger. En ik kan het idee niet uitstaan dat je twaalf jaar bent en dat niemand ook maar iets om je geeft. Stel je voor dat je leven zich als een lange, lege weg voor je uitstrekt.'

'Anne, je moet het verschil tussen sympathie en empathie leren,' zei Worth. 'Het eerste maakt je menselijk. Het tweede maakt je ongelukkig.'

'Dat zal ik onthouden,' zei Anne terwijl ze opstond en schaapachtig glimlachte naar de assistent-officier van justitie. 'Ik weet niet hoeveel succes ik heb met het toepassen ervan, maar ik zal het onthouden.'

13

'Dat is behoorlijk bizar,' zei Bill Hicks. 'Hij heeft zijn eigen moeder vermoord.'

'Hij zégt dat hij haar vermoord heeft,' zei Mendez. 'Waarom zou iemand dat er gewoon uitflappen tegen een stel agenten? Het kan me niet schelen dat die vent een wiskundig genie is. Hij is verdomme stapelgek.'

'Wat heeft Vince erover gezegd?'

Leone was naar de school teruggegaan voor nog een gesprek met Arthur Buckman, wat de rector waarschijnlijk niet prettig zou vinden. Mendez had Hicks opgepikt op het parkeerterrein van het politiebureau en nu waren ze op weg naar het Thomas Centrum voor Vrouwen om te praten met Jane Thomas, die waarschijnlijk ook niet blij zou zijn om hen te zien.

'Hij denkt dat het kan kloppen.'

'Denkt hij dat Zahn Marissa Fordham vermoord heeft?'

'Hij neigt niet in die richting. Hij denkt dat de moord daar te bloederig voor was. Zahn flipt als hij andere mensen aanraakt. Deze moordenaar heeft onder het bloed gezeten.'

'Zoveel steekwonden, moorden in zo'n vlaag van waanzin,' zei Hicks. 'Het lijkt logisch dat de moordenaar zichzelf op een bepaald moment heeft verwond. Een bebloed mes is glibberig.'

'Hij kan handschoenen gedragen hebben.'

'Hij heeft geen wapen meegenomen naar de plaats delict, maar wel handschoenen?' Hicks trok weifelend een wenkbrauw op.

'Als hij het slachtoffer kende en in haar huis is geweest, wist hij dat ze messen had. Dan hoefde hij zijn eigen mes niet mee te nemen,' merkte Mendez op.

'Hoeveel kans is er dat we bloedbewijs van de dader krijgen uit de chaos in dat huis?'

'Nauwelijks. We sturen het mes naar het Bureau voor Forensische Wetenschappen.'

'Waarom niet naar de FBI?'

Het laboratorium van het Bureau voor Forensische Wetenschappen was uitstekend, maar het zou weken duren voordat ze de uitslagen kregen.

'Waarom niet, als de baas zegt dat het goed is?' zei Mendez. 'En als we geluk hebben en er sperma op het lichaam of de lakens zit, vinden ze misschien DNA.'

Hicks trok een gezicht. 'Waar is dat goed voor? Een hoop wetenschappelijk geklets en wiskundige statistieken om een jury in slaap te sussen? Tenminste, als het de officier van justitie lukt om zulk bewijs erdoor te krijgen. Dat is nog niet gebeurd.'

'Wacht maar af,' zei Mendez terwijl hij afremde en het parkeerterrein van het Thomas Centrum op reed. 'Als de computerdeskundigen alle kinderziektes opgelost hebben, wordt DNA het helemaal.'

'Als jij het zegt.'

'Dat doe ik.'

Het Thomas Centrum voor Vrouwen was in de jaren twintig gebouwd als een particuliere katholieke meisjesschool en werd tot de jaren zestig voor dat doel gebruikt. Het was gebouwd in de Spaanse haciëndastijl die overal in Californië te vinden was. De witgepleisterde gebouwen stonden rond een groot binnenplein, met een enorme stenen fontein in het midden. Bestrate paden liepen vanaf de fontein de tuin in. Er bloeiden rozen met de kleur van verse zalm. Daaronder vormde Mexicaanse heide paarse linten.

De hal van het hoofdgebouw was groot en elegant, en geschilderd in een warm, uitnodigend okergeel. De oude Mexicaanse tegels op de vloer glansden zacht.

Het centrum was een plek waar vrouwen zichzelf opnieuw konden ontdekken. Vrouwen uit alle lagen van de bevolking die een tweede kans nodig hadden en verdienden waren hier welkom. Dakloze vrouwen, mishandelde vrouwen, vrouwen met een drugsverleden en zelfs een strafblad volgden het programma, dat bescherming, hulp bij gezondheidszorg, psychotherapie en ondersteuning bij het zoeken naar een baan bood.

Het was een opmerkelijke plek met een opmerkelijke vrouw aan het hoofd.

Mendez en Hicks liepen naar de receptie en vroegen naar Jane Thomas.

Ze kwam met een bezorgde uitdrukking op haar gezicht haar kantoor uit. Jane Thomas was een lange, elegante vrouw van begin veertig. Ze droeg een jurk met een zwart-witdessin die haar slanke postuur benadrukte. Haar blonde haar was glad naar achteren gekamd in een eenvoudige paardenstaart.

'Inspecteurs,' zei ze terwijl ze eerst Hicks en daarna Mendez een hand gaf. 'Ik zou graag zeggen dat het een plezier is om jullie weer te zien, maar ik denk dat jullie het wel begrijpen als ik dat nog even in het midden houd.'

Ze was haar voormalige werkneemster, Lisa Warwick, kwijtgeraakt aan de Zie-Geen-Kwaad-moordenaar, en was daarna bijna een cliënt kwijtgeraakt, Karly Vickers. Vickers had haar beproeving overleefd, maar was nu wel doof en blind.

'We komen nauwelijks ergens met goed nieuws,' zei Mendez.

'En vandaag is dat niet anders.'

'Ik ben bang van niet.'

Thomas zuchtte berustend. 'Laten we naar mijn kantoor gaan.'

'Hoe is het met Karly Vickers?' vroeg Hicks terwijl ze het ruime kantoor dat uitkeek op het binnenplein in liepen.

'Ze heeft nog een lange en moeilijke weg te gaan. Ik weet het niet,' zei ze. Ze schudde haar hoofd terwijl ze achter het bureau ging zitten. 'Ze heeft twee operaties achter de rug waarin zonder veel succes is geprobeerd de schade aan haar binnenoor te herstellen. Ze zal nooit meer kunnen zien. Ze kan met ons praten, maar we kunnen alleen antwoord geven door met een vinger op haar handpalm te schrijven.

Ze is verschrikkelijk depressief en wie kan haar dat kwalijk nemen? Ze kan niet eens getuigen tegen de man die haar heeft ontvoerd en gemarteld – áls hij ooit terechtstaat voor die misdaden – omdat ze hem niet kan identificeren. Ze heeft ons gevraagd of we wisten wie hij was. Ze heeft hem nooit gezien. Óf hij heeft haar gedrogeerd en ze kan het zich niet herinneren, óf ze is te getraumatiseerd om het zich te herinneren.'

'Voor ons is het ook frustrerend,' zei Mendez. 'We hebben er nog steeds geen idee van waar Peter Crane de vrouwen vasthield. Als we de locatie vinden en die met hem in verband kunnen brengen, hebben we hem.'

'Hij wordt een hele tijd opgesloten voor wat hij Anne Leone aangedaan heeft,' zei Hicks. 'Dat is in elk geval iets. Ik ben ervan overtuigd dat hij vijfentwintig jaar krijgt. Misschien meer.'

'Ik hoop het,' zei Jane Thomas. 'Maar ik ben bang dat jullie hier niet naartoe zijn gekomen om over Peter Crane te praten.'

'Dat klopt,' zei Mendez.

'Cal is daarstraks langs geweest om me over Marissa te vertellen. Ik weet niet wat ik moet zeggen. Hoe kan zoiets gebeuren? Het is een nachtmerrie.'

'Kende je Marissa Fordham goed?' vroeg Hicks.

'Ik kende Marissa sinds ze hier is komen wonen. Haar dochter was toen nog maar een baby. Ze heeft die prachtige poster voor ons gemaakt,' zei ze terwijl ze wees naar een ingelijste foto van zestig bij negentig centimeter die aan een muur van haar kantoor hing.

De poster vertoonde het logo van het Thomas Centrum: een gestileerde vrouw die haar armen met een overwinningsgebaar in de lucht steekt voor een rijke achtergrond van fuchsia, paars, lavendel en roze.

'We hebben veel geld opgehaald met de verkoop van de kopieën,' zei ze.

'Waren jullie vriendinnen?' vroeg Mendez.

'We waren bevriend. Milo Bordain, de vrouw die haar sponsort, is een enorme voorvechtster van het centrum. We zagen elkaar tijdens etentjes en zo. Ik heb een aantal schilderijen van Marissa in mijn huis. Ze heeft prachtig werk in de plein-airstijl gemaakt.'

'Weet je iets over haar privéleven?' vroeg Mendez.

'Niet echt. Ze heeft hier af en toe vrijwilligerswerk gedaan als gastdocent in ons kunsttherapieprogramma. Ze kwam naar geldinzamelingsacties en ik zag haar op galeriefeestjes.'

'Weet je wie de vader van haar dochtertje is?'

'Nee. Ik heb haar nooit over hem horen praten.'

'Heb je haar ooit in gezelschap van een man gezien?'

'Soms op feesten. Ik heb haar een paar keer met Mark Foster gezien en een paar keer met Don Quinn.'

'Don Quinn van Quinn en Morgan?' vroeg Mendez. Quinn, Morgan en Partners was een plaatselijk advocatenkantoor dat veel pro-bonowerk voor het centrum deed. De Morgan van Quinn, Morgan en Partners was Steve Morgan, de echtgenoot van Sara Morgan.

'Wie is Mark Foster?' vroeg Hicks, die aantekeningen maakte.

'Mark Foster is het hoofd van de afdeling Muziek op het McAster,' zei ze. 'Maar ik kreeg niet de indruk dat Marissa een serieuze relatie met iemand had. Het leken toevallige afspraakjes. Je weet wel, als je ergens bent uitgenodigd en iemand mee mag nemen. Ze was grappig. Ze lachte graag. En ze was een erg toegewijde moeder. Milo zal je beter kunnen helpen dan ik,' zei ze. Ze zocht in haar Rolodex naar Bordains adres, schreef dat op een stukje papier en schoof het daarna over haar bureau naar hen toe. 'Ze zal er kapot van zijn. Marissa was de dochter die ze nooit heeft gehad.'

Mendez pakte het stukje papier aan en stopte het in zijn notitieboekje, waarna hij opstond. 'We gaan met haar praten. Bedankt voor je tijd.'

Terwijl ze naar de deur liepen, vroeg Jane Thomas: 'Hoe is het met Marissa's dochtertje? Hebben jullie iets gehoord? Komt het goed met haar?'

Ze stak een hand op voordat Mendez adem kon halen om antwoord te geven. 'Hoe onnozel kan ik zijn? Ze heeft gezien dat haar moeder werd vermoord. Wat kan er daarna nog goed zijn?'

14

Don Quinn was een knappe man van achter in de vijftig, gebruind, met een bos zilverkleurig haar, scherpe gelaatstrekken en een brede, witte glimlach. Hij had een acteur kunnen zijn in een van de soaps die op primetime werden uitgezonden. Hij had de gastacteur kunnen zijn die één avond een dokter des doods speelt in *Murder, She Wrote* en dagen later een olietycoon in *Dynasty*. In Oak Knoll speelde hij de rol van senior partner van een succesvol advocatenkantoor.

De John Forsythe-glimlach verdween toen Mendez hem vertelde waarom ze in zijn kantoor waren.

'O mijn god,' zei hij terwijl hij zich op zijn leren managersstoel liet vallen. De bruine kleur verdween uit zijn gezicht, waardoor hij er plotseling ouder uitzag.

'We hebben gehoord dat Marissa Fordham en u soms met elkaar uitgingen,' begon Hicks.

Quinn gaf momenten lang geen antwoord terwijl hij het schokkende nieuws probeerde te verwerken.

'Het is niet beledigend bedoeld, meneer Quinn,' zei Mendez, 'maar u lijkt aanzienlijk ouder dan miss Fordham.'

Het was duidelijk dat hij niet wilde dat iemand hem als 'ouder' beschouwde, dacht Mendez. Quinn was in een uitstekende conditie, en gekleed in een zwart T-shirt onder een bruin colbertje. Waarschijnlijk verfde hij zijn haar alleen niet omdat het zo'n opvallend contrast met zijn gebruinde huid vormde.

Quinn vermande zich en begon te praten. 'Marissa en ik zijn inderdaad een paar keer samen uit geweest, maar de laatste tijd niet. Ze was een mooie, jonge vrouw. Interessant, levendig. Is er een reden waarom ik niet had mogen genieten van haar gezelschap?'

'Uw vrouw misschien?' zei Mendez met een blik op de ingelijste gezinsfoto op een van de boekenplanken achter Don Quinn. Quinn, mevrouw Quinn – een enigszins mollige vrouw van zijn leeftijd – en een jongen en een meisje aan het eind van hun tienerjaren of begin twintig. De modieuze Quinns poseerden op een zandstrand, allemaal in kakibroeken en koningsblauwe coltruien.

'Ik ben gescheiden,' zei Quinn. 'Was het een inbraak?'

'Nee.'

'O mijn god. Heeft iemand haar vermoord? Waarom?'

'We hoopten dat u in staat zou zijn ons daarbij te helpen,' zei Hicks. 'Wanneer hebt u haar voor het laatst gezien?'

'Dat was op een geldinzamelingsactie voor schoolmuziekbenodigdheden in september.'

'Waren jullie daar samen?'

'Nee. Ze was met Mark Foster gekomen. Marissa en ik waren bevriend. We gingen af en toe met elkaar uit. Het was niet serieus.'

'Weet u of het serieus was met meneer Foster?'

'Nee,' zei Quinn schamper. 'Marissa was graag in het gezelschap van mannen. Ze was een betoverende vrouw, maar ze hield altijd afstand. Ik vermoed dat ze erg gekwetst is door iemand... Waarschijnlijk Haleys vader. Haley!' riep hij plotseling. 'O mijn god. Waar is Haley? Is ze...?'

'Ze is naar het ziekenhuis gebracht,' zei Hicks. 'Op dit moment weten we de aard van haar verwondingen nog niet.'

'O, nee. Ik word er misselijk van.'

'Dus Marissa en Mark Foster gingen met elkaar uit?' vroeg Mendez om hem op het gespreksonderwerp terug te brengen.

'Ze waren vrienden.'

'Zoals jullie vrienden waren?' vroeg Hicks.

'Niet precies. Mark had af en toe een vrouw nodig voor bepaalde gelegenheden. Marissa vond het leuk hem te helpen.'

'Ik begrijp het niet,' zei Mendez.

'Ik denk niet dat Mark serieus uitgaat met vrouwen,' zei Quinn.

'Is hij homoseksueel?'

Quinn haalde zijn schouders op. 'Hij zit in de kast. Dat denk ik tenminste. Hij is een aardige vent. Het is zijn eigen zaak.'

'Maar er is misschien een aantal leden van het bestuur van het McAster dat daar niet zo blij mee zou zijn.'

'Het mag dan een school met een liberale inslag zijn, maar niet iedereen in het bestuur neemt dat woord "liberaal" ter harte,' zei Quinn. 'Nog geen vijf maanden geleden heeft het hooggerechtshof bepaald dat homoseksuele activiteiten tussen daarmee instemmende volwassenen in de privacy van een huis niet worden beschermd door de grondwet. Mannen als Mark moeten discreet zijn. Ik denk dat Marissa zijn dekmantel was.'

'En u denkt niet dat ze een serieuze relatie met iemand anders had?' vroeg Mendez.

Quinn schudde zijn hoofd. 'Nee, Marissa wilde haar vrijheid. Ze genoot van het leven. Ze genoot van haar dochtertje. Ze had geen man nodig om haar emotioneel aan te vullen.'

'Hoe zit het met de financiële kant?' vroeg Hicks. 'Ze heeft een leuk huis. Dat moet wat gekost hebben. Had ze zoveel succes als kunstenares?'

'Ze verdiende goed aan haar kunst, maar ik denk niet dat ze het geld nodig had,' zei Quinn. 'Ik denk dat haar familie geld heeft.'

'Wat weet u over haar familie?'

'Oostkust. Rhode Island, volgens mij. Ze praatte nooit over ze. Het leek een gevoelig onderwerp.'

'Was u behalve haar vriend ook haar advocaat?' vroeg Mendez.

'Nee. Steve heeft geholpen met het oprichten van een trust voor haar dochter. Meer heeft ons kantoor niet voor haar gedaan.'

'Was Steve ook bevriend met haar?' vroeg Mendez terwijl hij zich afvroeg waarom Sara daar niets over had gezegd. Hij moest daar waarschijnlijk niet verbaasd over zijn. Ze had al eens meegemaakt dat het harde licht van een politieonderzoek de gebreken in haar huwelijk belichtte. Waarom zou ze dat opnieuw uitlokken?

Quinn fronste zijn voorhoofd. 'Hij ging niet met haar naar bed, als u dat bedoelt.'

'Net als hij niet naar bed ging met Lisa Warwick?' vroeg Mendez spottend.

'Jullie hebben nooit kunnen bewijzen dat hij een verhouding met Lisa had.'

'Het is niet tegen de wet om je vrouw te bedriegen,' zei Mendez, die een beetje boos begon te worden. 'We geven dus geen belastinggeld uit aan pogingen om te bewijzen dat hij overspel pleegt. Maar het geeft geen positief beeld van zijn karakter, nietwaar?'

'Steve is een fijne vent,' zei Quinn vastberaden terwijl hij achteroverleunde in zijn dure leren stoel en zich daarmee terugtrok uit het gesprek. 'Hij werkt hard. Hij levert zijn bijdrage aan de gemeenschap. Hij is een goede vader.'

'Hij is alleen geen goede echtgenoot,' zei Mendez. 'Maar ik neem aan dat iedereen tekortkomingen heeft.'

'Ik snap niet waarom we hierover praten, inspecteur,' zei Quinn. Hij zette zijn ellebogen op de armleuningen van de stoel en plaatste zijn vingertoppen tegen elkaar, waarmee hij onbewust een fysieke barrière tussen hen opwierp. 'Iemand heeft Marissa Fordham vermoord. Ik was het niet, en Steve was het niet. U zult verder moeten zoeken.'

'Is hij vandaag op kantoor?' vroeg Mendez.

'Ik geloof dat hij een afspraak met een cliënt heeft.'

En als dat niet zo was, zou Don Quinn er absoluut voor zorgen dat hij net deed of dat wel zo was. Mendez vermoedde dat hij zijn partner ging bellen zodra Hicks en hij de deur uit waren.

Hij keek op zijn horloge. 16.42 uur. Het advocatenkantoor ging bijna dicht. Steve Morgan zou op weg naar huis gaan... of ergens anders naartoe.

Mendez ging staan. 'Bedankt voor uw tijd, meneer Quinn.'

'Als u iets bedenkt wat kan helpen bij het onderzoek, neemt u dan alstublieft contact met ons op,' zei Hicks terwijl hij een visitekaartje op het bureau legde.

'Heb je een probleem met Steve Morgan?' vroeg Hicks terwijl ze terugliepen naar de auto, die bij een parkeermeter stond.

'Die vent irriteert me,' zei Mendez. 'Hij heeft een prachtige vrouw, een prachtige dochter, een prachtig huis, en hij is een klootzak. Ik twijfel er geen seconde aan dat hij een verhouding had met Lisa Warwick, die vermoord is. Nu blijkt hij een band met Marissa Fordham te hebben, die ook vermoord is.'

'Peter Crane heeft Lisa Warwick vermoord,' merkte Hicks op.

'Ik weet het. Ik hou niet van toeval.'

'Je moet Steve Morgan gewoon niet.'

'Nee, dat klopt. Jij wel?'

'Hij betekent helemaal niets voor me. Hij is gewoon een naam op de lijst mensen met wie we moeten praten met betrekking tot ons slachtoffer.'

'Laten we dat dan doen,' zei Mendez terwijl ze in de auto stapten.

'Wil je hier op hem wachten?' vroeg Hicks. 'Of teruggaan en op kantoor wachten?'

'Nee. Ik wilde voorstellen om hem thuis op te wachten, maar er is geen garantie dat hij naar huis gaat als hij hier vertrekt. Laten we achterom gaan en hem opwachten als hij naar buiten komt.'

Ze hoefden niet lang te wachten.

Ze reden net de steeg in toen Steve Morgan via de achterdeur van Quinn en Morgan naar buiten kwam. Hij was lang en slank, met een bos zandkleurig, golvend haar; het soort man dat er goed uitziet met een tennisracket in zijn hand en een sweater rond zijn nek.

Mendez stopte de sedan vlak achter Morgans zwarte Trans Am, waarmee hij de doorgang versperde.

'Een vroegertje vandaag?' vroeg hij toen Morgan uit de auto stapte. Als Morgan geïrriteerd was, wist hij dat goed te verbergen.

'Inspecteurs. Don heeft me net over Marissa Fordham verteld. Ze was een vriendin van mijn vrouw. Ik wil het nieuws aan Sara vertellen voordat ze het op televisie ziet.'

'Ze weet het,' zei Mendez. 'Toevallig had ze vanochtend een afspraak met Marissa Fordham. Ik heb al met haar gepraat.'

Morgan zuchtte. 'O god, dan is ze beslist van streek.'

'Heeft ze niet gebeld?'

'Ik ben vandaag niet lang op kantoor geweest. Ik heb gezien dat ze een paar berichten heeft achtergelaten, maar ik had geen tijd om haar terug te bellen.'

'Ze had het er heel moeilijk mee,' zei Mendez. 'Jij kende Marissa toch ook?'

Morgan leunde tegen zijn smetteloze auto. 'Ja. Ik kende haar. Is dit het moment waarop jullie me ervan gaan beschuldigen dat ik een verhouding met haar had?'

'Is dat zo?' vroeg Hicks.

'Nee. Ik kende Marissa van het Thomas Centrum. Ik heb haar geholpen met het copyright van de poster die ze heeft gemaakt. En ik zag haar af en toe bij liefdadigheidsevenementen, cocktailparty's en dat soort dingen.'

'Ze ging uit met je partner,' zei Hicks.

'Ze ging met verschillende mannen uit. Marissa was niet van plan om zich door iemand anders dan haar dochtertje te laten binden. Ze was een fantastische moeder.'

'Je hebt een trust voor het meisje opgericht,' zei Mendez. 'Kun je ons vertellen wie de executeur is?'

'Dat ben ik. Dat is niet ongewoon als mensen geen naaste familie hebben... en in feite net zo gewoon als ze dat wel hebben. Ze willen een neutrale derde partij. Familieleden kunnen vreemde dingen doen als er geld in het spel is.'

'Praten we over veel geld?'

Morgan fronste zijn voorhoofd. 'Dat kan ik niet zeggen. Dat is vertrouwelijk.'

'Je cliënt is dood.'

'Maar haar erfgename leeft, en wie weet welke familieleden er nu misschien op het toneel verschijnen,' zei hij. 'Ik kan die informatie niet verstrekken zonder een rechterlijk bevel, anders kan ik voor een beroepscommissie eindigen of voor het gerecht gedaagd worden.'

'Laat ik het anders stellen,' zei Mendez. 'Is het meisje goed verzorgd?'
'Ja.'
'Hoe zit het met een testament?' vroeg Hicks.
'Daar heb ik haar naar gevraagd. Ze zei dat dat geregeld was. Ik heb dat niet voor haar opgesteld.'
'Heeft ze je verteld of ze de zorg voor haar dochter heeft geregeld, voor het geval er iets met haar zou gebeuren?'
'Nee. Ik weet alleen van de trust. Maar ik kan me niet voorstellen dat ze dat niet heeft gedaan. Sara en ik hadden dat al geregeld voordat Wendy geboren was.'
'Maar jij bent advocaat,' merkte Hicks op.
'Ja, maar ik ben in de eerste plaats vader,' zei Morgan. 'Marissa was in de eerste plaats moeder... Een alleenstaande moeder. Ik weet zeker dat jullie alles waar jullie naar op zoek zijn vinden als jullie haar persoonlijke papieren doorzoeken.'
'Heeft ze het ooit over de vader van het meisje gehad?' vroeg Mendez.
'Alleen om me te vertellen dat hij geen deel van Haleys leven uitmaakt. Zijn naam heeft ze niet genoemd.'
Morgan keek op zijn horloge en fronste zijn voorhoofd. 'Ik weet niet wat ik jullie nog meer kan vertellen. Weet Jane Thomas het al over Marissa?'
'Ja, daar zijn we al geweest,' zei Hicks.
'Ik zou nu graag gaan... als er verder niets is.'
'Op dit moment niet.'
'Jullie weten waar jullie me kunnen vinden,' zei Morgan.
Ja, dacht Mendez terwijl hij de sedan achteruitreed om Steve Morgan te laten wegrijden. In de buurt van een moordslachtoffer.

15

'Anne Marie! Je ziet er verschrikkelijk uit!'

'Er is niets zo fijn als een goede vriend om een sombere dag op te vrolijken,' zei Anne terwijl ze tegenover hem ging zitten.

Fran Goodsell was haar beste vriend vanaf de eerste dag dat ze zes jaar geleden had lesgegeven aan de Oak Knoll basisschool. Hij was volkomen onbeschaamd op de meest misplaatste momenten en vond altijd een manier om haar af te leiden als iets haar dwarszat.

Hij had een scherp verstand en was de veertiende van de vijftien kinderen uit een Iers katholiek gezin in Boston. In het voorjaar was hij veertig geworden, wat hij had gevierd met een extravagant ge- kostumeerd feest dat hij 'Frannaval' had genoemd.

Voordat hij naar Californië was verhuisd had hij lesgegeven aan de oostkust, en omdat hij een uitstekende docent was, had hij de beste particuliere en openbare scholen op zijn indrukwekkende cv staan.

Hoewel hij van zijn werk hield en fantastisch was in de omgang met kinderen en ouders, vond hij het leuk om net te doen of het les- geven aan een kleuterklas hem aan de drank had gebracht en hij po- sitief stond tegenover verplichte sterilisatie voor het grootste deel van de bevolking.

'Echt, schat,' zei hij terwijl hij afkeurend naar Annes uiterlijk keek. Hij was zoals altijd onberispelijk gekleed, bekakt met een accent, in een kakibroek en niet één maar twee Ralph Lauren Polo-shirts – een felblauwe over een feloranje – met opstaande kraagjes.

Anne kon zich voorstellen dat ze er aan het eind van deze dag een beetje sjofel uitzag, hoewel ze de dag was begonnen met het gevoel dat ze sjiek en efficiënt was in haar olijfgroene broek en lichtgewicht zwarte twinset. Nu was haar broek gekreukt en uitgezakt, en haar twinset leek gedurende de dag te zijn gegroeid.

Ze had de meeste make-up van haar gezicht gehuild tijdens een van de 'mini-inzinkingen' die ze vandaag had gehad. Op een bepaald moment had ze haar haar opgegeven en had ze het in een paarden- staart gedaan met een bruine wokkel die ze onder in haar tas had ge- vonden.

'Ik weet dat ik er wel eens beter heb uitgezien,' zei ze. 'Ik voel me als iets wat de kat heeft uitgekotst.'

'Ben je zwanger?'

'Nee. En bedankt dat je me daaraan herinnert.'

Het was geen geheim voor Franny dat Vince en Anne ernaar verlangden een gezin te beginnen. Hij beschouwde het als zijn levenstaak om de meest persoonlijke details van haar leven aan haar te ontfutselen, en ze gaf die gewoonlijk zonder veel protest omdat hij op veel manieren een beter medicijn was dan haar therapeut haar ooit zou kunnen voorschrijven.

Zijn gezicht kreeg een zachte trek; hij schoof zijn hand over de tafel en legde hem op de hare. 'Het gebeurt vanzelf, liefje. Je hebt nog steeds veel stress.'

'Ik weet het,' zei ze zachtjes. 'Maar ik ben bijna dertig. Tik tak.'

'Lieve hemel, zo lang doe je het toch nog niet,' zei Franny. 'Vergeet niet dat het daar beneden nagenoeg onontgonnen gebied is.'

'Dat is niet waar!' protesteerde Anne met een verlegen lachje.

'Maagdelijk bos,' zei hij met glinsterende ogen. 'Godzijdank heb je een houthakker met een grote bijl gevonden.'

'Hou op!' protesteerde Anne met een rood hoofd. 'Je zorgt er nog voor dat we het restaurant uitgegooid worden.'

'Je hebt geboft, Anne Marie, dat wilde ik alleen maar zeggen,' zei hij met een dik aangezet Long Island-accent.

Een serveerster kwam naar hen toe en nam Annes bestelling, een glas pinot grigio, op.

Piazza Fontana was het restaurant waar Vince en zij hun eerste officieuze afspraak hadden gehad. Hij had haar gevraagd hiernaartoe te komen met het excuus dat hij wilde praten over haar leerlingen die het lichaam van Lisa Warwick hadden gevonden. Ze was gegaan en ze had tegenover anderen ontkend dat hij geïnteresseerd was in haar. Na het etentje had hij haar gekust toen hij haar naar haar auto had gebracht. Haar lippen hadden de rest van de avond getinteld.

Het restaurant was hun favoriete trefpunt geworden. Vince, die afkomstig was uit een groot, luidruchtig Italiaans gezin in Chicago, wist wat lekker eten en goede wijn was. Anne hield van de nonchalant-elegante sfeer van het donkere hout en de witte tafelkleden, de kale stenen muren en de klaterende fontein in een hoek. Ze aten er minstens één keer per week.

De eigenaar, een immigrant uit Toscane, kwam het glas wijn met een brede glimlach brengen.

'Signora Leone! Fijn dat je er bent, zoals altijd.'

'Dank je, Gianni. Leuk om je te zien.'

'Waar is je echtgenoot?' vroeg hij terwijl hij om zich heen keek. 'Heeft hij je uit het oog gelaten? Alle jonge mannen zullen naar je kijken en zich afvragen wie je bent.'

'Ik bescherm haar,' verkondigde Franny.

Gianni Farina rolde met zijn ogen, klopte op Franny's schouder en mompelde iets in het Italiaans.

'Je krijgt geen fooi!' riep Franny hem achterna.

Anne lachte en nam een slok wijn terwijl de deur openging en Vince binnenkwam. Hij werd begroet door niet minder dan drie mensen voordat hij langs de tafel van de maître d' was. Daarna wisselde hij een paar zinnen in het Italiaans met Gianni, wat eindigde met gelach en een brede grijns van Vince.

'Bescherm jij mijn vrouw, Franny?' vroeg hij. Hij ging naast Anne op de bank zitten.

'Ik ben niet verantwoordelijk voor haar uiterlijk.'

Vince streelde over haar haar en zijn ogen glansden terwijl hij op haar neerkeek. 'Ze ziet er prachtig uit.'

'Je bent verliefd.'

'Dat klopt.' Hij bukte zich en gaf haar een tedere kus waardoor er een zachte, warme gloed door haar heen stroomde. 'Je ziet er moe uit.'

Anne glimlachte. 'Lange dag. Wat is jouw excuus?'

Hij had hoofdpijn. Hij zou het niet zeggen, maar ze had geleerd om de tekenen te herkennen: de spanning rond zijn ogen, de verdiepte lijnen op zijn voorhoofd. Hij moest gaan liggen. Ze moest voor hem zorgen.

'Hetzelfde,' zei hij. 'Ik heb tegen Gianni gezegd dat we eten mee naar huis nemen.'

'Laten jullie mij achter?' vroeg Franny klagend.

'Drie is er één te veel,' antwoordde Vince.

'Heb je al aanknopingspunten in de moordzaak?' vroeg Anne.

'Een paar interessante mogelijkheden,' zei Vince ontwijkend.

'Welke moordzaak?' vroeg Franny. 'Peter Crane?'

Franny was geobsedeerd door het proces tegen Peter Crane en het idee dat zijn tandarts – de man die zijn handen in zijn mond mocht stoppen! – een seriemoordenaar was. Dat Crane Anne had ontvoerd en mishandeld, maakte hem nog fanatieker over het onderwerp.

'Iemand heeft Marissa Fordham, de kunstenares, vermoord,' zei Anne.

'Wat?'

'Marissa Fordham,' zei Anne opnieuw. 'Zij heeft die prachtige poster voor het Thomas Centrum gemaakt.'

'O mijn god!'

'Kende je haar?' vroeg Vince.

'Ik heb haar een paar keer op feestjes gesproken. En ze heeft pas geleden haar dochtertje naar school gebracht voor het Halloween-feest voor peuters. Ik vond haar aardig. Ze was een interessante vrouw. We hebben met elkaar besproken dat ze een dag naar school zou komen voor ons kunstenaarsproject. Wat is er gebeurd?'

'Ze is vanochtend dood aangetroffen,' zei Vince zonder details te geven. 'We proberen te achterhalen wie haar vrienden en vriendinnen waren in de hoop dat zij in staat zijn om het onderzoek in de juiste richting te leiden.'

'Het is niet de bedoeling dat er hier mensen vermoord worden,' zei Franny, die boos werd. 'Moeten we dat nog een keer meemaken? Het is ongelooflijk!'

'Mensen die andere mensen vermoorden hebben niet de neiging erbij stil te staan wat voor invloed hun daad op de samenleving zal hebben,' zei Vince. 'Ze denken niet: dat is waar ook, vorig jaar hebben al die moorden hier plaatsgevonden. Misschien moet ik wachten.'

Franny negeerde de zweem van sarcasme in Vinces stem. Zijn hersenen sloegen op hol in een poging iets zinnigs aan een zinloze daad te ontdekken. 'Was het een inbraak of zo?'

'Nee.'

'O mijn god. Is iemand haar huis binnengegaan om haar te vermoorden? Willekeurig?'

'We denken niet dat het willekeurig was,' zei Vince. 'Ik denk dat het een erg persoonlijke daad is met heel veel onderliggende woede. Het is haar gelukt iemand zo kwaad te maken dat er geen weg terug meer was. Ik herinner me dat je me ooit hebt verteld dat je in Oak Knoll iedereen kent die ertoe doet, Franny,' ging hij verder. 'En je beweegt je in artistieke kringen. Heb je ooit negatieve dingen over haar gehoord?'

Franny keek ongemakkelijk. Vince keek hem scherp aan.

'Ze was single, onafhankelijk, getalenteerd en prachtig,' zei Franny. 'Veel niet-single, niet-onafhankelijke, niet-getalenteerde, niet-prachtige vrouwen voelen zich daardoor bedreigd. Verrassend, niet?'

'Vrouwen die zich zorgen maken dat iemand hun echtgenoot van hen afpakt?'

Franny rolde met zijn ogen. 'Alsof iemand die zou willen.'

'Komt er een speciaal iemand bij je op?'

'Nee, nee. Ik heb af en toe een kattige opmerking gehoord, dat is alles. Ze is een sexy alleenstaande moeder, dus moet ze een slet zijn. Dat soort dingen. In vredesnaam, het is 1986, hoor,' zei hij. 'Alleenstaande vrouwen krijgen kinderen. Hallóó, *The Scarlet Letter* raakte samen met de petticoat uit de mode. Hoe is het met haar dochtertje?' vroeg hij. 'Waar is ze?'

'In het ziekenhuis,' zei Vince. 'Bewusteloos, is het laatste wat ik gehoord heb.'

Dat was de druppel voor Franny. Zijn bleke wangen werden rood en zijn ogen verdwenen bijna achter een boze frons.

'Als je erachter komt wie het gedaan heeft, doe de wereld dan een plezier en schiet hem gewoon dood.'

'Was het leven maar zo simpel,' zei Vince.

'Dat zou het moeten zijn,' verkondigde Franny. 'Slechte mensen van de planeet af! Nu! Dan heeft de rest van ons meer wijn!'

Hij pakte zijn glas om een toost uit te brengen en sloeg het restant van zijn cabernet achterover.

16

Sara liep om haar sculptuur heen in een poging zich te concentreren en de richting te zien die ze moest inslaan. Het werkte niet.

Toen ze een week geleden aan het project was begonnen, had ze een idee gehad. Het moest kracht en vrouwelijkheid uitstralen. Het metaal – de kracht – zou buigen maar niet breken. Vanuit het gekwetste hart zou vrouwelijke schoonheid vloeien in de vorm van met de hand beschilderde zijden linten.

Maar nu ze naar haar werk keek, zag ze alleen een chaos van gebogen ijzerdraad en metalen rasterwerk. Het zag eruit als een autowrak op een paal.

De nervositeit stroomde door haar heen. Fragmenten van wat er 's ochtends was gebeurd bleven door haar hersenen flitsen. Rechercheur Mendez, met een grimmig gezicht en een snor die zijn naar beneden wijzende mondhoeken accentueerde. Marissa's huis. De chaos in het atelier. De vernielde kunstwerken.

Marissa Fordham is dood.

O mijn god.

Marissa Fordham is dood.

'O mijn god,' fluisterde ze trillend.

Voor haar geestesoog zag ze Marissa lopen en praten. Ze gebruikte haar handen als ze praatte, alsof ze een tekening maakte om haar punt te illustreren. Levendig. Opgewekt. Vol leven.

Marissa Fordham is dood.

Ze voelde zich misselijk.

Ze stak haar hand uit om een stuk van het rasterwerk te verplaatsen en sneed in een vingertop. Een helderrode druppel bloed kwam tevoorschijn, als de plotselinge bloei van een bloem op een cactus, en rolde van haar vingertop om daarna als een traan uiteen te spatten op het zware canvas dekkleed dat de garagevloer beschermde.

Ze hadden de ruimte boven de garage een paar maanden geleden verbouwd tot een atelier voor haar, maar daar was geen ruimte voor een sculptuur die zo groot was als deze en die gelast moest worden.

Ze had het verste deel van hun garage met ruimte voor drie auto's opgeëist voor dit project.

Haar atelier was een prachtig verlichte plek met veel ruimte om in te schilderen en te werken met zijde, haar laatste passie. Op lege momenten, als haar hoofd niet vol zat met het kunstproject waaraan ze op dat moment werkte, kon ze niet ontsnappen aan de gedachte dat het atelier haar troostprijs was. Het was haar beloning omdat ze niet van Steve ging scheiden.

Hij had haar bedrogen met Lisa Warwick, een verpleegster die vrijwillig vrouwen van het Thomas Centrum voor de familierechtbank had vertegenwoordigd. En ook Steve besteedde uren en uren van zijn tijd – hún tijd – aan het Thomas Centrum.

Sara had het een hele tijd vermoed, maar had nooit de moed gehad om hem erop aan te spreken. Als ze hem ermee had geconfronteerd, had ze de realiteit van de volgende stap onder ogen moeten zien. Gingen ze in therapie? Moest ze van hem scheiden? Kon ze hem ooit weer vertrouwen?

Het antwoord op de laatste vraag was: nee. Hij had de verhouding nooit toegegeven. Tot op de dag van vandaag had hij geen schuld bekend. Typisch een advocaat. De vrouw met wie hij naar bed was geweest, was dood. Meer getuigen waren er niet. Maar Sara wist het, en Steve wist dat ze het wist. Ze had er een prachtig atelier aan overgehouden, maar haar gevoel van eigenwaarde had een flinke deuk opgelopen.

Ze accepteerde dat en leefde ermee, maar ze droeg de mantel van de bedrogen vrouw alsof het een maliënkolder met stekels was. Hij voelde zwaar en ongemakkelijk, maar ze kon hem niet uittrekken. Ze zei tegen zichzelf dat ze het voor Wendy deed. Ze hoopte dat het waar was.

Wendy hield van haar vader. Ze genoot er heel erg van om in het middelpunt van haar ouders' wereld te staan. Ze hoefde niet te weten dat het huwelijk van haar ouders eigenlijk niet meer bestond, en dat ze net alsof deden.

Sara probeerde zich opnieuw op haar werk te concentreren en liep eromheen om het vanuit een andere hoek te zien. Het was waardeloos.

Ze vroeg zich af of Marissa het ook waardeloos zou vinden.

Marissa Fordham is dood.

Vermoord.

O mijn god.

Op de oprit sloeg een portier dicht, waardoor ze schrok. Ze duwde haar bloedende hand tegen haar hart en keek op haar horloge. Waarschijnlijk was het Wendy, die werd thuisgebracht. Het was tijd om zichzelf tot de orde te roepen. Ze draaide zich om en dwong zichzelf tot een glimlach, die bevroor en verdween toen haar echtgenoot de garage in kwam.

'O. Ik dacht dat je Wendy was. Je bent vroeg.'

'Ik heb slecht nieuws te horen gekregen,' zei hij. 'Over Marissa Fordham.'

'Van wie heb je dat gehoord?' vroeg ze onnozel, alsof niemand het nog zou weten. Alsof het op een of andere manier haar verschrikkelijke geheim was.

'Rechercheur Mendez heeft me verteld dat je vanochtend bij Marissa's huis bent geweest.'

'Marissa en ik hadden een afspraak. Ik kwam daar en... toen vertelde hij het me.'

'Is alles goed met je?'

'Nee, natuurlijk niet. En met jou?'

Steve had Marissa gekend. Als onderdeel van zijn vrijwilligerswerk voor het vrouwencentrum had hij geholpen met het copyright op de poster, zodat de opbrengst van de verkoop rechtstreeks naar het Thomas Centrum zou gaan.

Ze had zich afgevraagd of dat het enige was wat haar echtgenoot met Marissa had gedaan. Het was de vloek van de bedrogen vrouw: ze keek naar elke vrouw met wie haar man in contact kwam en vroeg zich af of hij met haar naar bed ging. Marissa was mooi, koppig en sexy, een beschrijving die mensen vroeger voor Sara hadden gebruikt, maar dat leek een verschrikkelijk lange tijd geleden. Wat eigenlijk vreemd was, bedacht ze, want Marissa en zij waren bijna even oud.

Steve zette zijn handen op zijn heupen en schudde zijn hoofd. Hij stond nog geen meter bij haar vandaan. Er was een tijd geweest dat ze die afstand hadden overbrugd en dat ze in zijn armen was beland.

'Nee,' zei hij. 'Het is verschrikkelijk.'

'Wat gaat er nu met Haley gebeuren?'

'Ik weet het niet.'

Ze duwde een streng haar uit haar ogen en smeerde daardoor bloed op haar wang.

'Je bloedt,' zei Steve.

Ooit zou hij haar hand gepakt hebben om een kus op haar gewonde vinger te geven.

'Ik heb me gesneden.'

'Waarom draag je geen handschoenen als je aan dit ding werkt?' vroeg hij, eerder geïrriteerd dan bezorgd.

Lijd je voor je kunst? had Mendez gevraagd.

Ze vroeg zich af wat Mendez en Steve zouden denken als ze hun vertelde dat de fysieke pijn een opluchting was.

Op straat ging opnieuw een portier dicht, waarmee haar kans voorbij was. Niet dat ze daar ooit gebruik van zou maken. Haar dochter was thuis. Het was tijd om een vrolijk gezicht te trekken.

17

Zodra ze klaar waren met het avondeten en de keuken netjes was, ging Wendy naar haar kamer. Ze bleef zo weinig mogelijk beneden als haar vader en moeder allebei thuis waren omdat ze niet gelukkig waren en iedereen gespannen was en dat was stom. En het was haar schuld, wat nog stommer was.

Haar ouders bleven bij elkaar om haar, omdat zij dat wilde. Alleen was dat niet zo. Ze wilde dat ze teruggingen in de tijd en gelukkig waren, zoals vroeger. Dát wilde ze. Als ze door de tijd had kunnen reizen, net als Michael J. Fox in *Back to the future*, dan zou ze teruggaan en heel veel dingen veranderen. Dan zou ze ervoor zorgen dat de dingen die ertoe hadden geleid dat haar ouders niet meer van elkaar hielden nooit waren gebeurd. Ze zou teruggegaan zijn naar die dag in oktober vorig jaar om ervoor te zorgen dat Tommy en zij niet de kortere weg door Oakwoods Park hadden genomen. Dan hadden ze het dode lichaam niet gevonden en dan was alles anders gelopen.

Maar ze kon niet in de tijd terugreizen. Ze kon niet goedmaken wat er mis was tussen haar vader en moeder. En ze durfde ze niet te vertellen dat ze het van haar niet meer hoefden te proberen, omdat ze bang was om het gezinsleven dat ze had kwijt te raken.

Rusteloos en neerslachtig liep ze heen en weer in haar zonnige, gele slaapkamer met het witte rieten meubilair en de knuffels op het bed. Haar barbies woonden in hun roze barbie-droomhuis, waarnaast een roze barbie-Corvette stond geparkeerd.

Wendy had het gevoel dat het de kamer van iemand anders was. De kamer van een gelukkig kind dat niets wist over de dingen die Wendy wist.

Ze zette haar radio aan en ging op bed zitten. Haar nieuwste favoriete nummer werd gedraaid: 'True colors' van Cyndi Lauper. Ze was gek op het nummer 'Girls just wanna have fun'. Ze zong altijd mee en danste en deed gek als dat op de radio werd gedraaid. Haar moeder had soms met haar meegedaan. Tommy had altijd gebloosd en was bijna doodgegaan van verlegenheid als hij erbij was.

Tommy mocht niet naar moderne muziek luisteren omdat zijn moeder een kreng was. Wendy mocht dat woord niet zeggen, maar ze zei het de hele tijd in haar hoofd… en als de volwassenen het niet konden horen. Janet Crane was een gemeen kreng. Ze was altijd een kreng tegen Tommy geweest, en toen had ze hem meegenomen en was ze vertrokken, en nu wist niemand waar ze waren.

Wendy bleef hopen dat ze iets van hem zou horen, dat hij haar een ansichtkaart of een brief of zo zou sturen om haar te laten weten dat alles goed met hem was en dat hij aan haar dacht. Ze waren vanaf groep vijf hartsvrienden geweest, maar er was meer dan een jaar voorbijgegaan zonder dat ze iets van hem had gehoord. Soms vroeg Wendy zich af of het Gemene Kreng hem had vermoord, net zoals Tommy's vader al die vrouwen had vermoord.

De wereld was zo'n gemene plek. Er gebeurden zoveel slechte dingen. Ze voelde zich onnozel omdat ze een zonnige, gele slaapkamer had.

Na alles wat er was gebeurd – de vermoorde vrouwen, Tommy's vader die juf Navarre had ontvoerd en Tommy's verdwijning – had juf Navarre geprobeerd om de interesse van groep zeven te wekken voor iets goeds, iets positiefs.

Ze volgden het spaceshuttleprogramma en leerden over de astronauten en de wetenschappelijke experimenten die ze tijdens de volgende vlucht zouden uitvoeren. Het was extra leuk omdat een van de astronauten – Christa McAuliffe – onderwijzeres was. Ze waren allemaal heel opgewonden geweest om de lancering op 28 januari te zien. Maar drieënzeventig seconden nadat de vlucht was begonnen, explodeerde de Challenger, waarbij iedereen aan boord vlak voor hun ogen omkwam.

Weken later vond de marine de shuttle in de oceaan, met de lichamen van de zeven astronauten er nog in. Wendy had tijdenlang nachtmerries gehad waarin ze in de capsule keek en de rottende lichamen zag.

Niet lang daarna had er een kernramp plaatsgevonden in een kerncentrale in Rusland, waarbij duizenden mensen en dieren waren omgekomen en de omgeving vergiftigd raakte, en nu liepen er gedrochten en mutanten rond alsof ze in een horrorfilm speelden – alleen was dit echt.

Het leek gewoon alsof alles in de wereld slecht en verkeerd was.

En nu was haar moeders vriendin Marissa dood. Wendy kende Marissa ook, en ze kende Marissa's dochtertje. Haley was zo schattig en lief. Wendy had gesmeekt en gesmeekt om op Haley te mogen passen, maar haar moeder had haar te jong gevonden en wilde haar niet laten babysitten voordat ze minstens dertien was. Dat duurde nog twee hele jaren.

Haar ouders wilden niet precies zeggen wat er was gebeurd met Marissa, maar Wendy wist dat ze vermoord was omdat ze dat op het nieuws had gehoord.

Ze wist niet waarom mensen die dingen deden. Waarom had Tommy's vader die vrouwen vermoord? Waarom wilde iemand Marissa vermoorden? Geen enkele volwassene had haar een echt antwoord op die vraag gegeven. Ze wisten het niet. Konden mensen op een dag gewoon wakker worden en besluiten dat ze iemand wilden vermoorden? Of werden ze zo boos dat ze zich niet meer konden beheersen?

Ze had zich dat vooral afgevraagd na wat Dennis Farman had gedaan. Dennis was nog maar een kind, net als zij en Cody Roache. Hij was altijd een pestkop geweest en had het leuk gevonden om anderen pijn te doen – juf Navarre had gezegd dat dat misschien kwam doordat zijn vader gemeen tegen hem was geweest en hem pijn had gedaan – maar waarom had hij op die afschuwelijke zaterdag een mes meegenomen naar het park om Cody te steken en dat ook bij haar te proberen?

Was hij gewoon krankzinnig geworden? Werden mensen zomaar krankzinnig? Kon zij krankzinnig worden? Kon haar vader krankzinnig worden? Kon iemand die krankzinnig was geworden 's nachts hun huis binnenkomen om ze te vermoorden? Alleen omdat hij daar zin in had?

Wendy liep naar haar badkamer en keek naar haar spiegelbeeld terwijl ze zich afvroeg of andere mensen ook over dat soort dingen nadachten. Of begon ze misschien gek te worden? Hoe wist iemand of hij gek werd? Als iemand gek werd, dacht hij dan misschien dat hij normaal was en dat alle anderen gek waren?

Om iets normaals te doen poetste ze haar tanden en haalde ze de wokkel uit haar haar. Ze had haar haar die dag grotendeels los gedragen, met een paar slordige strengen in een scheve paardenstaart, waardoor het leek alsof er een blonde fontein uit haar hoofd kwam. Ze hield ervan om zich net zo te kleden als haar favoriete zangeressen: Madonna, Cyndi Lauper, de meiden van The Bangles. Hoewel ze er niet meer zoveel werk van maakte als ze vroeger had gedaan.

Iedereen zei tegen haar dat ze heel erg op haar moeder leek, en dat was ook zo. Ze hadden hetzelfde dikke, golvende haar in allerlei verschillende kleuren blond, maar dat donkerder bij de wortels was. Ze hadden dezelfde opvallend blauwe ogen. Wendy was bijna vijf centimeter gegroeid sinds groep zeven. Over een jaar of twee zou ze net zo lang zijn als haar moeder.

Terwijl ze onder haar dekbed kroop beloofde ze zichzelf plechtig om niet zo ongelukkig als haar moeder te worden.

Ze nestelde zich tegen haar favoriete bruine teddybeer en gaf een kus op zijn neus. Ze werd later een beroemde journaliste en ze ging nooit trouwen... behalve als ze de perfecte man ontmoette.

Ze duwde haar wang tegen de kop van haar beer, deed haar ogen dicht en fluisterde zijn naam: 'Tommy.'

18

Aan de andere kant van de stad, in het regionale psychiatrisch ziekenhuis, vroeg Dennis Farman zich ook af waardoor mensen krankzinnig werden.

Hij zat op zijn bed in zijn kamer, helemaal alleen omdat er geen andere kinderen in het ziekenhuis waren, en omdat ze dachten dat hij gevaarlijk was en een kamergenootje waarschijnlijk zou vermoorden als die sliep. Het was nacht en de lichten in zijn kamer waren uit, maar vanuit de hal scheen bleekgeel licht naar binnen, en door het raam zag hij het blauwwitte licht van het parkeerterrein.

Ze hadden zijn kostbaarste spullen van hem afgepakt. Het zakmes dat hij uit de la van zijn vader had gestolen en waarmee hij Cody had gestoken, was in beslag genomen door de politie. Hij had zijn kostbaarste bezittingen die dag in zijn rugzak gedaan, niet alleen het mes maar ook de uitgedroogde kop van de ratelslang die door een tuinman met een schep was gedood. Hij had zijn rugzak niet teruggekregen nadat ze hem hadden opgesloten.

Het mes was het belangrijkst geweest. Hij had altijd net gedaan of zijn vader het aan hem had gegeven voor zijn negende verjaardag. Hij had allerlei fantasieën gehad dat zijn vader hem liet zien hoe hij het moest gebruiken of dat ze samen kampeerden en het mes gebruikten om takken af te snijden en vis schoon te maken. De waarheid was dat zijn vader het hem nooit cadeau had gegeven; hij had niet eens aan zijn verjaardag gedacht.

Toen Dennis aan juf Navarre had gevraagd of hij zijn mes terug mocht, had ze naar hem gekeken of hij krankzinnig was. Misschien zat krankzinnigheid in de familie. Hij zat tenslotte opgesloten in een psychiatrisch ziekenhuis.

Dennis had nooit gedacht dat zijn vader krankzinnig was, alleen gemeen. Maar nu zei iedereen dat hij krankzinnig was geweest, omdat hij anders niet had gedaan wat hij had gedaan.

Iedereen dacht dat hij niet wist wat er was gebeurd, maar dat wist hij wel. Hij had het nooit aan iemand verteld, maar hij was erbij geweest op de avond dat zijn vader zijn moeder had doodgeslagen. Hij had zich op het dak verstopt en hij had elke klap, elke vloek, elke gil gehoord. Het was niet de eerste keer geweest, dus dacht hij niet dat zijn vader krankzinnig was geworden, alleen dat hij dronken en gemeen was, zoals hij zo vaak was. Hij had ook niet gedacht dat zijn moeder dood zou gaan, maar dat was wel gebeurd.

Over het voorval waardoor hij uiteindelijk een wees was geworden had hij bij stukjes en beetjes gehoord, door naar mensen te luisteren als ze niet wisten dat hij dat deed. Daar was hij heel goed in.

Toen het gebeurde, had hij in een kamer op het politiebureau gezeten omdat iedereen er zo'n drukte over maakte dat hij Cody had gestoken. Hij was niet dóódgegaan. Een of andere stomme koe van de kinderbescherming had gewild dat hij een tekening maakte over zijn gevoelens. Maar hoe moest hij dat verdomme doen? Je kon toch geen tekening maken van iets wat je niet kon zien?

Maar goed, zijn vader was het politiebureau in gegaan en had de sheriff gegijzeld en gedreigd hem te vermoorden. Maar uiteindelijk had hij zelfmoord gepleegd.

Zijn vader was een loser. Dennis was blij dat hij dood was. En zijn moeder was een stomme niksnut, een alcoholist die nooit iets voor hem deed. Het enige wat ze ooit deed was tegen hem schreeuwen. Hij had haar niet nodig.

Hij had niemand nodig.

Niemand vond hem trouwens aardig. Hij had nooit een echte vriend gehad. Iedereen zei dat Cody zijn vriend was geweest, maar Cody was alleen zijn vriend omdat hij bang voor hem was en het slimmer was om Dennis' vriend te zijn. Stomme kleine kakkerlak. Hij was blij dat hij hem een lesje had geleerd.

Juf Navarre vond hem ook niet aardig, maar ze kwam in elk geval bij hem op bezoek.

Dennis wist dat ze met een FBI-agent getrouwd was, maar hij noemde haar niet bij haar nieuwe naam. Voor hem zou ze altijd juf Navarre zijn. Ze probeerde hem te helpen. Niemand anders wilde hem helpen. Iedereen wilde dat hij naar de gevangenis ging om daar de rest van zijn leven weg te rotten. Hij hoorde de hele tijd dat ze hem niet beter konden maken.

Maar juf Navarre probeerde hem te helpen.

Soms droomde hij over juf Navarre.

Soms droomde hij dat hij dingen met haar deed. Slechte dingen, vieze dingen.

Dennis wist alles over seks. Hij had het leuk gevonden om 's nachts

rond te lopen en door de ramen naar binnen te kijken. Hij had allerlei mensen allerlei dingen met elkaar zien doen: mannen met vrouwen, vrouwen met vrouwen, mannen met mannen. Veel ervan was
smerig, maar hij vond het toch spannend.

Hij had gezien hoe juf Navarre en de man van de FBI het hadden gedaan op de veranda achter haar huis. Hij had nooit gedacht dat zij
zoiets zou doen. Ze was een lerares. Hij had nooit gedacht dat lera-
ressen seks hadden of naar het toilet gingen of winden lieten of dat
soort dingen. Het maakte hem boos dat ze niet zo perfect was als ze
zich voordeed. Ze was gewoon een slet die op haar veranda met een
man neukte.

Maar ze kwam hem opzoeken.

Ze probeerde hem te helpen.

Ze was mooi.

Ze was een hoer.

Hij deed zijn ogen dicht en dacht aan wat hij had gezien, wat hij
had gehoord, de geluiden die ze had gemaakt.

Ze zou morgen weer bij hem op bezoek komen.

Hij zou vannacht over haar dromen.

19

Ze hadden langzame, liefdevolle, tedere seks met elkaar. Hij raakte haar aan, zij zuchtte. Lippen zochten elkaar, tongen raakten verstrengeld. Haar ademhaling stokte, hij kreunde, zij hijgde. Ze fluisterden en mompelden: 'Ik hou van je... Ik heb je nodig.'

Anne streelde de gespierde rug van haar man en gleed met haar voet naar boven en naar beneden over zijn dikke kuit. Ze hield van alles aan hem. Ze hield ervan om seks met hem te hebben. Ze hield van zijn kracht, zijn postuur, de warme gladheid van zijn huid. Ze hield van zijn geur, van hoe hij smaakte, de manier waarop hij bij haar binnen kwam, de manier waarop hij in haar bewoog, de manier waarop hij haar vasthield.

Hij was een geduldige minnaar, zorgde er altijd voor dat ze klaar voor hem was, lette er altijd op dat ze bevredigd was. Hij zorgde ervoor dat ze zich mooi en krachtig en vrouwelijk en sensueel voelde. Hij hield haar na afloop vast en kuste haar haar en fluisterde hoeveel hij van haar hield, dat hij haar zou beschermen en ervoor zou zorgen dat haar nooit meer iets naars overkwam. Ze voelde zich veilig en beschermd en heel erg thuis in zijn armen.

Vince wikkelde het donkere haar van zijn vrouw rond zijn vingers. Hij kuste de sierlijke welving tussen haar hals en haar schouder. Hij hield van alles aan haar. Hij hield ervan om seks met haar te hebben. Hij hield van haar zachtheid, haar intieme plekjes, haar warmte, haar geur. Hij hield van hoe ze smaakte, de manier waarop haar zijdeachtige strakte hem omhulde, de manier waarop ze hem in zich opnam tot hij helemaal in haar was.

Ze was zijn perfecte minnares, open, gul, ongeremd. Na afloop nam hij haar in zijn armen en kuste haar haar en fluisterde tegen haar hoeveel hij van haar hield en dat hij haar zou beschermen. Hij voelde zich gezegend, haar beschermer, en heel erg thuis in haar armen.

Hij was gelukkig.

Hij glimlachte naar Anne, terwijl hij bedacht dat ze in het zachte licht van de lamp op het nachtkastje op een engel leek. Ze glimlachte terug, stak haar hand uit en raakte zijn wang aan. Haar duim streelde over het glanzende litteken dat de plek markeerde waar de kogel zijn hoofd was binnengegaan.

Hij hoopte dat dit het perfecte moment was geweest om zwanger te worden, maar hij zei het niet hardop. Hij wist dat ze zich zorgen maakte dat de posttraumatische stress haar lichaam in een toestand van zelfbescherming hield en haar niet toestond om zwanger te raken. De ene bezorgdheid stapelde zich op de andere en veroorzaakte een vicieuze cirkel.

Vince twijfelde er helemaal niet aan dat ze een gezin zouden krijgen. Als hij zijn ogen dichtdeed, zag hij Anne rondlopen met hun kind of glimlachen naar een donkerharige baby die ze de borst gaf.

Hij duwde haar haar naar achteren en kuste haar zachtjes. Ze kuste hem terug. Het verlangen begon weer te groeien.

Tot zijn pieper afging. Vince kreunde. Anne zuchtte gefrustreerd.

Hij keek naar het scherm van zijn pieper. Mendez' telefoonnummer plus 112. Hij pakte de telefoon van het nachtkastje en koos het nummer.

Mendez nam na de eerste keer overgaan op en zei: 'Haley Fordham is bij bewustzijn.'

'Ik kom eraan,' zei Vince.

'Neem Anne mee.'

20

'Ik heb het wel gehoord,' zei Anne terwijl Vince uit bed stapte met als enige mededeling dat hij naar het ziekenhuis moest omdat hun getuige wakker was.

Vince fronste zijn voorhoofd en liep naar de badkamer. Anne sloeg het dekbed terug, stapte uit bed en liep achter hem aan.

'Denk je dat ik blijf liggen en ga slapen als je me maar negeert?' vroeg ze.

'Ik wil niet dat je gaat,' zei hij terwijl hij de douchekraan aanzette.

'Tony denkt dat ze me misschien nodig hebben...'

'Het kan me niet schelen wat Tony denkt.'

Anne voelde zich boos worden omdat hij haar afscheepte door onder de douche te stappen. Ze trok de deur open en ging bij hem staan.

'Scheep me niet af, Vince Leone,' snauwde ze. Ze knipperde met haar ogen omdat ze het water dat van hem af spetterde in haar gezicht kreeg.

'Anne,' bromde hij, 'ik wil het niet hebben.'

'En sinds wanneer ben jij de baas over mij?' vroeg ze dwingend.

'Sinds ik je man ben,' zei hij terwijl hij zijn borstkas en armen inzeepte.

'Ha!' Ze stak haar linkerhand op om hem de diamanten ring te laten zien die hij een paar maanden eerder om haar vinger had geschoven. 'Dit is een ring, geen halsband en riem. Ik ga.'

'Ik neem je niet mee.'

'Dan rij ik zelf.'

'Niet als ik eerder dan jij je autosleutels te pakken heb.'

'Ik heb een reserveset verstopt.'

'Ik niet. Ik neem mijn sleutels en jouw auto.'

Anne kneep haar ogen gefrustreerd samen. 'Waarom doe je zo belachelijk?'

'Ik bescherm je, verdomme,' zei hij. 'Kun je alsjeblieft een beetje meewerken?'

'Tegen wie bescherm je me? Een vierjarig kind dat doodsbang is?'

'Ze is getuige van een moord.'

'En tevens slachtoffer,' merkte ze op terwijl ze zich haastig inzeepte. 'Ze is getraumatiseerd. Ze heeft haar moeder verloren. Heeft iemand al een familielid gevonden?'

'Nee,' zei hij en hij draaide zijn rug naar haar toe.

'Dus ze heeft niemand.'

'Ze krijgt iemand van de kinderbescherming toegewezen.'

'Echt?' zei ze terwijl ze zich afspoelde. 'Denk je dat de kinderbescherming een getuige van een moord in een pleeggezin plaatst?'

'Tja, ik vind in elk geval dat jij je er niet mee moet bemoeien.'

'Ik ga alleen mee om te kijken of ik dat kleine meisje op een of andere manier kan helpen.'

'Natuurlijk,' zei hij, niet onder de indruk. 'Net zoals je ging kijken of je Dennis Farman kon helpen, en nu ben je verdomme zijn wettelijke vertegenwoordiger.'

'Vloek niet tegen me!' zei Anne. Ze rekte zich uit, alsof ze hoopte dat ze zich lang genoeg kon maken om hem te intimideren.

Hij leunde over haar heen: het water droop van zijn neus en snor. 'Ik sluit je zo meteen op in een kast.'

Anne was nu echt boos. Ze liep de douche uit, pakte een handdoek en droogde zich halfslachtig af. Ze zou zich niet door hem laten vertellen wat ze wel en niet kon doen. En hoe durfde hij haar Dennis Farman voor de voeten te gooien? Ze probeerde alleen iets goeds te doen.

Ze zag dat hij met een gefronst voorhoofd naar haar keek via de spiegel die de gehele muur boven de brede toilettafel in beslag nam.

'Anne,' zei hij. Hij kwam de douche uit en pakte haar arm vast.

Anne draaide zich uit zijn greep en liep naar haar kast om kleren te zoeken. Ondergoed, een acid-washed spijkerbroek en een grote zwarte slobbertrui die voortdurend van een schouder viel. Dat moest goed genoeg zijn. Ze trok een oud paar Keds-sneakers aan die ooit wit waren geweest en liep naar de deur.

'Anne,' zei Vince opnieuw. Hij was nog steeds naakt en ging voor haar staan, de waterdruppels glinsterend in zijn borsthaar.

Ze keek straal langs hem heen, ongeduldig wachtend tot hij had gezegd wat hij wilde zeggen en haar zou laten gaan.

'Liefje,' zei hij op zachtere toon. 'Je hebt het afgelopen jaar zoveel meegemaakt. Daar worstel je nog steeds mee. Ik wil niet dat je betrokken raakt bij iets wat jou – en mij – nog meer stress bezorgt.'

Hij had een goed punt. Hij probeerde haar alleen te beschermen, wat erg lief en ridderlijk was. Maar haar trots en feministische denkbeelden stonden op het spel. Ze was niet van plan om Tony Mendez of Cal Dixon of iemand anders te laten denken dat ze de toestemming van haar man nodig had om iets te doen. Godsamme, het was 1986, niet 1956.

'Ik ga,' verkondigde ze.

Met zijn handen in zijn zij zuchtte Vince hartgrondig en gefrustreerd. De spieren achter zijn kaak bewogen alsof hij iets probeerde door te slikken.

'Ik kleed me snel aan,' zei hij uiteindelijk. 'Ik rij.'

Het Mercy General was een fantastisch, klein ziekenhuis. Een van de voordelen van de welgestelde, goed opgeleide gemeenschap van Oak Knoll was de vrijgevigheid van de inwoners.

Er was geen gebrek aan legaten, en de bijdragen om een nieuwe vleugel, nieuwe apparatuur en renovaties te financieren stroomden binnen. Alles in het Mercy General was up-to-date en stond op een hoog technisch peil, en het ziekenhuis trok uitstekend personeel aan, van artsen en verpleegkundigen tot administratief personeel.

Haley Fordham lag in een bed op de afdeling intensive care, een afdeling die Vince en iedereen die betrokken was bij de Zie-Geen-Kwaad-moorden goed hadden leren kennen in de periode dat Karly Vickers er had gelegen. Het licht was zacht, de muren waren geschilderd in een diepgele kleur. Het gaf het gevoel omringd te zijn door intense warmte. De kamers hadden een glazen wand, zodat alle patiënten zichtbaar waren voor het personeel bij de centrale receptie.

Ze hoorden Marissa Fordhams dochter voordat ze haar zagen. Toen Vince en Anne de lift uit stapten, werden ze begroet door het doordringende gekrijs van een doodsbang klein kind.

Anne verstrakte meteen. Vince voelde de spanning in haar rug onder zijn hand terwijl ze naar de bron van het lawaai liepen.

Mendez kwam met een grimmige uitdrukking op zijn gezicht naar hen toe om hen te begroeten.

'Wat is er aan de hand?' vroeg Vince.

'Ze is gillend wakker geworden en is daar niet meer mee gestopt. De arts zegt dat het een teken kan zijn van een hersenbeschadiging die is veroorzaakt door zuurstofgebrek.'

'Of ze is doodsbang,' zei Anne van streek. 'Stel je voor dat je vier jaar bent en wakker wordt op deze plek, aangesloten op machines, omringd door vreemden. Dat arme kleine ding.'

'Dat klopt,' was Mendez het met haar eens. 'Dat is waar. Bedankt dat je bent gekomen, Anne.'

'Natuurlijk ben ik gekomen,' zei ze, en ze wierp Vince een scherpe blik toe. 'Ik ben blij dat ik kan helpen. Mag ik naar binnen?'

'Ik zal je voorstellen aan de arts en aan mevrouw Bordain,' zei Mendez terwijl hij haar elleboog vastpakte.

'Mevrouw Bordain. Is dat Marissa Fordhams sponsor?' vroeg Vince. Hij ging tussen zijn protegé en zijn vrouw in staan.

'Ja,' zei Mendez. Hij rolde met zijn ogen rolde en liet Anne los. 'Bill en ik gingen haar het nieuws vertellen. Ze eiste dat we haar meenamen om Haley te zien. Ze is de boze stiefmoeder van het meisje of zoiets. Het kind werd wakker en begon te schreeuwen, maar mevrouw Bordain komt tot nu toe het dichtst bij een familielid.'

'Ze heeft niet bepaald een kalmerende invloed,' zei Vince droog. Milo Bordain, begin vijftig, misschien midden vijftig, lang, blond en chic gekleed, stond geschokt een eind bij het bed vandaan, met een hand tegen haar borstkas gedrukt.

Mendez haalde zijn schouders op. 'Die vrouw weet niet wat ze moet doen. Zoals ik al zei, denkt de arts dat het schreeuwen een teken van hersenbeschadiging kan zijn. We weten dat het kind is gewurgd tot ze bewusteloos was. Wie weet hoe lang haar hersenen het zonder zuurstof hebben moeten stellen.'

'Heb je de kinderbescherming gebeld?'

'Ja,' zei Mendez terwijl hij Vinces ogen ontweek. 'Ik heb ze nog niet gezien.'

'Misschien moet je nog een keer bellen,' zei Vince scherp.

'Alsjeblieft,' mompelde Anne. Ze wrong zich langs hen en ging de kamer in.

Vince prikte Mendez woedend met een vinger in zijn borstkas. 'Ik wil niet dat ze hier betrokken bij raakt.'

Mendez haalde zijn schouders op en veinsde onschuld. 'Waarom heb je haar dan meegenomen?'

'Ik zou je een trap voor je kont moeten geven, junior.'

'Misschien kan Bill je looprek voor je vasthouden terwijl je dat probeert, ouwe.'

'Ha ha. Heel grappig,' zei Vince sarcastisch. Hij keek de kamer in en zag dat Anne haar hand uitstak naar Haley Fordham. 'Jij bent niet degene die haar vasthoudt als ze weer eens een nachtmerrie heeft ge-had,' zei hij kalm.

Mendez had het fatsoen om berouwvol te kijken. 'Jezus, het spijt me. Daar heb ik niet aan gedacht. Ze lijkt in orde.'

'Dat is ze niet.'

'Ik bel de kinderbescherming.'

'Doe dat.'

Mendez ging op zoek naar een telefoon.

Vince staarde de kamer van het kleine meisje in terwijl hij bedacht dat het al te laat was. Anne stond dicht bij het bed, met haar armen rond het snikkende kind dat zich wanhopig aan haar vastklampte.

21

Anne ging de ziekenhuiskamer binnen; het gekrijs van Haley Fordham doorboorde haar trommelvliezen. Ze liep naar de dokter die aan het voeteneind van het bed stond, een kleine man met donker haar en een kort baardje. Hij maakte aantekeningen op Haleys status, opvallend kalm gezien de toestand waarin het kind zich bevond.

'Anne Leone,' zei ze terwijl ze haar hand uitstak. 'Ik ben een door de rechtbank aangewezen wettelijke vertegenwoordiger. Rechercheur Mendez heeft me gevraagd hiernaartoe te komen.'

Het klonk in elk geval heel officieel, dacht ze, hoewel het dat absoluut niet was. Ze negeerden het protocol op heel veel manieren. Er was niemand van de kinderbescherming aanwezig. Anne had Haley Fordhams zaak niet toegewezen gekregen. Ze had niet met haar mentor gepraat om die van de situatie op de hoogte te stellen. Ze wist niet of er familieleden waren geïnformeerd. De lijst was lang, maar in haar hart was ze alleen bezorgd om het doodsbange kind in het ziekenhuisbed.

'Dokter Silver.' Hij klemde zijn pen aan de status en gaf haar een hand.

'Waarom laten jullie haar zo schreeuwen?' vroeg ze. 'Kunnen jullie haar niet iets geven om te kalmeren?'

'Ze is net uit coma. Ze reageert op niemand. Het is alsof we er niet zijn. Dat gebeurt soms bij patiënten met een hersenbeschadiging,' legde hij uit. 'Waarschijnlijk beseft ze niet eens dat ze zo gilt.'

Anne keek van de dokter naar het kind en weer terug. 'Het spijt me, maar u bent een idioot,' zei ze kalm.

Ze deed geen moeite om zich af te vragen of dokter Silver beledigd was. Ze deed geen moeite om zich voor te stellen aan de goedgeklede vrouw die verstijfd en geschokt bij de muur stond. Ze liep naar het hoofdeind van het bed, waar Haley Fordham opgerold tot een bal lag te krijsen.

'Haley,' zei ze zachtjes terwijl ze haar hand naar het kleine meisje uitstak. 'Haley, liefje, het komt goed. Ik weet dat je bang bent, maar dat hoef je niet te zijn, schatje. We zijn hier allemaal om je te helpen.'

Het kind keek gillend naar haar op. Het wit van haar ogen was bloedrood door de petechiale bloedingen. Het was een gevolg van de wurging, maar hoewel Anne dat wist, schrok ze toch van de aanblik.

'Het is goed,' mompelde Anne en ze streek de vochtige, donkere krullen van haar voorhoofd. 'Het is goed, Haley. Je bent niet alleen. Ik ben er voor je.'

Het gekrijs verminderde terwijl het kleine meisje naar haar opkeek. Haar ademhaling haperde en ze hikte. Wit tape hield het infuus dat in haar armpje zat op zijn plek. Ze rilde in haar dunne ziekenhuishemd.

De kneuzingen op haar keel waren paars. Anne voelde haar eigen keel verstrakken. Ze wist precies hoe het voelde om gewurgd te worden, om in het gezicht van de persoon te kijken die probeerde je te vermoorden. Kende Haley degene die haar dit had aangedaan? Ze moest in de war en doodsbang zijn geweest.

Haar moeder was beslist al dood geweest. Geen enkele moeder zou toekijken als iemand haar kind zoveel kwaad deed, hoe vreselijk de omstandigheden ook waren. Haley was alleen geweest met haar moordenaar.

'Het spijt me zo, liefje,' fluisterde ze. Ze bleef het haar van het meisje strelen. 'Het spijt me zo.'

Haley ging langzaam op haar knieën zitten en stak haar armen uit. Haar lippen bewogen, maar ze maakte geen geluid. Ze probeerde het opnieuw en produceerde een krassend geluid.

'Ik kan je niet horen, schatje,' zei Anne terwijl ze zich bukte.

Haley sloeg haar armen rond Annes nek en het woord kwam eruit in een fluistering terwijl de tranen weer begonnen te stromen.

'Mama.'

Anne voelde een intens verdriet om het kleine meisje. Ze hield haar dicht tegen zich aan, wreef haar rug, kuste haar boven op haar hoofd en bood haar zo veel mogelijk troost.

Uiteindelijk kwam de vrouw die Gucci droeg en naar Chanel rook naar het bed toe.

'Godzijdank weet iemand raad met haar,' zei ze zachtjes. 'Ik had er geen idee van wat ik moest doen. Ik heb nog nooit zoiets gezien.'

'Ze is doodsbang,' zei Anne, geïrriteerd dat deze vrouw en de dokter allebei niet in staat leken om iets wat zo simpel was zelf te bedenken.

'Ze wilde niet eens naar ons kijken,' zei Bordain. 'Het was alsof ze in haar eigen wereld was.'

In haar eigen wereld, waarin ze zag hoe haar moeder werd afgeslacht en niet aan de moordenaar kon ontsnappen, dacht Anne.

'Kende je Marissa?'

Anne keek naar haar. 'Nee. Ik heb haar nooit ontmoet.'

'Maar Haley kwam naar je toe,' zei de vrouw verbaasd.

Anne realiseerde zich dat Milo Bordain een gerespecteerd ouder lid van de samenleving in Oak Knoll was. Anne had haar vele malen in de krant zien staan, op foto's van liefdadigheidsevenementen en het zomermuziekfestival. Ze was een lange, knappe vrouw van in de vijftig. Haar gelaatstrekken waren vrij mannelijk, maar ze was perfect opgemaakt. Vince had verteld dat ze Marissa Fordham sponsorde.

De vrouw had waarschijnlijk tijd met Haley doorgebracht... Ze was in elk geval in haar buurt geweest. Anne nam aan dat het geen qualitytime was geweest. Haar haar zat in een onberispelijke, strakke haarwrong. Ze droeg een mooie, gedessineerde zijden sjaal die geraffineerd rond de brede schouders van haar kameelharen blazer was gedrapeerd en op zijn plek werd gehouden door een met edelstenen bezette broche. Chocoladebruine geitenleren handschoenen en een perfect geperste zwarte broek maakten het plaatje af.

'Mama!' jammerde Haley terwijl ze haar gezicht tegen Annes schouder duwde.

Anne wiegde haar en suste haar terwijl ze haar haar streelde.

'Ik begrijp het niet,' zei Bordain gekwetst. 'Ik ken Haley al sinds ze een baby was. Ze is als een kleindochter voor me. Het was alsof ze me niet eens herkende.'

Haley begon harder te krijsen.

Anne keek de vrouw scherp aan. 'Als u het niet erg vindt, ik heb op dit moment andere dingen aan mijn hoofd,' zei ze.

Beledigd strekte Milo Bordain zich in haar volle lengte uit – ze was minstens één meter tachtig, als het niet meer was – en keek langs haar aristocratische neus op Anne neer.

'Weet je wel wie ik ben?'

'Ja,' antwoordde Anne. 'Maar dat kan me niet schelen. Dit gaat niet om u.'

Bordain liep de kamer uit zonder nog iets te zeggen. Anne keek door de glazen wand naar haar en zag dat ze naar Cal Dixon en Vince beende om haar beklag te doen.

Later zou ze zich misschien een beetje schuldig voelen omdat ze onbeleefd tegen haar was geweest, dacht Anne. Op dit moment kon alleen het kind in haar armen haar iets schelen.

22

Het was ver na middernacht toen Mendez in zijn auto stapte en van het parkeerterrein van het politiebureau wegreed. Hicks en hij hadden op de intensive care rondgehangen, in de hoop dat Haley Fordham hun leven gemakkelijker zou maken door te vertellen wie haar had aangevallen en haar moeder had vermoord. Dat geluk hadden ze niet gehad. Zijn slimme idee om Anne erbij te halen had op meer dan één manier een boemerangeffect gehad.

Vince was boos op hem. En toen Anne eenmaal contact had met Marissa Fordhams dochter, kwamen ze niet meer bij het kind in de buurt.

Hij had het kunnen weten. Anne was als een tijgerin met welpen geweest toen haar leerlingen het lichaam van Lisa Warwick hadden gevonden. Ze wilde niemand – hem niet, Vince niet, de ouders van de kinderen niet – druk op hen laten uitoefenen. Het zou niet anders gaan met Haley Fordham. Haar prioriteit zou bij het kind liggen, niet bij het onderzoek.

Toch leek het verstandig om Marissa Fordhams dochter in de buurt te houden, in een gecontroleerde omgeving met de waakzame ogen van getrainde deskundigen op haar gericht. Als de kinderbescherming haar in een pleeggezin plaatste, zouden ze minder controle over haar hebben.

Natuurlijk was de vrouw van de kinderbescherming die uiteindelijk in het ziekenhuis was verschenen, woedend geweest dat ze het protocol niet hadden gevolgd. Ze had voor de volgende dag een vergadering geëist met alle betrokken partijen en een familierechter met betrekking tot de plaatsing van Haley Fordham. Dixon zelf zou de belangen van het politiebureau behartigen, wat betekende dat Dixon ook kwaad op hem was.

Alles zou vergeven zijn als Anne het meisje zover zou krijgen dat ze vertelde wat ze moesten weten. In de tussentijd voelde Mendez zich rusteloos en gespannen omdat hij vooruitgang wilde boeken. Hij had een aanwijzing nodig, iets wat hen in de goede richting kon wijzen.

In plaats van naar huis te gaan om een paar uur te slapen, reed hij door de lege straten van Oak Knoll. Hij maakte in gedachten een lijst van de mensen met wie hij de volgende dag moest praten.

Ze moesten de details van het overlijden van Zander Zahns moeder achterhalen en welke rol Zahn daarin had gespeeld. Had hij bedoeld dat hij zijn moeder letterlijk met een wapen had vermoord, of had hij het figuurlijk bedoeld? Misschien was ze overleden terwijl ze hem baarde. Of misschien had ze zelfmoord gepleegd toen hij een kind was. Kinderen gaven zichzelf vaak de schuld van dingen zoals een scheiding of de zelfmoord van een van de ouders.

Het was een buitengewoon vreemde bekentenis van Zahn geweest, wat de waarheid ook was. Waarom zou hij twee rechercheurs die een moord onderzochten vertellen dat hij een moord had gepleegd?

Arthur Buckman was net zo geschokt geweest door de onthulling als Mendez en Vince. Er stond niets in Zahns personeelsdossier wat erop wees dat hij ooit in de gevangenis had gezeten. Als het in Zahns jeugd was gebeurd, waren de dossiers waarschijnlijk niet toegankelijk en hadden ze een rechterlijk bevel nodig om ze in te kunnen zien.

Het leek erop dat Zahn Marissa Fordham had beschouwd als een perfect, etherisch wezen. Maar Marissa Fordman ging volgens Don Quinn met verschillende mannen uit. Zahn was misschien jaloers geworden, had misschien zijn ideale vrouw voor zijn ogen zien veranderen in iets anders.

Teleurstelling en woede konden mensen ertoe brengen om verschrikkelijke dingen te doen.

Hij reed door de straat waar de Morgans woonden, parkeerde de auto en deed de lampen uit. De tuinverlichting verspreidde een zachte, amberkleurige gloed. Achter de ramen was het donker. Steve Morgans zwarte Trans Am stond op de oprit geparkeerd.

Het was een mooi, geel huis met witte kozijnen en blauwe luiken; het soort huis waarin het ideale Amerikaanse gezin woonde. Maar hoewel ze mooie, succesvolle mensen waren met een mooi, intelligent kind, vormden de Morgans niet het ideale gezin. Het perfecte plaatje was scheefgetrokken en onscherp.

Mendez mocht Steve Morgan niet. Hij had hem nooit gemogen. De man was een beetje te kalm geweest tijdens het onderzoek naar de moord op Lisa Warwick.

Morgan had Lisa Warwick gekend. Hij had nauw met haar samengewerkt aan diverse familierechtzaken voor het Thomas Centrum. Mendez durfde te wedden dat Morgan met haar naar bed ging, maar ze hadden hem nooit zover gekregen om dat toe te geven. Toen hij werd geconfronteerd met hun verdenking, was Morgan ijskoud gebleven. Hij ontplofte niet, werd niet zenuwachtig, reageerde nauwelijks.

Dat was niet normaal. Onschuldige mensen reageerden gewoonlijk verontwaardigd op een valse beschuldiging, maar Morgan niet.

Een tijdlang had Mendez hem beschouwd als de Zie-Geen-Kwaad-moordenaar. Steve Morgan was bijna net zo betrokken bij de moord-slachtoffers als Peter Crane. Crane en Morgan waren vrienden en golfmakkers geweest. Er was meer dan eens gespeculeerd dat Peter Crane een medeplichtige had...

Toen ze Morgan vertelden dat ze sperma op het beddengoed van Lisa Warwick hadden gevonden en in staat waren om het bloedtype ervan vast te stellen, had hij helemaal niet gereageerd. Tijdens de analyse van het sperma hadden ze ontdekt dat de donor een *non-secretor* was. Zijn lichaamsvloeistoffen bevatten geen antigenen, dus konden ze de bloedgroep niet vaststellen. Had Steve Morgan geweten dat dat zou gebeuren? Was hij daarom zo kalm geweest?

Lisa Warwicks lakens lagen nog steeds in de bewijskamer in het politiebureau. Stel dat ze een DNA-analyse van het sperma konden maken? Maar de wetenschap was niet zo ver ontwikkeld. Ze hadden een bloedtest of nog een spermamonster van Morgan nodig, en ze hadden geen wettelijke reden om hem te dwingen die af te geven.

Morgan kende Marissa Fordham. Hij had met haar samengewerkt aan het project voor het Thomas Centrum en de trust voor haar dochter. Ze was een mooie, sexy, single vrouw geweest. Als hij eerder in de verleiding was geweest... en daarvoor was bezweken...

Oké, deze moord was anders dan de andere. De slachtoffers van de Zie-Geen-Kwaad-moordenaar waren ergens vastgehouden en waren systematisch gemarteld. Hun ogen waren dichtgelijmd, hun mond was dichtgelijmd, hun trommelvliezen waren doorboord. De wonden op hun lichamen waren identiek geweest, heel specifieke snij-wonden met een identieke lengte en plaatsing. De vrouwen waren uiteindelijk allemaal op dezelfde manier gewurgd.

Marissa Fordhams dood was een uiting van razernij geweest, niet overwogen of systematisch. Maar als Crane een medeplichtige had gehad, was die nu vrij om op zijn eigen manier te moorden. Misschien was het ritueel alleen iets van Crane geweest.

Kon hij zich voorstellen dat Steve Morgan de borsten van een vrouw afsneed?

Hij dacht aan Sara Morgan en haar reactie van vanochtend. Ze was van streek geweest. Marissa Fordham was een vriendin geweest. Hij probeerde zich haar gezicht en lichaamstaal voor de geest te halen toen hij haar had gevraagd of Marissa een vriend had, of een ex-vriend, of een minnaar.

Ze had niet naar hem gekeken. Ze had naar haar handen gekeken en had 'nee' gezegd. Het ging haar niet aan. Ze stak haar neus niet in andermans zaken. Maar ze waren vriendinnen geweest. Vrouwen praatten over mannen, al was het maar om te vertellen dat ze geen man nodig hadden of wilden. Mendez had zussen, zijn zussen hadden vriendinnen. Hij was vaak genoeg in de buurt van vrouwen geweest om te weten dat het onderwerp 'mannen' altijd een gewild gespreksonderwerp was.

Hij vroeg zich af hoe lang Sara Morgan bevriend was geweest met Marissa Fordham. Wanneer was hun vriendschap begonnen: voordat of nadat Marissa Fordham en Steve Morgan elkaar hadden leren kennen?

Sara zag er niet goed uit, dacht hij. Ze was magerder dan een jaar geleden. Bleek. Afgetobd. Er zaten donkere kringen onder de korenbloemblauwe ogen. Ze leek afwezig, hoewel de plaats delict van een moord dat effect kon hebben op mensen die geen politieagent waren.

Hij zou de volgende ochtend bij haar langsgaan. Gewoon uit belangstelling, om te vragen hoe het met haar ging. Als Steve Morgan naar zijn werk was en Wendy naar school was. Hij zou haar een beetje onder druk zetten en kijken wat er gebeurde.

Hij mocht Steve Morgan niet.

23

Het belangrijkste nieuws in het plaatselijke ochtendjournaal was de moord op Marissa Fordham. Meteen na het verslag werd een live-interview met Milo Bordain uitgezonden.

'Wat is dat verdomme?' vroeg Mendez terwijl hij, op weg naar zijn stoel, met een kop koffie in zijn hand bleef staan.

Dixons gezichtsuitdrukking vertelde hetzelfde.

Ze hadden zich verzameld in de strategiekamer met hun eerste kop koffie van de dag, om door te nemen wat ze hadden, wat ze nodig hadden en wie wat zou doen. Iemand had de televisie aangezet, waarop ze meestal naar video's van plaatsen delict en ondervragingen van verdachten keken.

Mendez keek naar Vince, die zijn hoofd schudde en in zijn neusrug kneep, zowel letterlijk als figuurlijk pijnlijk getroffen.

In haar bruine tweed rijjasje en donkerbruine handschoenen zag Bordain eruit alsof ze op het punt stond een paard te bestijgen en aan een vossenjacht mee te doen. Ze deed een oproep om informatie die kon leiden tot de arrestatie van Marissa Fordhams moordenaar en loofde een beloning van vijfentwintigduizend dollar uit.

'Wie heeft haar verteld dat ze dat mocht doen?' vroeg Mendez terwijl hij naar Dixon keek.

'Je hoeft niet naar mij te kijken,' zei de sheriff. 'Ik heb haar nadrukkelijk verteld dat wij alles regelen.'

'Heeft ze gisteravond iets over een beloning gezegd?' vroeg Vince.

'Ze bood het aan,' zei Dixon. 'Ik heb haar verteld dat we het zouden bespreken en dat ik erop terug zou komen.'

'Ik neem aan dat dat aantoont hoezeer ze je mening waardeert,' zei Hicks.

'Het zou nooit bij haar opkomen dat ze toestemming nodig heeft om zoiets te doen,' zei Vince. 'Ze denkt dat ze behulpzaam is.'

Een beloning was een hulpmiddel. Of ze die uitloofden, wanneer ze die uitloofden, welk bedrag ze uitloofden, waren allemaal beslissingen die zorgvuldig genomen moesten worden en waarbij veel verschillende factoren in overweging genomen moesten worden. Een te grote beloning die te vroeg werd uitgeloofd nodigde alle hebzuchtige, haatdragende personen in de omgeving uit om degene die ze het meest haatten aan te geven met de kleine kans dat ze daar geld aan zouden verdienen. Met vijfentwintigduizend dollar op het spel zouden de telefoons voortdurend rinkelen met aanwijzingen die nergens toe zouden leiden.

'Wat denk jij, Vince?' vroeg Dixon.

Leone haalde een hand door zijn staalgrijze haar en slaakte een diepe zucht. Hij zag er vreselijk uit: pafferig en afgepeigerd. Het was een lange nacht geweest. Anne had geweigerd om Haley Fordham alleen te laten. Vince had geweigerd om Anne alleen te laten. Hij had de nacht doorgebracht op een stoel in een hoek van de kamer van het kleine meisje.

Mendez voelde zich een schoft. Hij liet zich op een stoel tegenover Vince vallen, die zijn handen spreidde en zijn schouders ophaalde.

'Je kunt er niets meer aan doen,' zei hij. 'Zet extra personeel op de telefoons en wees erop voorbereid dat je het heel druk gaat krijgen.'

'Hoe komt dit over op onze dader?' vroeg Hamilton.

'Dat is moeilijk te zeggen. Voor zover wij weten hebben we niet te maken met een gewoontemisdadiger,' zei Vince. 'Een seriemoordenaar zou het misschien als een uitdaging beschouwen of als een kans om ervan te genieten. Hij gaat ervan uit dat we wanhopig zijn als we zoveel geld wegsmijten. Misschien zou hij ons uitlachen, met ons spelen, ons een ander slachtoffer geven.

Maar als Marissa Fordhams moordenaar iemand was die ze kende, iemand die een bepaalde rancune tegen haar koesterde en is doorgedraaid in de hitte van het moment – en ik neig in die richting – dan houdt die persoon zich koest en probeert hij geen aandacht te trekken, of misschien probeert hij zich met het onderzoek te bemoeien en bijzonder behulpzaam te zijn, in de hoop dat hij zo kan achterhalen wat jullie hebben. Het probleem met zo'n dader is dat er een grote kans is dat hij zenuwachtig en achterdochtig wordt, en reageert op een gevoelde dreiging, bijvoorbeeld een kennis die iets weet of vermoedt.'

'Een tipgever die uit is op de beloning,' zei Dixon.

'We kunnen dus nog een moord op ons dak krijgen,' zei Trammell.

'Dat is een mogelijkheid,' beaamde Vince. 'Je kunt maar beter hopen dat degene van wie de dreiging uitgaat de dader aangeeft voordat de dader hem te pakken heeft. Een moordenaar die een bekende van het slachtoffer is, iemand die zoiets nog nooit heeft gedaan, zal niet weten hoe hij om moet gaan met de emoties die aan zijn daad verbonden zijn. Misschien wordt hij wispelturig, prikkelbaar, depressief. Misschien verandert hij zijn uiterlijk door een snor te laten staan of zijn baard af te scheren...'

'Bij wijze van vermomming?' vroeg Hicks.

'Op een bepaalde manier,' zei Vince. 'Maar dan een vermomming voor zichzelf. Mijn persoonlijke theorie hierover is dat zo'n dader niet meer naar zijn spiegelbeeld kan kijken nadat hij de moord heeft gepleegd, dus verandert hij zijn uiterlijk. Of soms verandert hij dat om er meer op te lijken. Als hij een moordenaar is, probeert hij misschien om eruit te zien als een misdadiger. Ik ken een zaak waarin de dader een keurige collegeleerling zonder gewelddadig verleden was. Tijdens een inbraak vermoordde hij een oude man. Niet lang daarna woonde hij achthonderd kilometer verderop en was hij een getatoeëerde skinhead met onaangepast gedrag. Het kan van alles zijn. Misschien begint hij zwaar te drinken of gaat hij drugs gebruiken. Aan de andere kant kan hij plotseling belangstelling voor religie krijgen.'

Met een mogelijk profiel in hun achterhoofd bespraken ze wat ze hadden en wat ze nodig hadden. Bank- en telefoongegevens zouden die ochtend beschikbaar zijn. Marissa Fordham had in elk geval geen kluis bij een van de banken in Oak Knoll.

De autopsie zou later die dag in Santa Barbara plaatsvinden. Er was geen forensisch arts in hun district, alleen een begrafenisondernemer die tevens lijkschouwer was en die het geen probleem vond om overlijdensverklaringen te tekenen als iemand op een natuurlijke manier was overleden, maar die zich niet bemoeide met moorden.

Santa Barbara County – dat meer inwoners had – had een patholoog-anatoom en een mortuarium met een forensisch arts die autopsies uitvoerde, drie lijkschouwers en een administratief medewerker. Nu Oak Knoll groeide – en het aantal moorden steeg – was er een campagne gestart om een soortgelijk mortuarium in hun district te krijgen.

Niet dat de dood van Marissa Fordham een mysterie was. Zowel de doodsoorzaak als de manier waarop het was gebeurd, waren duidelijk. Maar een forensisch arts zou sporenbewijs zoals haren en stofvezels op het lichaam kunnen verzamelen. En nadat het slagersmes uit haar vagina was verwijderd, zou er een verkrachtingsonderzoek worden uitgevoerd, om vreemde schaamharen, sperma en tekenen van seksueel geweld te ontdekken.

Campbell en Trammell hadden Gina Kemmer, Marissa Fordhams vriendin uit de boetiek met de naam Girl, ondervraagd.

'Ze flipte helemaal toen we het haar vertelden,' zei Trammell. 'Een totale meltdown.'

'We hebben haar naar het liefdesleven van het slachtoffer gevraagd,' zei Campbell. 'Ze zei dat Fordham af en toe met mannen omging, maar dat ze geen serieuze relatie had en dat ze niet weet wie de vader van het kleine meisje is.'

'Ze liegt,' zei Trammell. 'En ze is er slecht in. Ze rende meteen daarna naar de wc.'

'Breng haar naar het bureau,' zei Dixon. 'We moeten een serieus gesprek met haar hebben. Vince, misschien wil jij daarbij zijn?'

'Graag.'

'Ik zal tegen haar zeggen dat ze een luier moet omdoen,' zei Trammell.

'Hoe zit het met de docent?' vroeg Dixon. 'Hebben we inmiddels achtergrondinfo?'

'Ik heb gebeld naar een aantal mensen van wie ik nog iets te goed heb,' zei Vince. 'Later vandaag zouden we iets moeten horen, op zijn laatst morgen. Maar ik denk dat je ook onderzoek moet doen naar zijn assistent, Nasser. Hij is erg beschermend tegenover zijn baas. En hij mocht het slachtoffer niet. Hij heeft haar er min of meer van beschuldigd dat ze een hoer was.'

'Denk je dat hij jaloers was?' vroeg Hamilton. 'Zou hij homo zijn?'

'Nee, dat is het niet. Nasser heeft zelf een graad. Hij zou aan elke topuniversiteit in het land les kunnen geven,' zei Vince. 'Hij heeft ervoor gekozen om naar het McAster te komen om Zahns assistent te worden. Zahn is Nassers mentor. Nasser is Zahns beschermer. Hij vond Zahns obsessie voor Marissa Fordham niet prettig. Ze was een afleiding, het onderwerp van Zahns dwangneurose.'

'Jezus,' zei Mendez half grappend. 'Ik dacht gewoon dat hij een klootzak was.'

'Je weet niet alles, junior,' zei Leone met een scherpe klank in zijn stem.

'Nee, dat klopt.'

'Fijn dat je je dat realiseert. Denk daar de volgende keer aan voordat je weer een verkeerde beslissing neemt.'

Mendez boog zijn hoofd.

Dixon liep naar het whiteboard met een viltstift in zijn hand. 'Wie waren de mannen met wie ze omging?'

'Don Quinn en Mark Foster,' zei Hicks.

Campbell keek op zijn aantekeningen. 'Voeg daar Roy Thatcher en Bob Copetti maar aan toe.'

'Ik denk dat we Steve Morgan ook aan de lijst moeten toevoegen,' zei Mendez. 'Hij kende haar, hij werkte met haar samen, hij heeft tijd met haar doorgebracht, hij heeft zijn vrouw eerder bedrogen.'

'Niemand heeft ze in de relatiesfeer aan elkaar gekoppeld,' merkte Hicks op.

'Niemand had hem ook aan Lisa Warwick gekoppeld, maar wie dacht niet dat hij met haar naar bed ging?' argumenteerde Mendez geïrriteerd. 'Morgan kan Peter Cranes medeplichtige zijn geweest. Er zijn veel overeenkomsten...'

'Nee,' zei Vince.

'Waarom niet?' vroeg Mendez uitdagend. 'Net als Bittaker en Norris in 1979; Bianchi en Buono, de Hillside Stranglers; en afgelopen jaar Ng en Lake...'

'Ik zeg niet dat Crane geen medeplichtige gehad kan hebben,' zei Vince. 'Ik zeg alleen dat het Steve Morgan niet is.'

'Waarom niet? Ze waren vrienden. Ze golfden samen.'

'Wie was de dominante partner?'

'Ik weet het niet,' zei Mendez. Daar had hij niet over nagedacht en dat had hij wel moeten doen. Nu moest hij gokken tijdens zijn woordenwisseling met de legendarische profiler die hem vanochtend een lesje wilde leren. 'Crane.'

'Waarom?' vroeg Vince. 'Ze zijn allebei succesvolle leiders in de gemeenschap, beheerst, zorgvuldig...'

'Oké,' zei Mendez gefrustreerd. 'Morgan dan.'

'Crane heeft Morgan verraden,' herinnerde Vince hem. 'Je hebt hem die zaterdagmiddag voordat hij Anne ontvoerde ondervraagd. Je hebt hem gevraagd of Steve Morgan een verhouding met Lisa Warwick had. Hij bevestigde dat. Ten eerste bestaat er geen partnerschap tussen twee dominante partners,' zei hij. 'Hun ego's staan dat niet toe. Er is altijd een dominante partner en een die beweert dat hij alleen meedeed, of dat hij is gedwongen. Ten tweede: als de twee partners even slim zouden zijn, zou de een de ander niet verraden op zo'n onbelangrijk punt,' ging hij verder, blij om een lesje profiling te kunnen geven ten koste van Mendez' trots. 'Als de een doorslaat, gaan ze allebei ten onder. En ten derde: als Morgan en Crane partners waren, had Morgan Marissa Fordham waarschijnlijk op dezelfde manier vermoord als de Zie-Geen-Kwaad-slachtoffers om twijfel over Cranes betrokkenheid te zaaien, vooral nu Cranes proces nadert. Dit is een heel ander soort moord,' concludeerde hij.

'Oké,' zei Mendez met een zucht. Hij was voldoende op zijn nummer gezet. 'Ze waren dus geen partners. Toch vind ik dat we Steve Morgan op de lijst moeten zetten.'

'Kunnen we terugkeren naar ons onderwerp?' vroeg Dixon. 'Tony, als je iets concreets ontdekt over een eventuele verhouding tussen Steve Morgan en Marissa Fordham gaan we daar achteraan. Zo niet, roep dan geen rechtszaak wegens laster over jezelf af. De man is verdomme advocaat.'

'Jezus, die oude leeuw heeft je flink te grazen genomen,' zei Hicks grinnikend terwijl ze naar de auto liepen.

Mendez fronste zijn voorhoofd. 'Ik neem aan dat ik het verdiende, maar hij hoefde het niet op zo'n klotemanier te doen.'

'Natuurlijk wel.'

'Dank je, partner,' zei Mendez sarcastisch.

'Tja, wat wil je eraan gaan doen?'

Mendez grinnikte en lachte toen de oplossing tot hem doordrong. 'Keihard werken om te bewijzen dat hij het mis heeft.'

24

Op aandrang van Anne vond het overleg plaats in een vergaderkamer in de gang van de intensive care. Ze had de nacht in haar kleren doorgebracht, op het bed van Haley Fordham, die zich aan haar vastklampte. Ze was af en toe in slaap gevallen om vlak daarna wakker te schrikken door het gegil en gejammer van het meisje.

Vince had in een stoel in een hoek van de kamer geslapen. Daar voelde Anne zich schuldig over. Hij had thuis moeten slapen, in zijn bed, zodat zijn hoofdpijn verdween.

Ze maakte zich zorgen om hem. De artsen hadden er geen idee van wat de langetermijneffecten waren van een versplinterde kogel in je hoofd. Als de pijn plotseling opkwam, was Anne altijd bang dat er een kogelscherf bewoog en zijn hersenen beschadigde.

Rond kwart over zes 's ochtends was hij eindelijk naar huis gegaan om te douchen en zich om te kleden, waarna hij was teruggekomen met schone kleren voor haar.

Hij was niet blij met de beslissing die ze had genomen, maar ze had geen andere oplossing geweten. Haley Fordham had haar moeder zien sterven en had haar moordenaar vermoedelijk gezien. Ze was gewurgd tot ze bewusteloos was en was voor dood achtergelaten bij haar moeders beblo ede stoffelijke overschot.

Het was een uitzonderlijk traumatische ervaring voor het vierjarige meisje geweest. Wat ze nu nodig had, was stabiliteit en vastheid, en iemand die haar kon helpen met de nasleep van haar beproeving.

Anne wist dat ze daar beter dan wie ook voor in aanmerking kwam. Ze was zelf het slachtoffer geweest van een geweldsmisdrijf en ze kende de angst die Haley had gevoeld en zou blijven voelen.

Haley sliep rustig toen Anne uiteindelijk de kamer uit liep voor het overleg. Op weg naar buiten zei ze tegen een van de verpleegsters: 'Als je me nodig hebt, kom me dan halen.'

Omdat ze wist wat haar in de vergaderkamer te wachten zou staan, hoopte ze half dat dat zou gebeuren. Het zou geen gemakkelijk, prettig gesprek worden en ze wist nu al dat ze er het geduld niet voor had.

Een van de bijwerkingen van haar beproeving was een enorme afkeer van het gezeur van mensen. Het leven was te waardevol om tijd te verspillen aan diplomatiek zijn tegenover opgeblazen ego's.

Anne was de laatste die bij het overleg arriveerde. Aan één kant van de vergadertafel zaten Vince en Cal Dixon, die hier was om de belangen van het politiebureau en het onderzoek te behartigen.

Aan de andere kant van de tafel zat Maureen Upchurch van de kinderbescherming, een vrouw met de bouw van een havenarbeider die altijd chagrijnig keek. Door haar slechte thuispermanent zag ze eruit alsof ze een pruik droeg die was gemaakt van het haar van een abrikooskleurige poedel.

Rechts van Maureen Upchurch zat Willa Norwood. Ze was gekleed in een van haar kleurige Afrikaanse kaftans en had een bijpassende tulband rond haar hoofd gewikkeld. Willa was Annes coördinator wat betreft haar werkzaamheden als wettelijke vertegenwoordiger. Links van Maureen Upchurch zat Milo Bordain in haar designerkleding. Ze was perfect gekapt, perfect opgemaakt, perfect gekleed, en vermeed nadrukkelijk om oogcontact met Anne te maken.

Anne kromp vanbinnen een beetje in elkaar. Ze had de vorige avond niet zo kortaf tegen deze vrouw moeten zijn. Bordain had Marissa Fordham gesponsord en had haar blijkbaar als haar surrogaatdochter en Haley als haar kleindochter beschouwd. Nu was Marissa vermoord en was Haleys toekomst onzeker. Anne realiseerde zich dat ze vriendelijker had moeten zijn. Als ze eerder bij het overleg was gearriveerd, zou ze naar Milo Bordain toe zijn gegaan om zich te verontschuldigen.

Aan Bordains linkerkant, aan het hoofd van de tafel, zat rechter Victor Espinoza van de familierechtbank. Anne was dankbaar dat Espinoza de beslissing zou nemen. Hij had veel ervaring en had al een paar keer sympathie getoond in kwesties die met Dennis Farman te maken hadden. Espinoza was een vijftiger met meer haar op zijn bovenlip dan op zijn hoofd. Hij had een dikke zwarte snor met grijze strepen en een glanzend, kaal hoofd.

Anne knikte naar hem en ging naast Vince zitten. Ze schoof haar hand onder de zijne, die op de armleuning lag, en kreeg een geruststellend kneepje in haar vingers.

'Goed,' begon rechter Espinoza. 'Ik ben bekend met de essentie van de situatie. Het meisje heeft de moord op haar moeder blijkbaar gezien. Zijn er familieleden getraceerd?'

Dixon schudde zijn hoofd. 'We hebben gehoord dat Marissa Fordham afkomstig was van de oostkust, vermoedelijk Rhode Island, maar dat ze geen contact had met haar familie. We hebben contact opgenomen met de autoriteiten in Rhode Island in de hoop dat zij ons kunnen helpen. Niemand lijkt te weten wie de vader van het meisje is, en ook het geboortebewijs hebben we nog niet gevonden.'

'Ik ben praktisch familie van haar, edelachtbare,' zei Milo Bordain. 'Haar moeder was als een dochter voor me. Ik ken Haley vanaf ze een baby was. Ik zal ervoor zorgen dat ze alles krijgt wat ze nodig heeft.'

'Heeft mevrouw Fordham laten vastleggen dat u haar dochters voogd wordt als zij zou overlijden?' vroeg Espinoza.

'Nee. We hebben erover gepraat, maar Marissa was nog zo jong. Ze besefte de noodzaak niet. Natuurlijk verwachtte ze dat ze mij zou overleven. Ik ben bereid om het kind op te nemen en voor haar te zorgen en haar op te voeden. Ik snap niet waarom dat een discussiepunt moet zijn.'

'Het is een kwestie van wetgeving, mevrouw Bordain,' zei Espinoza. 'Als er geen document is waarin de overledene een voogd voor het minderjarige kind aanwijst, staat ze – op dit moment in elk geval – onder bescherming van de overheid.'

'Dat is belachelijk!'

'Dat is de wet.'

'Wat betekent dat mijn instantie onmiddellijk ingelicht had moeten worden,' zei Maureen Upchurch. Ze was een vrouw die geloofde dat iedereen lid was van een samenzweringscomplot tegen haar. Met haar agressieve houding en afwerende karakter was ze altijd bijzonder lichtgeraakt. De mondhoeken in het pafferige gezicht wezen voortdurend naar beneden en haar ogen waren altijd achterdochtig samengeknepen. Anne was vanaf de eerste dag dat ze Dennis vertegenwoordigde met haar in botsing gekomen.

'Ik heb u wel degelijk gewaarschuwd, mevrouw Upchurch,' zei Dixon.

'Ik moest bij een rechtszaak zijn,' zei de vrouw verdedigend. 'Ik kon op dat moment geen actie ondernemen.'

'Maar u kunt niet zeggen dat ik niet gebeld heb,' zei Dixon. 'Het is niet de schuld van het bureau of mijn rechercheurs dat u het te druk had om handelend op te treden.'

'Het meisje lag in coma,' zei Maureen Upchurch. 'U hebt zelf tegen me gezegd dat ze in coma lag. Hoe moest ík dan weten dat ze daar zo snel uit zou komen?'

'Iedereen in deze kamer weet dat ik meer dan geschikt ben om dit kind op te voeden,' verkondigde Milo Bordain, waarmee ze de aandacht weer naar zich toe trok.

'Vrouwe Justitia is blind, mevrouw Bordain,' merkte Espinoza op. 'Ze ziet niet dat u Armani draagt en in een Mercedes rijdt.'

'Ik wist dat ik hem mocht,' fluisterde Anne. Eén kant van Vinces snor bewoog.

Bordain was beledigd door de opmerking van de rechter. 'Het is niet alleen een kwestie van geld. Ik heb Marissa min of meer naar dit stadje gehaald. Ik heb haar contacten bezorgd, ik heb haar een plek gegeven om te wonen en te werken. Ik heb haar en haar dochtertje altijd verwend en verzorgd.'

'En wie heeft mevrouw Leone hierbij gehaald?' vroeg de rechter.

'Inspecteur Mendez,' zei Dixon.

'Is inspecteur Mendez niet bekend met het juiste protocol?'

'Hij heeft via Vince contact met Anne. Hij weet dat Anne talent heeft om met kinderen om te gaan. Toen het kleine meisje bijkwam uit haar coma was ze uitermate van streek. Inspecteur Mendez belde Vince, die ons adviseert in deze zaak, en heeft gevraagd of hij Anne mee wilde nemen. Hij wist dat zij de situatie aankon.'

'Is het echt belangrijk wie het eerst gebeld is?' vroeg Willa Norwood, die altijd probeerde redelijk te zijn. 'Kunnen we niet gewoon verdergaan?'

Maureen Upchurch keek naar haar. 'Natuurlijk is dat belangrijk, Willa. Zíj is hier gisteravond binnengekomen en heeft het kind ervan overtuigd dat ze haar móéder is.'

'Dat is absoluut niet waar,' zei Anne, meer tegen de rechter dan tegen de vrouw die haar beschuldigde. Ze wist uit ervaring dat ze een discussie met Maureen niet kon winnen. De vrouw was net zo taai en onbuigzaam als kraakbeen, en ongelooflijk koppig.

Haar gezicht was inmiddels zo rood dat het gevaar leek te bestaan dat ze een beroerte zou krijgen. 'Toen ik hier gisteravond kwam, noemde ze je máma. Hoe leg je dát uit?'

'Dat is gewoon een kwestie van overbrenging,' zei Anne kalm. 'Haleys laatste bewuste momenten voordat ze in coma raakte heeft ze naast het lijk van haar moeder doorgebracht. Ze kwam bij bewustzijn in een onbekende omgeving, in een kamer met vreemden, aangesloten op monitoren en apparaten. Wie is de eerste en enige persoon die ze echt wil zien? Haar moeder... levend.'

'En jij lijkt toevállig op haar moeder,' zei Maureen Upchurch.

'Ja, Maureen, dat heb ik in mijn moeders buik al geregeld,' snauwde Anne. 'Ik wist dat het op een dag goed van pas zou komen.'

Daar gaat mijn geduld, dacht Anne.

'De moeder van het meisje had donker haar en donkere ogen,' zei Dixon tegen de rechter. 'Anne heeft donker haar en donkere ogen. Het is niet meer dan logisch. Het arme kind was doodsbang. Ze had iemand nodig die haar moeder was. Anne was er.'

'Ik zou er zijn geweest als inspecteur Mendez me eerder had gebeld,' zei Maureen Upchurch klagend. 'Het was al te laat toen ik kwam. En zíj maakte geen aanstalten er een eind aan te maken.'

'Wat had ik dan moeten doen, Maureen?' vroeg Anne. 'Het snikkende kind uit mijn armen rukken en haar vertellen dat ik haar moeder niet ben omdat iemand haar moeders hoofd van haar romp heeft gesneden?'

'O mijn god!' riep Milo Bordain terwijl ze een gehandschoende hand tegen haar keel drukte. De tranen schoten in haar ogen.

'Mevrouw Leone, hebt u het meisje op enig moment verteld dat u haar moeder niet bent?' vroeg de rechter.

'Nee,' gaf Anne toe. 'Ze was doodsbang en hysterisch. Mijn enige belang was haar kalmeren. Maar ik heb haar beslist niet aangemoedigd. Ik heb niet tegen haar gezégd dat ik haar moeder ben. Ik liet haar gewoon zeggen wat ze wilde.'

'Nu heeft het kind zich aan haar gehecht,' zei Maureen Upchurch. 'En dat terwijl ik haar in een pleeggezin moet plaatsen.'

'Misschien hoeft dat niet, mevrouw Upchurch,' zei rechter Espinoza vriendelijk.

'Ze moet bij míj geplaatst worden,' argumenteerde Bordain. 'Ze kent me.'

De toon van de rechter stond Maureen Upchurch niet aan. 'Maar ze valt onder de bescherming van de overheid, edelachtbare. Dit is duidelijk een zaak voor de kinderbescherming.'

'Maar ík ben de rechter,' legde Espinoza kalm uit. 'En wat ik zo heerlijk vind aan rechter zijn, is dat ik mag zeggen wat er gebeurt.'

Hij richtte zich tot Dixon. 'Wat is uw mening hierover, sheriff?'

Dixon zuchtte. 'We moeten natuurlijk kijken naar wat het beste is voor het meisje. Ze is de enige getuige van een beestachtige moord. Op dit moment hebben we er geen idee van wie de moordenaar is, of het iemand is die het meisje kent, of hij zich nog steeds in deze omgeving ophoudt. Het kind is gewurgd en voor dood achtergelaten. Als de dader weet dat ze nog leeft...'

'Ze is mogelijk dus nog steeds in gevaar.'

'Ja, edelachtbare. En daarmee ook degene die de voogdij over haar heeft.'

'En u denkt dit kind te kunnen plaatsen, mevrouw Upchurch?' vroeg Espinoza. 'U zou het pleeggezin in gevaar brengen.'

'Er hóéft geen pleeggezin gezocht te worden,' hield Milo Bordain vol. Niemand leek naar haar te luisteren.

'Als u niet bereid bent om mevrouw Bordain de voogdij te geven, heb ik een pleeggezin dat bereid is haar tijdelijk op te nemen. De Bessoms.'

Willa Norwood rolde met haar ogen en keek naar Maureen Upchurch. 'Meen je dat echt? De Bessoms hebben al vijf pleegkinderen en leiden een kinderdagverblijf. Denk je echt dat een meisje dat psychisch zo labiel is in zo'n omgeving past?'

'Als ze in de buurt van andere kinderen is, heeft ze afleiding van wat er is gebeurd,' zei Maureen Upchurch, alsof getuige zijn van een moord en bijna vermoord worden niet traumatischer was dan een gewisselde tand of een geschaafde knie.

'Ze gaat ten onder in de drukte,' zei Anne. 'Hoe kan ze daar de aandacht krijgen die ze nodig heeft? Heeft mevrouw Bessom kinderpsychologie gestudeerd? Heeft ze ervaring met het begeleiden van rouwende kinderen?'

'Een stabiele omgeving is net zo belangrijk,' verkondigde Maureen Upchurch. 'Mevrouw Bessom heeft de wind eronder. Haar kinderen zeggen "ja mevrouw" en "nee mevrouw". Ze gehoorzamen en doen hun taken…'

'Geweldig,' zei Anne sarcastisch. 'Waarom sturen we Haley niet naar een militaire academie? Dan kunnen ze het verdriet uit haar drillen.'

Maureen keek haar woedend aan. 'Ik stel je sarcastische opmerkingen niet op prijs.'

'En ik stel het niet op prijs dat je je alleen druk lijkt te maken over je territorium,' kaatste Anne terug.

Milo Bordain kwam met een rood gezicht overeind en begon te schreeuwen. 'Luister naar me! Ik wil dat ze bij mij komt! Ze hoort bij mij te zijn!'

'Mevrouw Bordain.' Rechter Espinoza stond op en probeerde een hand op Milo Bordains arm te leggen in een poging haar te kalmeren. Ze rukte zich los.

Er viel een ongemakkelijke stilte. De tranen sprongen in Milo Bordains ogen; ze ging weer zitten en haalde een linnen zakdoek uit haar Hermès-tas.

'Het spijt me,' zei ze kort. 'Ik ben zo overstuur. Ik ben Marissa kwijt, en nu Haley... Ik kan niet geloven dat dit gebeurt.'

'Mevrouw Bordain kan een verzoek indienen om pleegouder te worden,' stelde Maureen Upchurch voor. 'Als meneer en mevrouw Bordain pleegouders worden, heb ik de bevoegdheid om het kind bij hen te plaatsen.'

'De omstandigheden zijn uitzonderlijk, edelachtbare,' zei Dixon. 'Het kind moet in een beschermde omgeving zijn met mensen die zijn opgeleid om haar te helpen met deze nachtmerrie. Zowel mevrouw als meneer Leone zijn afgestudeerd psycholoog. Anne is onderwijzeres geweest. Ze heeft haar leerlingen vorig jaar gesteund bij de verwerking van het verdriet nadat ze...'

'Ze is niet in dienst van de staat, edelachtbare,' wierp Maureen Upchurch tegen. 'Ze is een vrijwilliger. En ze staan niet geregistreerd als pleegouders. Hun huis is niet gescreend.'

'Neem je me in de maling?' vroeg Anne. 'Heb je bezwaar omdat ik de juiste papieren niet ingevuld heb? Omdat je niet in mijn huis bent geweest om te controleren of je stofvlokken onder mijn bed vindt?'

'Er zit veel meer aan vast dan dat.'

'Ja, dat klopt,' zei Anne gedreven. 'Wat het beste is voor Haley. Ze is het slachtoffer van een geweldsmisdrijf. Weet je hoe dat is, Maureen? Mevrouw Bordain? Want ik weet dat wel. Ik weet precies hoe het is. Ik weet hoe het is om 's nachts schreeuwend wakker te worden, om doodsbang te zijn om een hoek om te slaan of je rug naar iemand toe te keren, zelfs als je hem kent. Weet een van jullie hoe dat voelt? Weten jullie hoe het is om plotseling, om een onverklaarbare reden, zo bang te zijn dat je denkt dat je erin stikt? Dat het zweet je uitbreekt midden in een volle kamer? Ik weet dat wel. Ik heb het namelijk zelf meegemaakt. Ik weet precies wat Haley onder ogen moet zien. En ik kan haar helpen op een manier zoals niemand anders dat kan.'

'Heb je hier goed over nagedacht, Anne?' vroeg Willa Norwood. 'Je kent ons beleid om vertegenwoordigers geen cliënten in huis te laten nemen. Daar is een reden voor. Ik wil niet dat je risico's neemt.'

'Mijn man is politierechercheur in Chicago en special agent bij de FBI geweest. Onze levens zijn gevuld met ordehandhavers. In mijn huis struikel je over de politieagenten.'

'Dat is niet het enige risico waarover ik het heb.'

Willa bedoelde het risico om emotioneel te veel betrokken te raken, wist Anne, maar ze had zich al voorgenomen dat risico te negeren.

De rechter wendde zich tot Vince. 'En u, meneer Leone? U hebt tot nu toe gezwegen. Hebt u een mening bij te dragen?'

Anne verstrakte. Vince was ertegen om Haley Fordham in huis te nemen of op een andere manier betrokken bij haar te raken. Hij was bang dat ze erdoor van streek zou raken, dat ze een terugslag zou krijgen, dat het haar fysiek en psychisch in gevaar zou brengen.

Hij keek naar haar en zei: 'Eerlijk? Ik moet zeggen... dat er niemand beter gekwalificeerd is om dit kind te helpen dan mijn vrouw.'

Anne liet de lucht uit haar longen ontsnappen en er stroomde een warm gevoel door haar heen. De tranen sprongen in haar ogen. Vince, die haar hand nog steeds vasthield, gaf weer een geruststellend kneepje in haar vingers.

Rechter Espinoza knikte en legde zijn handpalmen op het tafelblad, waarna hij zich uit zijn stoel omhoog duwde. 'Wat mij betreft hoeven alleen de papieren nog ingevuld te worden. Ik wijs Anne aan als voogd. Als het meisje uit het ziekenhuis ontslagen wordt, gaat ze naar de Leones. We bespreken de zaak opnieuw als er een familielid getraceerd is.'

25

'Raad eens wie er mag babysitten?' zei Vince.

Mendez trok een gezicht. 'Ik meld me vrijwillig aan. Ik weet dat je boos bent en dat neem ik je niet kwalijk.'

Ze hadden afgesproken op het politiebureau en reden door een prachtige oude buurt in de buurt van het college. Vince wist dat het een duur gedeelte van de stad was. Langs de straten stonden grote, volwassen bomen. De huizen waren een mix van stijlen en afmetingen, en waren voornamelijk gebouwd in de jaren dertig en veertig. Het huis dat Anne en hij hadden gekocht stond in deze wijk, maar dan een paar blokken verder.

Vince zuchtte. 'Ik ben niet boos meer. Ik probeer het vanuit een ander perspectief te zien. Misschien is het goed voor Anne. Ze is heel gedreven om dit kleine meisje te helpen omdat ze de ervaring delen om slachtoffer van een geweldsmisdrijf te zijn. Misschien helpt het niet alleen het kind, maar haar ook.'

'Als dat inderdaad zo is, krijg ik dan een schouderklopje?'

'Niet inhalig worden. Ik wil je nog steeds een trap onder je kont geven.'

'Dat heb je vanochtend min of meer gedaan,' merkte Mendez op.

Vince lachte. 'Vind je dat ik te hard voor je was?'

'Je zette me finaal voor schut.'

'Dat heb je zelf gedaan door niet voorbereid te zijn. Als je straks een zaak bij de FBI presenteert, kun je je zaakjes maar beter voor elkaar hebben.'

'Je probeerde me dus gewoon te harden,' zei Mendez, die er duidelijk geen woord van geloofde.

'Jezus, nee,' grinnikte Vince. 'Ik was kwaad. Ik wilde je straffen.'

'Dat was duidelijk.'

Vince haalde een flesje medicijnen uit de zak van zijn colbertje en schudde er een kleurig assortiment pillen uit. Eén voor de pijn, één voor de misselijkheid, een antidepressivum...

'Je had moeten zien hoe ze dat afschuwelijke mens van de kinderbescherming op haar nummer zette,' zei hij stralend van trots. 'Ze is een taaie. Ze heeft pit.'

'Ik zou haar niet graag dwars willen zitten,' zei Mendez. 'Ze heeft me vorig jaar een paar keer de wind van voren gegeven met betrekking tot haar leerlingen.'

'Ze verzet zich ook tegen mij,' zei Vince terwijl er plotseling een golf van liefde door hem heen stroomde.

'Je hebt het goed voor elkaar, kerel,' zei Mendez. 'Kijk naar alle huwelijken die tegenwoordig stranden. Mensen weten niet meer wat het is om zich te binden.'

'Denk je echt dat Steve Morgan een verhouding had met het slachtoffer?' vroeg Vince.

'Intuïtie.'

'Je mag hem niet.'

'Op dit moment ben ik ook niet bepaald gek op jou,' klaagde Mendez.

Vince rolde met zijn ogen. 'Alsjeblieft.'

Hij koos drie pillen, gooide ze in zijn mond en spoelde ze weg met een plaatselijk gebotteld flesje sinas.

'Hij heeft met Lisa Warwick samengewerkt aan projecten voor het Thomas Centrum,' zei Mendez. 'Hij heeft een verhouding met haar gehad. Hij heeft met Marissa Fordham samengewerkt aan een project voor het centrum. Ze was mooi, sexy, single, hield van mannen...'

'Waarom zou hij haar vermoorden?'

'Stel dat ze dreigde het aan zijn vrouw te vertellen. Wat er over is van zijn huwelijk loopt stuk en hij raakt zijn dochter kwijt.'

'En de vrouw dan?' vroeg Vince terwijl hij zijn reactie bestudeerde. Verwarring.

'Wat bedoel je?'

'Haar vriendin had een verhouding met haar echtgenoot,' zei Vince. 'Vrouwen zijn niet zo van slag als mannen vreemdgaan, maar om te worden bedrogen door een vriendin... Dat is onvergeeflijk.'

Mendez keek naar hem alsof hij stapelgek was geworden. 'Denk jij dat Sara Marissa Fordham vermoord kan hebben?'

'Ik zeg dat je in een driehoeksverhouding niet alleen naar de man, maar ook naar de vrouw moet kijken. Ze verliezen allebei door een scheiding. De man raakt de vrouw en het gezin kwijt. De vrouw raakt het sprookje kwijt: de knappe prins, het kasteel, de levensstijl...'

'Dat is krankzinnig,' zei Mendez. 'Sara Morgan probeert gewoon haar gezin bij elkaar te houden. Het is onmogelijk dat ze zoveel woede in zich heeft om te doen wat Marissa Fordham is aangedaan. Trouwens, Fordham is naakt gevonden.'

'En? Misschien sliep ze naakt en is ze midden in de nacht aangevallen. Of we kunnen een andere draai aan het verhaal geven: misschien waren Sara en zij meer dan vriendinnen.'

Mendez wilde er niets van weten. Interessant.

'Het 112-telefoontje,' zei Mendez. 'Het meisje zei dat papa haar mama pijn had gedaan.'

'Mensen dragen vermommingen.'

'Het kind zou haar eigen vader herkennen.'

'Waarom?' daagde Vince hem uit. 'Niemand anders weet wie hij is.'

'Misschien weet Gina Kemmer het,' zei Mendez terwijl hij de auto naast de stoeprand parkeerde voor een prachtige cottage in Tudorstijl met een voortuin met natuurlijke beplanting.

Dixon had gewild dat ze Gina Kemmer ophaalden voor een gesprek op het bureau, maar Vince wilde haar in haar eigen omgeving zien. Je kon veel afleiden uit iemands woonsituatie.

Hij stapte uit de auto en keek om zich heen. Gina Kemmer was huiselijk. Ze hield van haar huis, was er trots op en was hier letterlijk en figuurlijk geworteld.

De tuin straalde vreugde uit, met ouderwetse klimrozen, theerozen, blauwe ridderspoor, roze vingerhoedskruid en leeuwenbekjes in allerlei kleuren. Bloembakken onder de ramen van het huis stonden vol roze geraniums en klimop en blauwe lobelia's.

Op de oprit voor de garage, die paste bij het Tudor-huis, stond een blauwe Honda Accord uit 1981. Gina Kemmer had het goed voor elkaar.

Ze zou het niet prettig vinden dat de politie haar heiligdom betrad, maar dat gold eigenlijk voor iedereen.

Toen ze opendeed zag ze eruit alsof ze een pak slaag had gehad. Haar gezicht en ogen waren rood en gezwollen, en ze leek gebroken van verdriet. De meisjes die in haar boetiek in de trendy Via Verde werkten, hadden verteld dat hun bazin een dag vrij had genomen vanwege de dood van haar vriendin. Ze hadden met hun oogwimpers gefladderd terwijl ze Gina Kemmers adres en telefoonnummer aan Mendez gaven.

'Mevrouw Kemmer,' zei Mendez terwijl hij zijn politiepenning omhoogheld. 'Ik ben inspecteur Mendez. Dit is mijn partner, meneer Leone.'

'We willen u van harte condoleren, mevrouw Kemmer,' zei Vince in zijn rol van vriendelijke oom. 'Het spijt me dat we u moeten storen. We weten dat dit een moeilijke tijd voor u is.'

'Ik heb gisteren al met twee rechercheurs gesproken,' zei ze met een bezorgde uitdrukking op haar gezicht. 'Ik heb al hun vragen beantwoord.'

'Dat klopt,' zei Mendez. 'Maar we hebben nog een paar aanvullende vragen.'

'Omdat u Marissa Fordhams beste vriendin was, hopen we dat u in staat bent ons iets meer inzicht te geven in hoe ze was,' zei Vince.

'O.'

'Mogen we binnenkomen?' vroeg Mendez.

Gina Kemmer knikte en ze kreeg tranen in haar ogen. Ze droeg een grijs sweatshirt en een McAster-T-shirt dat eruitzag alsof ze erin had geslapen, maar ze had de moeite genomen om haar blonde haar in een paardenstaart te doen. De meisjes van de boetiek hadden misschien gebeld om haar te vertellen dat de politie onderweg was.

Ze draaide zich om en liep het huis in zonder te kijken of ze haar volgden.

'Ik kan niet geloven dat ze er niet meer is,' zei ze terwijl ze zich in de zitkamer op een met chintz beklede stoel liet vallen. Ze depte met een papieren zakdoekje in haar trillende hand de tranen onder haar ogen weg. 'Vermoord. O mijn god. Ik heb gehoord dat ze wel honderd keer gestoken is. Is dat waar?'

Ze was bang, alsof ze dacht dat zij de volgende was nu haar vriendin was vermoord. Het enige goede aan een moord, dacht Vince, was dat het doorgaans niet besmettelijk was.

'Ze is inderdaad gestoken,' zei Mendez.

'U hebt een prachtig huis,' zei Vince terwijl hij bewonderend om zich heen keek en tegelijkertijd op zoek was naar foto's. Hij zag er twee van Gina Kemmer en Marissa Fordham in lijstjes op de bijzettafel achter de bank: een was pasgeleden genomen, de ander niet.

'Bedankt,' mompelde ze.

'Is dit een huurhuis of een koopwoning?'

'Ik huur het.'

'Doet u de tuin zelf?'

'Ja.'

'Dan hebt u behoorlijk groene vingers,' zei Vince met een glimlach terwijl hij aan de kant van de bank ging zitten die het dichtst bij haar in de buurt was.

Ze glimlachte verlegen en keek naar beneden. 'Bedankt.'

'Ik vind het heel erg dat je je vriendin hebt verloren, Gina,' zei hij oprecht. 'Mag ik Gina zeggen?'

Gina knikte.

'We kunnen ons niet voorstellen dat zoiets kan gebeuren met iemand die we kennen. Moord is iets wat in kranten en op de televisie gebeurt.'

'Het is net een nachtmerrie,' zei ze, 'maar ik ben wakker. Ik kan niet geloven dat ze op die manier is omgekomen. Wat heeft ze in vredesnaam gedaan om dat te verdienen?'

'Niets,' zei Mendez. 'Niemand verdient het om op die manier te sterven.'

'Het is moeilijk,' zei Vince. 'Iemand sterft maar één keer, maar de geliefden die achterblijven leven elke dag met het verlies.'

Gina knikte en huilde in haar verkreukelde zakdoekje.

'Ik weet zeker dat je veel warme herinneringen aan haar hebt.'

'Ja.'

Ze had herinneringen opgehaald aan haar vriendschap met Marissa Fordham. Foto's lagen verspreid op de salontafel. Vince pakte er een van Gina Kemmer en Marissa en Haley Fordham – die een jaar of twee was – waarop ze lachend en gelukkig een zandkasteel op het strand bouwden. Hij legde hem neer en pakte een oudere foto van de twee vrouwen in bikini en flaphoeden op een ander strand.

'Zijn Marissa en jij samen opgegroeid?' vroeg Mendez.

'Nee,' zei ze terwijl ze naar de vloer keek. 'We hebben elkaar ontmoet toen we hiernaartoe verhuisden. Het lijkt een hele tijd geleden. Het was alsof we zussen waren, alsof we elkaar ons hele leven al kenden.'

'Dat is een speciale vriendschap,' zei Vince. 'Hoe zijn jullie hier terechtgekomen?'

'Eh... tja... ik wilde een verandering van omgeving. Dit is zo'n leuk stadje.'

'Dat klopt,' zei Vince. 'Het is hier prachtig. Ik ben hier vorig jaar komen wonen. Waar ben je vandaan verhuisd?'

'LA.'

'De grote stad.'

'Ja.'

'Vervuiling, verkeer. Wie zit daarop te wachten?'

Ze knikte.

'En Marissa... Waar kwam zij vandaan?'

'De oostkust.'

'Heeft ze het ooit over haar familie gehad?' vroeg Mendez. 'We proberen haar naaste familieleden te lokaliseren om ze op de hoogte te stellen.'

'Nee, ze praatte nooit over haar familie.'

'Dat is vreemd, vind je niet, Gina? Ik bedoel, ik praat over mijn familie, al is het alleen maar om mijn beklag over ze te doen. Jij niet? Ik denk dat de meeste mensen dat doen.'

'Ze hadden geloof ik met elkaar gebroken,' zei ze.

'Dat moet een ernstige reden gehad hebben.'

'Ik denk het.'

'Het moet heel erg zijn geweest als Marissa het niet eens aan jou, haar beste vriendin, heeft verteld.'

Gina Kemmer zei niets. Ze had nog niet langer dan twee seconden oogcontact met hem gehad.

'Waarom is ze naar Oak Knoll gegaan? Waarom niet naar Santa Barbara? Of Monterey? San Francisco? Allemaal heel artistieke plekken. Waarom Oak Knoll? Het ligt een beetje afgelegen.'

'Dat vond ze prettig. Ze was hier voor de kunstbeurs. Die wordt elke herfst gehouden en is erg bekend. Artiesten uit het hele land komen hiernaartoe. Ze vond het hier heerlijk en ze is gebleven.'

'Nogal impulsief.'

'Zo was Marissa.'

'Wanneer was dat?'

'September 1982.'

'En hoe oud was Haley toen?'

'Eh... vier maanden. Haar verjaardag is in mei.'

'Weet je misschien toevallig waar Haley geboren is?'

'Nee.'

'We proberen haar geboortebewijs te vinden,' zei Mendez. 'Heb jij er enig idee van waar Marissa dat bewaarde?'

'Nee.'

'Je zult begrijpen dat we vooral Haleys vader willen vinden,' zei Vince. 'Weet jij wie dat is?'

'Marissa praatte nooit over hem.'

'Nooit? Jullie waren als zussen voor elkaar. Ze moet iets gezegd hebben.'

Ze schudde haar hoofd.

'Kwam hij uit deze omgeving?'

'Nee.'

'Maar ze heeft hier de afgelopen jaren toch relaties gehad?'

'Ja, natuurlijk,' zei Gina. 'Marissa hield van mannen. Mannen hielden van Marissa. Dat was voordelig voor haar. Mannen voelden zich tot haar aangetrokken en deden alles voor haar. Ze gaven haar dingen, zelfs mannen met wie ze niet uitging.'

Mendez keek op van zijn notities. 'Wat bedoel je ermee dat ze haar dingen gaven?'

'Sieraden, kleren, bloemen, van alles. Mannen hielden van haar.'

'Op één na,' merkte Vince op.

Hij haalde een polaroidfoto uit de borstzak van zijn colbert en gaf die aan haar. Ze pakte hem automatisch aan. Het was een foto van Marissa Fordham die dood op de vloer van haar keuken lag, afgeslacht en bebloed.

Gina Kemmer gaf een gil, sprong uit haar stoel en gooide de foto van zich af alsof het een giftige slang was.

'O mijn god! O mijn god!' riep ze terwijl ze haastig achteruit stapte, in een poging weg te komen bij de afgrijselijke foto. Ze raakte een plantentafeltje en gooide een enorme Boston-varen op de vloer. De pot brak met het geluid van een geweerschot en ze gilde.

'Iemand heeft haar dat aangedaan, Gina,' zei Vince.

'Waarom heb je die foto bij je?' Ze keek geschokt en, belangrijker, doodsbang. 'Waarom laat je hem aan me zien? O mijn god!'

'Omdat het de realiteit is, Gina,' zei Vince nuchter. 'Het is de waarheid. Iemand heeft dat je beste vriendin aangedaan.'

Het bloed trok weg uit haar gezicht alsof het water was dat door een afvoerputje stroomde. Ze draaide zich om, kromde zich en braakte op de gevallen varen.

Vince stond op en haalde een visitekaartje uit zijn portefeuille, dat hij boven op de foto op de salontafel legde.

Hij legde een hand op Gina's schouder terwijl ze weer op de stoel ging zitten, kokhalzend en trillend en hysterisch huilend.

'Je bent een slechte leugenaar, Gina,' zei hij zonder wrok en bijna vriendelijk. 'Het komt niet echt uit jezelf. Het past niet bij je. Ik weet dat je bang bent. Je hebt Marissa waarschijnlijk een belofte gedaan. Die wil je niet verbreken, maar het is een verschrikkelijke last. Je buigt onder het gewicht ervan. Je kunt me dag en nacht bellen als je die last kwijt wilt en bereid bent me de waarheid te vertellen.'

26

'Je hebt haar behoorlijk hard aangepakt,' zei Mendez terwijl ze naar de auto liepen.

'Ze liegt,' zei Vince. Hij had het niet prettig gevonden om Gina Kemmer de foto te laten zien, maar hij wist dat het schokeffect een goede kans had om te werken. 'Ze moet weten dat ze dat niet moet doen. De politie is haar beste vriend... als ze meewerkt.'

Hij ging op de passagiersstoel zitten met een licht gevoel in zijn hoofd van de medicijnen die hij had geslikt. Mendez kroop achter het stuur.

'Sommige van die foto's op de tafel leken langer geleden genomen te zijn dan ze elkaar zogenaamd kennen.'

'Absoluut,' zei Vince. 'De foto van het strand met de Santa Monica-pier op de achtergrond is uit de jaren zeventig,' zei hij. 'Ik denk dat het enige waarover ze niet gelogen heeft, is dat ze vanuit LA hiernaartoe is gekomen.'

'Dat, en dat zij en het slachtoffer net zusjes waren,' zei Mendez. 'Ze is er kapot van. Ze zal jarenlang nachtmerries hebben van die polaroid-foto.'

Vince voelde zich er absoluut niet schuldig over. Gina Kemmer leek een heel aardige, jonge vrouw. Ze kwam op hem over als iemand die gewoon een aangenaam, eenvoudig leven wilde leiden. Ze had geen behoefte aan intriges en leugens, maar ze was op een of andere manier toch in deze situatie verwikkeld geraakt.

'Probeer zo veel mogelijk over haar leven in LA te achterhalen,' zei Vince. 'Ik durf te wedden dat Marissa Fordham er in dezelfde periode is geweest.'

'En het verhaal dat ze afkomstig is van de oostkust?'

'Ik weet het niet. Waarschijnlijk hield ze ervan om mysterieus te zijn. Toen ze naar een nieuwe stad verhuisde, kon ze opnieuw beginnen en zijn wie ze wilde zijn. Het is veel interessanter om te zeggen dat je afstamt van een rijke familie in Rhode Island dan dat je bent opgegroeid in Oxnard.'

'Dat klopt,' zei Mendez. 'En als Gina en zij al heel lang bevriend waren en hier samen zijn komen wonen, weet Gina beslist wie Haleys vader is.'

'En als papa mama heeft vermoord, is Milo Bordain bereid haar vijfentwintigduizend dollar voor die informatie te betalen,' zei Vince. 'En als papa mama heeft vermoord en Gina de enige is die weet wie papa is...'

'En als papa weet dat Gina vijfentwintigduizend dollar kan verdienen door hem aan te geven...' maakte Mendez zijn gedachte af. 'Ik zal de coördinator zeggen dat ze elk halfuur een politiewagen langs moeten sturen.'

'Ze is het lokaas waarmee we de dader kunnen pakken,' zei Vince. Het klonk harteloos, maar het zou veel veiliger voor Gina Kemmer zijn als ze haar in de gaten hielden. 'Vraag Cal om een neutrale auto te laten posten. We moeten haar in de gaten houden.'

'We hebben een flink tekort aan rechercheurs.'

'Dan mogen een paar gelukkige uniformdragers promoveren en een tijdje burgerkleren dragen.'

'Vertellen we Gina dat we haar in de gaten houden?'

'Nee, ik wil zien wat ze gaat doen. Misschien leidt ze ons rechtstreeks naar onze moordenaar. Controleer haar financiën ook,' stelde Vince voor. 'Ze heeft een dure auto en woont in een dure buurt voor een meisje van haar leeftijd. Ze heeft natuurlijk een boetiek, maar die is Tiffany niet.'

'Denk je aan chantage?'

'Nasser zei gisteren dat hij niet geloofde dat Marissa Fordham genoeg geld met haar kunst verdiende om haar levensstijl te financieren. Misschien wist niemand wie Haleys vader was omdat het rendabeler was voor Marissa Fordham om die informatie voor zich te houden.'

'Misschien kreeg papa er genoeg van om te betalen,' zei Mendez terwijl hij de motor startte. 'Dat is een uitstekend motief voor een moord.'

Vince knikte. 'Of twee.'

Bij het politiebureau nam hij afscheid van Mendez. De inspecteur ging naar binnen om het achtergrondonderzoek naar Gina Kemmer op te starten en te informeren wat Marissa Fordhams bank- en telefoongegevens hadden opgeleverd.

Vince ging achter het stuur van zijn oude Jaguar zitten en reed de stad uit. De rit naar Marissa Fordhams huis was mooi en rustig, in sterk contrast met wat hij zou meemaken als hij bij haar huis arriveerde.

Anne had hem gevraagd om naar het huis te gaan om kleding en speelgoed voor Haley op te halen. Hij zou toch gegaan zijn. De technische recherche had haar werk gedaan en was weg. Als hij de media, die aan het eind van de oprit werden tegengehouden, was gepasseerd, had hij de plaats delict voor zichzelf.

Het was een nadeel dat hij gemakkelijk werd herkend door misdaadverslaggevers. Hij had te veel jaren doorgebracht met het doen van onderzoek voor de FBI in belangrijke zaken. En in Oak Knoll was zoveel geschreven over de Zie-Geen-Kwaad-moorden en Annes ontvoering dat de bewoners hem zelfs bij zijn naam noemden.

De busjes van de diverse nieuwsprogramma's stonden achter elkaar aan de kant van de weg toen hij de oprit naderde. Verschillende verslaggevers, die verveeld tegen hun auto's aan hingen, zagen hem en renden naar hem toe.

Vince liet zijn ID zien aan de politieagent die de oprit bewaakte en werd doorgelaten voordat de hongerige persmuskieten bij hem waren.

Een andere politieagent zat in zijn patrouillewagen onder de schaduw van een peperboom aan het eind van de oprit. Vince zwaaide naar hem terwijl hij naar het huis liep.

Hij kroop onder de gele tape door en ging via de voordeur naar binnen. Het huis was leeg, maar er hing altijd een vreemde, gespannen energie op plekken waar een geweldsmisdrijf had plaatsgevonden. Soms dacht hij dat de achtergebleven angst en spanning van het slachtoffer nog in de lucht zweefde, samen met de geuren van bloed en dood. Andere keren had hij het gevoel dat een restant van het kwaad als een duistere energie in de lucht vibreerde, als de laatste trillingen van een stemvork.

Het beleid van de afdeling Onderzoeksondersteuning van de FBI was om de profilers niet meteen naar de plaatsen delict te sturen van de misdrijven waarover ze werden geraadpleegd. Alle beschikbare informatie over de zaak werd eerst besproken in de ondergrondse ruimte van Quantico, die bij de agenten bekendstond als de Nationale Kelder voor het Analyseren van Geweldsmisdrijven.

Daar, ver weg van de emotie en andere invloeden van de plaats delict, kon het team de zaak objectief bespreken, in een dynamisch groepsproces brainstormen en hun individuele ervaringen koppelen. Het systeem werkte heel goed, en met die methode waren ze in staat om meer zaken aan te nemen. Vince had jarenlang met het systeem gewerkt, maar het had nooit echt bij hem gepast.

Na jaren als rechercheur bij de afdeling Moordzaken liep hij nog steeds graag op een plaats delict rond. Hij wilde de driedimensionale realiteit zien in plaats van videobanden en foto's. Hij wilde zich bewust zijn van alles eromheen, met inbegrip van die laatste, achtergebleven trilling van energie die na de dood bleef hangen.

Door zijn unieke combinatie van ervaring en opleiding – rechercheur Moordzaken, special agent bij de FBI en een graad in de psychologie die hij daarnaast had gehaald – was hij een van de beste profilers geworden.

Hij liep naar Marissa Fordhams slaapkamer. De lakens en het matras waren meegenomen door de technische recherche. De rest was nog zoals het was geweest.

Ze was hier voor het eerst aangevallen. Er was bloed op het plafond gespat toen de moordenaar het mes uit haar lichaam had getrokken en boven zijn hoofd had gehouden om weer op haar in te steken. Het doorzoeken van haar spullen had later plaatsgevonden, toen Marissa dood of stervend op de keukenvloer lag.

Was ze aangevallen toen ze lag te slapen of nadat ze seks had gehad? Door een boze minnaar of iemand die jaloers was en haar minnaar wilde zijn? Door een vreemde of een kennis?

Hij stelde zich de scène keer op keer voor, elke keer met een ander in de rol van de moordenaar. Zahn, Rudy Nasser, de gezichtsloze vader van Haley, Steve Morgan, en zelfs Sara Morgan, waarmee hij zelf het advies opvolgde dat hij Mendez had gegeven, hoe onwaarschijnlijk het ook was dat een vrouw een andere vrouw op zo'n gewelddadige manier vermoordde. Vrouwen bewaarden dat soort razernij voor mishandelende of ontrouwe echtgenoten.

Wat was het motief geweest? Woede? Jaloezie? Een flashback van een andere misdaad?

Had Haley het eerste deel van de aanval gezien? Had ze vol afgrijzen toegekeken terwijl haar moeder naakt en bloedend de slaapkamer uit rende, achternagezeten door een moordenaar die haar met het mes probeerde te steken?

Haleys slaapkamer lag aan de andere kant van de gang. Het was de kamer van een sprookjesprinses, roze met tierelantijnen. Haar moeder had een sprookjesland vol magische wezens op de muren geschilderd. Een fee met vleugels reed op de rug van een eenhoorn. Een glimlachende, gestreepte poes zat op een tak van een lollyboom.

Het was lief en onschuldig. Onschuld zou niet mogen eindigen op vierjarige leeftijd, dacht hij.

Hij volgde het bloedspoor naar de keuken en keek naar de plas opgedroogd bloed op de vloer en de met bloed besmeurde telefoon aan de muur. Het meisje was op de stoel die tegen de muur stond geklommen en daarna van de stoel op het aanrecht om bij de telefoon te kunnen.

Ze had tijdens de moord gebeld of net daarna, toen de moordenaar het huis doorzocht naar datgene wat hij zo wanhopig graag wilde hebben. Vince zag voor zich hoe hij terugkwam in de keuken en de kleine Haley met de telefoon zag. Hij zag hoe hij het meisje vastgreep en haar eerst wurgde en dan verstikte, om het ogenschijnlijk levenloze lichaam daarna als een stuk vuilnis naast het lichaam van haar moeder te laten vallen.

Als Gina Kemmer niet ging praten, hadden ze alleen Haley om de misdaad op te lossen.

Vince riep het beeld van de vorige avond op: zijn vrouw die het snikkende kind in haar armen hield en probeerde het intens verdrietige meisje te troosten.

Onschuld mocht niet eindigen op vierjarige leeftijd. Het zou beter voor Haley zijn als haar hersenen de gebeurtenis blokkeerden, maar dat zou de zaak niet helpen. Ze moesten de moordenaar pakken en het meisje was de sleutel.

27

'Maureen Upchurch,' zei Franny met zoveel minachting in zijn stem als mogelijk was zonder harder te gaan praten. 'Ik zou haar een stomme koe noemen als dat geen belediging voor alle koeien zou zijn.'

Ze zaten in de verste hoek van Haleys ziekenhuiskamer terwijl het meisje rustig lag te slapen. Franny had thee en cakejes gekocht bij theewinkel The Mad Hatter en de bakkerij in de Via Verde in de buurt van het college.

'Ik heb haar neefje een paar jaar geleden in mijn klas gehad, net voordat jij terugkwam om les te geven,' ging hij verder. 'Godzijdank heeft ze zichzelf niet voortgeplant. Iemand moet het nest verbranden voordat dat kan gebeuren!'

Anne giechelde zachtjes, dankbaar voor de afleiding van de spanningen van die dag. 'Je bent verschrikkelijk.'

'Ben ík verschrikkelijk?' vroeg hij ongelovig. 'Terwijl ze míj heeft aangegeven bij het schoolbestuur omdat haar neefje een potloodventer was?!'

'O mijn god!' Anne sloeg haar hand voor haar mond om haar lach te smoren. 'Hoe kan dat jouw schuld zijn?'

Franny was opgetogen over haar reactie. 'Ze beweerde dat het kwam door mijn "homoseksuele invloed". Maar het kind had vanaf de crèche al een goed gedocumenteerde geschiedenis van potloodventen, en dat wist ze. Hij is weggestuurd van de zondagsschool omdat hij zijn piemel tevoorschijn haalde tijdens de kerstprocessie, recht voor de maagd Maria. Kun je het je voorstellen!? Ze was gewoon boos op me omdat ik haar zus had verteld dat haar kind later een exhibitionist zou worden als ze er niet voor zorgde dat hij ermee stopte.'

'En daar werd ze boos om? Belachelijk,' zei Anne.

'Ja. En voordat ik het wist kwam Maureen Upchurch als een dolle olifant op me af en beschuldigde me ervan een homo te zijn!'

'Je bént een homo.'

'Ik kom er alleen niet openlijk voor uit, liefje. Het heeft tenslotte niets te maken met mijn kwaliteiten als docent. Ben ik geen uitstekende leraar?'

'De beste.'

'Bovendien is ze de grootste, dikste befteckel die er rondloopt.'

'Wat is ze?'

Franny rolde met zijn ogen. 'Je loopt zo hopeloos achter, Anne Marie. Hoe noem je een lesbische teef? Een bef-teckel.'

'O mijn god!' Anne legde haar handen op haar gezicht om haar gloeiende wangen te verbergen.

Franny lachte zo dat zijn ogen boven zijn appelwangen spleetjes werden. 'Ik heb je aan het lachen gemaakt!'

Anne schudde haar hoofd en veegde de tranen uit haar ogen. 'Je bent me er een, Franny. Wat zou ik zonder jou moeten doen?'

'Tja, dan zou je heel saai zijn.'

'Dank je.'

'Het hindert niet. Ik vind het fijn om je gids in de moderne popcultuur te zijn.'

'Ik weet niet of "cultuur" het juiste woord is.'

'Maar goed, ze heeft me een hoop problemen bezorgd, die zure, kwaadaardige bitch. Ze geeft alle mensen met een normaal postuur er de schuld van dat ze zo dik is als de Goodyear-zeppelin,' zei hij. 'En dat terwijl ze elke keer dat ze Ralph's binnengaat twee dozijn donuts en een emmer gefrituurde kip koopt. Ik heb haar gezien.'

'Ze is heel boos op me,' zei Anne. 'Ik heb de pikorde genegeerd.'

'Je deed wat het beste is voor Haley.'

'Zo ziet zij dat niet. En Milo Bordain ook niet. Die stortte trouwens helemaal in. Daar voel ik me rot over.'

'Laat ze de pest krijgen,' zei Franny. 'Wat vindt Vince ervan?'

'Hij wilde niet dat ik het deed, maar hij heeft me gesteund.'

'Hij probeert je alleen te beschermen, schat.'

'Ik weet het.'

Haley begon te draaien en te jammeren. Anne stond op, liep naar haar toe, boog zich over haar heen en streek het vochtige haar uit haar gezicht.

'Het is goed, liefje,' zei ze zachtjes.

Haley deed haar bloeddoorlopen ogen open en staarde naar Anne.

Anne wachtte tot de tranen begonnen te stromen, maar dat gebeurde niet.

'Weet je nog wie ik ben?'

Haleys gezwollen, gekneusde, kleine rozenknopmond tuitte heel even terwijl ze probeerde te beslissen of ze antwoord zou geven of niet. Anne bood haar een slok water door een rietje aan. Ze wist nog precies hoe haar keel had aangevoeld nadat ze was gewurgd.

Haley ging zitten en nam een slokje.

'Ik was er gisteravond ook. Weet je dat nog, liefje?' vroeg Anne opnieuw.

Het kind knikte. 'Jij bent mama,' zei ze met een schor, zacht stemmetje.

'Ik heet Anne. Ik ben hier om je te helpen en te zorgen dat alles goed met je gaat.'

Haley dacht over haar woorden na.

'Hallo, Haley,' zei Franny zachtjes terwijl hij naast Anne bij het bed ging staan.

Haley bestudeerde hem even. 'Ben jij de papa?'

'Nee, liefje. Ik ben meester Franny. Weet je nog? Je bent in mijn klas geweest voor het Halloweenfeest.'

'Ik was een poesje,' zei Haley.

'Ja, dat klopt. Ik herinner het me. Je was een heel mooi poesje.'

Ze keek eerst in de kamer rond en daarna door de glazen wand naar de receptie, waar het personeel druk bezig was met statussen bekijken en aantekeningen maken.

'Je bent in het ziekenhuis,' zei Anne. 'Je bent gewond geraakt en je bent hiernaartoe gebracht zodat de dokters je beter kunnen maken. Weet je nog dat je gewond bent geraakt?'

Haley schudde haar hoofd terwijl ze naar beneden keek. Ze plukte aan de tape die het infuus op zijn plek hield en keek daarna weer naar Anne. 'Waar is mijn mama?'

Annes hart kromp ineen. Er was geen gemakkelijke manier om dit te doen, maar ze had besloten om Haley kleine beetjes informatie te geven als ze daarom vroeg. Het had geen zin haar onomwonden te vertellen dat ze haar moeder nooit meer zou zien als ze alleen en bang en omringd door vreemden was.

'Je mama is ook gewond.'

Anne hield haar adem in en wachtte op de volgende vraag. *Mag ik haar zien? Waar is ze?*

Haley Fordham vroeg echter niets. Ze zweeg met een gefronst voorhoofd terwijl ze nadacht. Toen ze opkeek naar Anne, had ze haar aandacht bij andere behoeften.

'Mijn keel doet pijn. Mag ik Jell-O?'

'Ik ga het voor je vragen,' zei Franny. 'Ik weet zeker dat het mag. De Jell-O is hier heel lekker, nietwaar, Anne?'

'Fantastisch.'

Franny liep de gang in op het moment dat Vince met een paar sporttassen in zijn handen de lift uit stapte. Hij kwam de kamer in en trok zijn wenkbrauwen op toen hij Haley rechtop in bed zag zitten.

'Dat is een goed teken,' zei hij.

Haley keek naar hem op. 'Ben jij de papa?'

'Ik ben Vince,' zei hij. Hij bukte zich zodat hij op ooghoogte met haar was. 'En jij bent Haley. Ik heb iets voor je waar je volgens mij heel blij mee bent.'

Uit een van de sporttassen haalde hij een versleten pluchen konijn met slappe oren.

Het gezicht van het kleine meisje lichtte op. 'Honey-Bunny!'

Vince gaf haar het knuffelbeest en keek naar Anne. 'Heeft ze iets gezegd?'

'Ze herinnert zich niet dat ze gewond is geraakt.'

'Heb je gevraagd...'

'Ik ga geen druk op haar uitoefenen,' waarschuwde ze.

'Ik weet het. Ik weet het. Ik hoopte op een spontane mededeling.'

'Hmm. Nee. Geen spontane mededelingen,' zei ze terwijl hij de sporttassen op een van de stoelen zette en een cakeje van het blad pakte. 'Krijg je problemen omdat je bewijs van een plaats delict hebt weggehaald?'

'De technische recherche heeft alles wat belangrijk kan zijn al meegenomen. Godzijdank zag het konijn er niet verdacht uit,' zei hij terwijl hij naar Haley knikte, die opgerold lag met haar knuffel tegen zich aan gedrukt. Ze leek opnieuw heel slaperig en had haar duim centimeters van haar mond.

'Ze is zo lief,' zei Anne zachtjes. 'Ik heb zo'n medelijden met haar.' Ze zweeg even. 'Ik was drieëntwintig toen ik mijn moeder verloor,' ging ze verder. 'Ik was er kapot van, maar ik heb in elk geval mijn herinneringen om op terug te kijken. Ze is bij elke belangrijke gebeurtenis in mijn leven geweest: mijn eerste schooldag, brownies maken, schoolmusicals, mijn eerste afspraakje, de eerste verbroken verkering, mijn vertrek naar de universiteit. Haley zal dat niet hebben. Ik kan me niet voorstellen hoe het is om zo jong, zo klein en zo kwetsbaar te zijn en niemand te hebben.'

Vince sloeg zijn armen om haar heen en gaf een kus boven op haar hoofd. 'Ze heeft jou.'

'Op dit moment wel.'

Anne zuchtte hartgrondig en leunde tegen het sterke lichaam van Vince aan. Ze zag hoe de ogen van het kleine meisje dichtvielen en hoe haar ongelooflijk lange wimpers tegen haar wangen krulden, en verbaasde zich erover hoe snel ze gehecht was geraakt aan Haley Fordham. Ze moest oppassen dat ze het punt waarop ze niet meer terug kon niet passeerde. Hun paden kruisten elkaar met een reden, maar als ze elkaar geholpen hadden, zouden ze uiteindelijk allebei hun eigen kant op gaan.

Ze zag nu al verschrikkelijk op tegen die dag.

Een politieagent verscheen in de deuropening en klopte aarzelend op het raam.

'Meneer Leone? Ik heb een boodschap van inspecteur Mendez. Hij heeft gevraagd of we u wilden vertellen dat de borsten gevonden zijn.'

28

De twee hompen vlees in de doos leken niet meer op borsten. De huid begon zwart en slijmerig te worden, en raakte op sommige plekken los. De tepels waren verschrompeld en hard als oude rozijnen. Het vetweefsel was geleiachtig. De stank was ondraaglijk.

'Heeft de postbode dit gebracht?' vroeg Mendez. 'Jezus, wat dacht hij dat het was? Rotte vis?'

Milo Bordain kokhalsde. Ze zat op een oud rieten bankje op de veranda van haar grote hoeve en leek veel minder angstaanjagend nu ze haar lunch had uitgebraakt in de rozenstruiken.

Haar gezicht was wasachtig bleek en ze transpireerde, hoewel het koel begon te worden nu de zon achter de bergen was verdwenen.

De doos stond een paar meter verder op een voetenbankje. Mendez hurkte om het frankeerstempel te bestuderen.

'Lompoc,' zei hij. 'Maandag op de post gedaan.'

Het was nu woensdag. De patholoog-anatoom had geschat dat Marissa op zondag was vermoord.

'Ik neem aan dat we afgescheiden lichaamsdelen kunnen toevoegen aan de lijst van dingen die na drie dagen weggegooid moeten worden,' zei hij tegen Hicks.

'Vis, logés en rottend menselijk vlees,' zei Hicks.

Mendez keek achter zich naar mevrouw Bordain om zich ervan te overtuigen dat ze buiten gehoorsafstand was. Ze was naar het eind van de lange veranda gelopen om weer te braken.

De gemiddelde burger had geen waardering voor politiehumor. Niet dat er iets grappig was aan de situatie, maar het was gewoon een manier om de spanning wat te verminderen.

'Geen afzender,' zei hij terwijl hij overeind kwam.

'Waarom hebben ze die borsten hiernaartoe gestuurd?'

'Ze sponsorde Marissa Fordham.'

'Is onze moordenaar een krankzinnige kunstcriticus?'

Mendez haalde zijn schouders op. 'Iedereen heeft iets te zeggen.'

De auto van de sheriff stopte op de oprit en Dixon stapte uit.

'Zijn wij niet goed genoeg voor de grande dame?' vroeg Mendez toen zijn baas bij hen kwam staan.

'Dat klopt,' zei Dixon. 'Mevrouw Bordain neemt alleen genoegen met de top van de voedselketen.'

'Ik zou het woord "voedsel" op dit moment niet tegen haar noemen,' zei Mendez. 'Ze is nogal van streek.'

'De doos is vanuit Lompoc gestuurd,' zei Hicks. 'Geen afzender.'

Dixon trok een gezicht terwijl hij zich over de doos boog om erin te kijken. 'Ik ben blij dat ik niet degene ben die dit naar de patholoog-anatoom in Santa Barbara brengt.'

'Je hoeft mij niet aan te kijken,' zei Mendez. 'Ik heb dit colbert net gekocht. Ik ben niet van plan een uur in de auto te gaan zitten met die stank.'

'Kalm maar. Ik kan jou niet missen,' zei Dixon terwijl twee technisch rechercheurs de veranda op kwamen lopen.

'De doos is bewijs,' zei hij tegen hen. 'De inhoud moet naar het mortuarium in Santa Barbara. De patholoog-anatoom verwacht jullie.'

'Cal, bedankt dat je bent gekomen.'

Milo Bordain had zich vermand. Ze liep tot de voordeur, een eind bij de aanblik en de stank van de doos vandaan. De wasachtige bleekheid was tegelijkertijd met haar maaginhoud verdwenen. Ze was nog steeds zichtbaar van streek en kon nu het beste als lijkbleek beschreven worden.

'Het spijt me dat u dit moet meemaken, mevrouw Bordain,' zei Dixon. 'Hebt u gezien dat de postbode de doos achterliet?'

'Hij bracht hem samen met de rest van mijn post naar de deur. Ik ben hier gaan zitten om hem open te maken.' Ze deed haar ogen dicht en schudde haar hoofd om de herinnering weg te krijgen. 'O mijn god. Het was... Ik heb nog nooit...'

'U kunt beter gaan zitten, mevrouw Bordain,' stelde Mendez voor.

'Nee, nee. Ik kan niet bij die doos in de buurt blijven,' zei ze terwijl ze met haar hand gebaarde. 'Ik kan het niet verdragen. Dat is een deel van Marissa. Iemand heeft haar dat aangedaan. Het is ziek!'

Ze draaide zich om en liep het huis in. Dixon ging haar achterna. Hicks en Mendez volgden.

'Ik ben misselijk,' zei Milo Bordain. 'Ik moet thee zetten.'

Ze volgden haar door een imposante zitkamer die niet zou misstaan in *Bonanza* naar een enorme keuken voorzien van professionele keukenapparatuur. Ze vulde een fluitketel en zette die op het fornuis. Toen ze zich omdraaide en Mendez en Hicks zag, trok ze één wenkbrauw afkeurend op.

'Ik dacht dat we hier onder vier ogen over zouden praten, Cal,' zei ze tegen de sheriff.

'Inspecteur Mendez is de onderzoeksleider in deze zaak. Inspecteur Hicks is zijn partner.'

'Ik dacht dat je de zaak zelf behandelde.'

'Het heeft mijn volle aandacht, maar een onderzoek zoals dit is altijd een teamprestatie.'

Het antwoord leek haar niet aan te staan. Ze wilde de onverdeelde aandacht van de sheriff.

'U hebt een prachtige hoeve, mevrouw Bordain,' zei Hicks. 'Is het een operationeel bedrijf?'

'Ja. We fokken exotisch vee... Highland-koeien. En we hebben natuurlijk wat paarden – zuivere Andalusiërs – en een paar interessante kippenrassen.'

Zelfs de dieren op haar boerderij droegen designerlabels.

Ze was gekleed om te gaan rijden in een bruine rijbroek, lange laarzen en een boterzacht suède jasje dat Mendez waarschijnlijk twee weeklonen zou kosten. De prachtig gedessineerde sjaal in de open kraag van haar spierwitte bloes was kunstig rond haar hals gewikkeld, ze droeg geitenleren handschoenen die zo dun waren dat ze geen moeite hoefde te doen om ze uit te trekken en haar laarzen zagen er niet uit alsof er ooit mee in een schuur was gelopen of dat ze ooit in een stijgbeugel waren gestoken.

'Kent u iemand in Lompoc, mevrouw Bordain?' vroeg Hicks.

'Nee.'

Lompoc bezat niet de juiste postcode voor de Bordains, die een villa aan de kust in het chique Montecito bij Santa Barbara bezaten en een appartement aan Wilshire Boulevard in Los Angeles.

'De doos is gefrankeerd in Lompoc.'

Lompoc was ongeveer net zo groot als Oak Knoll en lag ten noordwesten van Santa Barbara. Mendez kende de plaats van de gevangenis.

'Er zitten toch vingerafdrukken op de doos?' vroeg Milo Bordain.

'Als we geluk hebben,' antwoordde Mendez. 'Mevrouw Bordain, hebt u enig idee waarom de moordenaar de doos naar u toe heeft gestuurd?'

'Nee! Mijn god! Natuurlijk niet! Ik begrijp er helemaal niets van! Waarom zou iemand Marissa willen vermoorden? Ze was als een dochter voor me. En waarom zou hij dat... dat ding naar mij sturen?'

'Misschien omdat ze als een dochter voor u was,' zei Mendez. 'Kan iemand jaloers of boos zijn geweest dat u haar sponsorde?'

'Ik denk het,' zei ze. 'Ik krijg veel verzoeken van mensen die anderen graag voor zich laten betalen.'

'Krijgt u brieven?'

'Ja. Een van de secretaresses van Bruce handelt ze af.'

'We zullen die brieven moeten bekijken,' zei Dixon. 'Voor het geval iemand een bepaalde rancune koestert.'

De ketel floot en Milo Bordain sprong overeind alsof er geschoten was. Met trillende handen zette ze thee met een theezakje, en een pepermuntlucht verspreidde zich. Het kopje rammelde tegen het schoteltje terwijl ze het meenam naar de keukentafel en ging zitten.

'Dit is zo'n nachtmerrie,' zei ze. 'Ik was net terug van het overleg over Haley toen de post kwam. Ik was al van streek. Ik ga de papieren indienen om pleegouder te worden. Die vrouw van de kinderbescherming komt morgen om het huis te controleren. Haley moet bij mensen zijn die ze kent, die om haar geven. Wat moet ze wel niet denken? Ze moet doodsbang zijn, omringd door vreemden. Heeft ze iets gezegd over wat er gebeurd is?'

'Tot nu toe niet,' zei Dixon. 'Ze heeft een tijd in coma gelegen. Misschien herinnert ze zich niets meer.'

Bordain zuchtte. 'Dat hoop ik voor haar. Dat arme kleine ding.'

'Als ze het zich herinnert en ze ons een naam of een aanwijzing kan geven, dan kunnen we Marissa Fordhams moordenaar pakken,' zei Mendez. 'Wilt u dat niet?'

'Natuurlijk wel, maar Haley is nog maar vier. Moet ze dan getuigen voor de rechtbank? Wordt een vierjarig kind als een geloofwaardige getuige beschouwd?'

'Jaren geleden had ik een zaak in LA County,' zei Dixon. 'Een driedubbele moord... op een moeder en twee kinderen. De enige die nog leefde was een tweeëntwintig maanden oude peuter. De moordenaars lieten hem in leven omdat ze dachten dat hij niet kon praten,' zei hij. 'Het bleek dat ze het mis hadden. Hij was uitstekend in staat om te praten; hij praatte alleen niet tegen vreemden. Hij had hun namen gehoord en had alles zien gebeuren, maar getuigde niet voor de rechtbank. We moesten via een derde partij bevestigen wat hij ons vertelde. Die peuter heeft de misdaad uiteindelijk opgelost en dat kan Haley ook doen.'

'Waarna ze opnieuw getraumatiseerd raakt,' zei Bordain. 'Ze zal nooit normaal zijn. Mensen zullen haar altijd zien als het kind van de vermoorde moeder, het meisje dat voor dood is achtergelaten. Daar zal ze de rest van haar leven mee moeten leven.'

'Anne Leone zal haar erdoorheen helpen,' zei Dixon.

Bordain fronste haar voorhoofd. 'Ik mag díe vrouw niet. Ze is erg bazig en manipulatief.'

'Ik ken Anne vrij goed,' zei Dixon. 'Ze is een felle vertegenwoordigster van kinderen. Haley kan niet in betere handen zijn.'

'Ze zou hier in goede handen zijn,' argumenteerde Bordain. 'Bij mensen die ze kent.'

'Mevrouw Bordain,' onderbrak Mendez haar. 'Hoe hebt u Marissa Fordham ontmoet?'

Ze zuchtte, geïrriteerd omdat ze het onderwerp Haley moest laten varen.

'Ik heb Marissa in 1982 op de kunstbeurs ontmoet,' zei ze uiteindelijk. 'Ik was een van de juryleden. Ik vond haar werk uitzonderlijk. Zo fris, zo vol vreugde.'

'En u besloot haar te sponsoren? Gewoon zomaar?'

'Ik heb oog voor talent,' zei ze. 'Ik stelde Marissa voor aan de eigenaars van de Acorn Galerie. Die besloten haar kunst in hun galerie in Montecito te hangen. Ik haalde Marissa over om hier te komen wonen. Haley was nog maar een baby en ze hadden een huis nodig.'

'Is het huis waarin ze woonde van u?' zei Dixon.

'Ja. Ik heb er gewoond terwijl deze hoeve werd gebouwd. Mijn man begreep niet waarom ik niet gewoon in het huis in Montecito bleef en heen en weer reed. Uitgerekend hij zou moeten weten dat je bouwvakkers geen moment alleen kunt laten. Het was helemaal misgelopen als ik hier niet was geweest om ze als een havik in de gaten te houden.'

'Hoe lang is dat geleden?' vroeg Mendez.

'Ik heb het grootste deel van 1981 en de helft van 1982 in dat huis gewoond. Dit huis was natuurlijk niet klaar op het afgesproken tijdstip.'

Mendez liet haar doorkletsen over de timmermannen die ze halverwege de klus had ontslagen omdat ze de studeerkamer hadden betimmerd met grenenhout met knoesten, terwijl ze keer op keer uitdrukkelijk had gezegd dat ze grenenhout zonder knoesten wilde. De timmermannen hadden haar waarschijnlijk met liefde in een grenenhouten kist willen stoppen, dacht Mendez.

Zijn moeder zou tegen hem zeggen dat hij vriendelijk moest zijn.

Ondanks Milo Bordains snobisme was ze zenuwachtig en van streek. Het gaf haar een gevoel van controle om het gesprek op alledaagser terrein te brengen, en controle was duidelijk heel belangrijk voor Milo Bordain. Ze was een vrouw die het gewend was om de leiding te hebben en andere mensen te vertellen wat ze moesten doen.

Uiteindelijk bracht hij haar terug naar het onderwerp. 'Heeft ze wel eens over Haleys vader gepraat?'

'Nee. Ik vermoedde dat hij haar mishandelde en dat ze daarom naar Californië is gekomen en niet over hem praatte.'

'Maar dat heeft ze u nooit verteld?' vroeg Hicks.

'Nee.'

'Leek ze de laatste tijd zenuwachtig?' vroeg Dixon. 'Afwezig? Van streek?'

'Nee. Marissa was erg beheerst.'

'Heeft ze gezegd dat ze een probleem met iemand had?'

'Niets wat ze niet aankon.'

'Wat bedoelt u daarmee?' vroeg Mendez.

'Ik weet zeker dat het niets is,' zei ze. 'Ze heeft tegen me geklaagd over die vreemde buurman van haar. Hij geeft les aan het college. Ik weet niet waarom ze hem houden. Er is iets mis met die man. Mensen betalen veel geld om hun kinderen naar die school te sturen. Mijn man zit in het bestuur en ik heb hem al verschillende keren gezegd dat hij het moet regelen.'

'Wat heeft Marissa over hem verteld?' vroeg Mendez.

'Tja,' zei ze terwijl ze zijn blik ontweek. 'Dat hij vreemd was en dat hij haar een ongemakkelijk gevoel gaf. Jullie zouden hem moeten ondervragen.'

Zahn gaf mevrouw Bordain ongetwijfeld een ongemakkelijk gevoel, dacht Mendez. Iedereen met wie ze hadden gepraat, had verteld dat Marissa Fordham zich uitstekend op haar gemak voelde bij haar zonderlinge bewonderaar.

'We hebben al met doctor Zahn gepraat,' zei Mendez.

'En?'

'Weet u of Marissa een relatie met iemand had?'

'U hebt mijn vraag niet beantwoord, inspecteur.'

'Dat ben ik ook niet van plan.'

'Wat inspecteur Mendez bedoelt,' legde Dixon uit terwijl hij boos naar Mendez keek, 'is dat hij geen informatie mag geven over een lopend onderzoek.'

Bordain was beledigd. 'Ik beschouw Marissa en Haley als familie.

Ik hoor op de hoogte gehouden te worden van het onderzoek. Vooral nu die... die... doos...'

Ze werd opnieuw bleek en sloeg een hand voor haar mond terwijl de tranen in haar ogen schoten.

'Ik zou een doelwit kunnen zijn,' zei ze zenuwachtig. 'Dat hebben jullie zelf gezegd. Marissa kan vermoord zijn om mij te treffen.'

'Waarom denkt u dat?' vroeg Mendez bijna lachend om de dwaasheid van haar opmerking. Marissa Fordham was tientallen keren gestoken en bijna onthoofd, en Milo Bordain dacht dat het op een of andere manier om haar draaide. Het was ongelooflijk.

'Ik ben een rijke vrouw. Mijn echtgenoot is een belangrijke man. Mijn zoon heeft een grote politieke carrière voor de boeg. Mensen zijn jaloers. Marissa was belangrijk voor me...'

'Heeft iemand u rechtstreeks bedreigd?' vroeg Dixon.

'Eh, nee, maar...'

'Het gaat niet om u, mevrouw Bordain,' zei Mendez bot.

Ze keek opnieuw naar Dixon voor uitleg.

'De meeste misdaden zijn nogal ongecompliceerd,' legde Dixon uit. 'Mensen worden vermoord omdat iemand hem of haar dood wil. Complotten vinden alleen op televisie plaats.'

'De meeste mensen krijgen niet zo'n doos met de post,' antwoordde ze.

'Kunt u iemand bedenken die u zou willen vermoorden?' vroeg Hicks.

'Nee! Ik heb geen vijanden.'

'Laten we dan met uw vrienden beginnen,' zei Mendez.

Bordain richtte zich opnieuw tot Dixon. 'Wat bedoelt hij?'

'De meeste mensen worden vermoord door mensen die dicht bij ze staan,' legde Mendez uit, geïrriteerd dat ze zich tot zijn baas bleef richten, alsof hij een vreemde taal sprak en ze een tolk nodig had. 'We beginnen ermee uw man te ondervragen. Kende hij Marissa Fordham?'

'Probeert hij grappig te zijn?' vroeg ze aan Dixon.

Dixon keek Mendez opnieuw scherp aan. 'Er is niets grappigs aan, rechercheur Mendez.'

'Waar was uw echtgenoot het afgelopen weekend?' ging Mendez verder.

'Hij is sinds vrijdag in Las Vegas voor zaken.'

'Is hij daar nog steeds?' vroeg Hicks. 'Hebt u hem verteld over de moord op Marissa Fordham?'

'Ja, natuurlijk. Maar het had geen zin voor hem om terug te

komen. Hij heeft belangrijke vergaderingen waar hij bij aanwezig moet zijn. Hij vliegt vanavond naar Santa Barbara en gaat dan naar het huis in Montecito.'

Mendez trok zijn wenkbrauwen op en maakte aantekeningen. 'Zelfs nadat u hem hebt verteld over de doos? Zelfs als u hem vertelt dat u denkt dat uw leven gevaar loopt?'

'Als ik hem vraag om hier naartoe te komen, dan doet hij dat,' zei ze verdedigend. 'Ik heb mijn zoon gebeld. Hij kan hier elk moment zijn.'

'De naam van uw zoon is?' vroeg Mendez.

'Darren Bordain.'

'Wat doet hij voor de kost?' vroeg hij om haar te ergeren. Hij wist wie Darren Bordain was. Hij wilde alleen dat Milo Bordain zich zou realiseren dat het niet iedereen iets kon schelen.

Ze zuchtte. 'Darren leidt onze Mercedes-dealers. Hij heeft de hoofdrol in alle reclames.'

'Ik rij geen Mercedes,' zei Mendez. 'Kende uw zoon Marissa Fordham?'

'Natuurlijk. Darren is ook erg betrokken bij de staatspolitiek. Op een dag wordt hij gouverneur.'

'Waren ze vrienden?' vroeg Mendez. 'Meer dan vrienden?'

'Ze waren bevriend.' Ze richtte zich tot Dixon. 'Is dit echt nodig? Mijn zoon had niets met Marissa te maken.'

'We moeten met hem praten,' zei Mendez. 'En u zult naar het politiebureau moeten komen zodat we uw vingerafdrukken kunnen nemen.'

'Mijn vingerafdrukken?' vroeg ze geschokt.

'Om personen uit te sluiten,' legde Dixon uit. 'Uw vingerafdrukken zullen op de doos staan.'

'Ik droeg handschoenen toen ik hem aanraakte.'

'U bent regelmatig in het huis van Marissa geweest,' zei Hicks. 'We kunnen dus aannemen dat we uw vingerafdrukken daar zullen vinden.'

'Ik heb het gevoel dat ik behandeld word als een crimineel,' klaagde ze tegen Dixon.

'Absoluut niet, mevrouw Bordain,' zei Dixon. 'We moeten uw vingerafdrukken kunnen identificeren – en de vingerafdrukken van iedereen die veel bij Marissa thuis is geweest – zodat we mensen uit kunnen sluiten en uiteindelijk alleen de vingerafdrukken van de moordenaar overhouden. U kunt naar mijn kantoor komen, dan regelen we het onder vier ogen.'

'Dank je, Cal,' zei ze. 'Jíj bent tenminste een heer.'

Dixon richtte zijn laserblauwe ogen op Mendez, die wist dat hij een probleem had. Eén steek te veel tegenover Hare Majesteit. 'Inspecteurs, kan ik jullie buiten even spreken?'

29

'Realiseer je je wie ze is, Mendez?' vroeg Dixon terwijl hij ze meenam naar het deel van de veranda dat het verst bij de deur vandaan lag.

'Natuurlijk. Ze is een snobistische, lompe, racistische bitch.'

'U heeft het vast over mijn moeder.'

Mendez schrok zich te pletter.

Darren Bordain stond op van de rieten bank en drukte zijn sigaret nonchalant uit in een pot geraniums.

'Meneer Bordain, het spijt me...'

Bordain wuifde het weg. 'Dat hoeft niet. Ik ben me er heel goed van bewust hoe mijn moeder is. Ik heb al tweeëndertig jaar met haar te maken. Heeft ze u als een bediende behandeld? Dat heeft niets te betekenen. Zo behandelt ze iedereen, behalve beroemdheden, conservatieve politici en mensen van wie ze iets wil.'

'Meneer Bordain, Cal Dixon.' De sheriff stak zijn hand uit.

Bordain schudde hem. 'Zeg maar Darren. Het is niet nodig om zo vormelijk te doen. Ik probeer zo vaak als dat mogelijk is mijn moeders zoon niet te zijn.'

Het was ironisch dat Darren Bordain fysiek het evenbeeld van zijn moeder was: dezelfde lengte, dezelfde bouw, hetzelfde steile blonde haar, dezelfde groene ogen, dezelfde vierkante kaak. Elke keer dat hij in de spiegel keek, zag hij zijn moeders gezicht.

Zijn zilveren Mercedes 450SL convertible stond naast de auto van de sheriff geparkeerd, maar hij had zich niet gehaast om naar binnen te gaan.

'Ik probeer voldoende energie op te wekken om opgewassen te zijn tegen haar *crisis du jour*.'

'Ze is nogal van streek,' zei Dixon. 'Heeft ze over de doos verteld?'

'Ja. Ze belde naar mijn kantoor en kreeg mijn secretaresse en schreeuwde net zolang tegen haar tot het arme meisje me van de golfbaan is komen halen.' Hij haalde een pakje Marlboro Light uit de zak van zijn leren jack en schudde er een uit. 'Ik moest nog twee holes, dus ben ik een beetje laat. Ze vertelde me dat ze jullie al had gebeld, dus wat kon ik doen?'

Haar troosten, dacht Mendez.

'Ze maakt zich zorgen dat zij misschien een doelwit is,' zei Dixon.

'Dat geloof ik meteen,' zei hij terwijl hij de sigaret opstak. 'Het draait allemaal om haar, nietwaar?'

'Denk je dat iemand haar vijandig gezind is?' vroeg Mendez.

Darren lachte. 'Ik weet zeker dat heel veel mensen haar vijandig gezind zijn. Ze is niet bepaald Miss Sympathie. Maar als het haar is gelukt om iemand zo ver te drijven dat hij tot een moord in staat is, waarom zou hij dat dan niet gewoon doen? Waarom zou hij Marissa dan vermoorden?'

'Kende je Marissa Fordham?' vroeg Dixon.

'Uiteraard. Ze was de dochter die mijn moeder nooit heeft gehad,' zei hij sarcastisch.

'Werd ze opgenomen in jullie gezin?'

'Jezus, nee. Een vrouw met een dubieus verleden en een buiten-echtelijk kind? Marissa was meer een huisdier of een barbiepop. Mijn moeder gaf haar een plek om te wonen, maakte er een grote show van dat ze zo grootmoedig was en haar kunst steunde. Maar Marissa werd nooit uitgenodigd voor Thanksgiving.'

'Hoe was jouw relatie met Marissa?' vroeg Mendez.

'We waren vrienden. We kwamen elkaar tegen op evenementen, dronken samen wat, en lachten ten koste van mijn moeder.'

'Hebben jullie ooit een relatie gehad?'

'Nee. Ze is mijn type niet. Dat artiestenwereldje is niets voor mij. Er is me verteld dat ik een politieke carrière moet nastreven,' zei hij droog. 'Ik had het echter in overweging moeten nemen. Als Marissa en ik een relatie hadden gehad, zou dat mijn moeder een slagader-breuk bezorgd hebben.'

'En je vader?' vroeg Hicks. 'Had hij een mening over Marissa? Of over het geld dat je moeder uitgaf om haar te sponsoren?'

Bordain schudde zijn hoofd. 'De Grote Man houdt zich niet bezig met mijn moeders leven. Het kan hem niet schelen wat ze doet. Hij leeft zijn eigen leven. Ze zijn bijna nooit op hetzelfde moment in hetzelfde huis.'

De voordeur ging open en Milo Bordain keek naar haar zoon.

'Darren, wat doe je hier buiten? Ik heb je bijna twee uur geleden gebeld.'

Hij zuchtte. 'Sorry, mam. Ik zat vast in een vergadering.'

Hij liet moedwillig zijn half opgerookte sigaret op de verandavloer vallen en duwde hem uit met de punt van zijn Gucci-instapschoen.

'De plicht roept, heren.'

30

'Nanette Zahn is overleden aan meerdere steekwonden,' zei Vince. 'Haar dood werd echter beschouwd als een zelfmoord. Haar zoon Alexander, die op dat moment twaalf jaar was, is door een neef in huis genomen en opgevoed.'

'Wauw,' zei Trammell. 'Denk je dat het college me mijn geld teruggeeft?'

'Je kind heeft een beurs. Je betaalt helemaal niets,' merkte Campbell op.

Ze waren bij elkaar gekomen in de strategiekamer voor het afsluitende gesprek van die dag en om plannen te maken.

'De jongen is nooit aangeklaagd of veroordeeld,' ging Vince verder terwijl hij door zijn leesbril naar zijn aantekeningen keek. 'Er is een geregistreerde geschiedenis van kindermishandeling. De moeder was ernstig manisch depressief. Ze kon niet omgaan met het autisme van haar zoon. Ze nam het de jongen kwalijk, maakte hem belachelijk, strafte hem, kwelde hem. Soms sloot ze hem dagenlang op in een kast en liet hem daar gewoon zitten. Hij is drie keer in een pleeggezin geplaatst, maar ging telkens terug naar zijn moeder als ze haar medicijnen weer slikte en haar gemoedstoestand stabiliseerde.'

'Hoe zit het met de vader?' vroeg Hamilton.

'De vader is nooit in beeld geweest,' zei Vince. 'De moeder deed aan zelfverminking als ze depressief was, dus is het niet uitgesloten dat ze een mes heeft gebruikt om zichzelf te doden. Maar dan zou ik verwachten dat ze zichzelf zou snijden in plaats van steken. Het is bijzonder zeldzaam voor een vrouw om zichzelf te steken. Ze had naar verluidt drie steekwonden in haar buik. Blijkbaar zat de jongen onder het bloed toen de politie arriveerde, en had hij letsel dat was veroorzaakt door mishandeling.'

'Nu weten we waarom er niets aan het licht is gekomen bij de routinecontrole,' zei Mendez. 'Hij heeft geen strafblad. Maar hij heeft ons verteld dat hij haar vermoord heeft. Waar heb je deze informatie vandaan?'

'Ik heb ontdekt dat Zahn is opgegroeid in een buitenwijk van Buffalo, New York,' zei Vince. 'Toevallig heb ik daar tien jaar geleden geassisteerd bij de ontvoering van een kind. De rechercheur die die zaak leidde is nu commissaris. Hij deed uniformdienst in de tijd van Nanette Zahns dood en hij herinnert zich de zaak door de jongen.'

'Wat was zijn mening?' vroeg Hicks.

'Als de jongen het heeft gedaan, was het zelfverdediging. Het kind was in een apathische toestand toen de politie arriveerde, en is maandenlang zo gebleven. Niemand heeft ooit druk uitgeoefend omdat de gezinsgeschiedenis bekend was, en iedereen ergens het gevoel had dat de moeder het verdiende.'

'Wat zegt dat over Zahn als verdachte?' vroeg Dixon.

'Milo Bordain zei dat het slachtoffer tegen haar heeft geklaagd over Zahn,' merkte Hicks op.

'Alle anderen hebben gezegd dat ze goed met hem overweg kon en dat ze het niet erg vond als hij bij haar rondhing,' zei Mendez. 'Ik denk dat mevrouw Bordain Zahn niet mag. Hij is niet haar soort mens.'

'Vince?' vroeg Dixon.

'We moeten hem op de lijst houden, maar hij zou een psychotische inzinking gehad moeten hebben om te doen wat er met het slachtoffer is gedaan,' zei hij. 'Hij is niet psychotisch. Hij heeft heel veel problemen, maar hij is niet psychotisch.'

'Maar hij heeft waarschijnlijk al eens vrouw met een mes gedood,' zei Dixon.

'Ja.'

'Als Marissa Fordham hem op een of andere manier kwaad heeft gemaakt, iets verkeerds heeft gezegd en daarmee een herinnering heeft geactiveerd...'

'Dat is mogelijk.'

'Ga nog een keer met hem praten. Kijk hoe hij reageert als hij hoort wat je over zijn moeder weet.'

Vince knikte en maakte aantekeningen terwijl Mendez de groep vertelde over het gesprek met Gina Kemmer.

'We moeten haar in de gaten houden,' zei hij. 'Ze weet meer dan ze ons vertelt.'

Dixon knikte. 'Dat vind ik ook. Campbell en Trammell, jullie posten als eerste. Ik regel een paar agenten om jullie af te lossen. Tony en Vince, jullie halen haar morgen op om nog een keer met haar te praten en de druk op te voeren.'

'Hamilton, wat heb je in haar telefoongegevens ontdekt?'

'Marissa's laatste telefoontje was naar Gina Kemmer op de avond van de moord,' zei Hamilton. 'Daarvoor heeft ze gebeld met Milo Bordain, met Mark Foster en met de eigenares van de Acorn Galerie. Dat lijkt normaal. Het waren allemaal mensen die ze kende en met wie ze bevriend was.'

'En haar bankgegevens?'

'Er was een vaste maandelijkse storting van vijfduizend dollar van Milo Bordain, haar sponsor.'

'Dat is zestigduizend per jaar!' riep Campbell. 'Shit! Ik denk dat ik ga vingerverven. Bordain gaat binnenkort op zoek naar een nieuwe kunstenaar om te sponsoren.'

'Er waren stortingen van de Acorn Galerie. Ze had 27.000 dollar op haar spaarrekening en 3251 dollar op haar rekening courant staan. Op de trustrekening voor haar dochter staat meer dan vijftigduizend dollar.'

'Dat is een hoop geld,' zei Vince.

'Ze had heel weinig onkosten,' zei Dixon. 'Het huis waarin ze woonde is van de Bordains en ze kreeg een ruime toelage.'

'En als ze ook nog uit een rijke familie komt...' begon Hicks.

'Tot nu toe is er in Rhode Island niets te vinden over een Marissa Fordham,' zei Hamilton. 'En in de staat Californië heb ik voor 1981 niets over Marissa Fordham gevonden. Je zou bijna zeggen dat ze voor 1981 niet bestaan heeft in deze staat.'

'Milo Bordain dacht dat ze op de vlucht was voor een gewelddadige relatie,' zei Hicks. 'Misschien heeft ze een andere naam aangenomen.'

Dixon zuchtte en wreef met zijn hand over zijn voorhoofd. 'Geweldig. Ik bel de patholoog-anatoom. We moeten haar vingerafdrukken checken.'

'Haley is in mei 1982 geboren,' zei Mendez. 'Als Marissa voor september 1981 naar Californië is gekomen, dan was ze niet op de vlucht voor de vader van de baby.'

'Wat is het laatste nieuws over het meisje, Vince?' vroeg Dixon.

'Ze wordt morgen uit het ziekenhuis ontslagen. Haar hersenfuncties zijn normaal. Misschien is er blijvende schade aan haar strottenhoofd, maar ze kan praten.'

'Wat zegt ze?'

'Ze herinnert zich niet dat iemand haar kwaad heeft gedaan,' zei Vince. 'Maar we moeten geduld hebben. Haar herinnering kan mettertijd terugkomen... of die komt nooit terug.'

'Kunnen we haar medicijnen geven of hypnotiseren of zo?' vroeg Campbell.

'Je raakt je arm kwijt als je probeert bij haar in de buurt te komen,' zei Vince. 'Mijn vrouw verorbert hem bij wijze van lunch.'

'En flost haar tanden met je botten,' zei Mendez.

Vince grijnsde, belachelijk trots. 'Dat is mijn meisje.'

'We hebben de informatie nodig als we die kunnen krijgen.'

'Als Haley iets weet, krijgt Anne dat uit haar,' zei Vince. 'Maar ze zet het meisje niet onder druk. En zo hoort het ook. Jullie kunnen er dus maar beter op uit gaan om de moordenaar te zoeken.'

Dixon keek op zijn horloge en fronste zijn voorhoofd. 'Ik moet met de pers praten. Ze willen dat ik commentaar geef op Milo Bordains beloning.'

'Wat gaat je commentaar worden, baas?' vroeg Campbell terwijl Dixon zich naar de deur haastte.

'Geen commentaar.'

31

Gina Kemmer ijsbeerde rusteloos en gespannen als een gekooid dier door de zitkamer. Ze wilde wanhopig graag weg. Het was inmiddels donker geworden en ze had het gevoel dat de duisternis tegen de muren van haar schattige huisje duwde in een poging binnen te komen en haar op te slokken alsof het een monster was. Ze had alle lichten in de zitkamer aangedaan om dat te voorkomen.

Ze had het koud en had een dikke trui aangetrokken die ze zo stevig vasthield dat het leek alsof ze een dwangbuis droeg. Misschien moest ze een dwangbuis dragen, dacht ze. Ze had het gevoel dat ze krankzinnig ging worden. Haar leven had een krankzinnige wending genomen, dankzij Marissa.

Telkens als ze aan haar vriendin dacht, zag ze die afschuwelijke foto van Marissa voor zich, afgeslacht en onder het bloed op de vloer. Hij lag nog steeds op haar salontafel tussen de fijne herinneringen van vroeger. De foto moest weg. Ze kon het niet verdragen dat hij er lag. Ze stelde zich voor dat er bloed uit de foto sijpelde op de foto's van gelukkige tijden en dat die daardoor verpest werden.

Haar maag begon weer op te spelen, maar ze had niets meer om over te geven. Ze liep naar de keuken en haalde een barbecuetang met lange grepen uit de la. Weer in de zitkamer liep ze heel langzaam naar de salontafel terwijl ze probeerde niet naar de foto te kijken. Met een hevig trillende hand probeerde ze met de tang een hoek te pakken, en ze vloekte toen ze de foto wegschoof.

Na een paar keer proberen had ze hem te pakken. Ze hield hem zo ver mogelijk van zich af terwijl ze ermee naar de keuken liep, alsof het het lijk van een rat of een slang was. In de keuken gooide ze de foto in de afvalbak en de tang erachteraan, alsof het gebruiksvoorwerp besmet was met het kwaad dat Marissa was aangedaan.

De tranen rolden weer over haar wangen. Ze was nog nooit zo bang geweest.

Gina was niet iemand die opwinding of spanning in haar leven wilde. Zo was Marissa geweest, zij had grote plannen gehad. Daarom waren ze ook in Oak Knoll geëindigd. Door een van Marissa's grote plannen.

Natuurlijk wilde Gina graag mee, en het had prima uitgepakt. Ze vond het hier heerlijk. Ze hield van het stadje en van haar huis. De boetiek deed het goed. Ze was tevreden. Haar leventje had wat haar betreft voor altijd zo door mogen gaan. Het enige wat ze nog wilde was een leuke man ontmoeten. Hij hoefde niet rijk te zijn, gewoon leuk.

Maar nu was alles verpest, want Marissa was dood.

Ze drukte haar hand op haar mond en probeerde de huilbui weg te slikken. Het lokale nieuws zond het verhaal van de moord op Marissa uit. Gina pakte de afstandsbediening en zette het geluid harder.

Eerst verscheen er een beeld van Marissa's huis, wat altijd een van Gina's favoriete plekken was geweest. Het was er zo mooi, met de veranda en de bloemen en Marissa's schitterende beelden in de tuin. Nu zag het er echter verlaten en onheilspellend uit.

Het verslag ging verder met een persconferentie die voor het politiebureau werd gehouden. De sheriff vertelde over de resultaten van de autopsie. Dat Marissa was overleden aan meerdere steekwonden en dat de toestand van haar dochtertje, dat in het ziekenhuis lag, stabiel was. Hij bevestigde de eerdere berichten over een beloning van vijfentwintigduizend dollar voor informatie die leidde tot de arrestatie van de moordenaar. Het nummer van de tiplijn verscheen onder aan het scherm.

Vijfentwintigduizend dollar was veel geld. Marissa zou hebben gezegd dat het niet veel was, maar voor Gina was dat wel zo. Dat gold voor de meeste mensen. De boetiek draaide goed, maar de cashflow was altijd een probleem met een bedrijf dat voorraad moest hebben. En nu had ze Marissa niet meer om haar te helpen. Vijfentwintigduizend dollar zou de financiële angel uit Marissa's dood halen.

Maar ze zou moeten leven om het geld te kunnen incasseren.

Het idee dat bij Gina opkwam, maakte haar duizelig en misselijk, waardoor ze moest gaan zitten. Het was iets wat Marissa zou bedenken, iets wat Marissa zonder aarzelen zou doen.

Het ergste wat ze kunnen doen, is nee zeggen, zou Marissa zeggen. Maar dat klopte niet, want Marissa was dood.

Gina deed haar ogen dicht en zag de foto die ze had weggegooid voor zich. Als ze slim was, pakte ze wat spullen en ging ze er zo snel mogelijk vandoor. Maar ze hield van haar huis. Ze hield van haar leventje in Oak Knoll.

Ze had de hoorn van de telefoon uren geleden van de haak gelegd. De media hadden ontdekt dat Marissa en zij vriendinnen waren geweest en verslaggevers wilden haar interviewen. Ze wilden stomme vragen stellen, zoals hoe het voelde dat haar beste vriendin was vermoord, en of ze wist wie de moordenaar was.

Misschien kon ze haar verhaal verkopen, zodat ze er op die manier voordeel aan had.

Ze zette het geluid van de televisie uit en staarde naar de sheriff en het nummer van de tiplijn. Op de salontafel lag het visitekaartje dat de oudere rechercheur voor haar had achtergelaten.

Ze wist niet wat ze moest doen.

Ze pakte de hoorn en toetste een nummer in.

De telefoon ging over.

'Ik moet met je praten...'

Tien minuten later reed ze de straat uit, met haar gedachten bij haar missie. Ze sloeg af aan het eind van het huizenblok op het moment dat een eenvoudige donkerrode Ford Taurus vanaf de andere kant de straat in reed. In de auto zaten de twee rechercheurs die voor haar huis zouden posten om ervoor te zorgen dat ze veilig was.

32

Mark Foster was jonger dan Mendez had verwacht. Hij had gedacht dat het hoofd van de afdeling Muziek van een gerenommeerde school zoals het McAster, in een stadje zoals Oak Knoll dat bekendstond om het klassieke zomermuziekfestival, oud en saai zou zijn, met een gekreukt bruin kostuum, een kleine bril met metalen montuur en wit haar dat uit zijn oren groeide.

In plaats daarvan was Foster waarschijnlijk eind veertig, fit en knap, met kortgeknipt bruin haar dat al wat dunner werd. Hij droeg een kakibroek en een blauw overhemd met een gebreide bruine stropdas. Het enige wat Mendez goed had, was de bril met metalen montuur.

Om half acht 's avonds was Foster nog steeds aan het werk. Hij bereidde een repetitie voor van zijn koperkwintet. Mendez en Hicks stonden in het dirigentendeel van de spierwitte muziekzaal met zwarte metalen muziekstandaards. Foster zette bladmuziek op de standaards waarachter zijn kwintetmusici zouden zitten.

'Ik help op alle mogelijke manieren,' zei hij. 'Ik was verschrikkelijk geschokt toen ik het nieuws hoorde. Wat gebeurt er met de wereld? Eerst die moorden vorig jaar en nu dit. Je verwacht niet dat zoiets hier gebeurt. We leven het grootste deel van de tijd in zo'n mooie, kleine zeepbel. Ik herinner me dat ik afgelopen herfst met Marissa heb gepraat nadat Peter Crane die lerares had ontvoerd en geprobeerd had haar te vermoorden. We konden het niet geloven.'

'Waren jullie goede vrienden?' vroeg Hicks.

'We bewogen ons in dezelfde kringen. We zagen elkaar op evenementen, soms gingen we iets drinken, dat soort dingen.'

'Wanneer heb je Marissa voor het laatst gezien?' vroeg Mendez.

'Een paar weken geleden,' zei hij. 'Het was zo vreemd. Ik was naar Los Olivos gegaan om een nieuw, onbekend restaurantje waarover ik had gehoord uit te proberen. Ik ben gek op lekker eten,' legde hij uit. 'Ik was verbijsterd dat ik daar iemand zag die ik kende, maar daar zat Marissa te glimlachen en te zwaaien. Ze was altijd zo opgewekt, zo levenslustig.'

'We hebben gehoord dat jullie met elkaar uitgingen,' zei Hicks.

'Inderdaad,' gaf hij toe. '"Met partner" was Marissa's specialiteit.'

'Wat bedoel je daarmee?'

'Ze hield van liefdadigheidsbijeenkomsten – het sociale wereldje, zich mooi aankleden, plezier maken, omgaan met de juiste mensen,' legde hij uit. 'Maar ze hoefde nooit entree te betalen. Ze was altijd iemands partner.'

'Ze was dus dol op feesten,' zei Mendez.

'Ik neem aan dat je het zo kunt zeggen, maar ze was niet wild. Ze had het gewoon graag naar haar zin. Ze had een vrije geest. Ze hield van mannen, en mannen hielden van haar.'

'Is ze ooit meer dan een partner voor feestjes voor je geweest?'

'We waren gewoon vrienden,' zei Foster, zijn gezichtsuitdrukking volkomen uitdrukkingsloos.

'Wist ze dat je homoseksueel bent?' vroeg Mendez.

Als Foster geschokt was door de vraag, wist hij dat goed te verbergen. 'Ik ben niet homoseksueel.'

Mendez keek naar Hicks en deed of hij verbaasd was. 'Niet? Iemand heeft ons dat verteld.'

Foster haalde zijn schouders op. 'Dat is geen nieuws. Single, artistieke docent, heeft geen leerlingen zwanger gemaakt... Dan moet hij homoseksueel zijn. Dat ben ik echter niet.'

'O,' zei Mendez. 'Hij leek daar nogal zeker van te zijn.'

Foster haalde zijn schouders op. 'Tja, wie het ook was, hij heeft het mis.'

'Wanneer heb je Marissa voor het laatst gesproken?' vroeg Hicks.

Foster dacht na over de vraag. 'Hmm... zondag. Ze belde me zondagmiddag.'

'Met een speciale reden?'

Hij schudde zijn hoofd. 'Gewoon om wat te kletsen.'

'Hoe kwam ze op je over?'

'Goed. Normaal.'

'Heeft ze gezegd dat ze zich zorgen maakte, of dat iemand haar lastigviel?'

'Nee. We hebben over de kunstbeurs gepraat. Ze was bezig met zijde en kon niet wachten om haar werk in haar kraam te verkopen.'

'Kun je ons vertellen waar je zondagavond was?' vroeg Hicks.

'Een etentje en een film bij een vriend. Ik lag tegen half twaalf thuis in bed. De volgende dag moest ik weer lesgeven.'

Boven in de zaal ging een deur open en twee van Fosters kwintetleden kwamen binnen met hun trompet.

'Is er verder nog iets?' vroeg Foster. 'Ik kan de repetitie uitstellen als jullie me nodig hebben.'

'Nee, bedankt, Mark,' zei Hicks. 'Voorlopig zijn we klaar.'

Mendez gaf Foster zijn kaartje. 'Bedankt voor je tijd. Als je nog iets te binnen schiet, bel me dan.'

Foster stopte het kaartje in zijn zak. 'Dat zal ik doen. Succes. Ik hoop dat jullie de moordenaar snel vinden.'

Toen hij bijna bij de deur was, draaide Mendez zich om. 'Mark, was Marissa met iemand toen je haar in dat restaurant zag?'

'Ja,' antwoordde hij. 'Ze was samen met haar advocaat.' Steve Morgan.

'Ik heb het je gezegd!' zei Mendez vol leedvermaak terwijl ze over het parkeerterrein liepen. 'Ik wist het!'

'Het kan een onschuldig etentje tussen advocaat en cliënt zijn geweest,' antwoordde Hicks.

'Je gaat niet de stad uit naar een afgelegen restaurant dat niemand kent voor een simpel etentje met een cliënt.'

Hicks was het met hem eens.

'Die klootzak!' zei Mendez. 'Ik wil hem oppakken. Nu.'

'Het is niet tegen de wet om uit eten te gaan,' zei Hicks. 'En trouwens ook niet om je vrouw te bedriegen.'

'Hij heeft een band met een moordslachtoffer.'

'Hij is advocaat. Hij zal nooit toegeven.'

'Hij heeft een enorm ego,' zei Mendez. Hij trok het autoportier open. 'Misschien wil hij bewijzen dat we het mis hebben.'

'Wat vind je van Foster?' vroeg Hicks terwijl ze in de auto stapten.

'De single, artistieke docent zonder zwangere leerlingen?' zei Mendez. 'Dat klinkt homoseksueel in mijn oren.'

'Hij was er nogal kalm onder.'

'Hij is het gewend dat mensen denken dat hij homo is. Misschien vindt hij het niet belangrijk.'

'Er is een groot verschil tussen iemand die zegt dat je homo bent en iemand die in staat is dat te bewijzen,' zei Hicks. 'We hebben hem niet gevraagd met wie hij in dat afgelegen restaurantje was.'

'Je zei het net zelf. Er is geen wet die verbiedt om samen uit eten te gaan. Behalve als hij tussen de verschillende gangen met een andere man vrijde, is het niet belangrijk met wie hij was,' zei Mendez.

'Ik snap het,' zei Hicks. 'Het maakt niet uit dat Foster met een vriend uit eten gaat, maar als Marissa Fordham wordt gezien met

Steve Morgan, heeft Morgan een motief voor de moord. Dat is echt meten met twee maten, *compadre*.'

'Maak mijn misdaadtheorie niet belachelijk,' zei Mendez. 'Denk je echt dat het bestuur van het McAster geschokt zou zijn als ze ontdekken dat het hoofd van hun muziekafdeling homoseksueel is? Dat is hetzelfde als geschokt zijn als ze ontdekken dat de helft van het meisjeshonkbalteam lesbisch is. Zou het ze echt iets kunnen schelen?'

'Het zou ze kunnen schelen als er foto's zijn,' merkte Hicks op.

'Dat geldt ook voor Steve Morgan,' reageerde Mendez.

33

Tijdens de hele rit naar Morgans huis gierde, vanwege de komende confrontatie, de adrenaline door Mendez' lijf en was toen op slag verdwenen. Steve Morgans Trans Am stond niet op de oprit.

'Misschien staat hij in de garage,' zei Hicks.

'Hij stond gisteravond buiten geparkeerd.'

'Gisteravond? Waar ben je mee bezig? Stalk je die vent?'

'Ik reed gewoon rond om na te denken. Toevallig kwam ik hier langs.'

'Je bent geobsedeerd.'

'Ik ben vasthoudend. Het wordt een obsessie als het niet gefundeerd is.'

Ze stonden een tijdje langs de stoeprand terwijl Mendez zijn gedachten ordende.

'Laten we naar binnen gaan,' zei hij. 'We kunnen met Sara Morgan praten om een beetje druk op de ketel te zetten.'

Sara Morgan was niet blij om hen te zien. Het kostte haar even om naar de deur te komen. Ze was gekleed als een lasser in een overall en een dik leren schort en droeg net zulke dikke leren handschoenen. Haar haar zat in een slordige staart waaruit aan alle kanten losse plukken ontsnapten.

Ze zag eruit alsof ze dagenlang niet had geslapen of gegeten.

'Inspecteurs,' zei ze terwijl ze haar handschoenen uittrok. Haar handen zaten onder de snijwondjes en schrammen. Ze had er geen smurfenpleisters meer opgedaan. Die sculptuur waarover ze hem had verteld, vergde zo te zien nogal wat van haar. 'Wat een verrassing.' Er klonk geen enkele verrassing in haar stem.

'Sara,' zei Mendez. 'Is je man thuis? We willen met hem praten.'

'Waarover?'

'Dat ligt gevoelig,' zei Hicks.

'Gaan jullie hem er weer van beschuldigen dat hij met Marissa naar bed ging?' vroeg ze abrupt.

'Eh... tja...'

'Doe geen moeite,' zei ze. 'Hij ontkent het toch. Dat zijn de eerste drie dingen die ze tijdens hun rechtenstudie leren. Ontken, ontken, ontken.'

'Het klinkt alsof je dat gesprek al met hem hebt gevoerd,' zei Mendez.

Sara Morgan negeerde zijn opmerking. 'Hij is niet thuis,' zei ze. 'Hij heeft gebeld om te zeggen dat hij laat is. Alweer.'

Wendy kwam de trap af lopen. Ze sperde haar ogen open toen ze de twee rechercheurs in de hal zag staan. Ze was gegroeid sinds Mendez haar voor het laatst had gezien. Over een paar jaar zou ze net zo knap zijn als haar moeder.

'Hallo, Wendy,' zei hij met een glimlach. 'Hoe gaat het met je?'

Ze haalde haar schouders op en glimlachte niet terug. 'Goed. Waarom bent u hier?'

Sara Morgan draaide zich om naar haar dochter. 'Ze hebben een paar vragen over Marissa, over… wat er gebeurd is.'

Wendy zuchtte ongeduldig. 'Waarom zeg je het niet gewoon. De moord. Marissa is vermoord. Iemand heeft een mes gepakt en haar doodgestoken.'

'Wendy…'

'Ik ben geen baby, mam. Ik weet wat er aan de hand is in de wereld. Mensen worden vermoord. Mensen gaan dood. Het is niets nieuws,' zei ze met een verbittering in haar stem waardoor Mendez zijn voorhoofd fronste.

Wendy keek met haar blauwe ogen naar hem op. 'Weet u wie haar vermoord heeft?'

'Nee,' zei hij. 'We verzamelen nog steeds informatie. Je moeder en Marissa Fordham waren vriendinnen. We dachten dat ze ons misschien iets over Marissa kan vertellen wat we nog niet weten.'

Wendy was tevreden met het antwoord en ging verder. 'Hoe is het met Haley? Waar is ze?'

'Het komt wel goed met haar,' zei Mendez. 'Anne Leone… Juf Navarre zorgt voor haar in het ziekenhuis tot we familieleden van haar gevonden hebben.'

Wendy was meteen een stuk vrolijker. Ze draaide zich naar haar moeder. 'O, mam! Mag ik op bezoek bij haar? Alsjeblieft?'

'Wendy is gek op Haley,' zei Sara Morgan. Haar gezichtsuitdrukking werd zachter.

'Mag ik haar in het ziekenhuis bezoeken? Alsjeblieft, alsjeblieft, alsjeblieft!?' Ze draaide zich weer naar Mendez. 'Ik zou volgend jaar haar babysitter worden. Als ik twaalf ben. Ik had het dit jaar ook wel gekund, omdat ik geen normale elfjarige ben. Ik ben heel volwassen voor mijn leeftijd.'

'Dat weet ik,' zei Mendez.

'Ik weet niet of ze bezoek mag hebben, liefje,' zei Sara Morgan.

'Ik kan het vragen,' bood Mendez aan.

'O, dank u, dank u!' zei Wendy. Ze wipte op haar voeten alsof ze de opwinding in haar lichaam onmogelijk kon binnenhouden. Ze keek naar haar moeder. 'Ik neem iets speciaals voor haar mee. Mag ik een kaart voor haar maken? Alsjeblieft? Mag ik naar het atelier om een speciale kaart voor haar te maken?'

Haar moeder streelde liefkozend over Wendy's verwarde zeemeerminnenhaar, dat zo op dat van haar leek. 'Natuurlijk, liefje. Maak maar iets speciaals voor haar.'

Wendy rende de trap op en verdween.

Sara Morgan keek haar na. Haar ogen waren betraand toen ze weer naar Mendez en Hicks keek.

'Ze is niet vaak meer zo opgewonden,' zei ze.

'Dat moet moeilijk voor je zijn,' mompelde Mendez. Hij bedacht dat veel dingen in Sara Morgans leven moeilijk waren. Hij had de neiging zijn armen om haar heen te slaan en haar een schouder te geven om op uit te huilen.

'Sara, weet je waar je man zaterdagavond geweest is?' vroeg Hicks.

'Hij had het hele weekend een golftoernooi in Sacramento. Ik weet niet hoe laat hij zondagnacht is thuisgekomen. Ik heb hem niet gehoord. Toen ik maandagochtend beneden kwam, sliep hij op de bank.'

'Ik vind het heel vervelend om het te moeten vragen,' ging Hicks verder, 'maar denk je dat je man een relatie had met Marissa Fordham?'

'Ik weet het niet,' zei ze verdrietig. 'En eerlijk gezegd wil ik het niet meer weten. Mijn huwelijk is zo goed als voorbij. Ik weet alleen niet hoe ik bij hem weg moet.'

'Dat spijt me,' zei Mendez, hoewel een deel van hem dat niet meende. Ze verdiende beter dan Steve Morgan. Ze verdiende het om gelukkig te zijn.

Hicks haalde adem om een nieuwe vraag te stellen, maar Mendez was hem voor.

'Bedankt, Sara,' zei hij. 'We zullen je tijd niet langer in beslag nemen.'

'Ik wilde haar vragen waar ze zondagavond is geweest,' zei Hicks toen ze terugliepen naar de auto.

'Laat haar met rust.'

'Als haar vriendin naar bed ging met haar man, had ze een motief om Marissa Fordham te vermoorden. Heb je haar handen gezien? Die zijn helemaal stuk.'

'Ze maakt een metalen sculptuur.'

'Sinds wanneer? Maandagochtend?'

Mendez startte de motor. 'Laten we de klootzak met wie ze getrouwd is gaan zoeken om het hem te vragen.'

34

Anne, die zich had omgekleed in een grijze joggingbroek en een zacht, wijd, zwart sweatshirt, installeerde zich naast Haley op het ziekenhuisbed. Ze bedacht dat het een wonder zou zijn als ze niet eerder in slaap viel dan het meisje. Ze was uitgeput van de confrontatie met Maureen Upchurch en Milo Bordain, en de wetenschap dat beide vrouwen het niet op zouden geven.

Maureen zou samenspannen met Bordain, al was het maar om tegen Anne in te kunnen gaan. Milo Bordain zou waar ze maar kon gebruikmaken van de invloed van haar familie. Niet dat Anne haar dat kwalijk nam. De vrouw beschouwde Haley als familie. Zelfs al vertoonde ze geen moederlijke gevoelens, ze had duidelijk een sterke band met Haley.

Anne had rechter Espinoza aan haar kant. Ze probeerde zich te troosten met de wetenschap dat hij zich niet zou laten beïnvloeden. Als trouwe democraat zou hij het heerlijk vinden om de Bordains bij elke gelegenheid dwars te zitten.

Haley kleurde in het kleurboek dat Franny voor haar had gekocht. Ze zou het niet lang volhouden. Haar energie kwam met korte vlagen, gevolgd door lange periodes slapen. Haar kleine lichaam had veel meegemaakt, en hoewel ze gezond was zou het nog een paar dagen duren voordat ze fysiek hersteld was.

Ze had niet meer naar haar moeder gevraagd.

Anne vermoedde dat ze niet kon omgaan met het idee dat haar moeder er niet was en dat ze een deur in haar geheugen had gesloten. Misschien was dat tijdelijk. Anne wist dat als Haley de herinneringen niet meer buiten kon sluiten, de waterlanders zouden komen en de emoties naar buiten zouden stromen.

Er was erg weinig literatuur over het kindergeheugen, vooral het kindergeheugen met betrekking tot traumatische gebeurtenissen. Werkte het geheugen van kinderen op dezelfde manier als dat van volwassenen? Of werden de herinneringen van kinderen meer beïnvloed of verwrongen door emotionele reacties? Niemand wist het echt. Er was zelfs nog minder informatie beschikbaar over de manier waarop die herinneringen het best naar boven gehaald konden worden en het kind kon worden geholpen ermee om te gaan.

Anne had voor advies met haar hoogleraar gebeld. Hij had voorgesteld om heel voorzichtig te werk te gaan, geen beladen vragen te stellen en haar intuïtie te volgen.

'Ik weet zeker dat we veel meer gegevens over het onderwerp hebben als die chaos in Manhattan Beach eindelijk achter de rug is,' zei hij. 'Je hebt een goede intuïtie, Anne. Maak daar gebruik van.'

Iedereen die zich beroepsmatig bezighield met kinderpsychologie en alle voorvechters die kinderen probeerden te beschermen tegen misbruik volgden de ontwikkelingen met betrekking tot de McMartin-kleuterschool in Manhattan Beach, ten zuiden van Los Angeles, op de voet. Het personeel van de kleuterschool was ervan beschuldigd de kinderen die ze onder hun hoede hadden op een afschuwelijke manier seksueel te hebben misbruikt.

Het was een zaak die onmiddellijk een gevoelige snaar raakte bij iedereen die om kinderen gaf. Mensen waren woedend over de beschuldigingen van seksueel misbruik, die in 1983 waren gedaan. Het vooronderzoek duurde inmiddels al drie jaar, maar geruchten over de manier waarop de kinderen die erbij betrokken waren werden geïnterviewd, zaaiden meer dan een beetje twijfel over het waarheidsgehalte van de verkregen getuigenissen, in elk geval onder psychologen.

Onjuiste, suggestieve interviewtechnieken konden kleine kinderen gemakkelijk misleiden en verwarren, waardoor hun getuigenis onbetrouwbaar was, om maar niet te spreken over het mogelijk veroorzaken van psychische schade bij de kinderen.

Misschien wist ze daar meer over dan ze zich realiseerde, dacht Anne, maar ze had nog steeds het gevoel dat ze zonder vangnet werkte.

Haley had een bladzijde met kippen helemaal rood gekleurd. Kwam dat door al het bloed dat ze had gezien in de nacht dat zij en haar moeder waren aangevallen? Of hield ze gewoon van de kleur rood? Of hadden ze rode kippen in het huis buiten de stad gehad?

'Waarom zijn je kippen rood?' vroeg ze.

Haley haalde haar schouders op en sloeg de bladzijde om naar een tekening van poesjes.

'Ik heb poesjes,' zei ze. 'Bij mij thuis.'

'Is dat zo?'

'Wanneer mag ik naar huis?'

'Je mag een tijdje bij Vince en mij logeren.'

'Mama mist me. Mogen mijn poesjes ook bij jullie logeren?'

'Hmm… dat weet ik niet,' zei Anne. 'Dat zien we nog wel.'

'Als mama dat zegt, bedoelt ze nee.'

Anne glimlachte en streelde over de ontembare krullen van het kleine meisje.

'Hé, wil je een tekening voor me maken?' vroeg Anne terwijl ze haar hand uitstak naar het notitieblok met blanco papier. 'Wil je een tekening voor me maken van je huis en je poesjes?'

'Ja, hoor. Ik vind tekenen fijn.'

Ze koos een bruin kleurpotlood en begon aan een tekening van een moederkat met haar jonkies. Op de achtergrond kwam het huis. Helemaal aan de rand van het vel papier tekende ze een grote, zwarte gestalte met rode ogen.

'Wie is dat?' vroeg Anne en ze wachtte met ingehouden adem op het antwoord.

Haley haalde haar schouders op en kleurde het gras geel.

'Is het een mens?' vroeg Anne terwijl ze naar de dreigende gestalte die aan de rand opdoemde wees.

Haley knikte.

'Heeft hij een naam?'

'Gemeen Monster,' zei ze, waarna ze opkeek naar Anne. 'Zijn er kinderen in jouw huis?'

'Nee. Heb je vriendjes en vriendinnetjes?'

'Soms komt Wendy. Zij is elf. Dat is ouder dan vier. Dat is ouder dan zeven. Als ik zeven ben ga ik fietsen.'

'Dat is mooi.'

'Grote kinderen fietsen.'

'Kan je vriendin Wendy fietsen?

'Uh-huh. Haar mama is Sara.'

'Sara Morgan?' vroeg Anne.

'Uh-huh.

'Dan ken ik Wendy,' zei Anne. 'Heeft Gemeen Monster een naam?'

'Gemeen Monster,' herhaalde Haley ongeduldig. 'Mag Wendy bij me komen spelen?'

'Misschien,' zei Anne. 'Dat zien we nog wel.'

'O.'

Anne grinnikte.

Haley stopte met kleuren om een slok te nemen uit haar beker met het gekke, buigbare, paarse rietje dat Franny had meegenomen.

'Het voelt raar,' klaagde ze met een gefronst voorhoofd terwijl de tranen ineens in haar ogen schoten.

Anne wreef over haar rug. 'Het is goed, liefje.'

'Nee! Nee!' schreeuwde ze terwijl haar vingers rond haar keel klauwden alsof ze probeerde iets weg te trekken.

Anne zag de hysterie groeien. Ze wist precies hoe het voelde – als een lawine die naar beneden kwam, als een tsunamigolf die het land op denderde.

'Het is goed, Haley. Ik ben bij je. Ik laat niets slechts met je gebeuren,' zei ze tegen het kleine meisje, dat zich snikkend tegen haar aan liet vallen. 'Het is goed, liefje. Je bent veilig.'

Anne vertelde haar niet dat ze niet moest huilen. Ze wist dat huilen soms op het openen van het ventiel van een hogedrukpan leek, en dat de stoom die vrijkwam de ergste paniek meenam. Ze deed wat ze wilde dat iemand voor haar had gedaan: ze was een rots in de branding, een anker, een spons om de tranen te absorberen en uit te wringen tot ze ophielden.

Na een paar minuten voelde ze Haleys lichaam ontspannen. Ze sliep.

Zonder het slapende meisje te verplaatsen, keek Anne naar de tekening die ze op het nachtkastje had laten liggen en bestudeerde Gemeen Monster. Was Gemeen Monster zwart of had Gemeen Monster zwarte kleren gedragen? Of was de kleur verbonden met angst? Misschien wás Gemeen Monster de angst die ze voelde, gematerialiseerd in iets wezenlijks, iets wat ze kon isoleren en buitensluiten.

Antwoorden waren alleen gemakkelijk als je ze had, dacht Anne. Tot dat moment waren er alleen puzzelstukjes.

35

Dennis was boos. Juf Navarre was de hele dag niet gekomen. Hij had op haar gewacht, had naar haar uitgekeken, had aan de stomme verpleegsters gevraagd waar ze was en wanneer ze zou komen. Maar ze kwam niet en belde niet eens.

Hij had zelfs zijn stomme leesopdracht gemaakt. Waarom kwam ze niet gewoon?

Misschien was ze dood. Misschien had ze een auto-ongeluk gehad en was ze met haar auto tegen de achterkant van een oplegger gereden en was haar stomme hoofd van haar lichaam gesneden. Dat zou grappig zijn. Hij zag voor zich hoe haar hoofd hem nog steeds lesgaf terwijl het op straat lag.

Hij moest erom lachen.

Ze zou hem gevraagd hebben waarom hij dat grappig vond.

Hij stelde zich voor dat hij naar het hoofd toe rende en het een schop gaf, alsof het een voetbal was, en dat het hoofd door de lucht vloog. Dan hoefde hij niet meer naar haar te luisteren.

Hij lachte harder, maar hield zijn kussen voor zijn gezicht zodat niemand hem kon horen.

Het was stil in het ziekenhuis. Alle gekken hadden hun pillen gekregen en lagen in bed te slapen in plaats van tegen zichzelf te praten in de gangen en de gemeenschappelijke ruimtes. De lichten in de kamers waren uit. Alleen in de gangen brandde zacht licht.

Dennis hield van dit tijdstip. Hij wist hoe laat de verpleegster langskwam. Soms deed hij net of hij sliep, waarna hij een paar minuten later zijn kamer uit sloop en in het donker rondzwierf. Hij vond het prettig als bijna iedereen sliep. Dan kon hij net doen of hij het ziekenhuis voor zich alleen had en alles kon doen wat hij wilde.

Soms sloop hij de kamers van andere mensen in en bleef hij naar ze staan kijken terwijl ze sliepen. Dan bedacht hij wat hij met ze zou doen als hij zijn mes nog had gehad.

Andere keren verstopte hij zich in de zitkamer vlak bij de verpleegsterspost om het juiste moment af te wachten. Arlene, de magere hoofdverpleegster van de nachtdienst, rookte en dat deed ze buiten omdat het in het gebouw niet mocht. Betty, de kleine, dikke verpleegster, ging met haar mee en dan was er niemand bij de balie.

Ze waren nooit langer dan tien minuten weg, maar dat was voor Dennis lang genoeg om achter de balie te sluipen en spullen te stelen. Hij pakte nooit grote dingen. Hij stal een pen of wat paperclips of snoep. Of hij zocht in de afvalbak en stal een krant die iemand had weggegooid.

Hij was nooit een goede lezer geweest, maar behalve het afluisteren, wat hij fijner vond, was het de enige manier om erachter te komen wat er in de wereld buiten het ziekenhuis gebeurde. Hij zocht altijd naar artikelen over Peter Crane of de Dodgers.

Tegenwoordig gingen de berichten over Crane over de rechtszaak die binnenkort zou beginnen. Er waren allerlei vertragingen en verzoeken geweest waar Dennis niet veel van begreep. Maar er stond altijd een stukje bij over Peter Crane en wat hij juf Navarre had aangedaan, en dat hij werd verdacht van de moord op de vrouwen met de dichtgelijmde ogen en monden. Daar las Dennis het liefst over.

Hij stelde zich voor hoe het zou zijn om juf Navarres ogen en mond dicht te lijmen zodat ze niet naar hem kon kijken of hem vertellen wat hij niet mocht doen. Dat zou cool zijn.

Verpleegster Betty liep langs zijn deur zonder naar hem te kijken.

Dennis glipte uit bed. Hij telde heel zachtjes tot honderd, duwde de deur daarna open en stak zijn hoofd naar buiten om te zien of de kust veilig was. De gang was leeg.

Hij liep de gang in op zijn sokken omdat hij dan geen geluid maakte en hij over de gladde vloer kon rennen en glijden. Hij holde van donkere deuropening naar donkere deuropening, tot hij bij de kruising van gangen kwam waar de verpleegsterspost was.

De twee verpleegsters zaten achter de balie te kletsen terwijl Arlene in haar tas naar haar sigaretten zocht. Daarna stonden ze op en liepen ze door de gang weg.

Dennis glipte achter de balie en keek om zich heen, op zoek naar gave spullen. Hij pakte wat zuurtjes uit een snoepschaal en stopte ze in een zak van zijn pyjamabroek. Daarna haalde hij de krant uit de prullenmand en bekeek de voorpagina. Zijn hart sloeg op hol toen hij de grote zwarte kop zag: GRUWELIJKE MOORD SCHOKT HET LANDELIJKE OAK KNOLL.

Dennis raakte zo opgewonden dat hij bang was dat hij in zijn broek zou plassen. Een moord! Een grúwelijke moord! Misschien had iemand juf Navarre vermoord.

Hij vouwde de krant op en duwde hem onder zijn arm. Hij stond op het punt om te verdwijnen met zijn schatten toen hij Arlenes tas open op de balie zag staan.

De tas was enorm groot en zat vol spullen. Het was net of alles er gewoon in was gegooid, of het een vuilniszak was. Haar portemonnee lag bovenop. Dennis gluurde de gang in. Geen teken van de verpleegsters.

Heel voorzichtig opende hij de portemonnee. Er zat veel geld in, wel honderd dollar. Hij wilde het allemaal nemen, maar dan zou ze weten dat ze bestolen was. Het was beter om zoveel te nemen dat ze het niet meteen zou missen. Hij haalde een briefje van twintig uit een stapeltje twintigjes, pakte een briefje van tien en een paar losse dollars en stopte het geld in zijn andere zak.

Hij stond op het punt de portemonnee terug te leggen toen zijn oog viel op een gele Bic-aansteker, die verder onder in de tas zat. Het moest haar reserve zijn. Dát was nog eens een vondst.

Dennis pakte de aansteker en haastte zich de verpleegsterspost uit. Hij ging op dezelfde manier naar zijn kamer terug als hij was gekomen: sluipend van deuropening naar deuropening. Hij was halverwege zijn kamer toen hij de verpleegsters terug hoorde komen. De zolen van hun schoenen piepten bij elke stap op de vloer.

Dennis was bang dat een van hen de gang in kwam lopen en hem betrapte. Het leek een eeuwigheid te duren. Ze stopten echter bij de verpleegsterspost en Betty zei: 'Jeetje, Arlene, je hebt je tas opengelaten. Je moet hem in een la stoppen. Straks steelt een van de patiënten hem nog.'

Dennis gniffelde in zichzelf en rende langs de volgende deuropening en de volgende deuropening naar zijn kamer.

Hij deed de aansteker een paar keer aan, alleen om de vlam te zien branden, opgewonden bij het vooruitzicht wat hij er allemaal mee kon doen. Hij kon dit rottige ziekenhuis tot de grond toe afbranden.

Maar vanavond niet.

Vanavond stopte hij zijn nieuwe schatten in zijn speciale verstopplek onder het matras, en daarna ging hij in bed liggen om erbovenop te slapen en te dromen over feloranje vlammen... en vrijheid.

36

Gina had drie verschillende keuzes gehad. Ze had de verkeerde gemaakt.

Wat stom.

Nu zou ze doodgaan, maar niet op dezelfde manier als Marissa was gestorven, godzijdank. Er prikte een pistool in haar rug. Het zou in elk geval snel gaan.

Ze had het zo moeten laten. Ze had wat spullen moeten pakken en vertrekken, of in elk geval haar mond houden, of de tiplijn van het politiebureau bellen. Vijfentwintigduizend dollar was veel geld.

Ze huilde. Ze wilde niet dood. Het was alsof ze lood in haar schoenen had waardoor ze nauwelijks vooruitkwam.

Ze soebatte. Ze beloofde. Ze smeekte.

Ze kreeg te horen dat ze haar mond moest houden en kreeg een klap op haar achterhoofd met het pistool. Ze was meteen duizelig, struikelde en viel op haar knieën in de modder.

Ze kreeg te horen dat ze op moest staan. Dat was moeilijk nu haar handen achter haar rug waren gebonden. Waarom kon ze hier niet gewoon doodgaan, op deze plek? Wat was het verschil? Dood was dood.

Haar moordenaar had echter andere plannen.

Ze werd met een hand van achteren omhooggetrokken tot ze op haar voeten stond en begon weer te lopen.

Er was geen licht, behalve het maanlicht en de koplampen achter hen. Er was geen weg, behalve de brandgang. Er zouden geen andere auto's komen.

Niemand zou haar redden, niemand zou haar vinden. De coyotes zouden haar lichaam opeten.

Ze werd ruw een halve slag gedraaid en een paar meter van het pad geduwd. Vlakbij zag ze de geraamten van een stel lang geleden verlaten gebouwen. Het leken moderne beeldhouwwerken. Op de grond voor haar zag ze iets wat op oude stormkelderluiken leek.

Ze had er jarenlang niet aan gedacht, maar nu had ze een heel heldere herinnering aan de stormkelderluiken van haar oma's woning in het oosten. Ze was toen negen jaar. Ze herinnerde zich dat haar broer de luiken had geopend en haar uitdaagde om de donkere, klamme kelder in te gaan. Ze wilde niet, maar hij provoceerde haar, en ze liep de stenen trap af, waarna hij de luiken achter haar dichtdeed.

Haar moordenaar ging voor haar staan, nog steeds met het pistool op haar gericht, en bukte zich om een van de luiken open te maken, waardoor een groot gat in de grond zichtbaar werd.

Er waren geen stormkelders in Californië.

Haar moordenaar trok het andere luik open.

Gina draaide zich om en rende terug naar de brandgang. Ze struikelde en viel. Omdat ze haar val niet met haar handen kon breken, kwam ze met haar gezicht op de grond terecht. Ze gaf een gil toen ze weggleed en kleine steentjes tegen de huid van haar wang schuurden.

Een hand pakte haar haar, rukte er hard aan en trok haar half van de grond. Ze ging niet staan. Ze weigerde. Ze zou het hem niet gemakkelijk maken. Hij trok en schopte en duwde haar terug naar het gat terwijl ze schreeuwde: 'Nee, nee, nee, nee!'

Ze probeerde zijwaarts uit te wijken op het moment dat het pistool af ging en de kogel haar lichaam doorboorde.

Ze viel voor ze zich realiseerde dat ze geduwd was.

Ze merkte niet meer dat ze de bodem van de put raakte.

37

'Wat bedoel je ermee dat ze weg is?' vroeg Mendez onnozel. Hij zat achter zijn bureau aantekeningen van de afgelopen dag te maken, terwijl hij een burrito uit de automaat at en een flesje Mountain Dew dronk.

'Ze is weg,' zei Trammell. 'Ze was weg toen we daar aankwamen. We zijn een tijd gebleven voor het geval ze alleen iets was gaan eten of inkopen was gaan doen of zoiets, maar ze is niet teruggekomen. Ik ben om het huis gelopen. Alles zag er normaal uit. Geen sporen van inbraak of zo. Het lijkt erop dat ze vrijwillig is vertrokken. Twee agenten in een neutrale wagen posten voor haar huis. Zij hebben haar ook niet gezien.'

'Shit,' zei Mendez terwijl hij op zijn horloge keek.

Het was 23.37 uur. Gina Kemmer kon uitgegaan zijn met vriendinnen. Ze kon bij een vriend of vriendin gebleven zijn. Dat was logisch. Ze was zo overstuur geweest toen Vince en hij waren vertrokken, dat ze misschien steun en een luisterend oor nodig had gehad.

Of misschien was ze gevlucht. Als ze samen met Marissa ergens bij betrokken was geweest en Marissa Fordham nu dood was, had ze misschien besloten dat ze het best kon vertrekken.

'Laat uitkijken naar haar auto,' zei hij. 'Zeg dat ze gezocht wordt voor een ondervraging met betrekking tot een moord.'

Hij haalde zijn aantekeningenboekje uit de zak van zijn colbertje, scheurde het blaadje eruit waarop hij Gina Kemmers kenteken en het merk, het model en de kleur van haar auto had geschreven en gaf dat aan Trammell.

'Verdomme,' zei Mendez. 'Zo lang is ze niet alleen geweest.'

'Ze is waarschijnlijk bij een vriendin,' zei Hicks.

Hun grijze, metalen bureaus stonden tegenover elkaar. Beide waren bedolven onder papieren.

'Ze is haar beste vriendin net kwijt,' zei Hicks. 'Je zei dat ze een wrak was. Ze wilde waarschijnlijk iemand om bij uit te huilen.'

Mendez dacht erover na. 'Ik weet het niet. Ik heb er een slecht gevoel over. Als ze weet waarom Marissa Fordham vermoord is, loopt zij ook gevaar.'

'Er is niet veel meer wat we op dit moment kunnen doen.'

'Ik wil in haar woning kijken.'

'Je krijgt nooit een huiszoekingsbevel.'

'Ze is een kroongetuige in een moordonderzoek. Ze is vermist...'

'Dat is nogal een brede omschrijving van een kroongetuige: ze kende de overleden vrouw. Ze heeft niet toegegeven dat ze iets heeft gezien,' zei Hicks, die de advocaat van de duivel speelde. 'Het is een vrij land. Ze is een volwassen vrouw. Ze is vrij om te gaan en te staan waar ze wil. We weten niet of ze vermist is. Niemand heeft haar als vermist opgegeven. Wie gaat daar een huiszoekingsbevel voor geven?'

'Niemand,' zei Mendez met een gefronst voorhoofd. Hij haatte het om fout te zitten. 'Als we in een televisieserie speelden, zou ik een huiszoekingsbevel krijgen.'

Hicks lachte. 'Als we in een televisieserie speelden, konden we zonder huiszoekingsbevel een huis binnenstormen.'

'En dan zouden we een T-shirt en spijkerbroek op het werk dragen, en we zouden allemaal in Porsches rondrijden,' zei Mendez.

'En we zouden de lekkere wijven voor het uitkiezen hebben,' zei Campbell.

Mendez keek hem met een uitgestreken gezicht aan. 'Heb jij de lekkere wijven nu dan niet voor het uitkiezen? Jezus, dat is zielig.'

Campbell smeet lachend een prop papier naar hem toe. 'Klootzak!'

Mendez zuchtte. 'Verdomme, ik wil dat huis in.'

'Hé, man,' zei Hicks. 'Ik probeer je van een wisse dood te redden. Als je op dit tijdstip 's avonds op de deur van assistent-officier van justitie Worth klopt met wat jij hebt, ben je er geweest.'

Dat is waar, dacht Mendez. 'Ik kan altijd mijn vingers kruisen terwijl ik mijn affidavit typ.'

Alle patrouillewagens in de stad en op de plattelandswegen zouden uitkijken naar Gina Kemmers auto. Als ze hem in de stad bij het huis van een vriend of vriendin had geparkeerd, zou het niet veel tijd kosten om haar te vinden.

Mendez gooide het restant van de ranzige burrito in de prullenbak en stond op.

'Waar ga je naartoe?' vroeg Hicks.

'Ik ga rondrijden en uitkijken naar haar.'

Dat was een van de voordelen van het feit dat hij geen privéleven had. Hij was vrij om in het holst van de nacht, op zoek naar een naald in een hooiberg, door de stad te rijden.

Hicks ging in plaats daarvan naar huis, naar zijn vrouw die zwanger was van hun derde kind.

Geen zwangere vrouw voor Mendez, tot zijn moeders teleurstelling. 'Waarom trouw je niet, Anthony? Waarom geef je me geen kleinkinderen?' vroeg ze zowat elke keer dat hij met haar praatte, in elk geval elke keer als hij bij haar op bezoek ging. En zijn zussen waren geen haar beter. Maar die hadden zich wat hem betreft voldoende voortgeplant, zodat hij niet het gevoel had dat hij haast moest maken. Hij was te geconcentreerd op zijn carrière om veel tijd te steken in het vinden van een vrouw.

Hij had doelen. Hij dacht er nog steeds serieus over na om de carrièreswitch naar de FBI te maken, maar eerst wilde hij zien dat Peter Crane werd opgesloten voor zijn misdaden. Daarna zou hij er werk van maken. In de tussentijd ging hij met vrouwen uit als hij daar zin in had, maar hij liet een relatie nooit te serieus worden.

Zijn gedachten gingen naar Sara Morgan terwijl hij een nieuwe straat in draaide, op zoek naar Gina Kemmers blauwe Honda Accord. Het had hem verbaasd dat Sara had gezegd dat haar huwelijk met Steve Morgan voorbij was. Niet omdat hij dacht dat ze bij die klootzak moest blijven, maar omdat het niets voor haar leek om zo openhartig te praten over iets wat zo persoonlijk was.

Ze zag er zo uitgeput uit, zo fragiel, alsof ze niets meer kon verdragen.

Haar echtgenoot was onvindbaar. Mendez en Hicks waren langs Morgans kantoor gereden, waar hij zogenaamd overwerkte. Hij was er niet. Ze wisten dat hij regelmatig in O'Brien's Pub kwam, maar daar was hij ook niet. Zijn zwarte Trans Am had ook niet op een van de parkeerterreinen bij de hotels gestaan. Net zoals Gina Kemmers auto nergens getraceerd was.

Hij hield het voor vanavond voor gezien, maar niet voordat hij langs het huis van de Morgans reed om te controleren of Steve Morgan thuis was gekomen.

Er stond nog steeds geen Trans Am op de oprit, maar er brandde fel licht in de garage. Het was 1.41 uur 's nachts. Het huis was donker.

Hij vond het niet prettig. Sara Morgan was depressief, haar huwelijk liep op de klippen, haar vriendin was net vermoord... Het was niet ondenkbaar dat ze in de garage was met een lopende MPV-motor om een eind aan haar ellende te maken.

Hij parkeerde naast de stoeprand, stapte uit en trok zijn wapen. Dit was een gegoede buurt, een uitstekende reden voor dieven om een bezoekje te brengen. Zachtjes liep hij rond de zijkant van de garage, waarin grote ramen zaten, en gluurde voorzichtig naar binnen.

Sara Morgan zat op een hoge stoel voor een lang voorwerp van ijzerdraad en stalen rasterwerk. Waarschijnlijk was het de sculptuur waaraan ze werkte. Mendez had het gevoel dat ze niets zag. Ze had haar armen rond zichzelf geslagen en staarde voor zich uit.

Hij had gewoon weg kunnen gaan. Hij had niets te maken met de reden waarom Sara Morgan om kwart voor twee 's nachts in haar garage zat. Maar stel dat ze daar zat na te denken of ze de motor van de MPV zou starten en de uitlaatgassen zou inhaleren...

In plaats van weg te lopen, liep hij naar de voorkant van de garage en klopte op de deur.

'Sara? Detective Mendez. Is alles goed met je?'

Het duurde even voordat ze de deur opende en een stap naar achteren deed.

'Ben je nog steeds op zoek naar Steve?' vroeg ze vermoeid.

'Ik reed langs en zag licht branden,' zei hij. 'Ik wilde controleren of alles goed met je is.'

Ze glimlachte; een klein, verbitterd glimlachje.

'Dat is aardig van je,' zei ze. 'Ik zou willen zeggen dat het goed met me is, maar ik denk dat je dat waarschijnlijk niet gelooft.'

'Dat klopt,' gaf Mendez toe terwijl hij haar de garage in volgde.

Haar Dodge Caravan stond geparkeerd bij de deur die het huis in leidde. De verste plek werd in beslag genomen door haar gereedschap, materialen en lasapparaat, met de sculptuur in het midden.

'Ik wil graag zeggen dat het me spijt,' zei hij.

'Wat?'

'Het spijt me dat je opnieuw bij een onderzoek betrokken bent. Het is jouw schuld niet, maar je zult het moeten doorstaan. Dat spijt me,' zei hij. 'Ik ken je niet goed, maar ik denk dat je het niet verdient om dit allemaal mee te moeten maken.'

Ze boog haar hoofd en haar wilde krullen vielen rond haar gezicht. Ze streek ze met twee handen naar achteren en keek naar hem op.

'Ik weet niet meer wat ik verdien,' zei ze. 'Maar bedankt. Ik weet dat het geen onderdeel van je werk is om medelijden met me te hebben.'

'Is er iets wat ik kan doen om te helpen?' vroeg hij, onzeker hoe hij haar leven gemakkelijker kon maken, maar hij wilde iets aanbieden – moest iets aanbieden – om haar te laten weten dat hij er voor haar was. 'Kan ik iemand bellen die bij je kan blijven? Een vriendin misschien?'

In plaats van te helpen leek het of zijn vriendelijke aanbod haar nog wanhopiger maakte. Ze duwde haar handen tegen haar neus en mond en kneep haar ogen dicht. De tranen kwamen toch. Ergens binnen in haar was een dam ingestort en de pijn kwam naar buiten gestroomd.

Mendez liep naar haar toe om een hand op haar schouder te leggen en haar naar de stoel te begeleiden waar ze eerder op had gezeten. Maar toen hij haar aanraakte, draaide Sara Morgan zich naar hem om en even later lag ze in zijn armen en huilde ze ontroostbaar op zijn schouder.

Hij wist niet precies wat hij moest doen, wat gepast was en wat niet, wat routine was en wat menselijk. Hij volgde zijn intuïtie en hield haar vast terwijl haar pijn en het verdriet loskwamen. Hij kon het niet helpen dat hij medelijden met haar had, en toen ze naar hem opkeek met haar onwaarschijnlijk blauwe ogen, die nog groter leken door de tranen, kon hij het niet helpen dat hij meer voelde.

Hij wilde zijn hoofd buigen om haar te kussen. De uitnodiging lag op haar gezwollen lippen, die iets uit elkaar weken. In plaats daarvan haalde hij een schone zakdoek uit zijn zak en drukte die in haar hand.

'Je moet proberen wat te rusten,' mompelde hij.

Ze knikte. Het moment was voorbij.

'Het spijt me,' fluisterde ze beschaamd terwijl ze haar wangen met de zakdoek depte.

'Nee, dat hoeft niet. Niet doen,' zei hij zachtjes, zijn hand tussen haar schouderbladen. 'Kom mee. Je gaat naar bed.'

'En wat ga jij doen?' vroeg ze terwijl ze naar de deur liepen.

'Ik slaap vannacht op je bank.'

38

'Wil je een kop koffie of zo?' vroeg ze terwijl ze voor hem uit liep naar de keuken.

'Nee, dank je,' zei Mendez. Hij keek om zich heen naar de crème-kleurige kastjes en de met de hand geschilderde ranken met druiventrossen langs het plafond. Haar werk, vermoedde hij. Op de plek waar een kast tegen een muur stond, had ze een muis met pientere ogen geschilderd die uit een gat in de plint gluurde. Het was zo realistisch dat hij bijna schrok toen hij het zag.

'Ik schaam me dood dat ik me daarnet zo heb laten gaan,' zei Sara terwijl ze een beker met water vulde en die in de magnetron zette, die bijna de helft van het aanrecht in beslag nam.

'Sara, heb je familie in de buurt wonen?' vroeg Mendez.

'Ik kom uit de buurt van Seattle. Mijn ouders en mijn zus wonen daar nog.'

'Hebben jij en je zus een goede band?'

'Dat hadden we wel,' zei ze. Ze drukte de stopknop op de magnetron in voordat de tijd afgelopen was. 'Ze heeft een gezin en een carrière. Ze heeft het druk. Ik heb het druk.'

'Weet je, het gaat mij niet aan... wat er in je huwelijk speelt... maar ik denk dat je niet moet proberen dit alleen te doorstaan,' zei hij, waarna hij zich een klootzak voelde. 'Ik had moeten stoppen na "het gaat mij niet aan".'

Ze schudde haar hoofd en doopte haar theezakje – aan de geur te oordelen was het iets kruidigs – in de beker water terwijl ze aan de ontbijtbar ging zitten. 'Het maakt niet uit. Ik weet zeker dat ik hetzelfde zou zeggen als ik er als buitenstaander naar keek. Maar als je er middenin zit... is het niet zo eenvoudig.'

'Dat geloof ik graag.'

'Ik kom uit een perfect gezin,' zei ze. 'Er wordt van me verwacht dat ik ook een perfect gezin heb. Ik dacht dat dat zo was. Wat heb ik verkeerd gedaan?'

Mendez voelde een golf van woede opkomen. 'Je hebt niets verkeerd ge...'

'Dat weet je niet.' Ze glimlachte naar hem alsof hij een lief, onnozel jochie was. 'Niets gebeurt in een vacuüm.'

Hij wilde minstens tien vernietigende dingen over haar man zeggen, maar beet op zijn tong.

'Misschien ben ik te onzeker,' zei ze. 'Misschien heb ik niet geluisterd. Misschien...'

'Misschien is je man gewoon een klootzak.'

Daar ging zijn zelfbeheersing.

'Dat ook,' zei ze terwijl ze voorzichtig een slok thee nam. 'Het is moeilijk voor Wendy. Daar voel ik me schuldig over. Ik ben haar moeder. Het is mijn taak om haar een heerlijk leven te geven en haar te beschermen tegen de nare dingen in het leven. En dan gedragen haar vader en ik ons zo.'

'Dan moet je dat veranderen.'

'Ik weet het,' gaf ze toe. 'Het is eng.'

'Denk je dat hij het je lastig gaat maken?' vroeg hij.

'Ik weet het niet. Ik hoop van niet.'

De klootzak was advocaat. Hij zou heel veel manieren weten om haar in een scheiding te bedonderen. Hij had het afgelopen jaar waarschijnlijk geld weggesluisd. Stiekeme dingen doen leek zijn specialiteit te zijn.

'Ben jij getrouwd, Tony?' vroeg ze.

'Nee... eh... nee,' zei hij. 'Dat ben ik niet.'

Ze leek er even over na te denken, alsof ze dat niet had verwacht.

'We waren gelukkig,' zei ze. 'Niet zo lang geleden. En toen veranderde er iets en we leken allebei niet te weten wat we eraan moesten doen. Het is moeilijk uit te leggen. Het was alsof we het ene moment vlak bij elkaar stonden, en er het volgende moment een kloof tussen ons gaapte.'

Ze nam een slok thee en haalde haar schouders op. 'Misschien wilde ik het niet graag genoeg, en nu ik dat wel wil, is het te laat.'

'Wanneer is hij zo betrokken geraakt bij het Thomas Centrum?' vroeg Mendez om het gesprek minder persoonlijk te maken en de behoefte te onderdrukken om zijn armen om haar heen te slaan en haar te beschermen. Dat was zijn taak niet. Zijn zus Mercedes noemde het altijd zijn ridderlijke kant.

'Steve is altijd betrokken geweest bij vrouwenrecht. Hij had een alleenstaande moeder. Hij heeft een moeilijke jeugd gehad. Ze is overleden toen hij rechten studeerde, en daarna wijdde hij zich ter ere van haar aan het helpen van achtergestelde vrouwen.' Ze glimlachte een ironisch, klein glimlachje. 'Die toewijding was een van de eerste dingen waardoor ik me aangetrokken tot hem voelde.'

Zoveel toewijding was prachtig, dacht Mendez. Druk uitoefenen in Sacramento voor vrouwenrechten was fantastisch. Zijn diensten aanbieden aan het Thomas Centrum was bewonderenswaardig. Maar die toewijding plaatste Steve Morgan ook in een omgeving vol vrouwen die hij kon verleiden.

Sara zuchtte en stond op van haar stoel. 'En nu je meer over mijn leven weet dan je ooit hebt willen weten, volg ik je advies op en ga ik naar bed. Het is morgen mijn beurt om naar school te rijden.'

Mendez keek toe terwijl ze haar thee in de gootsteen goot en de beker schoonspoelde.

Ze keek over haar schouder naar hem. 'Je hoeft niet te blijven. Echt, het gaat goed met me.'

Hij geloofde haar niet... of wilde haar niet geloven.

'Je zou je eigen advies moeten opvolgen,' zei ze. 'Ga naar huis en zorg dat je een beetje uitrust.'

Absoluut niet, dacht hij. Steve Morgan had net zoveel reden om Marissa Fordham te vermoorden als anderen. En hij had zelfs meer reden om de vrouw te vermoorden die op het punt stond van hem te scheiden en de helft van wat hij had af te pakken, plus alimentatie voor haar en het kind.

Dat zei hij echter niet tegen Sara.

'Doe de deur achter me op slot,' zei hij terwijl ze door de gang naar de voordeur liepen.

'Yes, sir.'

Ze salueerde terwijl hij zich omdraaide om welterusten te zeggen.

'En dank je wel,' zei ze ernstig. 'Omdat je langs bent gekomen om te kijken hoe het met me is, en omdat je naar mijn geklets hebt geluisterd.'

'Dat is oké,' zei hij met een halve glimlach. 'Het is een aangename verandering voor me. In mijn werk willen de meeste mensen niet praten.'

'Jammer. Je kunt goed luisteren.'

Er hing een ongemakkelijke spanning tussen hen in, net als het eind van een eerste afspraakje. Wie moest wat zeggen? Moest hij haar kussen? Nee. Absoluut niet.

'Dank je wel. Tja, welterusten dan maar,' zei hij abrupt, waarna hij zich omdraaide en wegliep.

Hij had de koffie moeten nemen die ze hem had aangeboden, dacht hij twee uur later. Zijn oogleden voelden aan alsof ze waren bedekt met schuurpapier, en hij had een smaak van vieze sokken in zijn mond. Hij gleed met zijn tong over zijn tanden en vertrok zijn gezicht.

Eindelijk zag hij een stel koplampen de straat in rijden. Het was Steve Morgans zwarte Trans Am. Meneer Midlifecrisis, die in de sport-auto van een puber reed en zijn vrouw bedroog.

Mendez herinnerde zich dat hij Peter Crane tijdens het onderzoek naar de moord op Lisa Warwick had ondervraagd, voordat Crane zichzelf had ontmaskerd als de Zie-Geen-Kwaad-moordenaar. Crane had geprobeerd verontschuldigingen aan te dragen voor het gedrag van zijn vriend.

Steve is een gecompliceerde man... Steve heeft een moeilijke jeugd gehad: een alleenstaande moeder, niet veel geld, veel problemen...

Sara had dezelfde verontschuldigingen aangedragen omdat hij zich als een klootzak gedroeg.

Boehoehoe, dacht Mendez. Hij had ook een moeilijke jeugd gehad, maar die gebruikte hij niet als excuus voor slecht gedrag. En zijn moeder had hem geleerd om vrouwen met respect te behandelen, niet tegen hen te liegen en hen niet te bedriegen.

Hij wachtte niet tot Morgan de oprit op gereden was. Hij stapte uit zijn auto, stak doelbewust de straat over en stond naast de Trans Am toen Morgan de motor uitzette.

Mendez duwde zijn politiepenning tegen het raam aan de chauf-feurskant en stopte hem daarna weer in zijn jaszak. Hij stapte net voldoende achteruit zodat Morgan het portier een stukje kon open-doen om uit te stappen, en vervolgens gevangen zat tussen het por-tier en de auto.

'Bestaat er een avondklok waarvan ik me niet bewust ben?' vroeg Morgan kalm. Hij rook vaag naar alcohol.

'Waar ben je vanavond geweest?' vroeg Mendez zonder verdere in-leiding of onoprechte subtiliteit.

'Ik heb gewerkt.'

'Ik ben vanavond tien keer langs je kantoor gereden. Je was er niet.'

Morgan trok zijn wenkbrauwen op. 'Tien keer? Dat klinkt als pes-terij in mijn oren.'

'Waar ben je geweest?'

'Ik had een dinerafspraak met een cliënt.'

'O? Heb je haar meegenomen naar dat leuke afgelegen restaurant-je in Los Olivos?'

Morgan keek geïrriteerd. Zijn kaak schoof een beetje heen en weer, alsof hij knarsetandde.

'Je hebt met Mark Foster gepraat,' zei hij met een knikje. 'Ja, soms spreek ik buiten de stad af met cliënten. De mensen hier zouden het verkeerde idee kunnen krijgen als ik een vrouw mee uit eten neem.'

'O ja?' zei Mendez. 'Ik durf te wedden dat ze hun wenkbrauwen pas echt optrekken als je die vrouw daarna naar huis brengt en haar een beurt geeft.'

'Ik ben met Marissa uit eten geweest,' zei Morgan, gekmakend beheerst.

Mendez zou graag willen dat Morgan naar hem uithaalde. Het zou hem de kans geven hem tegen de grond te slaan en hem in te sluiten voor het beledigen van een politieagent.

'We zijn naar Los Olivos gegaan om dat restaurantje te proberen, net als Mark heeft gedaan,' zei Morgan. 'Ik wilde niet in deze stad eten omdat mensen graag overhaaste conclusies trekken. Ik heb er geen behoefte aan dat iemand Sara belt en haar zonder reden van streek maakt.'

'Of haar nog een reden geeft om je te dumpen,' zei Mendez. 'Heeft Marissa Fordham daarmee gedreigd? Wilde ze Sara vertellen dat jullie met elkaar naar bed gingen? Heeft ze een ultimatum gesteld, Steve? Ga van je vrouw af of anders...?'

Morgan had de schaamteloosheid om te lachen. 'Je kende Marissa duidelijk niet,' zei hij. 'Ze wilde geen echtgenoot. Ze liet een relatie nooit zo serieus worden. Ze was erg gelukkig als single.'

Mendez raakte gefrustreerd. 'Dus je had vanavond een dinerafspraak met een cliënt. Wie?'

'Dat is vertrouwelijke informatie.'

'Waar?'

'In Malibu. Bij iemand thuis.'

'Handig. Dat verklaart waarom je pas om vier uur 's nachts thuiskomt. Geen sluitingstijd. Een lange rit.'

'Weet je, Mendez, ik hoef je vragen helemaal niet te beantwoorden,' merkte hij op.

'Klopt,' zei Mendez. 'Gebruik je die strategie ook bij Sara? Geen antwoord op haar vragen geven?'

'Ze is gestopt met vragen stellen.'

De woede vlamde in Mendez op. Hij deed een stap naar voren en legde zijn handen aan beide kanten van Steve Morgan op het dak van de auto. 'Je bent een klootzak.'

'Ja,' zei Morgan neutraal. 'Dat ben ik.'

Mendez boog zich naar hem toe. 'Is dit het moment waarop je probeert medelijden te wekken omdat je moeder een verslaafde hoer was en je zo'n beroerde jeugd hebt gehad dat je het niet kunt helpen dat je je zo gedraagt?'

Hij kreeg wat hij wilde. Steve Morgan gaf hem een harde rechtse op zijn mond, waardoor zijn lip aan de buitenkant spleet door Steves knokkels en aan de binnenkant door zijn eigen tanden. Hij wankelde opzij.

'Rot op, Mendez!' zei Morgan terwijl hij bij de auto vandaan stapte en opnieuw uithaalde voor een tweede stoot.

Mendez nam een vechthouding aan, blokkeerde de tweede vuistslag en gaf Morgan twee harde stoten in zijn gezicht. Het bloed stroomde uit Morgans neus.

Hij struikelde achteruit tegen de zijkant van zijn auto, veerde terug, haalde weer uit, maar was te ongecontroleerd, te snel. Mendez pakte Morgans vuist, stapte opzij en draaide zijn arm op zijn rug. Gebruikmakend van Morgans eigen vaart draaide Mendez hem rond en gooide hem op de motorkap van de Trans Am.

Overal in de wijk begonnen honden te blaffen. Aan de andere kant van de straat ging licht aan.

Mendez deed de handboeien eerst om één pols en daarna om de andere achter Steve Morgans rug, draaide zich om en spuugde een mondvol bloed op de oprit.

'Dank je wel, kerel. Je hebt me net een vroeg kerstcadeau gegeven,' zei hij.

Hij trok Morgan van de motorkap en nam hem mee naar de Taurus, die langs de stoeprand stond.

'Steve Morgan, je staat onder arrest. Je hebt het recht om te zwijgen...'

39

'Heb je dat verdiend?' vroeg Vince terwijl hij een kop koffie voor zichzelf inschonk.

'Helemaal.'

'Mendez probeerde te grijnzen, wat maar gedeeltelijk lukte. Hij was na de spoedeisende hulp meteen naar de intensive care gekomen. Er liep een rij hechtingen over de linkerkant van zijn gezwollen bovenlip. De verdoving werkte nog steeds aan die kant van zijn gezicht.

Vince moest lachen. 'Je bent zo net een geflipte halvegare. Rechercheur Frankenstein. Wat is er in vredesnaam met je gebeurd?'

Ze gingen in de familiekamer aan een hoektafel zitten.

'Ik heb een kleine aanvaring met Steve Morgan gehad,' zei Mendez. Hij praatte alleen met de rechterkant van zijn mond. 'Het blijkt dat hij een kort lontje heeft.'

Vince trok zijn wenkbrauwen op. 'Hoe kwam dat zo?'

'Ik denk dat het iets is wat ik heb gezegd.'

'Zoals wat? Dat zijn moeder een verslaafde hoer was?'

'Hoe weet je dat?'

'Heb je dát tegen hem gezegd?' Vince lachte.

'Ja. Ik heb van alles geprobeerd, maar hij bleef er ijskoud onder. Tot ik dat zei, toen ging hij tekeer alsof hij Raging Bull was.'

Vince voelde een golf van trots door zich heen stromen. 'Goed zo! Je zocht zijn zwakke plek en die heb je gevonden. Ik hoop dat je het hem niet gemakkelijk hebt gemaakt, knul.'

'Hij heeft mij aangevallen. Ik moest mezelf verdedigen. Misschien heb ik zijn neus gebroken en zijn ene oog zat dicht. Hij is nog steeds beneden om opgelapt te worden. Ik heb een agent bij hem gelaten.'

'Heeft Cal het al gehoord?' De schaapachtige uitdrukking op Mendez' gezicht vertelde Vince dat het antwoord nee was. 'Je krijgt de wind van voren.'

'Het was zelfverdediging.'

'Jij – een ex-marinier en kampioen amateurboksen – tegen een advocaat.'

'Hé, hij had een gemene zwaai,' protesteerde Mendez. 'Hij golft en tennist.'

'Hij doet je een proces aan.'

'Hij heeft een politieagent aangevallen.'

'Je hebt zijn moeder een hoer genoemd.'

'Is dat zo? Dat kan ik me niet herinneren. Helaas heeft hij geen getuigen om dat te bevestigen.'

'Laten we dit bespreken, Rocky,' zei Vince terwijl de rode vlaggen in zijn hoofd begonnen op te doemen. 'Wat deed je midden in de nacht bij zijn huis?'

Mendez keek een seconde naar beneden voordat hij zijn verhaal begon. En hij keek nog vaker naar beneden toen hij vertelde dat hij naar het huis van de Morgans was gegaan en met Sara Morgan had gepraat.

Hij loog niet. Mendez was goudeerlijk, maar hij probeerde iets te ontwijken. Sara Morgan.

'Heb je haar gevraagd hoe lang ze al bevriend is met Marissa Fordham?' vroeg Vince.

Mendez keek naar beneden. 'Nee. Ze was een instorting nabij. Ik wilde haar niet over de rand duwen.'

'Aha. Heel ridderlijk van je.'

'Wat? Moest ik haar op dat moment onder druk zetten?'

Boosheid.

'Dat had geen enkele zin,' ging Mendez verder. 'Ze is niet in staat om iemand te vermoorden. Bovendien gaat ze scheiden van haar man. Dan wordt ze niet meer met zijn ontrouw geconfronteerd.'

Ontkenning. Uitleg.

Vince knikte.

Mendez fronste zijn voorhoofd. 'Kijk niet zo naar me.'

'Hoe kijk ik dan?' vroeg hij.

'Verwaande klootzak,' zei Mendez verongelijkt. 'Je bent me aan het psychoanalyseren.'

'Dat zou ik niet doen als het niet zo gemakkelijk was,' zei Vince geamuseerd.

'Zeg het dan?'

'Wat moet ik zeggen?'

'Je geniet hiervan.'

'Inderdaad,' zei Vince grinnikend.

'Oké, ik voel me tot haar aangetrokken,' gaf Mendez toe. 'En wat dan nog? Welke man zou dat niet zijn? Ze is adembenemend mooi en talentvol...'

'En ze heeft een beschermer nodig…'

'Ik ben heel professioneel gebleven. Er is niets gebeurd wat niet door de beugel kan.'

'Natuurlijk niet.'

'Ik meen het!'

'Dat weet ik, Tony,' zei Vince ernstig. 'Je bent een respectabele man. Er is niets mis mee om op te komen voor een vrouw, ook al is ze niet van jou. Ik wil alleen niet dat de grenzen vervagen.'

'O, en dat heb jij niet gedaan?' vroeg Mendez sarcastisch.

'Anne was niet betrokken bij een misdaadonderzoek.'

'Sara zou nooit in staat zijn…'

Vince stak een vinger op om hem tot stilte te manen. 'Luister naar me. Anne was geen getuige. Ze was geen mogelijke verdachte. Haar betrokkenheid bij de zaak – hoewel die beslissend was – stond niet centraal toen we een relatie kregen. Daarna werd ze een slachtoffer. Nu proberen Cranes advocaten bewijs weg te houden met de bewering dat ik het daar heb neergelegd omdat Anne en ik een relatie hadden.'

'Je zit me te stangen!' zei Mendez.

'Het is waar. Ze willen dat de tube superlijm uitgesloten wordt. Godzijdank is het niet zo belangrijk voor Annes zaak. Maar als het nu niet wordt toegelaten, is er een kans dat het straks ook wordt uitgesloten. Als Crane terechtstaat voor de Zie-Geen-Kwaad-moorden en de officier van justitie een gedragspatroon wil vaststellen…'

'Shit.'

'En nu terug naar jou, junior,' zei Vince. 'Begrijp me niet verkeerd, ik mag Sara graag, Anne mag Sara graag. Maar als Steve Morgan een verhouding had met Marissa Fordham, dan heeft Sara een motief en moet ze beschouwd worden als een mogelijke verdachte. En ook als dat niet zo is, dan is Steve Morgan iemand die we beslist moeten natrekken. Je kunt geen relatie met Sara beginnen.'

'Dat ben ik ook niet van plan,' zei Mendez terwijl de niet-verdoofde kant van zijn mond afkeurend naar beneden wees. 'Ze is een getrouwde vrouw.'

'Nauwelijks,' zei Vince. 'Het klinkt in mijn oren alsof ze in psychisch opzicht bijna gescheiden is. Ze is gekwetst en bang en zoekt steun. Jij hebt haar een schouder gegeven om op uit te huilen. Vertel me niet dat je er gisteravond niet op het punt stond om haar te kussen.'

Mendez keek naar beneden.

'Het is een hellend vlak, knul. Begin er niet aan voordat de zaak afgerond is. En daarna – als ze die klootzak heeft verlaten – ga er dan voor. Word verliefd. Ga trouwen. De kinderen van Anne en mij hebben straks speelkameraadjes nodig.'

'Erg grappig,' zei Mendez. 'Hoe gaat het met Anne en het kleine meisje?'

'Ik neem ze zo meteen mee naar huis, voordat de verslaggevers uit hun holen kruipen,' zei hij.

Hij had er geen goed gevoel over. Hij was nog steeds bezorgd, niet alleen omdat Haley – en daarmee Anne – een doelwit was, maar ook vanwege de snelheid waarmee Anne aan het meisje gehecht raakte. Wat zou er gebeuren als ze een familielid vonden en ze Haley aan hem of haar moesten afstaan? Dat was niet goed voor Annes emotionele gezondheid. Hoe goed het voor haar misschien ook was om het meisje door deze beproeving te helpen, er zou een eind aan komen, en dat zou moeilijk worden.

'Je moest het haar laten doen, Vince,' zei Mendez.

Vince fronste zijn voorhoofd. 'Wie leest hier wiens gedachten?'

'Jij hebt het me geleerd, ouwe. Heeft het meisje iets gezegd?'

'Nee, maar het zit in haar hoofd. Gisteravond heeft ze een tekening voor Anne gemaakt waarop een enge gestalte stond. Ze noemde hem Gemeen Monster.'

'Daar hebben we niet veel aan,' zei Mendez. 'We kunnen geen opsporingsbevel uitvaardigen voor een gemeen monster.'

'Je getuige is vier jaar.'

'Wat een chaos. Mijn getuige is vier jaar. Ik heb te maken met een autistische hamsteraar die zijn moeder heeft vermoord. Het lijkt erop alsof de beste vriendin van het slachtoffer gevlucht is en...'

'Wat zeg je?' vroeg Vince, die ineens een en al aandacht was.

'Gina Kemmer wordt vermist. In de paar uur waarin we niet hebben gepost, is ze verdwenen.'

'Dat zint me niet. Is er geen teken van haar?'

Mendez schudde zijn hoofd. 'We hebben een opsporingsbevel uitgevaardigd voor haar en haar auto.'

'Ga in haar huis kijken.'

'Dat wilde ik gisteravond doen, maar het was te snel. Ik kreeg geen huiszoekingsbevel alleen gebaseerd op het feit dat ze niet thuis was.'

'Dat was gisteravond, toen ze misschien gewoon uit eten was,' zei Vince. 'Nu is ze nog steeds weg en is het een mogelijke ontvoering. Ga naar assistent-officier van justitie Worth en vecht ervoor. We weten dat je daar goed in bent.'

'Ik ben banger voor haar dan voor Steve Morgan,' grapte Mendez terwijl hij opstond.

'Roep me op als je het huiszoekingsbevel hebt. Ik wil erbij zijn.'

Mendez salueerde gekscherend en vertrok.

Vince gooide het laatste restje koffie in de afvalbak en ging terug naar Haleys kamer. Het was tijd om zijn tijdelijke gezin naar huis te brengen.

40

'Waar gaan we naartoe?' vroeg Haley met haar schorre, slaperige stemmetje.

Anne had haar wakker gemaakt voordat ze uit de ziekenhuiskamer vertrokken, omdat ze niet wilde dat ze op een vreemde plek wakker werd en in paniek raakte. Ze waren vergeten dat ze een kinderzitje nodig hadden. Anne nam het meisje op schoot en deed de veiligheidsriem om hen beiden voor de korte rit naar huis.

Haley wreef in haar ogen en keek om zich heen toen ze de parkeergarage uit reden.

'We gaan naar het huis waar Vince en ik wonen,' zei Anne. 'Weet je nog? Je blijft een tijdje bij ons logeren.'

'Hoe moet mama me dan vinden?'

De vraag zorgde ervoor dat Anne vanbinnen ineenkromp. Ze had het niet in zich om te liegen, maar het was niet het juiste moment om Haley de verschrikkelijke waarheid te vertellen.

'Je mama is samen met jou heel erg gewond geraakt, liefje,' zei Anne voorzichtig. 'Weet je nog dat ik je dat heb verteld?'

Haley gaf geen antwoord. Ze keek uit het raam naar de met bomen afgezette straat en begon ergens anders over. 'Hebben jullie dieren in huis?'

'Nee, die hebben we niet,' zei Anne.

'Ik heb poesjes en kippen bij mij thuis.' Ze draaide zich om op Annes schoot en keek op naar Vince. 'Mogen mijn katjes in jullie huis komen wonen?'

'Hmm... Dat zien we nog wel,' zei Vince.

'O.'

'Dit gesprek hebben we al gehad,' zei Anne. 'Haley heeft me verteld dat als haar moeder "dat zien we nog wel" zegt, ze nee bedoelt.'

'En papa dan?' vroeg Vince. 'Wat zegt hij?'

Anne keek naar haar man en mimede: 'Oefen geen druk uit.'

'De papa's zeggen veel dingen,' antwoordde Haley cryptisch.

De papa's. Meervoud. Anne slikte haar woede in en dacht na over wat ze had gehoord over Marissa Fordhams leven: een single moe-

der en een vrije ziel die af en toe uitging met mannen. Had de vader-
loze Haley alle vrienden van haar moeder 'papa' genoemd, in de hoop
dat er één bleef hangen?

Vince dacht hetzelfde.

'Hoeveel papa's ken je, Haley?' vroeg hij met één oog op de weg
en één op het kind.

Haley haalde haar schouders op en trok een gezicht. Ze vond het
duidelijk geen fijne vraag.

In het ziekenhuis had ze gevraagd of Vince de papa was en ze had
Franny hetzelfde gevraagd.

'Heb je een speciale papa?' vroeg Anne.

Geen antwoord, maar door de sombere uitdrukking op haar ge-
zichtje dacht Anne dat ze terugkeek op een herinnering die ze nog
niet kon delen.

'Is dat jullie huis?' vroeg Haley terwijl Vince de oprit op reed.

'Yep.'

Anne glimlachte bij de aanblik van het oude, witgepleisterde huis
in mediterrane stijl dat Vince en zij hadden gekocht. Het was solide
en groot en was aan het eind van de jaren twintig gebouwd. Na een
smaakvolle renovatie voldeed het huis aan alle moderne maatstaven
zonder dat het karakter was aangetast.

Ze hield van haar huis. Het was uitnodigend en behaaglijk en veilig,
zonder alle benauwende herinneringen aan het lange, ongelukkige
huwelijk van haar ouders in het huis waarin ze was opgegroeid.

Vince liep beladen met sporttassen voor hen uit naar de voordeur.
Anne droeg Haley, die nog steeds verzwakt was. Haley keek kritisch
om zich heen en nam de gebogen trap met de zitkamer aan de ene
kant en de eetkamer aan de andere kant in zich op.

'Zijn er monsters in jullie huis?' vroeg ze.

'Nee, liefje. Hier zijn geen monsters,' zei Anne. 'Dit is een veilig huis.
Hier kunnen de monsters niet binnenkomen.'

Het meisje legde haar hoofd op Annes schouder terwijl haar duim
naar haar mond ging. 'Ik ben moe.'

Anne droeg haar de trap op naar de kleine logeerkamer die het
dichtst bij de grote slaapkamer lag. De kamer was voorbestemd om
de kinderkamer te worden. De muren waren heel lichtblauw geschilderd en het tweepersoonsbed was te groot voor een kleuter, maar
met haar knuffeldieren om zich heen zou Haley hopelijk het gevoel
hebben dat ze haar eigen, kleine, veilige eiland had.

Ze sliep voordat haar hoofd het kussen raakte.

Anne stopte haar in en streelde over de donkere krullenbos. Toen ze zich omdraaide, glimlachte Vince liefdevol naar haar.

'Je bent een natuurtalent,' zei hij zachtjes, en hij sloeg zijn armen om haar heen.

Anne omhelsde hem. 'Ze blijft voorlopig wel slapen. Wil je ontbijt?'

Hij duwde zijn neus tegen haar hals en bromde. 'Ik wil jou als ontbijt.'

'Je zult het met roereieren moeten doen,' zei ze terwijl ze hem ontweek.

Ze liepen de trap af naar de keuken en Anne bakte eieren terwijl Vince koffie zette. Ze vond het heerlijk als ze samen zo huiselijk waren. Ze hadden een fijn werkritme, alsof ze al jaren in plaats van maanden een team waren.

'Hoe gaat het met het onderzoek?' vroeg ze.

'Ze zoeken nog steeds naar de achtergrond van het slachtoffer. Ik heb het gevoel dat er veel meer speelde dan op het eerste gezicht lijkt,' zei hij. 'Ze beweerde dat ze uit Connecticut kwam, maar er is geen bewijs dat ze daar ooit is geweest. En haar gegevens in Californië gaan niet verder terug dan 1981.'

'Haley is in 1982 geboren,' zei Anne.

'Klopt. Was Marissa Fordham alleen in het leven geroepen om Haleys moeder te zijn? Wie was ze daarvóór? Tot nu toe is er nog geen enkele aanwijzing wie de vader is. En de enige persoon die ons dat volgens mij kan vertellen, is verdwenen.'

'Vrijwillig?' vroeg Anne voorzichtig; er ging een onplezierig gevoel door haar heen.

'Ik weet het niet. Het lijkt erop,' zei Vince. 'Maar ik moet toegeven dat ik er geen goed gevoel over heb. Ik denk dat deze twee meiden samen iets uitgebroed hebben en dat een van de twee daarom is vermoord.'

'En de ander is vermist.'

'Vraag Haley naar haar. Probeer indrukken te krijgen. Haar naam is Gina Kemmer. Ik denk dat Marissa en zij al heel lang bevriend zijn.'

'Goed.'

Ze zaten aan de tafel in de ontbijtkamer met uitzicht op de achtertuin. Anne treuzelde met eten terwijl de ongerustheid aan de uiteinden van haar zenuwen knaagde. Hun tuin was omringd door hoge ligusterhagen, maar er was geen hek. Er werd een vrouw vermist. De enige getuige van de moord sliep boven...

Haar hart begon sneller te kloppen.

'Wil je een politieagent in huis?'

'Nee,' fluisterde ze, boos op zichzelf omdat ze de angst binnen liet sluipen.

'Zenuwachtig?' vroeg Vince.

'Zeg niet dat je me gewaarschuwd hebt.'

'Dat ben ik niet van plan,' zei hij. 'Eet je eieren, mevrouw Leone. Je moet sterk en gezond zijn om mijn kinderen te kunnen dragen.'

Ze glimlachten allebei.

Vinces pieper, die naast zijn koffiebeker lag, kwam tot leven. Hij keek op het scherm.

'Het is Tony. Ik moet gaan.'

41

'We mogen naar binnen om te controleren of ze niet dood op de vloer ligt,' zei Mendez. 'Maar we mogen niets aanraken – behalve als het duidelijk een plaats delict is – en dan wil Worth dat ik haar bel zodat ze hiernaartoe kan komen om zich ervan te overtuigen dat ik niet lieg.'

'Het is beter dan niets,' zei Vince. 'Worth doet alles heel zorgvuldig. Ze is goed, oplettend.'

Met z'n drieën – Hicks, Mendez en Vince – gingen ze Gina Kemmers schattige, kleine Tudor-huis binnen, voor alle zekerheid met handschoenen aan en papieren hoezen over hun schoenen. Er leek niets van zijn plek gehaald en er waren geen tekenen van een inbraak of een worsteling.

Iemand had de gebroken plantenpot en het braaksel in de zitkamer opgeruimd. De foto's die op de salontafel hadden gelegen, waren opgeborgen.

Vince had er nog een keer naar willen kijken. Hij had ze aan een muur willen hangen om ernaar te staren, net zolang tot hem iets op zou vallen. Hij had de twee vrouwen willen bestuderen – hun gezichten, hun lichaamstaal, de manier waarop ze met elkaar omgingen. Hij had een datum vóór 1982 op de achterkant van een van de foto's willen vinden.

Hij trok de la onder de tafel open. Geen foto's. Hij keek in het tijdschriftenrek, in een boekenkast. Niets.

Terwijl hij door het huis liep, werd Vince weer overvallen door het gevoel dat Gina Kemmer hier geworteld was. Hij dacht niet dat ze zo gemakkelijk weg zou gaan.

Het huis was netjes en schoon, maar er werd comfortabel in geleefd. Over de leuning van de bank lag een plaid, een paar jassen hingen aan de haken van een antieke garderobekast naast de voordeur. Er hing kunst aan de muren: verschillende kleine schilderijen van Marissa en nonchalante verzamelingen foto's, waarschijnlijk van familie en vrienden.

'Het lijkt er niet op dat ze iets heeft ingepakt,' zei Mendez terwijl hij in de slaapkamerkast keek.

De slaapkamer was netjes. Poederroze en landelijk blauw. Erg meisjesachtig. Kant en bossen droogbloemen. Een paar vaak gelezen romans lagen in een stapel op het nachtkastje naast een lamp met een kap met sierstroken. Gina Kemmer geloofde nog in sprookjes.

Vince liep naar de keuken. De werkbladen stonden vol met bussen en kookboeken. In de koelkast vond hij zes flessen wijncocktail van Bartles & Jaymes, een verlepte krop sla, wat kaas en kruiden.

Op de deur van de koelkast hingen een massa magneten met foto's en notities en een tekening van Haley.

'Wie zijn die mensen?' vroeg hij, wijzend naar een foto van Gina en Marissa en twee knappe mannen op een strandfeest. De meisjes waren in bikinitopjes en hoelarokjes. De mannen droegen wijde korte broeken, hawaïshirts en Ray Ban-zonnebrillen. Ze lachten alle vier en leken zich prima te vermaken.

Hicks deed een kastdeur dicht en kwam naast hem staan.

'De lange man naast Marissa is Mark Foster, hoofd van de muziekafdeling van het McAster. Marissa en hij gingen af en toe samen uit. De man naast Gina is Darren Bordain.'

'Heb je met allebei gepraat?'

Mendez knikte. 'Don Quinn heeft ons verteld dat Foster homo is. Foster ontkent het. Ik kan me niet voorstellen dat het iemand iets kan schelen.'

'Mensen kunnen eigenaardig doen over hun geheimen,' zei Vince. 'Het maakt niet uit of het iemand anders iets kan schelen of niet. Mensen bewaken hun geheimen als autokerkhofhonden, en nemen ze mee in hun graf als dat kan.'

'Hij is degene die Steve Morgan en Marissa in het restaurantje in Los Olivos heeft gezien,' zei Hicks.

'Hoe zit het met Darren Bordain?'

'Het blonde kind van Milo en Bruce Bordain,' zei Hicks. 'Hij lijkt een van de weinige mannen in de stad die geen afspraakjes met Marissa maakten. Ze waren oppervlakkige vrienden.'

'Wat vond zijn moeder daarvan?' vroeg Vince.

'Hij zei dat hij misschien een relatie met Marissa had moeten aanknopen, alleen om de oude vrouw op stang te jagen,' zei Mendez.

'Marissa was háár speeltje, háár troeteldier,' zei Vince terwijl hij dacht aan Milo Bordains houding ten opzichte van Haley. Bezitterig. Vanzelfsprekend.

'Juist,' zei Hicks. 'Goed genoeg om af en toe mee te pronken, maar niet goed genoeg om uit te nodigen voor het Thanksgiving-diner, zei hij.'

'Hmm…'

'Hij zei ook dat een artistieke, alleenstaande moeder niet goed zou zijn voor zijn toekomstige politieke carrière.'

'De appel valt niet ver van de boom,' zei Vince. 'En hebben jullie al met Bruce Bordain gepraat?'

'Hij is de stad uit geweest,' zei Hicks. 'Hij is gisteravond teruggevlogen uit Santa Barbara.'

'Ik ben nieuwsgierig naar de dynamiek binnen het gezin,' merkte Vince op.

'Volgens de zoon leven Bruce en zijn vrouw gescheiden levens. Ze zijn bijna nooit op hetzelfde moment in hetzelfde huis.'

Wat een verklaring kon zijn, in elk geval deels, voor de behoefte van Milo Bordain om zich vast te klampen aan de mensen in haar leven, dacht Vince. Ze was eenzaam, zo eenvoudig was het. Als ze Haley in haar leven kon houden, zou dat de leegte opvullen die was ontstaan door het verlies van Marissa, die de leegte had opgevuld die haar afwezige echtgenoot had achtergelaten.

'Ze was een schoonheid, nietwaar?' zei Vince over hun slachtoffer terwijl hij naar de foto keek.

'Levenslustig' was het woord dat bij hem opkwam. Met haar ondeugende glimlach en sprankelende, donkere ogen had ze iets wat haar levendiger maakte dan de anderen op de foto.

Grappig, dacht Vince. Het was de bedoeling dat ze naar Gina Kemmer keken. Zij was degene die werd vermist. Haar situatie was dringend. En toch werden ze allemaal naar Marissa toe getrokken. Ze was absoluut de dominante partner in de vriendschap geweest.

Gina was mooi, maar op een stille manier. Met haar blonde haar en lichte huid verbleekte ze naast haar vriendin, zowel fysiek als wat aanwezigheid betreft. Hij kende Marissa niet, maar zelfs na haar dood voelde hij de kracht van haar geest. Gina had dat niet. Ze was de verlegene geweest die had meegedeeld in het succes van haar vriendin.

Mendez was weggelopen om in de vuilnisbak te kijken. Hij greep in de bak en viste de tang en de polaroidfoto van Marissa Fordham eruit: doodgestoken, met een doorgesneden keel, haar dode ogen halfopen.

Hij hield hem naast de vrolijke foto.

'Ze was een schoonheid,' zei hij.

Dat was ze niet meer.

Ze konden alleen hopen dat haar vriendin niet hetzelfde lot had ondergaan.

42

Ik ben dood.

Maar als ze dood was, kon ze dan nog denken?

Gina's geest zweefde een tijd in de duisternis zonder daar antwoord op te geven. Ze voelde haar lichaam niet. Het was alsof haar ziel haar lichaam had verlaten, alsof het geen nut meer voor haar had.

Dat was de definitie van dood toch? Het lichaam stierf en de ziel ging verder. Als iemand in de ziel geloofde, dan geloofde hij ook in een leven na de dood. Hemel en hel.

Was ze in de hel? Moest ze dat zijn? Ze was geen slecht mens. Ze had geen slechte dingen gedaan. Hoewel ze één slecht ding niet had tegengehouden. Misschien was ze daarom in het vagevuur.

Haar moeders gestoorde tante Celia had de kinderen altijd verteld dat het vagevuur vol dode baby's was. Ze had geen dode baby's gezien. Ze had niets gezien, alleen zwarthcid.

Ze zweefde nog een tijdje. Het leek erg vredig om dood te zijn.

Daarna – eerst langzaam – begon iets de serene kalmte binnen in haar te verstoren. Haar hersenen probeerden te registreren wat het was. Een geluid? Een gevoel?

Pijn? Pijn! O mijn god, wat een pijn!

Gina kwam naar adem snakkend bij bewustzijn, als een zwemmer die na een heel diepe duik boven water komt. Haar ogen gingen open. Haar mond ging open. Haar lichaam spande zich terwijl ze zich losmaakte van de duisternis die haar had omhuld en beschermd. Ze hapte naar adem, twee keer, drie keer. Elke ademhaling was pijnlijker dan de vorige.

Ze leerde heel snel om alleen oppervlakkig adem te halen, maar ze deed het te snel en haar gezichtsvermogen begon weer te vervagen. Goed, dacht ze. Ze kon beter dood zijn.

Maar ze was niet dood, en ze ging niet dood. Op de rand van bewusteloosheid was haar lichaam in staat om haar ademhaling te corrigeren. Gina probeerde de pijn om te zetten in iets wat ze kon begrijpen. Waren haar botten gebroken? Waren haar organen beschadigd? Wat was er met haar gebeurd? Waar was ze?

Ze was nog nooit op deze plek geweest.

Stralen zonlicht schenen naar beneden en doorboorden de duisternis als laserstralen. De muur voor haar leek te zijn bedekt met lagen vuil en smeer. De dikke wortel van een plant groeide door een gekartelde scheur naar binnen, als een lange, knokige vinger die naar haar wees.

Was ze in een cel? Een kelder?

De pijn doorbrak de broze grens van haar wil en overviel haar, verstikte haar, schoot stuiptrekkend door haar heen tot er geen plaats meer was voor iets anders – voor lucht, voor bewustzijn.

Ze had er geen idee van hoe lang ze bewusteloos was geweest. Het kon momenten zijn, het kon uren zijn. Toen ze weer bijkwam, leek er niets veranderd te zijn. Ze had niet gedroomd, behalve als ze nog steeds droomde.

Geen droom. Een nachtmerrie.

Ze voelde zich duizelig en misselijk. De stank van haar omgeving steeg op in haar neusgaten en bleef in haar keel steken. Uitwerpselen en urine, knaagdieren en verrotting. Afval. Zuur bier. Haar maag draaide om en ze braakte en braakte.

Ze wilde zichzelf met haar linkerarm omhoog duwen zodat ze niet op zichzelf overgaf, maar haar handen waren achter haar rug vastgebonden. Ineens herinnerde ze zich de afplaktape rond haar polsen.

De tape zat niet strak. Ze draaide haar rechterhand en trok er met haar vingers aan tot ze het eraf had. Daarna wilde ze weer op haar linkerarm steunen, maar de arm zakte onder haar weg, waarna er een gloeiende pijn door haar heen schoot.

O mijn god. O mijn god. Geen droom. Geen nachtmerrie. Ze was klaarwakker.

Met de angst kwamen de tranen. Waar was ze in vredesnaam?

De herinneringen verschenen als stroboscoopachtige flitsen. Nacht. Lopen. Stikken in haar angst. Smeken om haar leven. Een pistoolschot.

Een pistoolschot. Ze was neergeschoten. Ze keek naar beneden. Haar T-shirt was doordrenkt met bloed, op haar linkerschouder zat een brandgat. Ze wist niet of de kogel nog in haar lichaam zat of erdoorheen was gegaan. Wat het ook was, ze was er niet aan doodgegaan. Er moesten uren zijn verstreken en ze was niet gestorven aan bloedverlies.

Dat was een goed teken.

Langzaam maakte ze de balans op. Ze had gevoel in haar linkerarm, maar hij leek onbruikbaar. Haar rechterarm werkte. Ze bewoog haar linkervoet, en daarna haar linkerknie. Daaraan had ze geen verwondingen. Haar rechterbeen was een ander verhaal.

De poging om haar rechtervoet te bewegen veroorzaakte een martelende pijn. Ze wurmde zich met behulp van haar rechterelleboog omhoog en keek naar beneden terwijl de paniek door haar heen schoot. Haar voet was naar binnen gedraaid en lag bijna haaks op haar scheenbeen, alsof hij bij de enkel was afgebroken.

'Help!' riep Gina. 'Help! Kan iemand me helpen?!"

Ze riep tot haar keel rauw was. Ze was in niemandsland. Er was niemand die haar kon horen.

De ruimte waarin ze zich bevond was misschien anderhalve meter breed. Het leek een heel eind naar het licht. Ze was slecht in het schatten van afstanden, maar het moest meer dan zes meter zijn. Ze herinnerde zich de luiken, die gebarsten en gammel waren. Ze vormden het plafond van haar gevangenis.

Ze stak haar rechterhand uit om de muur aan te raken, die ruw en hard voelde. Beton. Vuil. Onder haar lag vuilnis: oude planken en ingezakte kartonnen dozen; stinkende plastic vuilniszakken die opengescheurd waren en waar de inhoud uitpuilde. Ze zag eierdoppen, koffieprut, bedorven voedsel en melkpakken. En onder dat alles rook ze de stank van stilstaand water.

Ze lag in een verlaten put, en ze was niet alleen.

Langzaam werd ze zich ervan bewust dat ze werd gadegeslagen. Haar hart bonkte. Gina draaide haar hoofd centimeter voor centimeter naar links en keek in de ogen van de grootste rat die ze ooit had gezien.

43

'Geen tekenen van inbraak. Geen tekenen van een worsteling. Geen tekenen dat ze overhaast haar spullen heeft gepakt,' zei Mendez tegen Dixon.

Ze hadden zich verzameld in het kantoor van de sheriff om de stand van zaken te bespreken. Dixon, zoals altijd in een keurig geperst uniform, zat achterovergeleund tegen de rand van zijn bureau met zijn armen over elkaar geslagen en een gefronst voorhoofd.

De pers te woord staan begon zijn tol te eisen. Niet alleen de staat Californië, maar het hele land volgde de zaak door een vergrootglas en de landelijke pers was inmiddels ook gearriveerd. Het verhaal over de mooie kunstenares die in het prachtige Oak Knoll was vermoord werd nog sappiger door het achtergrondverhaal van de sensationele Zie-Geen-Kwaad-moorden en het aanstaande proces tegen Peter Crane.

Iemand had het verhaal over de doos met Marissa Fordhams borsten die naar Milo Bordain was gestuurd naar de hongerige media gelekt. Het gooide olie op een al gloeiend vuur.

Vince benijdde Dixon niet om zijn voorlichtingstaak. Omgaan met de media en het publiek leek verdomd veel op het tevredenstellen van een horde tweejarige kinderen die iets wilden, en wel meteen. Niemand wilde horen dat het tijd zou kosten om de zaak op te lossen.

'En niemand heeft haar auto gezien?' vroeg Dixon.

'Dat klopt.'

Dixon staarde even uit het raam. 'Wat denk jij, Vince?'

'Ze was gisteren behoorlijk van streek,' zei deze. Hij had een zitplaats voor zichzelf opgeëist op het dressoir dat tegen de buitenmuur van het kantoor stond. Mendez en Hicks stonden, omdat ze allebei niet op de veel lagere stoelen voor het bureau wilden zitten. Typisch politieagenten.

'Ze weet absoluut meer over Marissa en waarom ze is vermoord dan ze ons heeft verteld,' ging hij verder. 'Mijn intuïtie zegt dat ze samen ergens bij betrokken waren. Marissa was de leider. Gina is waarschijnlijk meegesleept.'

'We denken aan chantage,' zei Mendez. De verdoving was eindelijk uitgewerkt, zodat hij niet meer met één kant van zijn mond praatte, maar zijn lip was nog steeds dik. 'Er is een reden waarom niemand lijkt te weten wie Haleys vader is. Bovendien hebben we het geboortebewijs nog steeds niet gevonden.'

'Dat kan verklaren waarom ze zoveel geld op de trustrekening voor het meisje heeft staan,' zei Dixon.

'Het klopt ook met de aard van de misdaad,' zei Vince. 'Het persoonlijke karakter van de aanval, de enorme woede, de concentratie van steekwonden in de onderbuik, het afsnijden van de borsten...'

'En het mes in de vagina,' voegde Mendez eraan toe.

'Precies,' zei Vince. 'De woede van de moordenaar was gericht op alles wat Marissa vrouw maakte – op elk lichaamsdeel dat betrekking heeft op de voortplanting.'

'En we hebben voldoende kandidaten voor de titel van papa, nietwaar?' zei Dixon.

'De lijst wordt langer en langer,' zei Hicks. 'En dat zijn alleen de mannen van wie we het weten. Het kan net zo goed iemand zijn met wie ze niét openlijk afspraakjes heeft gemaakt. Ik bedoel, de mannen met wie ze af en toe uitging waren vrijgezel. Het zou gênant voor een van hen kunnen zijn als er ineens een kind opdook, maar het zou niemand ruïneren.'

'Steve Morgan is geen vrijgezel,' merkte Mendez op.

Dixon keek met een gefronst voorhoofd naar hem. 'Nee. Hij is een advocaat die het bureau gaat aanklagen.'

Mendez spreidde zijn handen. 'Hij viel me aan!'

Vince kwam tussenbeide. 'Als ze stiekem afspraakjes had met Steve Morgan, had ze misschien ook andere getrouwde minnaars.'

'Dat weet Gina Kemmer waarschijnlijk,' zei Hicks.

'Maar Marissa Fordham is hier toch pas komen wonen nadat de baby geboren was?' vroeg Dixon.

'Precies,' zei Hicks. 'Op dit moment weten we echter niet waar ze vandaan kwam. Ze zei altijd Rhode Island, maar voor zover wij weten kan ze net zo goed vanuit Vegas hiernaartoe zijn gekomen... na een weekend feesten met veel drank.'

'Een dreigement is pas een dreigement als je ermee geconfronteerd wordt,' zei Vince. 'In deze gemeenschap wonen is een voortdurende herinnering aan het feit dat één gemiste chantagebetaling al tot een onthulling kan leiden.'

'Heeft het meisje iets over haar vader gezegd?'

'Nee, niet specifiek. Ze praat over papa's, in het meervoud,' zei Vince. 'Ze heeft me gevraag of ik "de papa" was.'

'Dan is de kans nog groter dat Gina weet wie de vader is,' zei Mendez. 'Als ze niet zelf is weggegaan...'

'We hebben een helikopter nodig om vanuit de lucht naar haar auto te zoeken,' zei Dixon.

'We moeten haar huis met een stofkam doorzoeken,' zei Vince. 'Als Gina het geboortebewijs – of een kopie ervan – ergens bewaart, staat de naam van de moordenaar er in dikke, zwarte letters op.'

'De assistent-officier van justitie wilde ons vanochtend geen huis-zoekingsbevel geven,' meldde Mendez. 'Er is geen bewijs dat er een misdrijf heeft plaatsgevonden. Er is geen bewijs dat Gina Kemmer niet gewoon uit vrije wil is vertrokken.'

'Heeft ze geen familie in de buurt wonen die haar als vermist kan opgeven?' vroeg Dixon.

'Nee. Ze heeft ons verteld dat ze vanuit LA hiernaartoe is gekomen.'

'We kunnen een arrestatiebevel regelen omdat ze onze kroongetuige is,' zei Dixon. 'Dan krijgen we meteen ons huiszoekingsbevel.'

'Bill en ik hebben het daar gisteravond over gehad,' zei Mendez. 'Het is een beetje mager. Waar is ze dan getuige van geweest?'

'Regel het arrestatiebevel maar vast,' zei Dixon. 'Ik neem contact op met de assistent-officier van justitie.'

'Ik doe het wel,' bood Hicks aan. Hij glipte het kantoor uit om de papieren in orde te maken.

'Hebben we al iets over de doos met de borsten?' vroeg Dixon.

'Het is een puinhoop door alle latente vingerafdrukken,' zei Mendez. 'Daar is de doos mee bezaaid. Afdruk op afdruk op afdruk. Het ding is vastgehouden door wie weet hoeveel mensen.'

Dixon zuchtte en liet zijn schouders heel even zakken. 'Niemand op het postkantoor zal zich herinneren dat iemand een eenvoudige bruine doos op de post heeft gedaan.'

'Het zou fantastisch zijn als ze videobewaking in het postkantoor zouden hebben.'

Dixon keek naar Mendez alsof hij gek was geworden. 'Video-bewaking in een postkantoor? In Lompoc?'

'Op een dag hebben ze dat overal,' zei Mendez. 'Bij postkantoren, luchthavens...'

'Natuurlijk,' zei de sheriff spottend. 'Voor alle misdaden die op postkantoren gepleegd worden.'

Vince grinnikte. 'Eerst de buurtwinkels, daarna de postkantoren.'

'Ik zie het helemaal voor me,' lachte Dixon. 'Bliksemsnelle aanvallen geleid door misdadige postzegelverzamelaars.'

'Ik krijg gelijk,' hield Mendez vol, die het geplaag goedgehumeurd aanhoorde. 'Als de technologie het politiewerk eenmaal beheerst, kom ik naar het verpleegtehuis om het onder jullie neus te wrijven.'

'Doe dat, Tony,' zei Dixon. 'Maar op dit moment hebben we een zaak op te lossen. Vince, waarom zijn de borsten naar Milo Bordain gestuurd?'

'De voor de hand liggende reden zou het plaatsen van een uitroepteken achter de moord zijn. Hij heeft Marissa vernietigd en heeft uitdrukking gegeven aan zijn verachting voor de vrouw die hij voor haar verblijf in deze gemeenschap betaalde.'

'Denk je dat mevrouw Bordain gevaar loopt?'

'Marissa moet de primaire bron van zijn haat zijn geweest,' zei Vince. 'De wreedheid van de misdaad was uitermate persoonlijk. De borsten naar mevrouw Bordain sturen heeft van een afstand plaatsgevonden, waarmee een zekere mate van emotionele afstandelijkheid wordt gesuggereerd.'

'Het antwoord is dus nee.'

'Zeg nooit nooit, maar het lijkt onwaarschijnlijk. Ik weet van een zaak in Spanje, waarbij een gestoorde man een sponsor van een bijzonder controversiële kunstenaar heeft vermoord omdat hij geloofde dat het werk van de kunstenaar duivelse boodschappen bevatte. Hij kon niet bij de kunstenaar komen, dus vermoordde hij de bron van inkomsten van de kunstenaar – een bekende in artistieke kringen,' zei Vince. 'Marissa Fordhams werk kan op geen enkele manier controversieel worden genoemd.'

'Maar wel feministisch,' zei Mendez. 'Ze heeft de poster voor het Thomas Centrum voor Vrouwen gemaakt, waarmee de kracht van de vrouwenziel wordt geprezen. Misschien zijn er mensen die dat als controversieel beschouwen.'

'Jane krijgt regelmatig post van ultraconservatieve, religieuze groeperingen,' zei Dixon.

'Als dit bedoeld is als een soort kruistocht, dan zijn jullie op zoek naar een heel ander soort moordenaar,' zei Vince. 'Dan zou het iemand zijn die op zoek is naar aandacht om bekendheid voor zijn standpunt te krijgen. Ik denk dat we in dat geval van de moordenaar gehoord zouden hebben, rechtstreeks of via de pers.'

'We zijn dus niet verder gekomen,' concludeerde Dixon. 'Veel vragen en weinig antwoorden.'

'We moeten Gina Kemmer vinden,' zei Mendez.

Rechercheur Hamilton klopte op de deur en keek het kantoor in. Hij had een wazige blik in zijn ogen en één oor was rood omdat hij de hoorn er veel te lang tegenaan had geduwd.

'Wat heb je voor ons, Doug?' vroeg Dixon.

'De bank heeft me gisteren Marissa Fordhams burgerservicenummer gegeven,' zei de rechercheur. Hij kwam in de deuropening staan en leunde tegen de deurpost. Ze waren allemaal uitgeput. 'Het nummer is van een vrouw met de naam Melissa Fabriano. Ik trek de naam na op een strafblad, opsporingsbevel en arrestatiebevelen in Californië.'

'Je had dus gelijk,' zei Mendez. 'Marissa Fordham bestond voor 1981 niet.'

'Daar lijkt het op. Maar we weten niet of Melissa Fabriano wel bestaat,' zei Hamilton. 'Het kan een andere schuilnaam zijn.'

'Alleen mensen die iets te verbergen hebben, gebruiken een schuilnaam,' zei Mendez. 'En hoe zit het met Gina Kemmer?'

'Wat bedoel je?'

'Controleer of zij een strafblad heeft,' zei Dixon.

'Kan ik de overheid aanklagen wegens bloemkooloren?' vroeg Hamilton.

'We hebben computers nodig,' klaagde Mendez.

'Ik heb wereldvrede nodig,' zei Dixon terwijl hij overeind kwam. 'En dat deze zaak opgelost wordt. Als jullie een van die twee kunnen regelen, ga er dan op uit en doe het.'

44

Vince liet Mendez achter in afwachting van het huiszoekingsbevel voor Gina Kemmers woning. Hij had instructies gegeven om de foto's te vermelden op de lijst van bewijs waarnaar gezocht zou worden.

De chantage-insteek stond hem aan. Het was netjes en ordelijk. Een simpel geval van oorzaak en gevolg. Vrouw chanteert man. Man bereikt een breekpunt en vermoordt vrouw.

Maar waarom waren de borsten naar Milo Bordain gestuurd? Het antwoord dat in het bijzijn van de sheriff uit zijn mond was gerold leek op het eerste gezicht zinnig, maar hij was er niet zo zeker van of het een nadere inspectie zou doorstaan.

Lichaamsdelen sturen bevatte een spelelement. Het werd gewoonlijk gedaan om de familie van het slachtoffer te intimideren en/of de politie te provoceren. Een metaforische lange neus trekken. Het paste niet in het nette en ordelijke chantagescenario. Waarom zou de dader zich daar druk om maken? Hij had een probleem – Marissa – en had dat opgelost. Waarom zou hij Milo Bordain er dan bij betrekken?

Hij dacht aan de foto op Gina Kemmers koelkast. Gina, Marissa, Mark Foster en Darren Bordain.

Mendez en Hicks hadden verteld dat Bordain geen relatie met Marissa had gehad, maar de grap had gemaakt dat hij het eigenlijk had moeten doen om zijn moeder dwars te zitten.

Vince kende Darren Bordain alleen van de televisiereclames van de Bordain Mercedes-dealers. Hij moest begin dertig zijn, was knap op een androgyne manier en leek veel op zijn moeder. Maar terwijl Milo Bordain een mannelijke uitstraling had, waren de gelaatstrekken van de zoon eerder feminien.

Mendez en zijn team moesten wat dieper in die relatie graven. Als Darren Bordain een verhouding met Marissa had gehad, een kind bij haar had verwekt en door haar was gechanteerd, zou zijn moeders gehechtheid en steun aan Marissa een ironische draai aan de situatie geven. Als de zoon voldoende wrok tegen zijn moeder koesterde, zou het heel goed mogelijk zijn dat hij haar een doos met lichaamsdelen had gestuurd.

Mensen zouden moeite hebben te geloven dat een man als Darren Bordain – de elegante, bevoordeelde zoon van een gerespecteerde familie die elke avond tijdens de plaatselijke nieuwsuitzending hun huizen binnenkwam om hun een beter leven te beloven als ze Mercedes zouden gaan rijden – in staat was om de dingen te doen die Marissa Fordham waren aangedaan. Net zoals ze moeilijk konden geloven dat hun tandarts – de knappe, vriendelijke huisvader Peter Crane – een seriemoordenaar was.

Zelfs nu Peter Crane in afwachting was van zijn rechtszaak met betrekking tot het ontvoeren van en de poging tot moord op Anne, waren er mensen in Oak Knoll die weigerden te geloven dat Crane een seriemoordenaar was.

Vince wist uit ervaring dat moordenaars zich achter allerlei soorten maskers verborgen en uit alle kringen en sociale en economische lagen kwamen. De meeste mensen wilden niet geloven dat hun naaste buurman of verzekeringsagent of crècheleider een moordenaar was. Ze wilden dat de moordenaars op Gordon Sells leken.

Gordon Sells, de onbehouwen eigenaar van een schroothandel buiten de stad, was een mogelijke verdachte in de Zie-Geen-Kwaad-zaken geweest. Hij was een morsige man met een onguur uiterlijk die in de gevangenis had gezeten voor zedendelicten met kinderen. Het publiek zou graag aannemen dat Sells Marissa had vermoord.

Er waren menselijke resten op Sells terrein gevonden en Sells was aangeklaagd voor een moord in een andere jurisdictie, waarvoor hij ook was berecht en veroordeeld. Het punt was echter dat Peter Crane net zo schuldig was aan misdaden die net zo erg, zo niet erger waren.

Het gezicht van het kwaad kon net zo goed knap als angstaanjagend zijn.

Vince herinnerde zich dat toen Ted Bundy in afwachting van zijn proces voor de moord op Caryn Campbell in de gevangenis in Colorado zat, een aantal invloedrijke politici in zijn thuisstaat Washington geld voor zijn verdediging bijeengebracht hadden.

Hoewel Bundy al was veroordeeld tot een gevangenisstraf van vijftien jaar voor de ontvoering van Carol DaRonch – een van de weinige slachtoffers van Bundy die het hadden overleefd – en ook overtuigend was gekoppeld aan de verdwijning van de zeventienjarige highschool-leerlinge Debby Kent, konden Bundy's supporters niet geloven dat de slimme, charmante, knappe, welbespraakte Ted die ze kenden, die als vrijwilliger bij een zelfmoordhotline werkte en veel invloed had in de plaatselijke conservatieve politiek, een wrede seksuele moord had gepleegd.

Naderhand moesten die goed bedoelende mensen leven met de wetenschap dat Bundy, nadat hij uit de gevangenis was ontsnapt, het geld dat ze hem hadden gestuurd waarschijnlijk had gebruikt voor zijn reis naar Florida, waar hij vijf vrouwelijke studenten aan de Florida State University had overvallen, twee ervan had vermoord en een paar dagen later een twaalfjarig meisje had ontvoerd en vermoord.

Het kwaad nestelde zich waar het maar kon, waar de omstandigheden gunstig waren, waar de raadselachtige, giftige cocktail van karakter en opvoeding de ziel misvormde en het brein verminkte.

Wat had die cocktail met Zander Zahn gedaan? vroeg Vince zich af. Een familiegeschiedenis van geestelijke gestoordheid. Een geregistreerde historie van fysieke en psychische mishandeling door zijn moeder. Een stoornis waardoor hij moeite had om contact te maken met andere mensen. Wat zouden al die ingrediënten voortbrengen als de omstandigheden verkeerd waren? Een flashback? Woede? Een herinnering aan verraad? De behoefte aan wraak?

Hoewel Zahn absoluut gerespecteerd was in zijn vakgebied, vermoedde Vince dat de mensen graag zouden aannemen dat hij een moordenaar was omdat hij anders was. Er was iets mis met hem en zo iemand was overal toe in staat.

Hij had zijn moeder vermoord. Hij had haar vermoord door herhaalde malen in haar buik te steken.

Vince gaf toe dat hij het mogelijke verband niet kon ontkennen. Hij dacht aan de foto die Mendez uit Gina Kemmers afvalbak had gehaald. Marissa Fordham, die zo vaak in haar buik was gestoken dat het gebied was veranderd in een bloederige hachee.

Zahn had Marissa verafgood. Misschien had ze diep vanbinnen de zachtaardige, liefhebbende moeder vertegenwoordigd die hij nooit had gehad. Als hij het gevoel had gehad dat ze hem op een of andere manier had verraden, kon dat dan de psychotische instorting hebben veroorzaakt die nodig was geweest om te moorden op de manier waarop Marissa was vermoord?

Ja, dat dacht hij wel.

Een telefoontje naar Arthur Buckman had Vinces vermoeden bevestigd dat Zahn tijdelijk niet op zijn werk was. Hij had de rest van de week vrij genomen in verband met het enorme verdriet om de dood van zijn vriendin. Rudy Nasser had Zahns colleges overgenomen.

Vince reed de schilderachtige route naar Zahns huis. Hij had zijn bezoek niet aangekondigd. Hij was er vrij zeker van dat Zahn zou zeggen dat hij niet moest komen, waarna hij in de vijftien minuten die het Vince kostte om toch naar hem toe te rijden steeds zenuwachtiger zou worden.

Hij parkeerde voor de poort en drukte op de intercomknop op het toetsenbord, in de hoop dat Zahn zou reageren. Er gebeurde niets. Hij probeerde het weer. Opnieuw niets.

Hij keek naar de gepleisterde muur van ongeveer twee meter hoog. Misschien was hij daar in zijn hoogtijdagen zonder ladder overheen gekomen.

Hij probeerde de intercom nog een keer. Niets.

Hij keek van de muur naar zijn auto en terug. In zijn jonge jaren had hij de muur op een of andere manier beklommen. Nu was hij ouder en verstandiger. Hij manoeuvreerde de auto naast de muur, klom op de motorkap en daarna op de muur en liet zich aan de andere kant naar beneden zakken.

'Niet slecht voor een oude vent, Vince,' zei hij terwijl hij zijn handen aan zijn kleding afveegde.

Hij had zich die ochtend informeel gekleed in een bruine broek en een zwart poloshirt. Dat was het fijne van zelfstandig werken: hij hoefde zich niet aan kledingvoorschriften te houden, behalve aan die van hemzelf. Hij had gemerkt dat mensen niet altijd wilden praten met iemand in een pak en stropdas, wat verplicht was bij de FBI. Er waren momenten dat hij wilde dat mensen zo ontspannen mogelijk waren als hij met ze praatte, zodat hij ze in psychologisch opzicht gemakkelijker kon krijgen waar hij ze wilde hebben.

Hij bleef even staan om Zahns vreemde verzamelingen te bekijken. Zahn, die zowel in financieel als psychisch opzicht een arme jeugd had gehad, haalde zijn veiligheid waarschijnlijk uit het bezit van spullen, en nog meer veiligheid uit het ordelijk neerzetten van zijn verzamelingen. Vince vermoedde dat Zahn, met zijn hersencapaciteit, elk stuk zou kunnen opnoemen en precies wist waar het stond.

Vince vroeg zich af hoe het moest zijn om met zo'n brein te leven. De helft van de tijd kon hij zijn autosleutels niet eens vinden.

Hij liep naar Zahns voordeur en drukte op de bel, er vrij zeker van dat de docent achter de ramen naar hem keek. De intercom klikte, maar niemand zei iets.

'Zander? Ik ben het, Vince. Is alles goed met je? Ik maak me zorgen om je. Ik kwam langs om te kijken hoe het met je gaat.'

Stilte. Daarna het geluid van een grendel die werd weggeschoven. De deur ging op een kier open en Zahn gluurde naar buiten.

'Vince. Ik verwachtte je niet, Vince. Daar ben ik niet op voorbereid, Vince.'

'Hallo, Zander, ik ben het maar,' zei Vince met zijn meest ontwapenende glimlach. 'Ik ben de koningin van Engeland niet. Je hoeft niets speciaals voor me te doen. Ik wilde alleen zeker weten dat alles goed met je is, en controleren hoe het vandaag met je gaat. Ik weet dat dit een moeilijke tijd voor je is, Zander, en je woont hier helemaal alleen.'

Zahn deed de deur een stukje verder open tot zijn smalle gezicht ertussen paste. Zijn groene ogen waren enorm, de pupillen tot de rand van de irissen uitgezet. Hij droeg een zwarte broek en een zwarte coltrui die versmolten met de zwarte achtergrond, waardoor het leek alsof zijn hoofd met de wolk grijs haar vrij van zijn lichaam zweefde.

'O. Dat is erg aardig van je, Vince,' zei hij met zijn zachte, ademloze stem. 'Je komt op een erg slecht moment. Ik ben verschrikkelijk geschokt. Verschrikkelijk.'

'Ik weet het. Je bent je lieve vriendin kwijtgeraakt.'

'Ja. En Haley. Waar is Haley? Hoe is het met Haley?'

'Met Haley komt het goed,' verzekerde Vince hem. 'Wil je bij haar op bezoek?'

Zahns mond vormde een cirkel van verbazing. 'O jee. Is dat mogelijk, Vince? Kan ik Haley zien? Kan ik met haar praten?'

'Ik kan het regelen,' zei Vince terwijl hij probeerde naar binnen te kijken, nieuwsgierig naar de verzamelingen die Zahn in huis bewaarde. 'Zou je dat fijn vinden? Ik kan ervoor zorgen.'

'Dat zou fantastisch zijn,' zei Zahn. 'Haley is zo lief, zo zuiver, zo'n perfect kind. Kleine kinderen oordelen niet, weet je? Ze hebben nog niet geleerd om te oordelen of te haten. Ze accepteren alles gewoon. Is dat niet prachtig? Kleine kinderen zijn net zenmeesters. Ze accepteren alles gewoon.'

'Op die manier heb ik het nooit bekeken, Zander. Je hebt gelijk. Kleine kinderen hebben een zuiver hart. Het leven heeft ze nog niet gebroken. Dat komt later, nietwaar?'

Zahn fronste zijn voorhoofd terwijl hij nadacht over die vraag. Hij keek bij zichzelf naar binnen, dacht Vince.

'Weet je, Zander, ik heb heel veel dorst. Is het goed als ik binnenkom om wat water te drinken?'

'Binnenkomen? Binnenkomen? Binnenkomen in mijn huis?'

'Ja. Ik bedoel, ik weet dat je een heel bijzondere man bent, en je wilt niet dat mensen je spullen aanraken. Dat snap ik. Maar ik heb dorst en om je de waarheid te zeggen voel ik me niet zo goed,' zei Vince. 'Er is iets vreselijks met me gebeurd. Weet je dat?'

'Nee. Het spijt me. Dat weet ik niet.'

'Anderhalf jaar geleden is er op me geschoten. Iemand probeerde me te vermoorden.'

'Lieve hemel! Dat is verschrikkelijk. Wat verschrikkelijk.'

'Ik heb het overleefd, maar soms voel ik me niet zo goed. Ik moet even zitten en een glas water drinken. Is dat goed? Ik bedoel, ik beschouw ons inmiddels als vrienden, Zander, nu we deze hele moordtoestand samen doormaken.'

Zahn leek in een hoek gedreven. Hij wilde niet dat iemand zijn heiligdom betrad, maar hij had ook niet veel – of helemaal geen – vrienden.

Langzaam, en met een flinke hoeveelheid spanning in zijn gezichtsuitdrukking, deed hij een stap naar achteren en daarna nog een.

'Dank je wel,' zei Vince terwijl hij naar binnen glipte. 'Ontzettend bedankt.'

De hal stond vol ongeopende dozen met kerstattributen en -decoraties: kunstbomen en kransen, ballen en engelenhaar, kerstmannen en pieken in de vorm van een engel. Vince ging meteen op de bank die tegen de muur stond zitten om minder lang te lijken en Zahn niet fysiek te intimideren in zijn eigen huis.

Zahn leek heel even zijn adem in te houden, alsof hij erop wachtte dat er iets rampzaligs zou gebeuren nu hij iemand de grens had laten oversteken.

'Ik ga iets te drinken voor je halen,' zei hij uiteindelijk. 'Wacht hier alsjeblieft, Vince. Ik breng het hiernaartoe.'

'Prima.'

Hij bleef zitten, omdat hij vermoedde dat Zahn achter de hoek op zou kunnen duiken om te controleren of hij niet opstond. Vanaf zijn positie zag hij een kantoor met boekenkasten die uitpuilden van de boeken. Er stond ook een bureau, smetteloos schoon en zonder enige rommel.

Eén muur was helemaal bedekt met een whiteboard, waarop Zahn wiskundige vergelijkingen had geschreven die wat Vince betrof net zo goed Sanskriet hadden kunnen zijn. Hij was in staat om zijn kansen op de renbaan te berekenen. Meer wiskunde wilde hij niet in zijn hoofd hebben.

In de andere kamer zag hij allerlei soorten dossierkasten – metaal, nieuw, antiek – tegen de muren en in rijen op de vloer, opgestapeld tot een hoogte van anderhalve meter met niet meer dan vijftig centimeter loopruimte ertussen. Zahn zou precies weten wat erin zat.

'Dat is nogal een verzameling die je daar hebt, Zander,' zei hij over de dossierkasten toen Zahn met een glas water terugkeerde naar de hal. Vince pakte het aan en nam een grote slok. 'Bewaar je veel papieren?'

'Ja. Ja, dat doe ik. Ik bewaar alle papieren.'

'Weet je, Tony zegt altijd dat computers de toekomst hebben. Je herinnert je Tony toch? Hij is gek op hightech. Hij zegt dat we binnenkort geen papier meer nodig hebben. Dat alles dan op computers staat. En dat begint al. Zelfs bij de politie. Oude dossiers worden omgezet in computerfiles. Vingerafdrukken komen in databases. Ik ben daarentegen een ouderwetse vent. Ik ben een mensen-mens. Ik hou ervan om met mensen te praten. Om persoonlijk met ze te spreken, als dat kan. Maar als dat niet gaat – omdat degene met wie ik wil praten bijvoorbeeld in Buffalo zit – dan aarzel ik niet om de telefoon te pakken en te bellen.'

Bij de naam Buffalo knipperde Zahn met zijn ogen alsof hij door een waterdruppel was geraakt.

'Waarom kom je niet zitten, Zander?' stelde Vince voor terwijl hij naar het eind van de bank schoof.

Zahn ging aan het andere eind zitten en begon geïrriteerd met zijn handpalmen over zijn dijbenen te wrijven.

'Het is in orde, Zander,' zei Vince zachtjes. 'Ik oordeel niet. Ik begrijp dat mensen soms doen wat ze moeten doen om zichzelf te redden. Het is in orde. Het is niet altijd gemakkelijk om een kind te zijn.'

Zahn zei niets. Hij had zich in zichzelf teruggetrokken. Hij begon te wiegen en bleef met zijn handen over zijn dijbenen wrijven: na al die jaren probeerde hij nog steeds het bloed weg te vegen.

Vince zweeg. Hij wilde niet aandringen en liet Zahn registreren en verwerken wat hij had gezegd. Hij wilde echter ook niet wachten tot de stilte ongemakkelijk was geworden.

'Ik ken je verhaal, Zander,' zei hij op dezelfde zachte, geruststellende toon. 'Ik weet het van je moeder. Het was een heel moeilijke tijd voor je. Ze was streng. Je was nog maar een jongen die probeerde goed te doen. Ik wed dat je het heel hard je best deed, nietwaar? Je was geen slecht kind. Je was alleen anders dan de anderen, maar daar kon jij niets aan doen.'

Zahn wiegde harder en er kwam een geluid uit zijn keel, als van een in het nauw gedreven dier.

'Niemand nam het je kwalijk, Zahn. Het was jouw schuld niet.'

Zahn schudde zijn hoofd en staarde naar de vloer. 'Ik wil dit verhaal niet vertellen, Vince.'

'Dat hoeft ook niet. Ik weet wat er gebeurd is. Ze heeft geprobeerd je pijn te doen. Je hebt jezelf beschermd. Nietwaar?'

'Ik wil dit verhaal niet vertellen, Vince. Stop ermee dit verhaal te vertellen. Stop ermee.'

'Het moet een verschrikkelijke schok voor je zijn geweest toen je Marissa vond,' zei Vince. 'Het heeft waarschijnlijk heel wat nare herinneringen naar boven gebracht, hè?'

Zahn wiegde harder en mompelde in zichzelf. 'Niet meer. Niet meer.'

'Al dat bloed,' zei Vince. Hij zag hoe Zahn zijn handen steeds harder tegen zijn dijbenen wreef.

'Jij wist precies wat er met haar was gebeurd, toch? Het mes dat telkens weer in haar lichaam werd gestoken. Maar Marissa was een vriendin. Ze had dat niet verdiend. Niemand kon zo boos op haar zijn dat hij haar dat aandeed, denk je niet?'

Zahn begon te transpireren. Zijn huid had een wasachtige transparantie gekregen en zijn ademhaling was snel en oppervlakkig.

Plotseling stond hij op. 'Je moet nu gaan, Vince,' zei hij snel. 'Het spijt me verschrikkelijk. Het spijt me zo. Je moet nu gaan.'

Vince stond langzaam op. 'Ben je van streek, Zander? Ik wilde je niet van streek maken.'

Hij probeerde vergeefs oogcontact met de man te maken. Zahn schudde zijn hoofd en keek naar de vloer.

'Niet meer. Niet meer,' zei hij terwijl zijn ademhaling het ritme oppakte. 'Je moet stoppen. Stop nu, Vince.'

'Het spijt me als ik je van streek heb gemaakt, Zander,' zei hij. 'Ik wil alleen dat je weet dat ik je verhaal ken. Ik begrijp waarom je haar moest vermoorden. Ik veroordeel je niet.'

Dat was het omslagpunt. Vince zag Zahns ogen veranderen, zijn gezicht veranderen. Hij leek plotseling groter, sterker en gevaarlijk. De woede barstte uit hem in een hete, emotionele explosie die zo enorm was dat het onmogelijk leek dat hij die binnen had kunnen houden.

Schreeuwend deed hij een uitval naar Vince, als een wild beest.

45

'Niet meer! Niet meer! Niet meer!'

De eerste klap raakte Vince hard op zijn jukbeen. De tweede raakte zijn sleutelbeen. Hij moest Zahn naar achteren duwen om de volgende klap af te weren. Hij bleef zijn armen voor zich uitstrekken, met zijn handen wijd gespreid, om ruimte tussen hen te creëren.

'Niks aan de hand, Zander,' zei hij. 'Niks aan de hand. Ik ga, maar je moet eerst kalmeren. Ik ga niet weg voordat je gekalmeerd bent.'

Zahn zat echter vast in zijn woede en luisterde niet naar hem. Hij bleef schreeuwen, zijn gezicht rood, de pezen in zijn nek opgezet. Hij hield zijn armen stijf langs zijn zij, de knokkels van zijn gebalde handen waren wit. Zijn lichaam schokte en trilde alsof hij een epileptische aanval had.

'Zander! Zander!' riep Vince terwijl hij probeerde tot Zahns innerlijke demonen door te dringen.

Hij pakte Zahns bovenarmen vast en probeerde hem stil te houden, verrast over de kracht in het slanke postuur van de man.

'Niet meer! Niet meer! Niet meer!'

'Zander! Stop daarmee! Luister naar me! Luister naar me!'

Vince schudde hem hard door elkaar, waarna Zahn geschokt naar hem keek, alsof hij hem voor het eerst zag.

'Rustig,' zei Vince zachtjes; zijn hart sloeg als een smidshamer. 'Rustig. Er is niets aan de hand. Het is in orde. Haal gewoon diep adem.'

Hij voelde de spanning van boven naar beneden uit Zahns lichaam verdwijnen tot hij helemaal slap was.

'Het is in orde, Zander. Laten we gaan zitten. Het is goed.'

Hij duwde Zahn naar de bank en bleef hem vasthouden tot hij zat. Zahn keek verbijsterd, alsof hij net wakker was geworden uit een nachtmerrie.

'Ik ben heel moe,' zei Zander met een zwakke stem. 'Ik moet rusten. Ik ben heel moe. Ik weet niet waarom. Waarom ben ik zo moe, Vince?'

'Het is goed, Zander,' zei Vince. 'Je moet rusten. Het is een nare tijd voor je geweest.'

'Het spijt me, maar je moet nu weg, Vince,' mompelde hij. 'Ik ben erg moe.' Hij keek op zijn horloge. 'Rudy komt zo meteen.'

Godzijdank, dacht Vince. Hij wilde Zahn niet alleen laten nu hij zo uitgeput en verward was.

'Ik blijf buiten zitten tot Rudy hier is, Zander.'

'Rudy brengt boodschappen,' mompelde Zahn. 'Ik kan geen boodschappen doen. Dat kan ik niet. Het maakt me van streek om boodschappen te doen. Rudy doet dat voor me.'

'Dat is mooi,' zei Vince. 'Je moet gaan liggen, Zander.'

'Ja, ik ga liggen, dank je. Heel erg bedankt, Vince,' mompelde Zahn.

Hij ging op de bank liggen, krulde zich op tot een bal en viel meteen in slaap.

Vince liep naar buiten en ging op de trap zitten. Voor het eerst in tien jaar wilde hij dat hij een sigaret had. Zahns instorting was veel groter geweest dan hij ooit had verwacht. Het idee dat hij hem te ver had gedreven, zat hem dwars. Meestal behoedde zijn intuïtie hem voor dit soort situaties.

Hij gaf de kogel in zijn hoofd de schuld van de slechte timing. Een kleine beschadiging in de frontale kwab. Hij was niet zo geduldig als hij vroeger was geweest.

Aan de andere kant moest hij niet te hard voor zichzelf zijn, want hij was nog nooit iemand zoals Zander Zahn tegengekomen. Het was moeilijk om te weten hoe ver je kon gaan met een brein dat zo complex was en zo ver af stond van het begrip van 'normale' mensen. Het was één ding om een psychopaat tot een uitbarsting te drijven, maar iets heel anders om dat te doen met iemand die zo kwetsbaar was als Zander Zahn.

Tegelijkertijd had hij waardevolle informatie gekregen doordat hij Zahn zijn zelfbeheersing had zien kwijtraken. Had Marissa Fordham iets gedaan wat net zo'n mentale instorting bij hem had ontketend? Was ze haar geduld verloren, had ze een opmerking gemaakt die hem net zo had gekwetst als zijn moeder jaren geleden misschien had gedaan?

Nu hij Zahn in woede had zien ontsteken, was het niet zo moeilijk meer zich dat voor te stellen. Er kon iets geknapt zijn, waardoor hij in een dissociatieve toestand was gekomen en Marissa achterna was gegaan met een mes. Hij hoefde zich daar niet eens bewust van te zijn.

Hoewel Vince dat argument in moordprocessen al heel wat keren had horen gebruiken door de verdediging, kwam een echte dissociatieve stoornis maar heel zelden voor, maar het gebeurde.

Hij paste het scenario in zijn hoofd in elkaar, beeld voor beeld: de weerzinwekkende moord, Zahn die na afloop naar huis liep, nog steeds verdoofd. Op een bepaald moment was hij zich bewust geworden van zijn met bloed doordrenkte kleren – wat op zich een trauma voor Zahn zou zijn. Hij had zich wel of niet gerealiseerd hoe dat was gebeurd. Hij had de kleding weggegooid en zich schoon geboend.

Zahns brein zou hem misschien niet toestaan om de bebloede kleding te associëren met wat er met Marissa en Haley was gebeurd. Het menselijke brein heeft verbluffende manieren om de eigenaar te beschermen. Zahn had de vele trauma's in zijn leven ongetwijfeld ingedeeld in hokjes en had de deuren van die hokjes dichtgeduwd en op slot gedaan.

'Inspecteur Leone? Wat doet u hier?'

Vince keek op en zag Rudy Nasser met twee zakken boodschappen van Ralph's bij de poort staan.

'Ik kwam kijken hoe het met doctor Zahn is,' zei Vince terwijl Nasser over het smalle pad liep dat door Zahns verbijsterende verzameling troep leidde.

'Is alles goed met hem?'

'Hij rust. Heb je Zahn ooit in woede zien ontsteken?'

Nasser fronste zijn voorhoofd. 'Niet tot de dag dat hij me omver heeft geduwd. Hij is normaal gesproken heel zachtaardig. Gedwee eigenlijk. Waarom? Is er iets gebeurd?'

'Alles is goed met hem,' loog Vince. 'Ik vroeg het me gewoon af, dat is alles. Heb je hem nog gezien sinds dat gebeurd is?'

'Ja, hoezo?' vroeg Nasser. De blik in zijn ogen werd met de seconde wantrouwiger.

'Hebben jullie gepraat over wat er gebeurd is?'

'Nee. Ik was te ver gegaan. Ik heb hem van streek gemaakt, hij reageerde daarop. Het is nu eenmaal gebeurd.'

'Heeft hij er niets over gezegd? Zijn verontschuldigingen niet aangeboden?'

'Nee,' zei Nasser. 'Waarom vraagt u me die dingen? Denkt u nog steeds dat doctor Zahn iets te maken heeft met de moord op Marissa Fordham?'

Vince glimlachte kalmerend. 'Ik wil alleen begrijpen hoe mensen functioneren, Rudy. Ik wil weten waarom mensen bepaald gedrag vertonen. Details vullen het plaatje aan. Ik weet zeker dat je naar binnen wilt,' zei hij terwijl hij naar de boodschappentassen knikte. 'Je ijs smelt.'

Hoewel hij nog steeds achterdochtig was, liep Nasser naar de deur en maakte die open met de sleutel. Hij draaide zich om voordat hij naar binnen ging.

'Heeft doctor Zahn een advocaat nodig?'

'Wat mij betreft niet,' zei Vince.

Toen Nasser naar binnen was gegaan, liep Vince door het labyrint van verzamelingen terwijl hij alles in zich opnam. Rond de tuin liep een muur met een zijuitgang. Het pad dat ernaartoe liep was vaak gebruikt. Zo was Zahn waarschijnlijk elke ochtend naar Marissa's huis gelopen.

Vince liep door de poort en volgde het pad de heuvel op, waar het uitkwam op een brandgang. Brandgangen waren overal in de Californische heuvels aangelegd om toegang te verschaffen voor blusapparatuur als de kreupelhoutbranden in de zomer en de herfst woedden. Hij volgde het pad tot de top van een hogere heuvel.

Het platteland dat zich onder hem uitstrekte was prachtig: de gouden heuvels, die zover het oog reikte, rezen en daalden, waren overvloedig bezaaid met donkergroene eiken. Hij had jarenlang in Virginia gewoond, waar de velden sappig en groen waren en moeilijk te verslaan wat schoonheid betreft, maar dit landschap had zijn eigen aantrekkingskracht.

In het zuiden zag hij Marissa Fordhams huis, dat eruitzag als een Andrew Wyeth-schilderij – wit en grijs tegen het korengeel van het omringende land. Zo'n honderd meter naar het westen zag hij een uitgebrande ruïne. Het was waarschijnlijk ooit een boerderij geweest. Er stond alleen nog een verkoold geraamte waar ooit gebouwen hadden gestaan. Het was een verlaten, eenzame plek.

Na een tijdje draaide hij zich om en liep de heuvel weer af naar het huis van Zahn. Hij deed de zijpoort achter zich dicht, maakte de toegangspoort handmatig open en liep naar buiten.

Doodmoe stapte hij in zijn auto en reed terug naar de stad, zich er niet van bewust dat hij op roepafstand van Gina Kemmer was geweest.

46

Gina stootte een oerkreet uit. De rat was niet onder de indruk. Hij liep onverschrokken naar haar toe met een trillende neus en vastberaden kraaloogjes.

'O mijn god, o mijn god, o mijn god, o mijn god!'

Met haar rechterhand greep Gina naar iets, wat dan ook, en ze kreeg een melkpak te pakken. Ze gooide het naar de rat, miste hem, maar maakte haar punt duidelijk.

De rat stoof weg en verdween tussen het afval.

Wie weet hoeveel jaar mensen al afval in dit gat gooiden? Wie weet wat er allemaal in leefde? Kevers. Wormen. Muizen. Ratten. In Zuid-Californië, waar ratten en muizen voorkwamen, waren ook slangen – ratelslangen.

Het idee dat er misschien slangen onder haar lichaam kronkelden, maakte dat ze bijna weer ging braken. De angst zat als een vuist in haar keel. Wat moest ze doen?

Met elke oppervlakkige ademhaling brandde de pijn in haar schouder op de plek van de schotwond. Telkens als ze probeerde te bewegen voelde ze haar rechtervoet en het onderste deel van haar enkel van haar scheenbeen wegschuiven. De pijn was martelend.

De paniek overspoelde haar heel even, maar putte haar al snel uit. Ze lag bewegingloos op het stinkende afval en probeerde na te denken.

Ze was nooit dapper geweest. Ze had nooit gevoel voor avontuur gehad. Ze had nooit het lef gehad om gevaarlijk te leven. Marissa had die kwaliteiten gehad, maar Marissa was dood. Marissa kon haar niet tot actie aansporen, haar uitdagen om voorbij haar grenzen te gaan. Toch had ze dat nodig als ze enige hoop wilde hebben om dit te overleven.

Het eerste wat ze moest doen, was rechtop gaan zitten zodat ze een betere kijk op haar omgeving had.

Op drie...

Met haar rechterhand achter haar hoofd ademde ze uit en ze probeerde rechtop te gaan zitten.

Het voelde alsof iemand een gloeiende, ijzeren staaf door haar linkerschouder probeerde te rammen. Gina gilde en viel de vijf centimeter terug die het haar was gelukt om overeind te komen. Dat kwam ervan als ze haar lidmaatschap van de sportschool negeerde.

Doe het nog een keer. Op drie...

Ze schreeuwde als een gewichtheffer die zich inspant om de halter boven zijn hoofd te stoten en ze worstelde om overeind te komen. Haar hoofd bonkte van de fysieke inspanning, haar bloeddruk schoot omhoog.

Vecht! Vecht!

De stem die haar voortdreef was van Marissa.

Gina schreeuwde het uit. Kleuren explodeerden achter haar oogleden, die ze op elkaar perste van de inspanning. En toen zat ze: duizelig, transpirerend, misselijk, zwak, maar ze zat. Ze trok haar goede linkerbeen op, sloeg haar goede arm eromheen en legde haar wang op haar knie. Ze trilde van de krachtsinspanning.

Verdomme, Marissa. Dit is allemaal jouw schuld.

Jij hebt meegedaan, Gina.

Het was niet de bedoeling dat het zo zou lopen.

Het was niet belangrijk meer.

Gina keek om zich heen in haar gevangenis. Ze was nog nooit in een put geweest. Ze was een stadsmeisje. Ze zou zelfs niet geweten hebben wat een put was als ze die niet op de televisie of in de bioscoop had gezien.

Er zaten grote scheuren in de muren en op sommige plekken was het beton helemaal verdwenen. Rechts van haar zag ze een rij ijzeren ringen die naar boven leidden. Het zou een gemakkelijke ontsnappingsmogelijkheid zijn geweest als ze twee armen en twee benen had gehad. Maar omhoog klimmen in haar conditie... Hoe moest ze dat doen? Ze was al bijna flauwgevallen bij haar poging om rechtop te gaan zitten.

Op dit moment was het enige wat ze wilde met haar rug tegen de muur achter zich leunen, zodat ze kon uitrusten. Dat betekende dat ze zich met haar goede been af moest zetten en op haar billen naar achteren moest schuiven. Op het eerste gezicht een gemakkelijke opdracht, maar de realiteit was dat ze op een hoop vuilnis zat in plaats van op een stevige vloer. Kon ze voldoende kracht zetten? En als ze zich afzette, zou haar rechterbeen met die afgrijselijk gebroken enkel erachteraan slepen, en de pijn zou verpletterend zijn.

Stop met klagen, Gina. Doe het gewoon.

Hou je kop, Marissa.

Ze kon niet zeggen hoe lang het duurde voordat ze de kracht en de moed had verzameld om het te proberen. Ze keek om zich heen naar iets om haar bij haar poging te helpen, iets wat ze kon gebruiken als steun of hefboom.

In het midden van het afval lag afgedankt hout, vreemde restanten van een doe-het-zelfproject. Binnen bereik lagen wat korte stukken van vijf bij tien. Daar had ze niets aan. Links van haar, een eind verder weg, lag een langer stuk – smaller, dunner en ongeveer een meter lang.

Ze kon er niet bij met haar rechterhand. Misschien had ze dat wel gekund met haar linkerhand, maar haar linkerarm hing slap naar beneden. Gina strekte de vingers van haar linkerhand, maar ze kon haar arm niet optillen.

Langzaam strekte ze haar linkerbeen en ze probeerde de neus van haar schoen onder het stuk hout te krijgen om het dichterbij te trekken, maar ze duwde het alleen verder van zich af.

Uitgeput trok ze haar knie weer op en liet haar hoofd erop rusten.

Ze had geen horloge en had er geen idee van hoe lang ze al in deze put zat. Misschien was het uren. Misschien was het dagen. Ze had niet gegeten sinds ze het nieuws over de moord op Marissa had gehoord, omdat ze niets naar binnen had kunnen krijgen. Ze had niets gedronken sinds de politieagenten waren vertrokken – nadat de oudere rechercheur haar de foto had gegeven.

Door de stank bleef haar maag omdraaien, maar de dorst droogde haar keel uit. Ze keek naar het afval dat om haar heen lag. Heel veel bierblikjes, de meeste verkreukeld. Frisdrankblikjes. Lege drankflessen. Ze zat op de stortplaats van een feestplek. Tieners kwamen waarschijnlijk naar de brandgang om een afgelegen plek te hebben om te drinken en wiet te roken en te doen wat tieners tegenwoordig deden.

Gina herinnerde zich net zo'n plek toen Marissa en zij op school zaten – een plek in de heuvels ten noorden van Malibu. Haar gedachten dwaalden af naar een illegaal kampvuur, goedkoop bier en Boone's Farm-wijn; 'Smoke on the water' en 'Horse with no name'.

Ze hadden al hun afval in een hol gegooid. Het was nooit bij haar opgekomen dat er iemand opgesloten zou kunnen zitten in dat hol, die stierf terwijl zij feestten.

Ze pakte een half verkreukt Pepsi-blikje. De opening krioelde van de mieren. Ze schudde het blikje en hoorde op de bodem vloeistof klotsen. Ze durfde er niet eens aan te denken, maar toch probeerde ze de mieren weg te vegen, waarna ze haar ogen sloot en het blikje naar haar lippen bracht.

Het smaakte walgelijk, maar het was vocht. Ze nam een slok en daarna een tweede, die ze uitspuugde toen er een sigarettenpeuk tussen haar lippen gleed en haar tong raakte.

Gina stond het zichzelf toe om een paar minuten te huilen. Ze was zo moe. Ze had zoveel pijn. Ze wist dat niemand hiernaartoe zou komen om haar te zoeken.

Terwijl haar blik bleef hangen op een stapel kleding die bebloed leek, had ze er geen flauw idee van dat boven deze hel, op een afstand van honderd meter, Vince Leone stond.

47

Anne stapte uit haar auto op het parkeerterrein van het psychiatrisch ziekenhuis en haalde diep adem, niet alleen om van de frisse lucht te genieten, maar ook om haar hoofd helder te krijgen voordat ze naar binnen ging, zodat ze Dennis aankon.

Grijze, dikke wolken met een belofte van regen verzamelden zich. Ze had altijd uitgekeken naar deze tijd van het jaar, als de regen kwam. Na maanden van zinderende hitte en meedogenloze zon was het fijn om thuis met een deken en een goed boek met opgetrokken benen op de bank te zitten en te luisteren naar de regen.

Het klonk als een goed plan voor vanavond. Vince was thuisgekomen om uit te rusten en op Haley te letten terwijl zij naar Dennis ging. Misschien had ze geluk en zou Vince vanavond thuis zijn. Dan konden ze met z'n drieën op de bank tegen elkaar aan kruipen en konden ze Haley voorlezen, of naar een video kijken.

Ze probeerde zichzelf te toetsen bij die gedachte. Ze hadden Haley nog geen dag in huis en ze raakte al veel te vertrouwd met het idee dat ze er was. Niet slim, Anne.

Ze was in Haley Fordhams leven om een bijzondere reden. Dat moest ze in gedachten houden. Aan het eind van het onderzoek naar Marissa Fordhams dood zou Haley ergens anders naartoe gaan, hopelijk naar een familielid dat haar zou opnemen en van haar zou houden. Aan de andere kant had Anne begrepen dat Marissa Fordham vervreemd was van haar familie. Tot nu toe was niemand in staat geweest om te achterhalen waar haar familie woonde.

Als er geen familieleden konden worden gelokaliseerd, zou Milo Bordain proberen de voogdij te krijgen. Het was niet zo dat Anne geen sympathie voor de vrouw voelde. Als Marissa als een dochter voor Bordain was geweest, dan was Haley als een kleindochter voor haar. Milo Bordain hield waarschijnlijk op haar eigen manier van het meisje, maar dat maakte haar nog niet geschikt om een klein kind op te voeden.

Bordain was in de vijftig, erg rechtlijnig en correct. Anne hoefde niet bij haar thuis op bezoek te gaan om te weten dat er een lange lijst met regels zou zijn en allerlei dingen die een vierjarige niet aan mocht raken. Ze zag de kleine Haley voor zich als een modepop, gekleed in Burberry en Hermès.

Haley was opgegroeid in het huis van een kunstenares, een omgeving vol inspiratie en fantasie, en waarschijnlijk weinig grenzen. Toen Anne de kleding bekeek die Vince voor haar had gehaald, had ze tie-dye-T-shirts en een roze tutu gevonden, een spijkerjackje dat was beschilderd met baby-jungledieren en een feeënkostuum compleet met vleugels.

Anne dwong zichzelf aan iets anders te denken terwijl ze het ziekenhuis in liep en zich inschreef bij de receptie, waar ze wat beleefdheden uitwisselde met het personeel. Ze moest zich nu op Dennis Farman concentreren.

Hij oefende karatebewegingen toen Anne binnenkwam. Hij keek naar haar vanuit zijn ooghoeken, maar deed net of hij niet wist dat ze er was en bleef springen en schreeuwen en trappen en stoten.

Anne ging aan de tafel zitten en zette haar tas met haar portemonnee op de vloer.

'Dat is heel indrukwekkend, Dennis,' zei ze. 'Heb je les gekregen?'

'Ik heb de zwarte band,' zei hij terwijl hij ineendook en met zijn armen stotend rond de tafel liep.

Dat was absoluut een leugen, dacht Anne, hoewel ze moest toegeven dat ze niets wist over vechtsporten. Aan de andere kant nam ze aan dat als Frank Farman zijn zoon had opgegeven voor een sport, het waarschijnlijk een machosport zoals karate zou zijn. Het gewelddadige aspect zou hem aangesproken hebben.

'Goed van je,' zei ze. 'Maar het is genoeg voor vandaag. Ga zitten.'

'Dat doe ik niet,' zei hij agressief.

'Wel als je wilt dat ik blijf,' zei Anne kalm. 'Als je niet wilt werken en lastig gaat doen, ben ik weg.'

Hij sprong in de lucht, schreeuwde en trapte met een voet. Anne duwde haar stoel naar achteren, pakte haar spullen en stond op.

'Tot ziens,' zei ze terwijl ze zich omdraaide.

Dennis' boze gezichtsuitdrukking verdween. Hij vroeg haar niet om te blijven, maar hij ging aan tafel zitten.

Anne wachtte nog even om hem in de waan te laten dat ze er nog steeds over dacht om te vertrekken. Hij moest zich realiseren dat zijn gedrag consequenties had – andere consequenties dan een pak slaag krijgen. Hij moest leren om rekening te houden met de gevoelens van anderen.

Hij zat te mokken toen ze terugliep naar haar stoel en staarde naar beneden, met zijn neus centimeters van het tafelblad verwijderd.

'Het spijt me dat ik gisteren niet kon komen, Dennis,' zei Anne. 'Ik had een belangrijke bespreking.'

'Belangrijker dan ik,' zei Dennis.

Ze hapte niet. 'Besprekingen vinden plaats als ze plaats moeten vinden. Rechters hebben erg drukke agenda's.'

Plotseling keek hij naar haar op. 'Ging het over mij?'

'Nee.'

'Waarom moet het me dan verdomme iets kunnen schelen?'

'Nergens om,' zei ze, zijn taalgebruik negerend. 'Wat heb je gisteren gedaan?'

'Niets. Er is hier niets te doen, behalve naar gestoorde mensen kijken. Die ene rare vent met de dreadlocks trok zijn broek naar beneden en poepte op de vloer van de recreatieruimte,' zei hij lachend. 'Dat was heel grappig.'

O mijn god, ik moet hem hier weg zien te krijgen, dacht Anne. Ze zou zelf op zoek gaan naar gezinsvervangende tehuizen. Er moest ergens een geschikte plek voor hem zijn.

'Heb je je leesopdracht af?' vroeg ze.

'Nee.'

'Waarom niet?'

'U bent niet gekomen.'

'Je had het dinsdag moeten doen. Je wist niet dat ik gisteren niet zou komen.'

'Maar u bent niet geweest,' argumenteerde hij. 'Hoe moest ik weten of u ooit nog terug zou komen? U had dood kunnen zijn. Ze hadden u kunnen vermoorden door u honderd keer te steken en uw hoofd eraf te hakken.'

'Ik had ook naar de maan kunnen vliegen,' zei Anne. 'Maar dat was niet waarschijnlijk. En het was ook niet waarschijnlijk dat ik vermoord was. Dat is geen excuus om je huiswerk niet te maken.'

'Meneer Crane heeft geprobeerd u te vermoorden,' merkte hij op. 'Waarom zou iemand anders dat niet ook doen?'

'Laten we het over jou hebben,' zei Anne nadrukkelijk. 'Ik weet dat je gisteren een gesprek met dokter Falk hebt gehad. Hoe ging dat?'

'Iemand heeft die andere vrouw vermoord,' zei Dennis. Zijn kleine ogen glommen van opwinding. 'Ze hebben haar een miljoen keer gestoken en haar hoofd eraf gesneden.'

'Hoe weet je dat?'

'Ik weet dingen,' zei hij ontwijkend.

'Heb je het op televisie gezien?'

'Nee.' Ze zag hem nadenken of hij haar de waarheid zou vertellen. 'Ik heb het in de krant gelezen,' zei hij uiteindelijk.

'Echt?' zei Anne, haar wenkbrauwen opgetrokken van verrassing. Hij las in elk geval iets. Ze zou het prettiger vinden als hij over iets anders dan moord las, maar ze was niet van plan daar kieskeurig over te zijn. 'Ik ben onder de indruk. Vind je het leuk om de krant te lezen?'

'Nee,' zei hij. Hij fronste zijn voorhoofd in het besef dat hij zich ergens op had laten betrappen. 'Alleen over moorden en verkrachtingen en dat soort dingen.'

'Lezen is lezen,' zei Anne, vastbesloten om niet te reageren op zijn belangstelling voor lugubere zaken. Hij zei die dingen alleen om haar uit haar evenwicht te brengen. Dat hoopte ze tenminste. 'Dan kun je een opstel voor me schrijven over die moord. Ik wil morgen twee bladzijden zien.'

Zijn mond viel open. 'Fuck!'

'Tja, het leven zit niet altijd mee,' zei ze. 'Ik ben lerares. Ik kan alles in een opdracht veranderen. Ik wil dat je twee bladzijden over de moord schrijft. En je schrijft het niet over uit de krant. Die lees ik namelijk ook.'

'Dat is stom.'

Anne haalde haar schouders op. 'Je hebt hier toch niets beters te doen. Dat heb je zelf gezegd.'

Hij haatte het als ze zijn eigen woorden tegen hem gebruikte. De randen van zijn oren werden vuurrood en zijn sproeten tekenden zich af als stippen op zijn wangen. Hij balde zijn vuisten en sloeg gefrustreerd op het tafelblad.

'Ik neem morgen iets speciaals voor je mee,' beloofde ze hem.

'Wat dan?'

'Dat zeg ik niet,' zei Anne terwijl ze bedacht dat ze morgen naar de boekwinkel in de Plaza zou gaan om te zien of ze iets hadden wat Dennis' belangstelling voor lezen zou kunnen wekken. Wat stripbladen misschien. Superhelden die misdaden bestreden in plaats van misdaden pleegden. 'Maar dan moet je je opstel af hebben. Afgesproken?'

Hij keek wantrouwend. 'Nee. Stel dat je iets achterlijks voor me meeneemt zoals suikervrije kauwgom of een stom speeltje of zoiets?'

'Stel dat het niet stom is?' daagde Anne hem uit. 'Stel dat het iets is wat je heel leuk vindt?'

'Zoals wat?'

'Dat zeg ik niet.'

Anne dacht dat ze een kleine glimp opwinding achter de frustratie zag. Dennis had een vreselijke jeugd gehad. Ze durfde er iets onder te verwedden dat zijn ouders hem nooit hadden verrast met een cadeautje. De helft van de tijd was hij in vieze kleren naar school gekomen. Er was zelfs niet behoorlijk gezorgd voor zijn basisbehoeften.

Misschien kon ze hem laten zien dat de wereld niet alleen voor de Wendy Morgans en Tommy Cranes, maar ook voor hem een fijne plek kon zijn. Misschien kon hij veranderen als ze hem kon tonen dat mensen belangstelling voor hem konden hebben en het hun iets kon schelen wat er met hem gebeurde. Het kon in elk geval geen kwaad hem wat vriendelijkheid te laten zien.

Dat hoopte ze tenminste...

48

Vince glimlachte om Haley, die naar Pino van *Sesamstraat* keek. De vreugde en gretige interesse in haar ogen, het spontane dansje samen met de vogel, het valse zingen, wezen allemaal op zuivere onschuld en verbazing voor de wereld om haar heen.

Dat had hij van zijn dochters gemist. De lange werkdagen en het reizen voor de FBI hadden hem een legendarische carrière opgeleverd, maar dit had hij gemist. Het zou hem heel gelukkig maken als hij een tweede kans kreeg om vader te zijn.

Niet dat hij zichzelf uit de levens van zijn dochters had geschreven. Sinds hij neergeschoten was, hadden ze allemaal hun best gedaan om contact te houden en hun relatie te verstevigen.

Anne was afgelopen winter met hem meegegaan naar Virginia om de meisjes te ontmoeten. Vince was er verschrikkelijk zenuwachtig over geweest. Annes leeftijd lag dichter bij die van zijn dochters dan bij de zijne. Hij maakte zich zorgen dat ze zouden denken dat hij een enorme midlifecrisis had, waardoor hij met een veel jongere vrouw was getrouwd, naar Californië was verhuisd en was weggegaan bij de FBI.

En dat was in het begin ook zo. Amy, die net zestien was en minder herinneringen had aan de spanningen tussen haar ouders toen ze nog bij elkaar waren geweest, was verontwaardigder dan Emily, die twee jaar ouder was. Vince en zijn dochters moesten nog een aantal dingen uitwerken, maar beide meisjes waren overgevlogen voor het huwelijk. Hij had het gevoel dat het een goed begin was van hun acceptatie van zijn nieuwe leven.

Hij rekte zich uit in zijn grote leren stoel met verstelbare rugleuning – zijn mannenstoel, zoals Anne hem noemde – in hun gezellige zitkamer met de warme geelbruine muren en het roomkleurige tapijt. Hij was uitgeput en nog steeds van slag door de confrontatie met Zander Zahn. Bovendien had hij er een flinke blauwe plek op zijn jukbeen aan overgehouden.

Geslagen door een professor. De jongens op het bureau zouden het grappig vinden, hoewel Zahns instorting niets was om grapjes over te maken.

Hij zuchtte en deed zijn ogen dicht in een poging zijn hersenen een paar minuten te ontspannen.

Er tolden allerlei gedachten en theorieën door zijn hoofd en het was in fysiek opzicht een lange dag geweest. Gelukkig verminderde de pijn in zijn hoofd terwijl hij uitrustte en een paar van de ademhalingstechnieken gebruikte die hij had geleerd van een specialist in chronische-pijnbestrijding. Hij was zelden pijnvrij, omdat die altijd op het laagste niveau op de loer lag, en hij was zich er voortdurend van bewust dat de pijn hem elk moment kon overvallen.

Langzaam kwam Vince terug van de vredige plek waar zijn hersenen waren geweest, en werd hij zich bewust van het gevoel dat er iemand naar hem keek. Toen hij zijn ogen opendeed keek hij in die van Haley. Ze stond naast de stoel met haar konijn onder haar arm.

'Hallo,' zei Vince.

'Je sliep,' zei Haley met haar hese stemmetje.

Hij vroeg zich af of ze de herinnering aan de wurging ooit kwijt zou raken. De blauwe plekken op haar keel zouden uiteindelijk verdwijnen, maar de herinnering waarschijnlijk niet.

'Moet je dutjes doen?' vroeg ze.

'Ik doe graag dutjes.'

'Ik niet.'

'Nee? Waarom niet?'

Haar gezichtuitdrukking was heel nuchter terwijl ze haar hoofd schudde. 'Baby's doen dutjes.'

'Ik ben geen baby,' merkte Vince op.

'Nee.' Een van haar mondhoeken ging omhoog in een komische glimlach. 'Jij bent de papa. Waarom hebben jullie geen kinderen?'

'Omdat Anne en ik net getrouwd zijn. We hebben nog geen tijd gehad om kinderen te krijgen.'

Ze dacht na over het antwoord en besloot dat het een acceptabele uitleg was.

'Waar is Anne?'

'Ze heeft een afspraak met iemand. Ze komt zo meteen terug.'

'Ik vind Anne lief. Ze speelt met me,' zei ze alsof Anne en zij al jarenlang vriendinnen waren.

Ze leek geen terughoudendheid tegenover vreemden te hebben. Haar moeder was een erg sociale vrouw geweest met veel vrienden die op een regelmatige basis in Haleys leven waren. Ze had waarschijnlijk nooit een reden gehad om bang te zijn voor volwassenen.

Vince vroeg zich af of dat zou veranderen als de herinneringen terug-kwamen. Waarschijnlijk wel.

'Wil jij met me spelen?' vroeg ze.

'Natuurlijk,' zei Vince. 'Wat gaan we spelen?'

'We spelen dat jij de papa bent en ik het kleine meisje.'

'Goed. Wat moet ik doen?'

'Je moet mij en Honey-Bunny een verhaaltje voorlezen.'

'Oké. Jij mag een boek uitzoeken.'

Ze liep naar een mand vol speelgoed en boeken die Franny had ge-bracht en haalde er een uit. Daarna kwam ze terug, klom op de stoel en nestelde zich in de comfortabele kromming van zijn arm.

'Vind je het leuk om verhaaltjes te lezen?' vroeg Vince.

'Ik kan niet lezen,' vertelde ze. 'Ik ben nog maar klein.'

'Leest je echte papa verhaaltjes aan je voor?' Hij kromp een beetje ineen bij het mentale beeld van Anne die hem tegen zijn schenen schopte om die vraag.

Haley schonk geen aandacht aan hem terwijl ze het omslag van het verhaaltjesboek opensloeg.

'En Zander?' vroeg hij. 'Leest Zander je wel eens voor?'

'Zander is raar,' zei ze zonder op te kijken.

'Waarom vind je hem raar?'

Ze haalde haar schouders op. 'Hij is gewoon raar. Hij wil niets aanraken. Dat is toch gek? Mama zegt dat hij fragel is.'

'Wat betekent fragel?'

'Ik weet het niet. Waarom heb je een paard op je shirt?' vroeg ze, krabbend aan het paarse Ralph Lauren-logo op het zwarte polo-shirt.

'Dat is een logo van het bedrijf dat het heeft gemaakt,' zei hij. *Fragel?* Wat was fragel in vredesnaam?

'Ik hou van paarden,' zei Haley. 'Ik krijg een pony als ik vijf ben.' Ze stak haar handje op, haar vingers wijd gespreid om hem te laten zien dat ze wist hoeveel vijf was.

Fragel? Fragiel?

'Heeft mama fragiel gezegd?'

Haley knikte. 'Maar ik weet niet wat dat betekent.'

'Als iemand fragiel is, kun je hem gemakkelijk van streek maken of zijn gevoelens kwetsen.'

Haley was haar interesse voor het onderwerp al kwijt, en richtte haar aandacht op de bladzijden van het boek.

'Heeft Zander je ooit bang gemaakt, liefje?' vroeg Vince.

Ze fronste haar voorhoofd. 'Ken jij Zander?'

'Ja.'

'Vind jij hem ook raar?'

'Ja,' gaf Vince toe.

'Lees het verhaal voor,' zei Haley ongeduldig.

'Leest mama je verhaaltjes voor?'

'Soms. En ze verzint verhaaltjes. Ze maakt soms boeken voor me met tekeningen erin.'

'Dat is heel bijzonder,' zei Vince. 'Mis je je mama?'

Er kwam een afwezige blik in haar ogen en ze zweeg even. Uiteindelijk zei ze zachtjes: 'Mijn mama is gevallen en gewond geraakt.'

'Ik weet het,' zei Vince zachtjes. Anne zou hem vermoorden. 'Was je erbij toen je mama gewond raakte, liefje?'

De tranen sprongen in haar ogen. Vince hield zijn adem in.

'Je speelt het niet goed!' riep Haley met een trillende onderlip. 'Je bent de papa! Je moet het boek voorlezen!'

'Oké. Goed, liefje. Niet huilen.'

Hij kon zich precies voorstellen wat er zou gebeuren als Anne thuiskwam en Haley haar vertelde dat hij haar aan het huilen had gemaakt.

Ze kroop tegen hem aan terwijl Vince naar de eerste bladzijde van het verhaal bladerde, haar lichaam gespannen, alsof ze nog steeds probeerde om de nare gevoelens uit te bannen die zijn vragen hadden opgeroepen. Maar toen hij begon voor te lezen over de prinses die een fee wilde zijn, voelde hij dat ze ontspande. Voordat hij drie bladzijden had gelezen, sliep ze. Hij hoopte dat ze droomde van een plek waar geen nare dingen konden gebeuren.

49

'Er is geen teken van Gina Kemmer en geen teken van haar auto,' zei Hicks. 'Eén buurman heeft verteld dat hij haar gisteravond tussen vijf en zes uur uit huis heeft zien komen. Ze was alleen. Ze had geen koffer bij zich. Alles leek normaal.'

Ze zaten aan het eind van de dag in de strategiekamer. Iemand had pizza's en frisdrank besteld. Chicago-stijl pizza's. Dat betekende dat Vince had gebeld. Mendez was er blij om. Hij was uitgehongerd. Hij kon zich niet herinneren wanneer hij voor het laatst had gegeten – of een nacht goed had geslapen.

Ze zaten rond de lange tafel te eten alsof het hun laatste maaltijd was. De kamer was gevuld met het aroma van kruiden en tomatensaus, waardoor de geur van frustratie bijna, maar niet helemaal, werd overstemd.

'Als ze vrijwillig de stad uit is gegaan, heeft ze dat gedaan zonder schone kleding of haar toilettas mee te nemen,' zei hij. 'Welke vrouw doet dat?'

'Niet een,' zei Dixon. 'Als ze van het parkeerterrein bij de supermarkt is ontvoerd, zou haar auto hier nog steeds zijn. Als ze bij een vriend of vriendin is gaan logeren, zou haar auto op straat of een oprit geparkeerd staan.'

'Ze kan een ravijn in gereden zijn,' suggereerde Hamilton. 'Of misschien is ze gewoon de stad uit gegaan. Misschien heeft ze een vriendin in Santa Barbara of een andere plaats.'

'Of iemand houdt haar vast,' zei Trammell.

'Of ze is dood,' zei Mendez. 'Voor mij maakt dit de chantage-insteek sterker.'

'En als het geen chantage was,' zei Hicks, 'dan weet Gina waarschijnlijk iets wat iemand anders niet prettig vindt.'

'Hoe staat het met haar bankrekeningen?' vroeg Dixon terwijl hij met een servet over zijn kin veegde om een druppel tomatensaus op te deppen.

'Ze heeft een rekening bij Wells Fargo, net als Marissa Fordham,' zei Hamilton. 'Het enige vreemde is dat er elke maand een bedrag van duizend dollar van Marissa Fordham op wordt gestort.'

'Zwijggeld?' zei Dixon. 'Of was Marissa gewoon een gulle vriendin die haar geluk deelde?'

'Zwijggeld zou Kemmer een motief geven,' zei Campbell. 'Als de gulle vriendin ermee probeerde te stoppen.'

Mendez schudde zijn hoofd. 'Je had haar gisteren moeten zien. Ze was een wrak. Ze heeft de *cojones* niet om iemand neer te steken, laat staan te doen wat haar beste vriendin aangedaan is. En daarna haar borsten in een doos stoppen en naar Milo Bordain sturen? Ze kon niet eens naar de foto van de plaats delict kijken zonder te kotsen.'

'Hebben we haar telefoongegevens?' vroeg Dixon.

Hamilton schudde zijn hoofd. 'Nog niet.'

'Wat hebben we over Marissa Fordhams schuilnaam ontdekt?' vroeg Mendez.

'Melissa Fabriano?' Hamilton keek in zijn aantekeningen. 'Niets. Geen strafblad in de staat Californië. Ik heb contact gehad met de autoriteiten in Rhode Island omdat er een kleine kans is dat ze daarvandaan komt. Ze hadden niets op die naam.'

'Het slachtoffer heeft dus op allebei de namen geen strafblad,' zei Trammell.

'Niet voor zover ik tot nu toe ontdekt heb.'

'Waarom heeft iemand zonder strafblad een schuilnaam nodig?'

'Ze verstopte zich voor iemand,' zei Mendez. 'Als het niet de vader van de baby was, wie dan wel?'

Niemand had daar antwoord op.

'Verdomme, deze zaak is veel moeilijker dan het lijkt,' klaagde Campbell. Iedereen lachte, waardoor de spanning verdween.

'Hoe zit het met Gina Kemmer?' vroeg Trammell. 'Is dat haar echte naam? Heeft zíj ergens een strafblad? Als die twee al jaren met elkaar omgaan, kunnen we via haar misschien informatie over ons slachtoffer krijgen.'

'Ik zal zien wat ik kan vinden,' zei Hamilton. Hij keek naar Dixon. 'Wanneer krijgen we computers?'

'Als ze nodig worden en gratis zijn,' zei Dixon. 'Er is niets mis met je oren en je vingers. Gebruik de telefoon.'

'Over telefoon gesproken,' zei Vince. 'Zijn er nog opwindende tips op de tiplijn binnengekomen?'

'Jazeker,' zei Campbell. 'Er zijn minstens vijf vrouwen in het district die denken dat hun ex-man, ex-vriend of ex-minnaar de moordenaar is.'

'Een helderziende belde om te zeggen dat ze de moordenaar van Marissa voor ons zou vinden als we de beloning vooraf zouden betalen,' zei Trammell.

'Als ze echt helderziend was geweest, had ze zich de moeite kunnen besparen,' zei Dixon.

'Het is een enorme verspilling van tijd, maar mevrouw Bordain heeft vrijwilligers ingezet om de telefoons te bemannen,' zei Hamilton. 'Het kost ons geen manuren, behalve als we een tip krijgen die het waard is om na te trekken.'

'En de mannen met wie Marissa uitging?' vroeg Dixon.

'De meesten hadden een alibi voor de avond van de moord,' zei Campbell.

'Wie niet?'

'Mark Foster was alleen thuis en Bob Copetti was niet in de stad. Dat hebben we nog niet nagetrokken.'

'Steve Morgan was ook niet in de stad,' zei Mendez. 'Heeft iemand dat nagetrokken?'

Dat had niemand gedaan.

'Hoe zit het met Darren Bordain?' vroeg Vince. 'Hij kende het slachtoffer én Gina Kemmer.'

'Wat zou zijn motief moeten zijn?' vroeg Dixon.

Vince haalde zijn schouders op. 'Misschien is hij Haleys vader. Of misschien was hij verontwaardigd over Marissa's vriendschap met zijn moeder.'

Dixon probeerde het idee te verwerpen. 'Darren Bordain is het gouden kind in dat gezin. Hij heeft alles wat hij ooit wilde hebben op een presenteerblaadje aangeboden gekregen – een opleiding, een carrière. Hij is klaargestoomd voor de politieke arena.'

'Ik betwijfel of dat zonder voorwaarden is geweest,' zei Vince. Hij keek naar Hicks en Mendez. 'Jij zei dat hij een geintje maakte over dat hij Marissa had moeten versieren.'

'Klopt,' zei Mendez. 'Hij praatte sarcastisch over zijn moeder, maar...'

'Maar wat?' vroeg Vince. 'Is hij te glad? Te knap? Te bevoorrecht?'

Mendez dacht zorgvuldig na. Hij wist dat hij zich niet moest laten misleiden door uiterlijke schijn. 'Nee. Het is alleen een enorme sprong tussen wrok voelen tegenover je moeder en de borsten van een vrouwenlichaam snijden en die per post naar haar toe sturen. Ik kreeg dat gevoel gewoon niet bij hem.'

'Er is een reden waarom gevoelens niet toegestaan zijn bij een proces,' zei Vince. 'Hij moet nagetrokken worden, net als alle andere mannen die het slachtoffer kenden. Denk je niet, Cal?'

Dixon haalde een hand door zijn zilvergrijze haar en zuchtte. Hij zou Milo Bordain beslist op zijn dak krijgen.

'Haal hem naar het bureau voor een gesprek,' zei hij. 'Maar maak er geen drukte over. Hou het neutraal. Zeg tegen hem dat we een uitgebreid beeld van Marissa's leven willen krijgen en bezig zijn met een tijdschema tot het moment van de moord. We willen weten wie haar wanneer heeft gezien, wie met haar heeft gepraat, wie een waterdicht alibi heeft, zodat we die mensen van de verdachtenlijst kunnen schrappen.'

'Dat is sowieso geen slecht idee,' zei Mendez. 'Laten we ons daar helemaal op richten. Steve Morgan zit al in de gevangenis. Laten we hem hiernaartoe halen.'

Dixon keek hem scherp aan. 'Steve Morgan zit níét in de gevangenis.'

'Hij heeft me aangevallen!' zei Mendez terwijl hij naar zijn dikke, gehechte lip wees.

'Heb je zijn neus gebroken en zijn oogkas bijna gescheurd. Hij wilde een aanklacht indienen wegens geweldpleging. Ik heb het hem uit het hoofd gepraat.'

'Heb je een advocaat overgehaald om geen aanklacht in te dienen?' vroeg Trammell. 'Je bent een kanjer, baas.'

'Hij heeft toegegeven dat hij jou het eerst heeft geslagen,' zei Dixon tegen Mendez.

'Hij is dus een bedrieger maar niet altijd een leugenaar,' zei Mendez. 'Goed om te weten dat hij ook positieve punten heeft. Toch moeten we hem naar het bureau halen om te praten.'

Dixon wees naar hem. 'Maar jij blijft bij hem uit de buurt. Begrepen?'

'Yes, sir.'

'Ik meen het.'

'Yes, sir. Ik weet het, sir.'

'Blijf uit de buurt van zijn huis. Blijf uit de buurt van zijn gezin.'

'Yes, sir.'

'Ik ben vanmiddag langsgegaan bij Zander Zahn,' zei Vince, waarmee hij de aandacht van Mendez afleidde.

Mendez bedankte hem in gedachten. Hij had verwacht dat Dixon zou zeggen: blijf uit de buurt van zijn vrouw. Hij wist zeker dat hij dan schuldig had gekeken, hoewel hij correct was gebleven tegenover Sara Morgan, al had een deel van hem daar anders over gedacht.

'Hij was niet blij dat ik over zijn moeders dood wist,' ging Vince verder. 'Ik heb hem een beetje onder druk gezet. Hij flipte volledig.'

Hij ging verder met het verhaal, compleet met een uitleg over dissociatieve stoornissen, en hoe Zahn Marissa Fordham vermoord kon hebben zonder dat hij daar een bewuste herinnering aan had.

'Dat klinkt als iets waar de advocaat van een verdachte mee komt,' zei Trammell.

'Dat zullen ze zeker doen als ze daar de kans voor krijgen,' zei Vince. 'Maar een echte dissociatieve stoornis is zeldzaam. Het is een manier van de hersenen om te reageren op een overweldigend psychisch trauma.'

'Zoals je eigen moeder doodsteken,' zei Hamilton.

'Eerder als reactie op wat zijn moeder hem heeft aangedaan om de moord uit te lokken. Stel dat ze sigaretten heeft uitgedrukt op zijn voetzolen. Zijn hersenen geraken in een dissociatieve toestand om aan de mishandeling te ontsnappen. Terwijl hij in deze dissociatieve toestand is, vermoordt hij haar. Als hij eruit komt, herinnert hij zich er misschien niets van.'

'Het brein beschermt zichzelf door de herinneringen te onderdrukken,' zei Mendez.

'Precies.'

'Hij kan dus in staat zijn geweest om Marissa Fordham te vermoorden,' zei Dixon.

'Gebaseerd op wat we nu weten en wat ik vanmiddag heb gezien, ja.'

'Het zag eruit of een krankzinnige het heeft gedaan omdat een krankzinnige het heeft gedaan,' zei Campbell.

'Ik heb Haley gevraagd of ze ooit bang is geweest voor Zahn,' zei Vince.

'Praat ze?' vroeg Dixon.

'Als ze er zin in heeft. Maar ze negeert vragen over wat er is gebeurd. Bewust of onbewust wil ze die gevoelens weghouden.'

'Wat heeft ze over Zahn gezegd?' vroeg Mendez.

Eén mondhoek van Vince ging omhoog. 'Dat hij raar is.'

'Intelligent kind,' zei Mendez lachend. 'Maar waarom zou Zahn het huis doorzoeken? Hij kan Haleys vader niet zijn. Je moet een vrouw namelijk aanraken om haar zwanger te maken.'

'Hoe weet jij dat?' vroeg Campbell.

'Hou je kop.'

'En waarom zou hij Marissa's borsten naar Milo Bordain sturen?' vroeg Hicks. 'De doos is maandag gefrankeerd. De moord heeft zondag plaatsgevonden. Hij zou maandag uit die dissociatieve toestand moeten zijn, nietwaar?'

'Dat hoeft niet,' zei Vince. 'Ik geef toe dat de borsten in de doos niet bij deze theorie lijken te passen, maar ze lijken in geen enkel scenario te passen, behalve dat van Darren Bordain.'

'Misschien is dat precies waaróm hij ze heeft gestuurd,' suggereerde Dixon. 'Omdat het niet logisch is. Terwijl wij in een kringetje rond-draaien, in een poging het verband te vinden, komt er iemand weg met een moord.'

50

Twee slechte dingen kwamen tegelijkertijd: duisternis en regen.

Het was Gina gelukt om naar achteren te schuiven. Toen ze eindelijk tegen de muur leunde, viel ze flauw van de pijn en de inspanning. De regen in haar gezicht bracht haar naar de realiteit terug.

Er bestaan geen zachte herfstregens in Californië. De regen is een wraakactie, een vergelding van Moeder Natuur voor maandenlange onbewolkte hemels. De gammele luiken ver boven Gina's hoofd waren een schamele bescherming tegen de storm.

Ze had iets nodig om zich mee te bedekken, zodat ze niet doornat zou worden. De temperatuur was gedaald. Ze had het koud en ze nam aan dat ze een shock had, hoewel ze niet precies wist wat dat betekende. Biologie was nooit haar sterkste kant geweest.

Wat ze wel wist, was dat ze op een afvalberg tussen de vuilniszakken zat. De meeste waren verscheurd door de ratten die nu uit de afvalberg en gaten in de muren tevoorschijn begonnen te komen. Hoewel het te donker was om ze te zien, hoorde Gina het geritsel en gepiep. Ze had kippenvel en de angst zat als een kronkelende slang in haar keel en maag.

Terwijl ze tegen de tranen vocht, voelde ze aan haar rechterkant naast zich en kreeg met haar goede hand een plastic zak te pakken. Hij was maar gedeeltelijk gevuld met afval, maar stonk zo erg dat ze begon te kokhalzen, en het leek eeuwen te duren voordat ze een van de scheuren voldoende had opengetrokken om hem leeg te gooien.

Ze gilde toen er samen met het afval muizen uit kwamen. Het leek alsof er tientallen uit de zak vielen en piepend over haar armen, benen en borstkas renden.

Hysterisch liet ze de zak vallen en mepte met haar goede hand naar ze. Ze was doodsbang dat ze in haar kleren zouden kruipen en verstrikt zouden raken in haar haar. Haar lichaam schokte en draaide, wat explosies van pijn veroorzaakte. Het geluid van knaagdieren die piepten en wegstoven werd versterkt in de nauwe ruimte van de put, echode door de schacht omhoog en vulde haar oren en haar hoofd.

O mijn god. Wat heb ik gedaan om dit te verdienen?

Hou je kop, Gina. Stop met dat zelfmedelijden. Je bent niet dood.

Marissa's stem.

Ik word gek, dacht ze jammerend.

Nee, dat word je niet. Pak de zak en bedek jezelf, anders ga je dood aan onderkoeling.

Ik huil als ik dat wil.

Van huilen word je lelijk.

Gina tastte naast zich en pakte de lege zak. Ze hield haar adem in om de stank buiten te sluiten, trok de zak over haar hoofd en schikte hem zo goed mogelijk rond haar schouders.

Ze deed haar hoofd achterover en opende haar mond om de regen-druppels op te vangen, het eerste schone drinken dat ze na lange tijd kreeg.

Miste iemand haar al? Hadden de meisjes in de boetiek geprobeerd haar te bellen? Als ze telkens het antwoordapparaat kregen, waren ze dan naar haar huis gegaan? Dan zouden ze niet het idee hebben gehad dat er iets vreemds aan de hand was. Niemand had bij haar ingebroken. Ze was uit vrije wil vertrokken.

Hoe was ze zo geëindigd? Ze was niet slecht. Marissa en zij had-den alleen geprobeerd iets goeds te doen. Misschien was Marissa's methode dubieus geweest, maar daar had ze haar redenen voor. En haar enige motief was Haley geweest. Dat ze er allebei van hadden geprofiteerd, was een bijkomstigheid geweest. Het doel was geweest om voor Haley te zorgen.

Hoe kon zo'n mooie reden zo verkeerd aflopen?

Hoe wist ze eigenlijk of iets hiervan echt was? vroeg Gina zich af. Misschien werd ze gek. Hallucineerde ze soms? Hoe kon ze het ver-schil weten?

Ik weet niet wat ik moet doen, Marissa.

Je gaat ervoor zorgen dat je eruit komt, Gina.

Laat me niet alleen.

Dat doe ik niet.

Ik ben niet zo dapper als jij.

Je bent zo dapper als je moet zijn.

51

Op de avond dat het was gebeurd, had ze televisie gekeken. Niet voor haar plezier, maar om het live nieuwsverslag van de gijzeling in het politiebureau te volgen. Dennis Farmans vader hield een pistool tegen het hoofd van Cal Dixon. Vince probeerde op hem in te praten. De situatie die was begonnen met geweld, was ook geëindigd met geweld.

Op het moment dat het nieuws bekend werd, wist Anne niet of Vince het had overleefd. Ze had zichzelf beziggehouden met het openmaken van een cadeautje dat Tommy Crane haar eerder die avond had gegeven. Het was een ketting. Een ketting die alleen afkomstig kon zijn van een moordslachtoffer.

En toen stond Peter Crane ineens voor haar deur. Er leek niets aan de hand. Hij was beleefd en verontschuldigde zich. Het speet hem heel erg. Een misverstand. Hij moest de ketting terugvragen. Het was een vergissing. De ketting was van zijn vrouw.

Anne had hem verteld dat het niet uitmaakte. Ze begreep het helemaal. Ze zou naar de keuken gaan om hem te pakken. Dat was een leugen, want ze wilde via de achterdeur vertrekken en rennen voor haar leven.

Ze redde het niet tot de deur. Peter Crane pakte haar bij haar haar...

Naar adem snakkend en met een bonkend hart schoot Anne overeind. Heel even wist ze niet waar ze was en greep de paniek haar bij haar keel. Ze was drijfnat van het zweet.

Er scheen licht aan de andere kant van de slaapkamer, een zachte, amberkleurige gloed om de duisternis en de boemannen die daarbij hoorden te verjagen.

Ze was in bed in haar eigen huis. Ze was veilig. Dit was de logeerkamer die ze voor Haley had gekozen. Ze was veilig. Haley was veilig, en diep in slaap.

Je bent veilig. Wij zijn veilig. Alles is in orde. Ze herhaalde die woorden telkens weer in haar hoofd.

Wat ze wilde, waren de sterke, warme armen van Vince om haar heen en zijn stem die tegen haar fluisterde terwijl hij haar vasthield en wiegde. Maar Vince was naar het politiebureau gegaan voor een bespreking. Hij had niet eens thuis gegeten, maar had pizza's besteld voor de mannen.

Ze keek naar de wekker op het nachtkastje. Het was bijna half elf. Niet laat dus. Vince kwam bijna thuis, als hij dat niet al was. Hij maakte haar nooit wakker als ze al sliep wanneer hij thuiskwam – speciaal om haar niet bang te maken.

Ook al was Vince er niet geweest, Anne en Haley hadden de gezellige avond gehad waar ze zich eerder op de dag op had verheugd. Nadat Haley in bad was geweest en haar Rainbow Brite-pyjama had aangetrokken, hadden ze zich onder de dekens van Haleys bed genesteld en hadden ze geluisterd naar de regen terwijl Anne voorlas.

Nadat Haley in slaap was gevallen, had Anne nog wat gelezen in haar psychologieboeken, op zoek naar iets over kinderen als getuigen van geweldsmisdrijven – ze vond niets – en kinderen met traumatische herinneringen – ze vond bijna niets. Uiteindelijk had ze haar leeslampje uitgedaan en was ze in slaap gevallen, met de boeken verspreid over haar kant van het tweepersoonsbed.

Ze stond nu op en trok aan haar bezwete T-shirt. De adrenalinegolf was weggeëbd en had haar achtergelaten met het vertrouwde en gehate gevoel van zwakte. Ze liet de slaapkamerdeur open en liep door de gang om zich om te kleden.

Vince lag in een grijze joggingbroek en een zwart T-shirt op hun bed te lezen. Hij keek op van zijn boek, zijn leesbril op zijn neus. De televisie stond zachtjes aan.

Anne liep naar de kledingkast, trok een schoon FBI-T-shirt aan, liep naar het bed en kroop naast Vince, met haar hoofd op zijn schouder en haar arm over zijn borstkas.

'Hé, meisje,' fluisterde hij en hij gaf een kus op haar hoofd.

Hij legde zijn boek weg en sloeg zijn armen om haar heen. Anne wist dat hij de laatste rillingen door haar lichaam voelde gaan terwijl de adrenaline uit haar systeem verdween.

'Heb je een nare droom gehad?' vroeg hij zachtjes.

Anne knikte. 'Het is goed. Het is weer goed.'

'Wat naar voor je, schat.'

De tranen brandden in haar ogen. 'Ik haat het.'

'Ik weet het, liefje.'

'Het gaat nooit meer weg.'

Hij vertelde haar niet dat het uiteindelijk weg zou gaan, omdat hij wist dat dat niet zo was, en zij wist dat ook. Het beste waarop ze kon hopen, was dat het mettertijd minder vaak zou gebeuren. Ze wilde dat Peter Crane haar nachtmerries had, opgesloten in een cel in de districtsgevangenis. De ironie was echter dat haar nachtmerries zijn natte dromen zouden zijn.

Vince streelde haar rug en gaf een kus op haar voorhoofd.

'Wat ben je aan het lezen?' vroeg Anne.

'Over dissociatieve stoornissen. Wat was jij aan het lezen?' vroeg hij. 'Ik heb om de deur gekeken en zag dat je sliep. Het zal geen thriller geweest zijn.'

'Over kinderen als slachtoffers en getuigen.'

'We zijn een opwindend stel,' grapte hij.

Het lukte Anne te glimlachen. 'Daarvoor heb ik voorgelezen over een prinses die een fee wilde worden.'

'O, dat heb ik ook voorgelezen. Een heel spannend boek,' zei hij. 'Hoe was je avond?'

'Gezellig. We hebben je gemist.'

'Mmm... mooi... Hoe is het met Haley?'

'Ze vroeg wanneer haar mama komt.'

'Wat heb je tegen haar gezegd?'

'Hetzelfde wat ik al eerder heb gezegd. Dat haar moeder heel erg gewond was en niet naar haar toe kan komen,' zei Anne. 'Ik wil haar de afschuwelijke waarheid besparen, maar tegelijkertijd vind ik het verschrikkelijk om tegen haar te liegen. Zo blijft ze de verwachting hebben dat haar moeder terugkomt. Ik voel me bijna wreed.'

'Het is een lastig probleem,' zei Vince. 'Jij bent de expert op het gebied van kinderen, maar ik denk dat kinderen net zo min als wij willen dat er tegen ze gelogen wordt.'

Anne keek naar hem. 'En de Kerstman en de Paashaas dan?'

'Dat is anders. Op een bepaald moment zijn ze oud genoeg om dat door te hebben. Je zult Haley toch een keer moeten vertellen dat haar moeder dood is.'

'Ik weet het. En ik weet dat de dood op Haleys leeftijd een nogal abstract begrip is. Ze zal waarschijnlijk niet begrijpen dat het definitief is. Het kost tijd voor zulke kleintjes om het door te laten dringen, zodat het echt wordt. Ik neem aan dat je kunt zeggen dat het minder traumatisch is om het op die leeftijd te horen. Dat is een zegen. Maar ze heeft al zoveel traumatische dingen meegemaakt...'

'Heeft ze al iets gezegd over wat er is gebeurd?'

'Of ze de naam van de moordenaar heeft genoemd?' zei Anne.

'Nee. Misschien heeft ze het geluk dat ze zich er nooit meer iets van herinnert.'

Zodra ze dat had gezegd, klonk er een doordringende schreeuw uit de kamer aan de andere kant van de gang.

Anne schoot overeind.

Haley zat rechtop in bed en schreeuwde zoals ze had gedaan toen Anne haar voor het eerst in het ziekenhuis had gezien. Ze was gevangen in de greep van de angst, en niet in staat om zich ervan te bevrijden.

'Haley!' zei Anne terwijl ze op het bed ging zitten en haar handen op de tengere schouders van het kleine meisje legde. 'Haley, ik ben het, Anne. Alles is goed, liefje. Je bent veilig.'

'Mama! Mama! Mama!' riep Haley, waarna de bloedstollende kreten weer begonnen.

Daar gaat mijn wens, dacht Anne.

'Haley, je bent veilig, liefje,' zei Anne terwijl ze zichzelf een leugenaar voelde. Ze wist dat je niet veilig kon zijn voor de nachtmerries. Die zouden telkens weer komen.

Ze trok het kind naar zich toe en hield het stevig vast. Ze voelde het bed inzakken onder Vinces gewicht toen hij achter haar ging zitten. Hij sloeg zijn armen om hen heen en hield hen vast, zijn hoofd gebogen, zijn wang tegen die van Anne.

Uiteindelijk veranderde Haleys geschreeuw in gesnik, en even later ging het gesnik over in gesnotter en gehik. Vince liep naar de badkamer en kwam terug met een vochtig washandje om de tranen weg te vegen, zowel van Anne als van Haley.

'Ik was bang!' huilde Haley.

'Ik weet het,' zei Anne. 'Maar je bent veilig, liefje. Niemand kan je hier pijn doen.'

'Het was een nare droom,' zei Vince. 'Wil je ons erover vertellen, meisje?'

Anne verstijfde en keek hem aan, maar Haley knikte. Ze wilde de herinnering ervan kwijt, zodat de volwassenen haar konden verzekeren dat ze veilig was.

'Probeerde iemand je pijn te doen?' vroeg Vince.

Haley knikte. 'Het gemene monster zat achter mama aan!'

'Dat is een enge droom,' fluisterde Anne terwijl ze het haar van het meisje streelde.

'Heeft het gemene monster een naam?' vroeg Vince.

'Slechte Papa,' zei Haley.

'Heeft Slechte Papa nog een andere naam?'

'Sléchte Pápa!' zei ze nadrukkelijk, kwaad dat de volwassenen te dom waren om het te begrijpen.

'Slechte Papa kan hier niet komen, liefje,' zei Anne.

'Ik vind nare dromen stom!'

'Ik ook. Ik haat nare dromen. Ik heb vanavond ook een nare droom gehad.'

Haley keek verrast naar haar op. 'Heb jij ook nare dromen?'

Anne knikte.

'Waarom?'

'Omdat een slechte man probeerde me pijn te doen,' zei Anne. 'En omdat ik heel erg bang was.'

'Was je klein, net als ik?'

'Nee. Het is vorig jaar gebeurd.'

'En je was toch bang?'

'Heel bang. En ik ben nog steeds bang als ik een nare droom heb. Maar als ik wakker word, weet ik weer dat ik op een veilige plek ben en dat de gemene man me geen pijn meer kan doen, en dat ik niet bang hoef te zijn.'

'Maar als Slechte Papa hier komt om me te halen?' vroeg Haley.

'Dat laten we niet gebeuren, Haley,' zei Vince. 'Anne en ik passen op je. Slechte Papa kan niet in ons huis komen.'

Ze leek daar even over na te denken, niet helemaal zeker of ze het moest geloven.

'Wanneer komt mijn mama?'

Annes hart voelde loodzwaar. Ze keek naar Vince. Was dit het moment? Was het ooit het juiste moment? Moest ze het nu doen, nu Haley al zo kwetsbaar en bang was? Of moest ze een leugentje om bestwil vertellen en tot een andere keer wachten?

'Mama komt niet, liefje,' zei ze terwijl ze een mengeling van angst en opluchting voelde. Ze hield het afschuwelijke geheim niet meer verborgen. Ze vertelde de verschrikkelijke waarheid.

Haley sperde haar ogen open. 'Waarom niet?'

'Je mama is heel erg gewond geraakt, Haley. Weet je nog dat dat gebeurde? Jij was gewond en je mama ook.'

'Slechte Papa kwam,' zei ze nuchter. 'Slechte Papa heeft mijn mama pijn gedaan.'

'Ja. En je mama was zo erg gewond dat de dokters haar niet beter konden maken en ze doodgegaan is.'

'Maar wanneer komt ze terug?'

'Dat kan ze niet, liefje. Ze kan niet terugkomen.'

Anne zag dat het kleine meisje probeerde de informatie te verwerken. Waarom kon mama haar niet komen halen? Mama was er elke dag van haar leven voor haar geweest.

'Ik vind het zo erg, liefje,' zei Anne terwijl de tranen in haar ogen sprongen en over haar wangen rolden.

Zij was volwassen geweest toen ze haar moeders dood had moeten accepteren. En hoewel ze had geweten dat de dood een eind maakte aan de afschuwelijke lijdensweg die de kanker voor haar moeder had betekend, was Annes verdriet toch overweldigend geweest. Het was af en toe nog steeds overweldigend.

'Maar ik wil mama,' zei Haley. Er biggelden twee grote tranen over haar wangen.

'Je hoeft niet bang te zijn, Haley,' zei Vince zachtjes. 'Je bent bij ons, je hier bent veilig, we zorgen ervoor dat er niets naars met je gebeurt.'

'Slechte Papa heeft mijn mama pijn gedaan,' zei ze. Ze begon zachtjes te huilen en zocht troost in Annes armen.

Anne hield haar dicht tegen zich aan en wiegde haar. Ze was altijd beschermend geweest tegenover de kinderen die aan haar zorg waren toevertrouwd toen ze lesgaf. Mendez had haar een tijgerin met welpen genoemd, maar dat verbleekte bij wat ze voor Haley voelde.

Misschien kwam het doordat ze zoveel gemeen had met het kleine meisje. Ze waren allebei slachtoffer en hadden allebei hun moeder verloren. Of misschien was het gewoon een periode in haar leven, of het feit dat ze zoveel had nagedacht over moeder worden. Maar terwijl ze Haley Fordham vasthield en beloofde haar te beschermen, voelde Anne een band ontstaan die anders was dan ze ooit had gevoeld.

Niemand zou dit kind een haar op haar hoofd krenken. Als de Slechte Papa of iemand anders aan Haley wilde komen, zouden ze eerst langs Anne moeten.

En geen tijgerin was waakzamer dan zij.

52

'Je bent een geluksvogel, Tony,' merkte Campbell op.

Met uitzondering van Vince en Hicks waren ze na de brainstorm-sessie allemaal naar hun eigen bureau teruggegaan, in een poging wat administratief werk te doen en de berichtjes te checken die gedurende de dag waren binnengekomen over de andere zaken waaraan ze werkten.

'Hoezo?' vroeg Mendez.

'Jij krijgt niet van je vrouw te horen dat je nooit thuis bent, dat je te hard werkt of dat je net doet of je te hard werkt maar waarschijnlijk een verhouding hebt.'

'Ik weet niet hoe iemand tijd kan hebben voor een verhouding,' zei Mendez. 'Ik heb zonder huwelijk zelfs geen tijd voor een verhouding.'

'Tony zou nooit een verhouding hebben,' zei Trammell. 'Daar is hij veel te eerlijk voor.'

'Juist,' zei Campbell. 'Vertel de waarheid. Heb je Steve Morgan geslagen omdat hij zijn vrouw bedriegt?'

'Ik heb hem geslagen omdat hij mij geslagen heeft,' zei hij terwijl hij naar zijn roze berichtenbriefjes keek.

Zijn moeder zou zondag voor hem koken. Een slachtoffer van huiselijk geweld wilde met hem praten. Assistent-officier van justitie Worth wilde hem voorbereiden op de rechtszaak waaraan hij zes maanden eerder had gewerkt.

Sara Morgan had gebeld.

Er ging een kleine golf door hem heen. Was het opwinding? Zenuwachtigheid? Wat was hij... veertien jaar?

Het telefoontje was om 19.20 uur binnengekomen en ze had geen bericht achtergelaten.

Hij mocht niet in de buurt van Sara Morgan of een van de andere Morgans komen, maar Dixon had niets gezegd over telefoongesprekken. Hij wilde echter niet vanaf zijn bureau bellen, waar iedereen kon meeluisteren.

Stom. Hij had geen relatie met haar en het zou hem helemaal geen moeite kosten om zich professioneel te gedragen, maar toch had hij het gevoel dat 'Tony heeft een vriendinnetje' in koor zou klinken zodra hij had opgehangen.

Uiteindelijk bleek dat hij dat niet hoefde te verdragen. Dixon liep de kamer in en wees naar hem.

'Tony, jij gaat met me mee,' zei hij. 'Iemand heeft net geprobeerd om Milo Bordain van de weg te rijden.'

Het regende pijpenstelen. Op de landweg naar de ranch van de Bordains was maar weinig verlichting. De politieagent die op de oproep had gereageerd, had waarschuwingslampen neergezet, en ook de rood-blauwe lichten op zijn politieauto waarschuwden om vaart te minderen.

De koplampen schenen op Milo Bordains grote, witte Mercedes sedan. De auto stond bijna haaks op de weg met de achterkant in de greppel terwijl de koplampen naar de avondhemel wezen.

'Ze heeft een lekkere avond uitgekozen,' zei Dixon terwijl hij de capuchon van zijn windjack over zijn pet trok.

Mendez volgde zijn voorbeeld, wensend dat hij het bureau samen met Vince en Hicks had verlaten. Als er thuis een vrouw en kind op hem wachtten, hoefde hij misschien niet rond te hangen achter zijn bureau om daarna gedwongen te worden mee te gaan op zo'n ellendige avond.

De koude regen viel als kleine dolkmessen uit de hemel. Rukwinden joegen het water in de capuchon van zijn jack en langs zijn nek naar beneden. De pijpen van zijn broek en zijn sokken waren binnen de kortste keren nat.

'Ze zei dat ze op weg naar huis was!' De politieagent moest schreeuwen om zich verstaanbaar te maken. Hij wees in de richting waaruit ze waren gekomen. 'Ze zag dat er een auto te dicht achter haar kwam rijden. Ze raakte haar rempedaal aan om ervoor te zorgen dat hij meer afstand nam. Hij kwam naast haar rijden en stuurde naar haar toe. Ze raakte in paniek, trapte op de rem, de auto slipte en eindigde in de greppel.'

'Waar is ze nu?' riep Dixon.

'Spoedeisende hulp.'

'Wat?'

'Spoedeisende hulp!'

'Hoe erg is het?' vroeg Mendez.

De agent schudde zijn hoofd. 'Het zag er niet ernstig uit. Ze heeft haar hoofd gestoten,' zei hij, en ter illustratie sloeg hij met zijn hoofd tegen zijn hand. 'En ze heeft een bloedneus.'

Mendez rende naar de Mercedes en scheen met zijn Maglite op de chauffeursstoel. De airbag was uitgeklapt en er zat bloed op. Hij nam aan dat dat door de bloedneus kwam. Er leek geen andere schade aan de binnenkant van de auto te zijn. Hij scheen met het licht op de zijkant van de auto. Er was blijkbaar geen contact geweest tussen de twee auto's.

'Ik hoop dat ze het kenteken heeft gezien!' riep hij naar Dixon. 'Zijn er slipsporen?'

'Wie kan dat in dit weer zien?' Dixon richtte zich weer tot de agent. 'Heeft ze een beschrijving van de andere auto gegeven?'

De agent schudde zijn hoofd.

'Het kan gewoon een klootzak zijn geweest,' zei Mendez toen hij weer in de Taurus zat. Hij startte de auto en zette de verwarming hoog. 'Ze heeft hem geërgerd toen ze op het rempedaal trapte.'

'Dat zou te gemakkelijk zijn,' zei Dixon. Hij zette zijn capuchon af en trok de natte pet van zijn hoofd. 'Ze is ervan overtuigd dat ze een doelwit is.'

'Het is niet logisch,' zei Mendez. 'Net als haar zoon al zei. Als iemand het op haar heeft voorzien, waarom vermoordt hij haar dan niet gewoon? Waarom Marissa Fordham met meer dan veertig steekwonden verminken en vermoorden en haar met een mes in haar vagina achterlaten? Het enige wat de dader Bordain heeft aangedaan, is haar een gruwelijke boodschap met de post sturen.'

'Tot vanavond.'

Mendez was het er niet mee eens. De enorme woede van de moord op Marissa Fordham... Zij moest het voornaamste doelwit zijn geweest. Kleine Haley was een toevallig slachtoffer. Deze toestand met Milo Bordain was net een spel. Dat was een ander soort moordenaar, een die hij nooit meer in Oak Knoll wilde zien.

Hij reed naar het Mercy General ziekenhuis en parkeerde onder de overkapping voor ambulances bij de ingang van de spoedeisende hulp. Een verpleegster bracht ze naar de onderzoekskamers.

'Hoe is het met haar?' vroeg Dixon.

De verpleegster, een kleine vrouw met de huid van een roker en zwartgeverfd haar, gebaarde minachtend met haar hand. 'Ze staat erop dat ze een CT-scan krijgt, maar er is niets aan de hand. Ze is van streek. Eerder bang dan gewond. Ze zal morgen een flink ei op haar voorhoofd hebben, maar er zijn geen tekenen van een hersenschudding.'

Ze gebaarde naar een deur en liep weg. Dixon klopte twee keer en deed de deur open.

Milo Bordain zat op de onderzoekstafel; een onverschillige verpleegster verzorgde een kleine snee en een schram aan de linkerkant van Bordains voorhoofd.

'Cal! Godzijdank dat je er bent! Iemand heeft geprobeerd me te vermoorden!'

Ze zag er verwilderd uit, vond Mendez. Haar blonde haar was ontsnapt uit de gewoonlijk perfecte, strakke knot die ze droeg, en haar make-up was grotendeels verdwenen, waardoor haar leeftijd in het harde tl-licht duidelijk werd. Ze leek veel minder op haar gemak in het ziekenhuishemd en de papieren deken die ze had omgeslagen dan in haar designerkleding.

'We doen ons best om dit tot de bodem uit te zoeken, mevrouw Bordain,' zei Dixon.

'Au!' riep ze tegen de verpleegster die iets op de snee op haar voorhoofd depte. 'Dat prikt!'

'Dat klopt,' zei de verpleegster nuchter. 'Maar goed dat u geen hechtingen nodig hebt.'

'Als ik hechtingen nodig heb, bel ik mijn plastisch chirurg. Ik laat niemand in dit ziekenhuis mijn gezicht aanraken.'

'Kunt u ons vertellen wat er is gebeurd, mevrouw Bordain?' vroeg Mendez met zijn pen in zijn hand.

'Ik ging vanmiddag naar de stad om te informeren hoe het met de tiplijn gaat. Daarna ben ik naar het ziekenhuis gegaan om bij Haley te kijken, maar ze is ontslagen. Niemand heeft me verteld dat ze vandaag ontslagen is,' klaagde ze geïrriteerd. 'Ik wilde haar zien en haar vertellen dat ik aan haar denk. En ik had een cadeautje bij me...'

'Over het ongeluk...' drong Mendez aan.

Bordain draaide zich naar Dixon en praatte alsof Mendez er niet was. 'Hij is zo onbeleefd. Ik snap niet waarom je hem meeneemt, Cal. Je weet dat hij me van streek maakt.'

'Ik kan naar buiten gaan als u over me wilt praten,' zei Mendez.

'Hij moet aantekeningen voor me maken,' zei Dixon sussend. 'U was dus op weg naar huis?'

'Ja. Ik was heel erg van streek over Haley. Ik denk nog steeds aan wat er gisteren is gebeurd, en aan Marissa. Ik wil een herdenkingsdienst voor haar houden, maar ik weet niet wanneer haar lichaam vrijgegeven wordt. Iemand vertelde me dat alleen een familielid het lichaam kan opeisen, maar Marissa heeft hier geen familieleden behalve Haley…'

'En de auto…?' zei Mendez nadrukkelijk.

Ze zuchtte.

'Plotseling zag ik felle koplampen achter me,' zei ze. 'Ik wist dat de auto te snel reed met die regen. Mensen rijden daar als maniakken… Vooral die Mexicanen.'

Mendez wisselde een blik met de verpleegster, die ook een Hispanic was.

'De auto kwam vlak achter me rijden,' ging Bordain verder. 'Ik dacht dat hij me zou raken! Je hoort de hele tijd over verzekeringszwendel waarin een onverzekerde illegaal zorgt dat je ze aanrijdt, waarna ze de verzekeringsmaatschappij oplichten en de gezagsgetrouwe burger…'

'Het was toch maar één auto?' vroeg Dixon.

'Ja. Ik was nijdig omdat hij zo vlak achter me reed, dus trapte ik op het rempedaal om hem duidelijk te maken dat hij afstand moest houden. Daarna kwam hij naast me rijden en stuurde naar me toe. Mijn hart klopte in mijn keel!'

'Weet u wat voor soort auto het was?' vroeg Mendez.

'Nee. Het spijt me, maar ik weet niets van auto's.'

'En de chauffeur?'

Ze sloot haar ogen gekweld. 'Ik weet het niet.'

Ze zou het wel weten als hij een Hispanic was, dacht Mendez.

'Was het een auto of een vrachtwagen?' vroeg Dixon.

'Een auto.'

'Donker of lichtgekleurd?'

'Donker. Alles was donker. En het regende zo hard dat ik de weg nauwelijks kon zien.'

'Hebt u de chauffeur gezien?'

'In een flits. Ik was doodsbang. Ik probeerde op de weg te blijven.'

'Maar het was een man,' zei Dixon.

'Ja, dat denk ik wel. Hij had een muts diep over zijn voorhoofd getrokken, of misschien was zijn haar zwart. Ik kon het niet goed zien,' zei ze. 'Hij stuurde naar me toe. Ik probeerde hem te ontwijken. Het volgende moment was mijn auto onbestuurbaar. Ik dacht dat het mijn dood zou worden!'

'We hebben gezien dat de airbag opengeklapt is,' zei Dixon.

'Ik dacht dat die mijn neus had gebroken! Die dingen zijn gevaarlijk!'

'Probeer je hoofd maar eens door een autoruit te rammen,' mompelde de verpleegster. Het leek eerder een suggestie dan een opmerking, dacht Mendez. Hij schraapte zijn keel en wreef met een hand over zijn snor om zijn glimlach te verbergen.

'De auto is niet gestopt?' vroeg Dixon.

'Nee. Ik heb hem niet zien stoppen.'

'Hebt u het kenteken niet gezien?' vroeg Mendez.

'Nee! Allemachtig, ik probeerde te overleven!'

'Waren er op dat moment andere auto's op de weg?' vroeg Mendez. 'Heeft iemand gezien wat er gebeurd is?'

'Geloven jullie me niet?' vroeg Bordain ongelovig. De tranen sprongen in haar ogen. 'O mijn god. Denken jullie dat ik dit verzin?'

'Dat is het niet, mevrouw Bordain,' zei Dixon. 'Een andere chauffeur kan eventueel een betere omschrijving geven van de andere auto of de chauffeur, of heeft misschien zelfs een kentekennummer.'

'Nee,' zei ze terwijl ze enigszins kalmeerde. 'Een van mijn buren reed een paar minuten later langs. Hij heeft 112 gebeld.'

'Hebt u vanavond gedronken, mevrouw Bordain?' vroeg Mendez.

'Wat? Natuurlijk niet! Ik heb een glas wijn bij het diner gehad, maar dat is uren geleden!'

'Het is gewoon een routinevraag die we moeten stellen, mevrouw,' zei Mendez.

De verpleegster stootte Mendez van achteren met haar elleboog aan en fluisterde in het Spaans: 'Als ze een Mexicaanse was geweest, zou ze dronken zijn.'

Mendez kuchte in zijn hand.

'Wat gaat er nu gebeuren?' vroeg Bordain aan Dixon.

Dixon zuchtte en liet zijn hoofd zakken, alsof hij op het punt stond ermee tegen een muur te rammen. 'Er is niet veel wat we kunnen doen, mevrouw Bordain. Zonder kentekenplaten en getuigen hebben we niets om mee te werken.'

'Iemand heeft geprobeerd me te vermoorden,' zei ze terwijl de tranen over haar wangen rolden.

'Ik begrijp dat u van streek bent.'

Ze draaide zich naar de deur. 'Darren! Godzijdank, je bent er.'

Darren Bordain kwam de kamer in met regendruppels op zijn blonde haar en dure regenjas. Hij keek naar Dixon en Mendez.

'Heren, we moeten ermee ophouden elkaar op deze manier te ontmoeten. De mensen gaan erover praten,' zei hij. 'Zijn jullie klaar met het verhoor van mijn moeder? Ik weet zeker dat ze graag naar huis wil.'

'Ik krijg een CT-scan,' zei Milo Bordain. 'Ik heb mijn hoofd tegen het zijraam gestoten, en de airbag heeft mijn neus bijna gebroken. Iemand probeerde me te vermoorden, maar niemand neemt het serieus!'

Terwijl Dixon haar verzekerde dat dat niet zo was, gebaarde Mendez met zijn hoofd dat Darren Bordain naar de gang moest komen.

'Waarom nemen jullie haar niet serieus?' vroeg Bordain. 'Iemand heeft haar gisteren lichaamsonderdelen per post gestuurd.'

'Het is niet zo dat we het niet serieus nemen, Darren,' zei Mendez. 'We hebben alleen niet veel om mee te werken. Ze heeft de andere chauffeur of de kentekenplaat of de andere auto niet goed gezien. En verder heeft niemand het ongeluk gezien.'

Bordain fronste zijn voorhoofd. 'Denk je dat ze liegt?'

'Dat heb ik niet gezegd.'

'Ze is een goede chauffeur.'

'Er zijn van de week veel nare dingen gebeurd,' zei Mendez. 'Ze is van streek. Daardoor kan ze afgeleid zijn, en ze is waarschijnlijk uitgeput. Mensen generen zich. Ze willen niet toegeven dat ze zelf van de weg gereden zijn of dat ze misschien een paar drankjes op hebben. De agent had meteen een ademtest moeten doen, maar dat heeft hij niet gedaan.'

'Ze heeft bij het avondeten een paar glazen wijn gedronken,' gaf Darren toe, 'maar ze was in geen geval onder invloed.'

'Goed. We moeten alle mogelijkheden nagaan,' zei Mendez. 'Het is niet verkeerd bedoeld.'

'Ik begrijp het.'

'Jullie hebben samen gegeten?'

'Ja, bij Barron's Steak House. Mijn ouders en ik.'

'Hoe laat is je moeder uit het restaurant vertrokken?'

'Rond half elf. We zijn allemaal om dezelfde tijd vertrokken.'

'Zijn jullie in aparte auto's gearriveerd?'

'Ja. Ik ben naar huis gegaan... Naar mijn huis. Mijn vader moest terug naar Montecito. Mijn moeder is naar de ranch teruggereden.'

'Woont ze daar alleen?'

'Nee. Hernando en zijn vrouw – de huisbewaarders – wonen op het terrein. En natuurlijk komt mijn vader nu terug.'

Mendez maakte aantekeningen. Hoewel Milo Bordain een racistische snob was, kon hij het niet helpen dat hij een beetje medelijden met haar had. Haar man leek haar niet veel steun te geven na alles wat ze deze week had meegemaakt.

'Is alles in orde in het huwelijk van je ouders?' vroeg hij.

'Hun huwelijk is niet anders dan het is geweest. Je denkt toch niet dat mijn vader hier iets mee te maken heeft?'

'Zoals ik al zei, we moeten alle mogelijkheden bekijken.'

Darren Bordain schudde zijn hoofd. 'Ze hebben een regeling waar ze allebei niet over klagen.'

'Wat voor regeling is dat?'

'Ze leiden hun eigen leven. Mijn vader heeft zijn zaken, hij golft en heeft waarschijnlijk af en toe een minnares, hoewel hij heel discreet is. Mijn moeder maakt carrière als mevrouw Bruce Bordain. Ze heeft haar kennissenkring en haar goede doelen. Ze genieten nog steeds van elkaars gezelschap als ze bij elkaar zijn. Het werkt voor hen.'

Hij keek de gang in, waar een verpleeghulp verscheen met een brancard om zijn moeder naar haar CT-scan te brengen.

'Ken je Gina Kemmer?' vroeg Mendez.

'Ja, waarom?'

'Wanneer heb je haar voor het laatst gesproken?'

'Ze heeft gistermiddag een boodschap achtergelaten om te vragen of ik iets wist over een begrafenisdatum voor Marissa. Ze is een wrak,' zei Bordain. 'Marissa was als een zusje voor haar.'

'Heeft ze gezegd dat ze de stad uit zou gaan?'

'Nee. Waarom?'

'We proberen haar te lokaliseren, dat is alles,' zei Mendez. 'We willen iedereen die de afgelopen week contact met Marissa heeft gehad naar het bureau laten komen zodat we een vollediger, accurater beeld kunnen krijgen van de laatste week van Marissa's leven. Ik wil ook graag een afspraak met jou maken.'

'Natuurlijk,' zei Darren. 'Bel me morgen maar. En nu kan ik maar beter de goede zoon gaan spelen en mijn moeders hand vasthouden.'

Toen hij halverwege de gang was draaide hij zich om. 'Is er nog iets bekend geworden over de moord op Marissa?'

'Nee, op dit moment niet.'

'Maar je houdt mijn moeder toch op de hoogte? Ze mag dan een pompeuze snob zijn, maar ze is echt heel verdrietig over Marissa's dood.'

'Sheriff Dixon zal daar persoonlijk voor zorgen,' zei Mendez terwijl Dixon de kamer uit kwam en Darren naar binnen ging.

'Waar zal ik persoonlijk voor zorgen?'

'Mevrouw Bordain,' zei Mendez.

Dixon keek hem aan. 'Jezus, Tony. Heb ik je ooit iets misdaan?'

53

Sara had het grootste deel van de avond opgekruld op een hoek van de bank doorgebracht, gewikkeld in een sprei die haar oma twintig jaar geleden voor haar uitzet had gemaakt. Twintig jaar geleden, toen ze nog geloofde in de prins op het witte paard met wie ze nog lang en gelukkig zou leven.

Ze staarde, dacht na, huiverde, huilde... Het was vreemd dat die cyclus na een tijdje een soort troost werd.

Steve was de vorige avond niet thuisgekomen. Sara was naar bed gegaan nadat rechercheur Mendez was vertrokken. Ze had een slaappil genomen en had roerloos in bed gelegen tot de wekker om zeven uur afging. Toen ze haar ogen opendeed, lag haar echtgenoot niet naast haar in bed, wat niet ongewoon was.

Nog half versuft door de pil had ze zich naar beneden gesleept om ontbijt voor Wendy te maken. Ze zag geen tekenen dat Steve de nacht op de bank had doorgebracht, wat hij de laatste tijd steeds vaker deed, als hij al thuiskwam.

Ze had er geen idee van waar hij was op de avonden dat hij niet thuiskwam. Hij beweerde meestal dat hij op kantoor had geslapen, maar Mendez had haar verteld dat Steve de vorige avond niet op het advocatenkantoor was geweest.

Mendez was langsgekomen om te kijken hoe het met haar was. Hij was bezorgd geweest toen hij midden in de nacht licht in de garage had zien branden. Hij had haar troost en bescherming geboden. Mendez, min of meer een vreemde, had zich als een echtgenoot gedragen, terwijl haar echtgenoot het afgelopen jaar een vreemde voor haar was geworden.

Wendy kwam beneden voor het ontbijt.

'Waar is papa?' vroeg ze terwijl ze cornflakes in een kom deed.

'Ik weet het niet,' antwoordde Sara. 'Hij is gisteravond niet thuisgekomen.'

'Ja, dat is hij wel. Zijn auto staat op de oprit.'

Hij was echter niet thuis. Wendy liep roepend naar hem door het huis. Sara ging naar de garage, maar daar was hij niet. Toen ze naar zijn auto liep en bloed op de oprit zag, begon ze in paniek te raken.

Hij was niet in de tuin, hij was niet in het zwembad gevallen, hij lag niet dood op straat.

Sara belde het politiebureau en daarna een andere moeder om haar beurt om naar school te rijden van haar over te nemen. Wendy was overstuur en weigerde naar school te gaan. Ze was ervan overtuigd dat haar vader was vermoord.

Een agent kwam naar het huis, keek naar de auto en het bloed en liep dezelfde route door de tuin, de garage en het huis.

'Papa is dood, toch?' zei Wendy huilend. Ze sloeg haar armen stevig rond Sara's middel. 'Hij is ontvoerd en vermoord! En nu is hij dood.'

'Nee, liefje,' zei Sara. Ze wilde zeggen dat die dingen alleen op televisie gebeurden, maar kon het niet. Wendy had een vermoorde vrouw gevonden. De vader van haar beste vriend zat in de gevangenis in afwachting van zijn proces. Een van haar klasgenootjes had een ander kind aangevallen en neergestoken.

'Ik weet zeker dat er een logische verklaring is,' zei Sara. 'Ik bel naar kantoor. Misschien weet Don waar papa is.'

Terwijl de agent in zijn auto in zijn mobilofoon praatte, belde Sara Don Quinn om te vragen of hij iets van Steve had gehoord.

Dat had hij inderdaad. Steve had ervoor gekozen om zijn enige telefoontje vanuit de gevangenis te gebruiken om zijn partner te bellen. Don vertelde dat Steve was gearresteerd voor het mishandelen van een rechercheur.

'Is het niet bij je opgekomen mij te bellen om me te vertellen wat er aan de hand is?' vroeg Sara.

'Steve heeft me gevraagd dat niet te doen.'

'En dat vond jij geen probleem?' De toon en het volume van haar stem gingen tegelijkertijd met haar bloeddruk omhoog. 'Ik was gek van bezorgdheid. Wendy was zo van streek dat ze er misselijk van was. Maar jij vindt dat kunnen?'

'Ik weet niet wat ik moet zeggen, Sara. Ik dacht dat Steve je zelf zou bellen.'

'Dat dacht je niet,' zei ze verbitterd. 'Je dacht niet aan Wendy of aan mij. Net als Steve niet aan Wendy of mij dacht. Wat mij betreft kunnen jullie allebei doodvallen!'

Ze smeet de hoorn op de haak en barstte in huilen uit. Wendy rende de kamer uit naar boven.

Dat was het, realiseerde Sara zich terwijl de tranen langzaam opdroogden. De druppel die de emmer deed overlopen. Ze was er klaar mee.

Ze depte haar ogen en liep naar buiten terwijl de agent met een ongemakkelijke uitdrukking op zijn gezicht het tuinpad op kwam lopen.

Sara stak haar hand op. 'Ik weet het. Ik heb net met de partner van mijn man gesproken.'

'Het spijt me, mevrouw,' zei de agent.

'Het hoeft u niet te spijten. Bedankt voor uw tijd.'

De adrenaline, en daarmee haar energie, verdween terwijl ze terugliep naar het huis. Toen ze de trap op liep om naar haar dochters kamer te gaan had ze het gevoel dat ze tachtig was.

Wendy stopte haar poppen in een vuilniszak. De tranen stroomden over haar gezicht.

'Liefje, wat ben je aan het doen?'

Wendy keek niet op. 'Ik geef ze weg.'

'Waarom?'

'Omdat ze stom zijn,' zei ze boos. 'Ik ben te oud om met stom speelgoed voor kleine kinderen te spelen.'

Sara voelde haar hart opnieuw breken. Wendy gooide haar jeugd weg. Ze was gekwetst en boos. Niemand leek rekening te houden met haar gevoelens, de gevoelens van een kind. Misschien als ze stopte met kind zijn...

'Niet doen,' zei Sara zachtjes.

Ze knielde naast haar dochter en pakte voorzichtig een babypop uit haar hand. Ze herinnerde zich de Kerstmis waarop Steve en zij die pop aan Wendy hadden gegeven. Ze was vijf jaar geweest en had waterpokken gehad. Sara had rode stippen op het lijfje van de pop getekend zodat Wendy zich niet zo alleen zou voelen, nu ze zonder haar neefjes en nichtjes Kerstmis moest vieren en alle pret miste. Zij en haar nieuwe baby hadden samen waterpokken. Steve had dokter gespeeld en Sara verpleegster, en ze hadden het zo prettig mogelijk gemaakt voor hun kind. Ze waren een heerlijk gezin geweest met z'n drieën.

Ze keek naar Wendy en raakte haar gezicht aan. 'Weet je dat ik heel veel van je hou?' zei ze.

Ze hielden elkaar een hele tijd huilend vast en lieten de emoties los die ze allebei te lang hadden opgekropt. Toen ze weer enigszins gekalmeerd waren, pakte Sara de hand van haar dochter en nam haar mee naar de vensterbank.

'We moeten praten,' zei ze.

'Papa en jij gaan scheiden,' zei Wendy mat.

'Het spijt me zo, meisje,' zei Sara. 'Ik heb dit nooit gewild.'

Wendy leunde tegen haar aan terwijl ze op de vensterbank zaten, met haar hoofd op Sara's schouder. 'Ik wilde dat het kon zijn zoals het vroeger was.'

'Ik ook,' fluisterde Sara. Ze streelde haar dochters haar. 'Dat wil ik ook. Ik zou er alles voor overhebben. Maar dat gaat niet gebeuren, en op deze manier kunnen we niet doorgaan. Dat is voor niemand goed.'

'Het is zo oneerlijk!' riep Wendy. 'Papa en jij zouden voor altijd van elkaar houden!'

'Ik weet het,' zei Sara terwijl het schuldgevoel en het verdriet zwaar op haar drukten. 'Zo zou het moeten zijn.'

'Ik snap niet waarom papa niet gelukkig kan zijn met ons. Jij bent mooi en slim, en... en... ik... p-probeer g-goed te zijn...'

Sara hield haar dochter stevig vast. 'Het is jouw schuld niet, liefje. Je hebt niets verkeerd gedaan. Ik weet niet waarom papa niet gelukkig is.'

Ze had zichzelf die vraag zo vaak gesteld, en had er nooit een antwoord op gevonden. Ze gaf zichzelf de schuld. Steve had haar de schuld gegeven. Volgens hem was ze te jaloers en vertrouwde ze hem niet. Maar hij had bewezen dat ze hem niet kon vertrouwen. En hoe kon ze niet jaloers zijn als haar man het grootste deel van zijn tijd met andere vrouwen doorbracht, als vrijwilliger voor het vrouwencentrum of in bed met een minnares.

Ze had zoveel nachten slapeloos naar het plafond gestaard terwijl ze zich afvroeg wat er aan haar ontbrak. Ze had het hem zelfs rond-uit gevraagd. Hij had geen antwoord gegeven.

'Je hebt niets verkeerd gedaan,' zei ze, niet zeker of ze tegen zich-zelf of tegen Wendy praatte. 'Papa houdt van je, liefje. Dat weet je. Wat er ook gebeurt tussen papa en mij, je moet weten dat we allebei heel veel van je houden.'

'Waarom is hij dan niet hier?' vroeg Wendy.

Ze was een slim meisje, te slim soms. Te oplettend, te treffend in haar beoordelingen van situaties. Ze was zoveel oplettender en we-reldwijzer dan Sara op die leeftijd was geweest.

Ze sliep nu, dat hoopte Sara tenminste nu ze op de bank zat te wachten tot Steve thuiskwam. Ze nam tenminste aan dat hij dat zou doen omdat zijn Trans Am nog steeds op de oprit geparkeerd stond met zijn golfclubs in de kofferbak.

Hij had niet de moeite genomen om haar te bellen. Niemand had de moeite genomen om contact met haar op te nemen. Er had niemand van het politiebureau gebeld, Mendez had niet gebeld. Sara had uiteindelijk geprobeerd hem te bellen, maar kon alleen een boodschap achterlaten. Ze wilde een verklaring van iemand. Wat was er gebeurd? Waarom was Steve zo gewelddadig geworden dat hij iemand had geslagen? Had hij een reden gehad? Was hij gewoon ontploft? Moest ze bang zijn?

Ze wist niet meer wie Steve was. Hij was de afgelopen anderhalf jaar zo teruggetrokken geweest, zo boos, en ze begreep niet waarom. Hij had een goed leven en een succesvolle carrière. Had hij zich zo geërgerd aan haar en hun huwelijk dat hij daarom was veranderd in een chagrijnige, verbitterde – en nu gewelddadige – man?

Had hij van Lisa Warwick gehouden? Had hij zoveel van haar gehouden dat hij door de moord op haar, die meer dan een jaar geleden had plaatsgevonden, in deze neerwaartse spiraal was gekomen?

Of werd het door iets veroorzaakt wat duisterder was?

Hij had zijn relatie met Lisa nooit toegegeven, maar Sara twijfelde er geen moment aan dat hij daarna een andere verhouding had gehad. Waarschijnlijk meer dan een. Misschien met Marissa. Het idee had aan Sara gevreten en had haar zelfvertrouwen ondermijnd.

Lisa Warwick was dood. Marissa was dood. Haar man had een rechercheur aangevallen. Haar hart sloeg op hol. Ze hoorde de stemmen van Mendez en van de lokale nieuwslezer.

'*Mevrouw Fordham is vermoord.*'

'*Meerdere steekwonden... een bijna-onthoofding... seksuele verminking...*'

Ze voelde zich misselijk, zwak en stuurloos.

Het licht van twee koplampen verlichtte hun oprit. Ze hoorde portieren open- en dichtgaan, en daarna mannenstemmen. Even later reed de auto achteruit de oprit af en verdween.

Sara knipte de lamp naast haar aan terwijl de voordeur openging en Steve binnenkwam. Hij keek de zitkamer in en daarna naar de koffer die onder aan de trap stond.

'Is die van jou of van mij?' vroeg hij.

Hij zag eruit alsof hij was aangereden door een vrachtwagen. Zijn neus, die paars en gezwollen was, leek met plakband op zijn gezicht vastgeplakt. Zijn ogen waren zwart, en zijn linkeroog was zo gezwollen dat het bijna dicht zat. Hij had in de gevangenis gezeten omdat hij een rechercheur had geslagen, maar het was duidelijk dat de rechercheur teruggeslagen had.

Sara dacht aan Mendez en zijn nauwelijks verborgen woede op Steve.

'Je slaapt hier toch nooit,' zei ze. 'Je kunt net zo goed schone kleren meenemen, waar je ook naartoe gaat.'

'O mijn god, Steve,' zei hij sarcastisch terwijl hij deed alsof hij geschokt was. 'Wat is er met je gezicht gebeurd?'

'Alsjeblieft,' zei Sara. Ze stond op van de bank en sloeg haar armen over elkaar. 'Je hoeft van mij geen sympathie te verwachten. Je hebt niet eens de moeite genomen me te bellen om te vertellen waarom er bloed op de oprit ligt, en dan moet ik medelijden met je hebben? Wendy dacht dat je vermoord was. Ze was misselijk van paniek.'

'Maar jij niet.'

'Kom uit de gang,' zei ze. 'Je bent boven te horen. Je dochter slaapt.'

Hij liep de zitkamer in en ze kon zien hoe hij zichzelf schrap zette zoals hij dat in de rechtbank ook altijd deed.

'Dacht je dat ik dood was?' vroeg hij. 'Was jij misselijk van bezorgdheid?'

'Ja, ik was bezorgd,' gaf ze toe. 'Ik wist niet wat ik ervan moest denken. Ik weet niet meer wie je bent. Je bent mijn man niet. Je bent niet de man met wie ik getrouwd ben. Je bent niet de man op wie ik verliefd ben geworden. Wie ben je? Ik begrijp niet wat er met je aan de hand is, Steve. Ik snap het niet.'

'Dat heb je nooit gedaan,' zei hij met een zweem van dramatische verbittering in zijn stem die Sara nog bozer maakte. Hij zou zijn talent voor drama gebruiken om te proberen haar een schuldgevoel te geven, om te doen alsof hij degene was die gekwetst was.

'Wat wil je daarmee zeggen?' vroeg ze. 'Gaan we weer over je tragische, verschrikkelijke jeugd beginnen? Ik vertel je al veertien jaar dat je een fantastisch mens bent omdat je, ondanks wat je hebt meegemaakt, de man bent geworden die je bent – of in elk geval was. Het is genoeg, Steve. Je bent volwassen. Stop ermee de sympathiekaart uit te spelen. Stop ermee je moeders ellende te gebruiken. Die is inmiddels verjaard.'

'Dat kun jij gemakkelijk zeggen,' mompelde hij. 'Mevrouw Perfect Gezin.'

'Ik ga me niet verontschuldigen omdat mijn moeder geen drugs spoot,' zei Sara. 'Het is niet mijn schuld dat je een ellendige jeugd hebt gehad. Je wilde mijn perfecte gezin, weet je nog? Je bent met mijn perfecte gezin getrouwd. We hadden ons eigen perfecte gezin. Nu ben jij degene die dat kapotmaakt.'

'Je bent altijd jaloers geweest omdat ik zoveel tijd aan het Thomas Centrum besteed.'

'Begin daar niet over,' waarschuwde ze hem. 'Dat accepteer ik niet meer. Ik ben de slechterik niet. Jij wilde vrijwilliger zijn? Dat is fantastisch. Je bent een humanist. Maar doe dat niet ten koste van je gezin. Doe het niet ten koste van je dochter of van mij. Het huwelijk hoort een samenwerkingsverband te zijn. Je bent trouwer aan Don.'

'Dat is niet waar.'

'Echt niet?' zei ze terwijl ze net deed alsof ze verbaasd was. 'Wie heb je vanochtend gebeld?'

'Hij is mijn advocaat.'

'En heb je hem gevraagd om je vrouw te bellen om uit te leggen waarom er bloed op de oprit ligt en jij vermist bent?'

'Misschien schaamde ik me.'

'Misschien kon het je niets schelen,' zei ze. 'Ik weet niet meer aan wie je denkt, Steve, maar je denkt zeker niet aan mij en ook niet aan Wendy.'

'Ik hou van Wendy,' zei hij fel terwijl hij een agressieve stap in haar richting deed.

Het sneed als een mes door Sara heen dat hij haar niet noemde. Ze had geen illusies meer over hun relatie, maar toch deed het pijn.

'Waarom doe je die dingen dan, Steve?' vroeg ze. 'Wendy is niet dom. Ze weet het als je 's nachts niet bent thuisgekomen. Ze weet wat dat betekent. Een elfjarig meisje mag haar moeder niet vertellen dat ze alles weet over verhoudingen en vragen waarom haar vader dat doet.'

'Ik weet zeker dat je niet geprobeerd hebt haar op andere gedachten te brengen,' snauwde hij.

'Waarom zou ik? Moet ik voor je liegen? Is het de bedoeling dat ik voor jou lieg en in de ogen van mijn dochter een idioot lijk? Ik ben niet achterlijk. Denk je dat ik niet weet dat je afgelopen weekend niet in Sacramento was? Dacht je dat ik dat niet zou controleren na wat je me de afgelopen anderhalf jaar keer op keer hebt aangedaan?'

'Waar denk je dan dat ik was?' vroeg hij uitdagend.

Sara weigerde te happen en gaf voorzichtig antwoord. 'Ik weet niet waar je was.'

'Zeg maar, waar denk je dat ik was?' vroeg hij spottend. Hij liep voor haar heen en weer, als een haai die in een bassin zwemt. 'Denk je dat ik bij Marissa was?'

Sara zei niets, maar ze merkte dat ze een stap naar achteren deed.

'Je denkt dat ik een verhouding met haar had, nietwaar?' zei hij. 'Daarom had je plotseling zoveel belangstelling voor haar, wilde je bevriend met haar zijn, wilde je met haar omgaan. Dacht je dat ze het zou vertellen? Dacht je dat ze je op een dag aan zou kijken en zou zeggen: O, trouwens Sara, ik neuk met je man?'

'Hou op,' zei ze met een stem die trilde van boosheid en iets wat ze geen angst wilde noemen. Hij bleef ijsberen, heen en weer, heen en weer, terwijl hij met elke draai dichter bij haar kwam. Ze deed nog een stap naar achteren in de richting van de vaste boekenkast achter haar. Met zijn mishandelde gezicht zag hij er afschrikwekkend en agressief uit.

'Dat denk je,' zei hij. 'Net als je dacht dat ik een verhouding met Lisa Warwick had. Waarom wil je het niet horen?'

Ze gaf geen antwoord. Ze wilde dat het gesprek voorbij was en dat hij vertrok.

'Toe dan, Sara,' drong hij aan terwijl hij naar haar toe liep. Ze probeerde nog een stap naar achteren te doen, maar had geen ruimte meer. Er flitste voldoening in zijn ogen.

'Denk je dat ik bij Marissa was?' vroeg hij kalm. 'Denk je dat ik haar zevenenveertig keer heb gestoken en haar keel heb doorgesneden?'

'Hou op!' zei ze opnieuw, starend naar zijn gezicht dat ze niet meer herkende. Deze man was een vreemde voor haar. Ze wist niet waartoe hij in staat was.

'Waarom?' vroeg hij, genietend van haar angst. 'Maak ik je bang? Denk je echt dat ik tot zoiets in staat ben?'

Sara deed een stap opzij om bij hem weg te komen. Hij greep haar arm hardhandig vast en schreeuwde vlak voor haar gezicht.

'Geef antwoord! Geef antwoord! Denk je dat ik een moordenaar ben?! Nou?!'

'Stop! Stop!' schreeuwde Wendy.

Geschrokken deed Steve een stap naar achteren terwijl Wendy op hem afvloog en hem met twee vuisten sloeg.

'Stop! Stop! Ik haat je! Ik haat je!'

'Wendy!' Steve pakte haar vast en ze schopte hem en spartelde en kronkelde.

'Laat me gaan! Ik haat je!'

'Zeg dat niet!'

Hij ging op een knie zitten en probeerde haar tegen zich aan te trekken. Ze draaide opzij om hem te ontwijken en stootte met haar elleboog tegen de brug van zijn gebroken neus.

Steve viel opzij en kwam overeind op zijn knieën, zijn handen voor zijn gezicht. Het bloed stroomde uit zijn neus en druppelde tussen zijn vingers op het tapijt.

Sara sloeg haar armen om Wendy heen toen ze zich snikkend tegen haar aan liet vallen.

'Kijk goed wat je hebt gedaan,' zei Sara terwijl de man die haar echtgenoot was geweest met tranen in zijn ogen naar haar opkeek. 'Kijk wat je ons hebt aangedaan. Ga weg. Verdwijn voordat ik de politie bel.'

En dat was het eind van het sprookje.

54

Het inktachtige zwart van de nacht verbleekte naar donkergrijs. Het regende nog steeds.

Zelfs onder haar vuilniszak was Gina nat en koud tot op het bot. Ze was de hele nacht rillend weggezakt, maar telkens als ze in een diepe slaap begon te vallen, schreeuwde Marissa's stem haar wakker.

Blijf wakker, blijf in leven!

Gina hield het lange stuk afgedankt hout vast om te meppen naar de ratten en muizen die haar bloed en angst roken en steeds dichterbij kwamen. In het holst van de nacht was ze een blinde vrouw met een witte stok, die om zich heen tastte terwijl het gevaar net buiten haar bereik bleef.

Ze had de hele nacht telkens weer bedacht dat dit niet echt gebeurde. Marissa kon niet dood zijn. En zij kon niet aangevallen zijn door iemand die ze als een vriend had beschouwd. Ja, ze had een dreigement geuit, maar dat zou ze nooit uitgevoerd hebben. Ze was buiten zichzelf van paniek geweest. Een echte vriend had dat geweten. Een echte vriend had niet op haar geschoten, om haar daarna voor dood achter te laten omdat ze iets stoms had gezegd.

Ze was zo moe. Ze wist dat ze het gevaar liep aan onderkoeling te sterven. Haar lichaam had niet voldoende energie om haar warm te houden en de koude regen maakte het er niet beter op. Uitdroging maakte haar situatie nog ernstiger.

Haar lichaam had brandstof nodig. Ze had al een dag of drie niet gegeten. Toen er voldoende licht in de schacht viel, zocht ze naar iets eetbaars tussen het afval dat uit de zak die ze droeg was gevallen, iets wat niet beschimmeld of rot was.

Met behulp van de stok trok ze een gekreukte chipszak naar zich toe, waarin nog een paar chips en wat kruimels zaten. Ze waren muf en week, maar bevatten calorieën, en het zout smaakte goed. Ze bedankte in gedachten de onbekende tieners die op deze verlaten plek hadden gefeest.

Het uur daarna werd Gina handiger met de stok. Ze haalde een Snickers-wikkel met een stukje reep naar zich toe en een McDonald's-

zak met wat overgebleven patatjes, een zakje ketchup en een uitgedroogd half broodje van een niet helemaal opgegeten hamburger. Ze
at het allemaal op en bad dat het in haar maag bleef.

Als ik genoeg kracht heb...

Je moet, Gina. Het lukt je.

Als ik op kan staan...

Sta op! Denk er niet over na. Sta op!

Dat probeer ik!

Nee, dat doe je niet!

Hou je kop!

'Hou je kop!'

Ze schrok van het geluid van haar eigen stem, waardoor ze zich
realiseerde dat ze weer in slaap was gevallen. Ze maakte zich er geen
zorgen meer over dat ze hallucineerde. Hoe angstaanjagend de reden
voor die hallucinaties ook was, het was beter om gezelschap te hebben, ook al bestond de stem alleen in haar hersenen.

Het zout van het junkvoedsel had haar dorstig gemaakt. Ze vond
een waterfles met anderhalve centimeter smerig water op de bodem.
Met behulp van haar T-shirt over de opening van de fles filterde ze
het water voordat het in haar mond terechtkwam. Ze vertrok haar
gezicht toen ze het proefde en vocht om niet te kokhalzen.

Een rat holde over haar voeten en verdween in de lege McDonald's-
zak. Alleen zijn lange staart stak eruit. Gina gilde en trok haar been
op, waardoor de pijn van haar gebroken enkel in haar explodeerde.
Ze zwaaide met haar stok naar de McDonald's-zak en de rat piepte
en rende achterwaarts de zak uit, sprong op de dikke tak die langs de
muur groeide en verdween in de scheur waar het beton afgebrokkeld
was.

Gina vloekte en schreeuwde, om de rat en haar hachelijke situatie.
Maar ze realiseerde zich al snel dat de rat haar een gunst had bewezen. De adrenaline die door haar aderen stroomde gaf haar energie
en verdoofde de pijn.

Ze keek naar de ijzeren ringen in de wand. Het was de enige mogelijkheid om uit de put te komen. Daarna keek ze naar de luiken
boven haar. Het was beslist meer dan zeven meter. Dat leek niet veel
als de afstand horizontaal was, maar de afstand was verticaal en
meer dan drie keer de hoogte van een gemiddelde ladder.

Gina kon één arm en één been gebruiken. Haar linkerarm hing
nutteloos langs haar zij. Haar rechterenkel was zo ernstig gebroken
dat haar voet haaks op het scheenbeen stond.

Je moet het doen, Gina.

Ik weet het.

Je moet het nu doen.

Ik weet het. Ik weet het! Ik wéét het!

Word kwaad.

Ik bén kwaad!

Om te bewijzen dat ze gelijk had, gooide Gina haar bovenlichaam naar rechts, kreeg een van de ringen te pakken en trok zo hard als ze kon, terwijl de kreet van woede en pijn en frustratie haar keel rauw maakte.

Haar lichaam bewoog een paar centimeter. Ze voelde zich opnieuw wegzakken. Ze haalde diep adem, waardoor haar linkerschouder en ribben brandden, en trok opnieuw zo hard als ze kon aan de ring. Ze zwaaide haar linkerbeen opzij en zette zich met de teen van haar voet af tegen de muur, zodat ze nog een paar centimeter dichter naar de ladder schoof.

Ze had zich ruim een halve meter verplaatst. Uitgeput liet ze de roestige ijzeren ring los en ze liet zich tegen de smerige wand vallen, waarbij ze haar hoofd tegen de ring eronder stootte.

Ze zweette en voelde zich zwak. Over haar hele lichaam zorgden kleine, onregelmatige elektrische schokken ervoor dat haar spieren vibreerden.

Ze moest nog zevenenhalve meter afleggen. Recht omhoog.

55

Mendez stond met zijn handen op zijn heupen midden op de weg naar de slipsporen te staren. Het regende voldoende om een mistroostige sfeer te creëren, hoewel de storm van de afgelopen nacht de ergste regenwolken had weggeblazen.

'Het lijkt erop dat het maar één auto was,' zei Vince. 'Het is een vrij duidelijk slipspoor.'

'Ze heeft absoluut een ongeluk gehad,' zei Mendez. 'Dat betwijfelt niemand. De vraag is alleen waarom.'

'Waar is de auto?'

Milo Bordains auto was weggesleept, maar het was nog duidelijk zichtbaar waar deze in de greppel was gezakt.

Mendez keek hem met een spottende blik aan.

'Ik weet zeker dat mevrouw Bordain hem heeft laten weghalen voordat een of andere Mexicaan hem kon stelen.'

'Met uitzondering van mijn huidige gezelschap weet ik niet wie haar kwaad zou willen doen,' grapte Vince.

'Dat is het nu juist. Ze is natuurlijk irritant, maar dat is geen reden voor moord... of voor het met de post sturen van verminkte lichaamsdelen. Ze heeft gisteravond met haar man en zoon in restaurant Barron gegeten. Ze heeft een paar glazen wijn gedronken.'

'Heeft ze een blaastest gedaan?'

'Nee. Volgens de agent die het eerst ter plekke was weigerde ze die.'

'Is er bloed afgenomen in het ziekenhuis?'

'Ik weet het niet,' zei Mendez. 'Ze wil alleen met Cal praten. Hij mag haar hebben. Maar hij heeft gisteravond niets gezegd over het percentage alcohol in haar bloed.'

'Maar goed, we weten dat ze alcohol gedronken heeft,' zei Vince.

'Een beetje. Voor zover ik dat kon beoordelen, leek ze nuchter. Ze praatte niet met een dubbele tong. Haar ogen stonden niet glazig. Ze was behoorlijk van streek, en absoluut duidelijk over wat er gebeurd was.'

'En de zoon?' vroeg Vince.

'Kwam als een goede zoon naar de spoedeisende hulp. Hij gedroeg zich niet alsof hij even daarvoor had geprobeerd zijn moeder van de weg te rijden,' zei Mendez. 'Hij komt vandaag naar het bureau voor een gesprek met betrekking tot Marissa en Gina.'

'Dat wil ik graag zien.'

Vince bekeek het met bomen afgezette stuk weg. Er waren geen huizen in de buurt. Aan de ene kant van de weg stonden citroenbomen. Aan de andere kant van de weg graasde ruigharig rood vee met grote horens langs de oever van een aangelegd meertje.

'Dat is het land van de Bordains,' zei Mendez. 'Ze heeft ons verteld dat ze exotisch vee fokt.'

'Die grond moet een fortuin waard zijn,' merkte Vince op. 'Als je bedenkt hoe snel Oak Knoll groeit, zal hier binnen de komende tien jaar gebouwd worden.'

'Bruce Bordain heeft zijn geld verdiend met parkeerterreinen en winkelcentra, de man is een echte onroerendgoedmagnaat,' zei Mendez. 'Als er geld verdiend kan worden, staat hij vooraan.'

'En als zijn vrouw haar barbie-droomhoeve niet op wil geven?'

'Niemand vermoordt een vrouw alleen om haar borsten af te snijden en ze naar een andere vrouw te sturen om haar bang te maken,' zei Mendez.

'Nee,' beaamde Vince. 'Er zit veel meer achter. De moordenaar van Marissa had het op haar voorzien. Punt uit. Die moord ging helemaal over haar. Deze andere zaak... Ik weet het niet.' Hij keek op zijn horloge. 'Laten we gaan. Ik wil checken of alles goed is met Zahn.'

Hij trok zijn schouders op terwijl ze terugliepen naar de auto. De regen liep van de rand van zijn hoed. Wie ooit had gezegd dat het nooit regende in Zuid-Californië had gelogen. Het regende, het goot, en het was verdomd koud als de stormen vanaf de Stille Oceaan het land binnentrokken.

'Ik ben de halve nacht op geweest om over dissociatieve stoornissen te lezen,' zei Vince toen ze weer in de auto zaten. 'Het is niet verrassend dat er een overlapping is met een posttraumatische stressstoornis. Ik wil zeker weten dat het ophalen van de herinneringen aan de moord op zijn moeder geen langdurige breuk met de werkelijkheid bij Zahn heeft veroorzaakt.'

'Je wist niet dat dit zou gebeuren, Vince,' zei Mendez. 'Je hebt zelf gezegd dat een echte dissociatieve toestand zeldzaam is.'

'Ik weet het, maar toch voel ik me verantwoordelijk,' bekende hij. 'Ik wist dat hij kwetsbaar is.'

'Nasser was bij hem toen je gisteren wegging.'

'Ja, ik weet het.'

Ik weet het, maar... dacht Vince. Hij was niet in staat geweest om het sluimerende schuldgevoel van zich af te schudden. Hij had het slot geforceerd van de kleine, donkere doos in Zander Zahns brein die de herinneringen bevatte van wat er met zijn moeder was gebeurd... Wat hij zijn moeder had aangedaan. Stel dat het Zahn niet zou lukken die doos weer te sluiten? Aan de andere kant was Marissa misschien degene geweest die de doos onopzettelijk had geopend en daar een gruwelijke prijs voor had betaald.

'Bovendien is Zahn zelf begonnen over de moord op zijn moeder,' zei Mendez terwijl hij de motor startte. 'Hij kan er niet zo gevoelig over zijn.'

'Het is één ding om de woorden "ik heb mijn moeder vermoord" te zeggen, maar iets heel anders om die herinneringen in technicolor voor je te zien,' zei Vince.

Rudy Nasser wachtte op hen bij Zahns poort. Hij was orkaanbestendig gekleed in een zwart regenjack met de capuchon over zijn hoofd getrokken.

'Hoe ging het met hem nadat ik gisteren was vertrokken?' vroeg Vince terwijl ze over het smalle grindpad naar het huis liepen.

'Hij leek in orde.'

'Was hij niet opgewonden?'

'Nee, waarom?' Nasser keek hem wantrouwend aan. 'Wat is er gebeurd?'

'Ik heb met hem over zijn moeder gepraat.'

'Hij heeft haar toch niet echt vermoord?'

'Hij heeft er geen strafblad voor,' zei Vince ontwijkend. Het was niet zijn taak om Zander Zahns verhaal te vertellen. Als Zahn wilde dat Nasser het wist, moest hij dat zelf doen.

'Het gesprek heeft nare herinneringen bij hem naar boven gebracht,' zei hij. 'Ik vind het niet prettig dat hij van streek was.'

Nasser drukte op de zoemer bij Zahns deur. 'Je bent niet gewend om met hem om te gaan. De meeste mensen vinden het lastig om een gesprek met hem te voeren. Zijn hersenen werken volgens andere regels.'

Hij drukte opnieuw op de zoemer, fronste zijn voorhoofd en trok de mouw van zijn regenjack omhoog om op zijn horloge te kijken.

'Misschien slaapt hij,' suggereerde Vince.

Nasser schudde zijn hoofd. 'Hij hecht extreem aan gewoontes. Hij staat elke dag om drie uur 's ochtends op om te mediteren.'

En daarna wandelde hij over de heuvels naar Marissa Fordhams huis, herinnerde Vince zich. Elke dag.

'Hij mediteert en daarna gaat hij wandelen,' zei Nasser. 'Hij zou nu terug moeten zijn.'

'Wandelt hij ook als het regent?' vroeg Mendez.

'De wandeling is een ritueel,' legde Nasser uit. 'Regen of zonneschijn maakt daarvoor niet uit.'

'Je hebt een sleutel,' zei Vince gespannen. 'Gebruik hem.'

Nasser liet hen binnen en riep Zander Zahn. Het bleef stil in huis. Nasser riep opnieuw.

De stilte drukte op Vinces trommelvliezen.

'Waar is zijn slaapkamer?' vroeg hij.

'Boven aan de trap links.'

Ze liepen de trap op, die smal was door de dertig centimeter hoge stapels *National Geographic*-tijdschriften. Nasser klopte op Zahns gesloten slaapkamerdeur.

'Zander? Ik ben het, Rudy.'

Zelfs de lucht bewoog niet.

Vince duwde de deurkruk naar beneden en opende de deur.

In tegenstelling tot de rest van het huis was Zahns slaapkamer bijna leeg. Het leek erop dat hij de kleinste slaapkamer voor zichzelf had gekozen. Het meubilair bestond uit een netjes opgemaakt bed, een dressoir waarop niets stond, een nachtkastje met een lamp en een stoel. Drie muren waren leeg. Aan de vierde hing een enorme collage met foto's en krantenknipsels van Marissa en Haley Fordham.

Er waren foto's van Haley als baby, met onwaarschijnlijk grote bruine ogen en een mond als een rozenknop; Marissa en Gina tijdens een picknick; Haley op het strand; Haley die Zahn een bloem gaf en Zahn die niet goed leek te weten hoe hij op dat spontane gebaar moest reageren.

Vince had in zijn tijd bij de FBI meerdere schrijnen gezien, die waren gemaakt door seksueel geobsedeerde stalkers. Zahns fotocollectie was dat niet. Marissa en Haley waren zijn geadopteerde gezin geweest. Er was niets seksueels of onheilspellends aan.

Hij liep de kleine, smetteloze badkamer in, maar vond Zander Zahn niet hangend aan de douchegordijnstang.

De drie mannen gingen elk in een ander deel van het huis op zoek naar de eigenaar.

'Hij is er niet,' zei Mendez toen ze elkaar weer zagen in de hal. 'Maar er is iets wat je moet zien.'

Hij liep voor Vince uit via een gang die vol stond met kapstokken naar een kamer aan de achterkant van het huis. De kamer stond vol kasten en tafels, en elke beschikbare centimeter ruimte in de kasten en op de tafels werd in beslag genomen door menselijke protheses.

Er waren armen met haken in plaats van handen, armen met plastic handen; hele benen, onderbenen; handen, voeten en vrouwenborsten.

Eén hele boekenkast was gevuld met alle maten protheseborsten voor vrouwen.

'Probeer me te vertellen dat dit niet griezelig is,' zei Mendez.

Vince keek in de kamer rond naar alle lichaamsdelen terwijl hij zich afvroeg hoe Zahn eraan was gekomen en waarom hij zich gedwongen had gevoeld ze mee naar huis te nemen.

'Probeer het van de zonnige kant te zien, knul,' zei hij. 'Ze zijn in elk geval niet echt.'

56

'Hij heeft een auto, maar volgens Nasser rijdt hij daar bijna nooit in,' zei Mendez. 'De auto staat in de garage. Er was geen teken van Zahn in het huis.'

Ze zaten in de kantine en keken naar het beeldscherm, waarop te zien was hoe rechercheur Trammell Bob Copetti ondervroeg, een plaatselijke architect die van tijd tot tijd uitging met Marissa. Het geluid stond zacht. Copetti's alibi voor de avond van de moord op Marissa's was gecontroleerd.

'Heb je iets gevonden wat een misdrijf doet vermoeden?' vroeg Dixon.

'Nee.'

'Kan hij naar een vriend gegaan zijn?'

'Hij heeft geen vrienden.'

'Hij wandelt elke ochtend in de heuvels,' zei Vince terwijl hij een kop koffie voor zichzelf inschonk. 'Er kan onderweg iets met hem gebeurd zijn.'

'Het regende pijpenstelen,' merkte Dixon op.

'Elke dag, zonder uitzondering. Hij heeft een obsessief-compulsieve stoornis,' zei Vince. Hij deed een flinke scheut koffiemelk in zijn beker. 'Het is zorgelijk dat hij niet is waar hij zou moeten zijn.'

'Denk je dat hij Gina Kemmer ergens verstopt heeft?' vroeg Dixon.

'Dat lijkt me onwaarschijnlijk,' zei Vince terwijl hij tegenover de sheriff aan tafel ging zitten. 'Hij had een nauwe band met Marissa. Er bestaat een kans dat er iets in hem geknapt is en dat hij haar in een dissociatieve toestand heeft vermoord. Als Gina daarbij was, kan hij achter haar aan zijn gegaan, maar ik weet heel zeker dat hij dat op een later tijdstip niet zou doen. Als Zander Zahn de moordenaar is, dan was die moord spontaan en had die met de situatie te maken. Er is een heel grote kans dat hij zich de misdaad helemaal niet herinnert. Hij zou niet bewust op zoek gaan om nog een moord te plegen.'

'Ik weet niet goed waar je naartoe wilt, Vince.'

'Ik maak me zorgen over Zahns mentale toestand. Hij is gisteren over een grens gegaan. Nu wordt hij vermist. Ik sta er niet voor in dat hij zichzelf niets aandoet.'

'En daar voel jij je verantwoordelijk voor.'

'Ja, dat klopt,' gaf hij toe.

Dixon knikte. 'Als je denkt dat hij verdwaald is in de heuvels, kunnen we onze reddingsbrigade eropaf sturen.'

'Is de helikopter nog steeds op zoek naar Gina Kemmers auto?' vroeg Mendez.

'Ze stijgen op als het weer verbetert. Volgens de radar is dat rond het middaguur.'

'Is die helikopter uitgerust met een thermografische camera?' vroeg Vince.

Mendez had over thermografische technologie gelezen. Het leger had het al. Thermografische camera's toonden beelden van de infrarode straling die werd uitgestraald door alle voorwerpen, waardoor warmere voorwerpen – zoals mensen – afstaken tegen koelere achtergronden, zoals de grond. Voor de politie betekende het dat ze in staat zouden zijn om een mens op de grond te lokaliseren in omstandigheden waarin die persoon niet zichtbaar was voor het blote oog, zoals 's nachts bijvoorbeeld.

Dixon lachte bulderend. 'Heb je te veel gedronken? Je hebt te lang voor de FBI gewerkt.'

'Ik neem aan dat je daar "nee" mee bedoelt.'

'Het zou een enorme hap uit mijn jaarbudget zijn,' zei Dixon. 'Ik vind het al prachtig dat we een fax krijgen. Ik heb een reddingsbrigade met een Duitse herder. Dat is het beste wat ik kan bieden.'

Vince stak zijn handen berustend in de lucht. 'Ik begrijp het.'

De sheriff nam een slok koffie. 'Hoe gaat het met onze kleinste getuige?'

'De herinneringen zijn er,' zei Vince. 'Ze heeft nachtmerries, maar ze heeft geen namen genoemd. Ze praat over het gemene monster en de slechte papa. Slechte Papa zat mama achterna. Slechte Papa heeft mama pijn gedaan. Het probleem is dat ze aan iedere man die ze ziet vraagt of hij papa is. Omdat ze geen vaderfiguur in haar leven heeft, is ze gefascineerd door het idee.'

'Stel dat we een fotoserie samenstellen van de mannen met wie haar moeder uitging,' stelde Mendez voor. 'Misschien reageert ze op een daarvan.'

Dixon knikte. 'Het is absoluut een poging waard.'

'Dat vind ik ook,' zei Vince.

'Dan gaan we polaroidfoto's van de mannen nemen,' zei Mendez terwijl hij zijn koffiebeker in de afvalbak gooide.

Hamilton stak zijn hoofd om de deur en keek naar Dixon. 'Bruce Bordain is er.'

'Breng hem maar naar mijn kantoor.' Dixon stond op. 'Tony, jij gaat met me mee.'

'Moet ik erbij zijn als hij tegen je zegt dat je mij moet ontslaan?'

'Waarom zou ik alle leuke momenten voor mezelf houden?'

'Tony,' zei Vince, die nog een beker koffie inschonk. 'Heb je foto's in Gina Kemmers huis gevonden?'

'Ja. Ze liggen in een doos in de strategiekamer.'

'Fantastisch. Bedankt.'

'Ken je Bordain?' vroeg Mendez aan Dixon terwijl ze door de gang liepen.

'Jazeker. Hij is een fijne vent, een beetje een sjacheraar. Speel geen golf met hem, want hij speelt je blut.'

Ze liepen naar Dixons kantoor en de sheriff stak zijn hand uit naar een erg bruine, erg knappe, vrij kleine man met dunner wordend donker haar dat glad naar achteren was gekamd, in de stijl van Pat Riley, de coach van de LA Lakers. Bruce Bordain, de parkeerkoning van Californië.

'Bruce, fijn dat je gekomen bent.'

Bruce Bordain compenseerde wat hij aan fysieke lengte miste met charme. Het omgaf hem als een aura.

'Cal,' zei hij met een brede, witte glimlach. 'Hoe is het met je slice?'

'Nog net zo slecht als altijd. Ik ga met midgetgolf beginnen. Dan raak ik niet zoveel ballen kwijt,' zei Dixon terwijl hij op de rand van zijn bureau ging zitten. 'Bruce, dit is mijn belangrijkste rechercheur, Tony Mendez.'

'Tony.' Bordain schudde zijn hand stevig. 'Hoe is het met je? Neemt je baas je wel eens mee naar golfbaan?'

'Mij niet,' zei Mendez hoofdschuddend.

'Hij kan niet zo slecht spelen dat hij van me verliest,' grapte Dixon. 'Tony zit in ons softbalteam. Hij is een fantastische korte stop. Ga zitten.'

Bordain koos een van de stoelen voor het bureau. Mendez nam de andere. Ze gingen zitten alsof ze drie mannen waren die over sport praatten om de tijd te verdrijven. Het was moeilijk om je voor te stellen dat een man die zo ongedwongen en vriendelijk was als Bruce

Bordain was getrouwd met een vrouw die zo stijf en bekrompen was als Milo Bordain.

'Hoe was het vanochtend met je vrouw?' vroeg Dixon.

'Stijf, pijnlijke spieren, van streek,' zei Bordain. 'Ze is behoorlijk van slag door wat er gisteravond is gebeurd.'

'Dat is logisch. Maar goed dat ze in die Duitse tank reed.'

'Ze denkt dat je niet gelooft dat iemand haar van de weg probeerde te rijden.'

'Dat is het niet,' zei Dixon. 'Ik heb haar gisteravond uitgelegd dat we zonder informatie over de andere auto nu eenmaal niets kunnen doen.'

'Als de andere auto in contact was gekomen met haar auto hadden we in elk geval verfsporen gehad, en konden we op zoek gaan naar een auto met corresponderende schade,' zei Mendez. 'Ik ben vanochtend teruggegaan naar de plek van het ongeluk. We hebben zelfs geen slip- sporen van de tweede auto.'

'Misschien was de andere bestuurder gewoon geïrriteerd omdat ze op de rem ging staan,' zei Dixon, 'en heeft hij een ruk aan het stuur gegeven om haar bang te maken.'

'Tja, het heeft gewerkt,' zei Bordain. 'Er is veel voor nodig om mijn vrouw van streek te maken, maar ze heeft vannacht nauwelijks ge- slapen. Eerst die toestand met die doos – jezus, waarom doet iemand zoiets? – en nu dit ongeluk.'

'Hebt u geen reden om te denken dat iemand haar wil vermoor- den, meneer Bordain?' vroeg Mendez.

'Ik kan me niet voorstellen waarom iemand dat zou willen doen. Ik bedoel, Milo kan mensen behoorlijk tegen de haren in strijken, maar ze heeft een goed hart en ze is zeker niet betrokken bij gevaar- lijke zaken. Ze leeft voor haar goede doelen, maar die zijn niet con- troversieel.'

'En jij?' vroeg Dixon. 'Heeft iemand jou om een bepaalde reden bedreigd? Ben je bezig met bouwprojecten waar iemand tegen is?'

'Ik ben bezig met een groot project in Vegas,' zei Bordain. 'Maar geloof me, ik heb alle juiste mensen smeergeld gegeven. Bovendien, het is een parkeergarage. Niemand is tegen meer parkeerplekken. Het is niet zo dat ik kerncentrales bouw.'

'En hoe gaat het tussen jou en Milo?' vroeg Dixon.

Bordain trok zijn wenkbrauwen op. 'Je denkt toch niet dat ik zou proberen haar te vermoorden?'

'Nee. Ik dacht meer aan de mogelijkheid dat ze probeert je aan- dacht te trekken.'

'O. Nee.' Hij schudde zijn hoofd. 'Ben je getrouwd, Cal?'

'Gescheiden.'

'Tony?'

'Nee.'

'Milo en ik zijn zevenendertig jaar getrouwd,' zei Bordain. 'Na zoveel jaar is een goed huwelijk net een zakelijke overeenkomst. We hebben allebei onze sterke punten, we dragen allebei iets bij in de relatie en we lopen elkaar niet voor de voeten. Romantiek is voor ons een gepasseerd station. We zijn oude vrienden. Het loopt als een goed geoliede machine.'

'En denkt uw vrouw er ook zo over?' vroeg Mendez.

'Milo heeft alles wat ze wil. Ze is erg goed in het spelen van mevrouw Bruce Bordain. Ze maakt er een fulltime baan van. Ze wil niet dat ik haar elke dag voor de voeten loop.'

'Ik moet helaas een beetje tactloos worden, Bruce,' zei Dixon. 'Is er een andere vrouw in je leven die Milo graag ziet vertrekken?'

Bordain knipperde niet eens met zijn ogen bij de suggestie dat hij zijn vrouw bedroog. 'Nee. Ik heb geleerd ervoor te zorgen dat dat niet gebeurt. Betaal nu, niet later. Er zijn geen boze vrouwen in mijn leven.'

'Uw vrouw sponsorde Marissa Fordham op een bijzonder ruimhartige manier,' zei Mendez. 'Weet u of iemand daar bezwaar tegen had?'

'Ik kan me voorstellen dat er kunstenaars zijn die geen steun van Milo kregen en daar niet blij mee waren, maar ik ken ze niet.'

'Had jij er bezwaar tegen?' vroeg Dixon. 'Zestigduizend per jaar en een woning. Dat is veel geld.'

'Cal, ik heb meer geld dan ik ooit kan opmaken,' zei Bordain met een brede grijns. 'Wat kan mij het schelen als Milo een kunstenares voor zichzelf wil kopen? Geloof me, ze geeft per jaar meer geld uit aan kleding.'

'En uw zoon?' vroeg Mendez, die dacht aan Vinces theorie dat Darren Bordain problemen had gehad met zijn moeders band met Marissa Fordham. 'Wat vond hij van die relatie? Uw vrouw noemde Marissa de dochter die ze nooit heeft gehad.'

'Waarom zou dat Darren iets kunnen schelen? Ik weet zeker dat hij blij was met de afleiding die Milo daardoor had. Hoe meer tijd ze doorbracht met Marissa, des te minder tijd had ze om hem te verstikken.'

'Hoe goed kende u Marissa?' vroeg Mendez.

Bordain haalde zijn schouders op. 'Goed genoeg om een gesprek met haar te voeren. Het is absoluut verschrikkelijk wat er gebeurd is. Hebben jullie er enig idee van wie het heeft gedaan? Hebben we nog een Peter Crane rondlopen?'

'Dat denken we niet,' zei Dixon.

'En het kleine meisje? Heeft ze iets gezegd? Milo zegt dat jullie denken dat ze de moordenaar heeft gezien. Heeft ze iemand genoemd?'

'Nog niet,' zei Mendez. 'De vrouw die voor haar zorgt is kinderpsycholoog. Ze zal proberen de herinneringen op te halen.'

'Hoe oud is ze? Vier jaar?' zei Bordain. 'Hoe betrouwbaar kan ze zijn? Ze kan alles zeggen. Ze kan iemands naam noemen, alleen om een volwassene blij te maken dat ze de vraag heeft beantwoord.'

'Anne weet wat ze doet,' zei Dixon. 'Ze gaat er heel voorzichtig mee om. En natuurlijk wordt niemand alleen op de getuigenis van een kind veroordeeld. Er moet ondersteunend bewijs zijn.'

'En wat gebeurt er daarna met haar?'

'We proberen familieleden te traceren,' zei Mendez.

'Milo heeft het in haar hoofd gezet dat zij het kind zou moeten krijgen. Ze piekert er de hele tijd over.'

'Het meisje is het beste af op de plek waar ze op dit moment is,' zei Dixon.

'Denk je dat je kunt regelen dat Milo het meisje mag bezoeken, Cal?' vroeg Bordain. 'Ze is heel erg van streek over alles wat er is gebeurd. Het zou haar opvrolijken als ze het meisje kon zien. Haley is als een kleinkind voor Milo. Darren is in de nabije toekomst niet van plan zich vast te leggen.'

'Ik zal zien wat ik kan doen,' zei Dixon vrijblijvend.

'Het zou veel voor haar betekenen,' zei Bordain terwijl hij opstond. 'Het zou me iets waard zijn, bijvoorbeeld nieuwe apparatuur voor het politiebureau.'

Hij grijnsde als de Cheshire Cat.

'Ik zal erover nadenken,' zei Dixon.

'Laat het me maar weten.'

Hij gaf Dixon een hand en draaide zich daarna naar Mendez.

'Inspecteur Mendez. Denk na over dat golfen. Ik heb een permanente reservering in de Oaks-countryclub. Je moet maar eens komen.'

'Naar de Oaks,' zei Mendez toen Bordain door de gang wegliep. 'Als wat moet ik komen? Zijn caddy?'

'Ik weet zeker dat hij goed betaalt,' zei Dixon.

'Hij probeerde je daarnet om te kopen.'

'Ja, dat klopt.'

Mendez dacht er even over na. 'Denk je dat hij een thermografische camera zou willen geven?'

Dixon grinnikte en gebaarde naar de deur. 'Heb jij geen moord op te lossen?'

57

Je mag niet flauwvallen, Gina.

Ik weet het.

Als je flauwvalt, val je. Als je naar beneden valt, ga je dood in deze put.

Ik weet het, ik ben niet achterlijk.

Dat weet ik niet zo zeker.

Erg grappig. Mag ik je eraan herinneren dat je dood bent? Ik ben maar halfdood.

Hou je kop en klim. We kunnen niet allebei dood zijn. Jij moet leven. Je bent de enige die de waarheid kent, Gina. Je moet blijven leven om de waarheid te vertellen. Voor Haley.

Het spijt me dat ik het nog niet heb verteld. Het spijt me zo, Marissa. Ik was zo bang. Ik ben nog steeds heel bang.

Je moet nu dapper zijn, Gina. Voor mij. Voor Haley.

Gina likte aan haar gebarsten lippen en keek op. Ze vond het niet eens prettig om op een krukje te staan om bij de hoogste plank in haar keukenkasten te kunnen.

Ze nam de houten plank in haar linkerhand en pakte met haar rechterhand de roestige, ijzeren ring boven haar hoofd vast. Het was niet meer dan een stuk gebogen wapening die in de muur gemetseld was. Wie weet hoe lang deze put hier al was of hoe lang hij niet onderhouden was? Gina wist niet of de ringen haar gewicht zouden houden.

Ze haalde diep adem en trok, kreeg haar goede been onder zich en duwde zich rechtop. Kleuren spatten voor haar ogen uiteen terwijl zwart kant in haar blik kroop. Er waren geen woorden om de pijn te beschrijven. Ze probeerde er niet op te letten en hing met haar volle gewicht aan haar goede arm terwijl ze haar goede voet optilde en op de onderste ring van de ladder plaatste.

Ze had zichzelf vijftien centimeter van haar bed van afval getild. Haar spieren schokten. Haar maag draaide om door het slechte eten en slechte water. Ze moest hard vechten om bij bewustzijn te blijven.

Marissa schreeuwde weer tegen haar.

Goed zo, Gina! Nog een keer!

Ik ga vallen!

Nee, dat ga je niet. Je kunt het! Nog een keer!

Gina keek omhoog naar de volgende ring. Ze moest degene die ze vasthield loslaten om de volgende te kunnen pakken. Ze moest haar voet op de ene zetten en dan omhoog reiken om de volgende te pakken.

Ze bedacht wat een ongelooflijke mislukking ze was geweest tijdens de gymlessen. Marissa was atletisch genoeg geweest om langs het gehate touw dat aan het plafond van het gymlokaal hing omhoog te klimmen. Gina kon nauwelijks een trap op lopen zonder te struikelen.

Terwijl ze zich stevig vasthield, worstelde ze om haar been omhoog te krijgen. Ze hijgde, ademde in, hield de lucht binnen en duwde zichzelf omhoog terwijl ze naar de volgende ring reikte.

O mijn god, o mijn god, o mijn god.

Gina haakte haar arm door de ring en klemde zich vast. Haar bewustzijn verdween door de helse pijn. Als ze hier levend uitkwam, was het eerste wat ze ging doen een personal trainer inhuren.

Natuurlijk, ze zou berooid en dakloos zijn, maar als ze in haar auto leefde, kon ze het zich misschien veroorloven.

Marissa's lach vulde haar hoofd.

Je bent zo'n sukkel, Gina!

Ik maak jou in elk geval aan het lachen.

Je gaat het redden, Gina. Je gaat het redden, en je gaat trainen bij Lance van Ultimate Fitness.

Lekkere Lance met zijn wasbordbuik en strakke kontje?

En de doordringende blauwe ogen, en de strakke sportbroek.

Wordt hij verliefd op me en ik op hem?

Nee, maar hij neukt je helemaal gek!

Gina schrok van haar eigen lach.

Er viel helemaal niets te lachen. Ze moest nog zeven meter omhoog.

58

Er zaten jaren vriendschap in de doos die Mendez uit Gina's huis had gehaald. Jaren en jaren.

Vince verspreidde de inhoud van de doos op de tafel die tegen een muur van de strategiekamer stond. Hij had de dozen met de documenten over de Zie-Geen-Kwaad-moorden weggehaald en onder de tafel gezet. Eén misdaad tegelijk.

Gina's doos bevatte ingelijste foto's, fotoalbums en pakjes met foto's die nooit uit de envelop waren gehaald van de winkel waar ze waren ontwikkeld. Gina Kemmers hele leven gevat in rechthoeken van negen bij dertien en dertien bij negentien.

Vince bekeek ze en verdeelde ze zo goed mogelijk in categorieën: familie, school, vrienden, vakanties.

Gina kwam uit een leuk, op het oog normaal gezin. Haar vader had stekeltjeshaar. Haar moeder droeg een vlinderbril. Er waren drie kinderen: twee jongens en een meisje – de jongste. Ze woonden in een bruine hoeve-achtige woning in Reseda, volgens het sierlijke handschrift op de achterkant. *Reseda, september 1969.*

Ze vierden vakantie bij Big Bear en in Yellowstone. Gina was vereeuwigd met Minnie Mouse in Disneyland; Robbie, Dougie en haar vader bij een Dodgers-wedstrijd in 1972.

Fijne momenten die samengevoegd een leven vormden. Nog een Kerstmis, nog een Pasen, nog een Halloween.

Hij dacht aan zijn eigen familie, en hoeveel van dit soort foto's zijn dochters in dozen hadden. Foto's zonder hem. De vertrouwde, holle pijn vulde zijn borstkas. Hij maakte in zijn hoofd een aantekening om ze dit weekend te bellen. Ze waren op zondagavond altijd thuis.

Hij zou op de volgende serie familiefoto's staan. Hij en Anne en de kinderen die ze samen zouden krijgen. Hij dacht aan de vorige avond, toen hij met zijn armen rond Anne en Haley had gezeten.

Zander Zahn had waarschijnlijk geen foto's van zijn jeugd. Niemand zou herinneringen aan die pijnlijke, afschuwelijke tijd willen. Zander had zijn herinneringen opgesloten in zijn zonderlinge, in hokjes verdeelde brein. Hij omringde zich met voorwerpen in plaats van herinneringen. Tastbare voorwerpen die hij kon aanraken en vasthouden. Voorwerpen die hem nooit in de steek zouden laten. Vooral de kamer met menselijke protheses was veelzeggend: hij had geen compleet mens in zijn leven, alleen plastic onderdelen die hem niet konden kwetsen.

Vince haalde diep adem, zuchtte en wreef over zijn gezicht, waarna hij zijn aandacht weer op Gina Kemmers foto's richtte.

De eerste foto van Marissa was uit 1971. Zelfs als jonge tiener was ze opvallend geweest met haar glanzende donkere ogen en donkere haar dat in golven rond haar schouders viel. Ze kleedde zich als een hippie in bell-bottom jeans, een vredesteken rond haar hals en een leren hoofdband rond haar voorhoofd. Gina droeg een soortgelijke outfit. Op de achterkant stond in schoolmeisjeshandschrift: *Missy en ik, september 1971.*

Ze waren samen opgegroeid. Hartsvriendinnen. Net zussen. School. Vriendjes. Vakanties. Uitstapjes.

Maar waarom hadden ze gelogen? Waarom hadden ze verteld dat ze elkaar in 1982 in Oak Knoll hadden ontmoet? Wie kon het iets schelen waar ze vandaan kwamen? Wie kon het iets schelen hoe lang ze elkaar kenden?

En waarom had Melissa Fabriano haar naam veranderd? Had ze zichzelf opnieuw willen uitvinden? Was ze op de vlucht voor iemand in LA? Was haar gezin misschien niet zo idyllisch geweest als het middenklassegezin van de Kemmers uit Reseda?

Misschien had Haleys vader haar mishandeld. Misschien was het geen chantage geweest. Misschien had de mishandelende vader van haar kind haar eindelijk gevonden en had hij een eind gemaakt aan haar perfecte geheime leven in het perfecte Oak Knoll.

Maar waarom zou Gina zijn naam niet aan hen verteld hebben? Zij liep ook gevaar. Waarom had ze hem niet aangegeven?

De deur ging open en Mendez kwam de kamer in met een zak van Carnegie West Deli.

'Als daar een broodje warme pastrami in zit, kus ik je vol op je mond.'

'Maar niet tongen,' zei Mendez. 'Zo'n meisje ben ik gewoon niet.'

Hij zette de zak op een andere tafel en begon er broodjes uit te halen.

'Heb je iets gevonden?' vroeg hij terwijl hij naar de foto's knikte.

'Meer vragen dan antwoorden, tot nu toe. Gina en Marissa zijn al heel lang bevriend. Gina en Melissa, moet ik zeggen. Al vanaf het begin van de middelbare school.'

'Waarom hebben ze dan gedaan alsof dat niet zo is?'

'Dat vraag ik me ook af. Als Marissa op de vlucht was voor iemand in Los Angeles, hiernaartoe kwam en haar naam veranderde, dan maakte het toch niet uit dat Gina en zij elkaar kenden?'

'Misschien wilde Marissa een heel nieuwe identiteit – had ze die om een of andere reden nodig – maar had Gina geen zin om met een leugen te leven.'

'Misschien...'

Vince stond op, rekte zich uit, pakte zijn broodje en snoof de geur door de verpakking op.

'Ik heb pastrami tien jaar geleden opgegeven,' zei hij. 'In dezelfde periode dat ik ben gestopt met roken. De grote midlife-gezondheids-spurt.'

'En toen?'

'Werd ik in mijn hoofd geschoten en overleefde ik dat. Een beetje pastrami kan geen kwaad.'

'Ga je ook weer roken?' vroeg Mendez, die zijn broodje bal onder-zocht naar de beste plek om erop aan te vallen.

'Ik ben soepel, niet stom,' zei Vince. 'Wilde Bordain dat je ontslagen werd?'

'Nee. Hij heeft me uitgenodigd om met hem te golfen. Hij is heel anders dan zijn vrouw.'

'Mocht je hem?'

'Het is moeilijk om hem niet te mogen. Charmant, charismatisch, toegankelijk. Hij is het soort man met wie mannen willen omgaan en met wie vrouwen willen uitgaan. Maar hij praat over zijn huwelijk alsof het een zakelijke overeenkomst is.'

'Dat is het waarschijnlijk ook. Het lijkt erop dat het voor allebei werkt.'

'Dat is niet het soort huwelijk dat ik wil.'

'Meneer Romantiek.'

'En dat ben jij niet?'

'Natuurlijk wel. Ik geef toe dat ik zo gelukkig ben als een klein kind,' biechtte Vince op. 'Maar niet alle mensen zijn zo gelukkig. Niet iedereen wil dat ook. De hoogtepunten zijn fantastisch, maar de dieptepunten verschrikkelijk. De middenweg is veiliger.'

'Dixon vroeg of Bordain een minnares had die zijn vrouw uit de weg wilde hebben. Hij zei dat hij had geleerd ervoor te zorgen dat

dat niet gebeurde. "Betaal nu, niet later." Wat denk jij dat hij daarmee bedoelt?'

'Hoeren. Geld op het nachtkastje. Dat is goedkoper dan een minnares.'

'Ik denk het ook.' Mendez schudde zijn hoofd en zuchtte mistroostig. 'De wereld is een lelijke plek, Vince.'

'Niet altijd,' antwoordde Vince terwijl hij een foto van Gina Kemmer en Marissa Fordham in bikini op een strand pakte. Hij keek op de achterkant. 'Het leven was fantastisch in Cabo San Lucas in...'

Hij staarde naar de achterkant van de foto, draaide hem om en staarde naar de voorkant.

Mendez stopte met kauwen en praatte met zijn mond vol broodje bal. 'Wat?'

'Maart 1982.'

'Wat is daarmee?'

'Haley is in mei 1982 geboren.' Hij legde de foto neer en tikte met zijn vinger op de erg platte buik van Marissa Fordham/Melissa Fabriano. 'Ziet die vrouw eruit alsof ze zeven maanden zwanger is?'

'Misschien klopt de datum niet.'

'Waarom zou de datum niet kloppen? Gina heeft van haar moeder geleerd om de datum op de achterkant van de foto te zetten. Elke foto op deze tafel heeft een datum op de achterkant. Waarom zou een daarvan niet kloppen?'

'Maar ze is duidelijk niet zwanger.'

'Duidelijk niet.'

'Wauw.' Mendez schudde zijn hoofd alsof hij verdoofd was. 'We werken keihard om Haleys vader te vinden en nu blijkt dat we niet eens weten wie haar moeder is.'

'Wie is de vader?' vroeg Vince. 'Wie is de baby?'

59

'Wanneer is mama niet dood meer?'

Anne zette een kom tomatensoep op de keukentafel en ging naast Haley op de bank zitten. Haley had de vraag gesteld alsof ze vroeg hoe laat het was. Nuchter op de manier van kleine kinderen van wie een deel van hun leven fantasie was. De dood was onwerkelijk, maar in de struiken voor het huis kon een eenhoorn wonen.

'Mensen stoppen niet met dood zijn, liefje,' zei Anne zachtjes.

Haley was verdiept in een kleurtekening en keek niet op. 'Ja, dat doen ze wel. Ze veranderen in engelen.'

'Ja, natuurlijk,' zei Anne, die weer eens het gevoel had dat de situatie haar boven het hoofd groeide. Ze had geen flauw idee wat voor geloof Marissa Fordham had gehad of wat ze haar dochter had geleerd. 'En wat gebeurt er dan?'

'Dan gaan ze naar de hemel en vliegen daar rond, maar ze komen terug met Kerstmis en als we ze nodig hebben.' Ze keek naar Anne. Het wit van haar ogen was niet meer zo rood van het bloed, maar het effect was nog steeds angstaanjagend. 'Hoe komt het dat je dat niet weet?'

'Ik weet het wel,' zei Anne. 'Ik testte alleen of jij het ook wist. Neem wat soep, liefje. Dat is goed voor je keel.'

Haley knielde op het kussen van de bank, boog zich over de kom en blies in de soep om hem af te koelen.

Anne keek naar het vel tekenpapier. Vreemd gevormde, kleurige grote en kleine katten renden over het onderste deel van het papier. Ze vroeg zich af wat Vince ervan zou vinden om een katje in huis te hebben. Of twee.

Ze stak haar hand uit en duwde Haleys haar naar achteren zodat de punten niet in de soep hingen, waardoor de blauwgele plekken op haar keel zichtbaar werden. Ze kon Peter Cranes handen rond haar keel voelen sluiten en ze moest een paar keer hard slikken om het gevoel weg te krijgen. Ze kon het na de wurging niet meer verdragen om iets straks rond haar keel te hebben, zoals coltruien, sjaals of korte kettingen.

'Waar is jouw mama?' vroeg Haley. Ze schepte een lepel soep op en dronk ervan, waarmee ze zichzelf een tomatensoepsnor gaf.

'Ze is een engel in de hemel,' zei Anne.

'O. Kent ze mijn mama?'

'Misschien.'

'Waar is je papa?'

'Hij woont in een huis in een ander deel van de stad.'

'Waarom?'

'Omdat dat zijn huis is.'

'Waarom woont hij niet in dit huis?'

'Omdat dit mijn huis is. Vince en ik zijn getrouwd en dit is ons huis.'

Haley dacht erover na en nam nog een lepel soep. 'Ik kan in het huis van mijn papa wonen.'

'Is dat zo?' vroeg Anne. 'Waar staat het huis van je papa?'

'Dat weet ik niet.'

'Hoe ziet je papa eruit?'

'Dat weet ik niet.'

'Is hij groot, zoals Vince?'

'Nee.'

'Heeft hij een snor?'

'Nee.'

'Heeft hij oranje haar?'

Haley lachte. 'Nee! Dat is stom!'

'Heeft hij blauw haar zoals een smurf?'

'Nee!'

'Heeft hij helemaal geen haar?'

Het meisje begon te giechelen en liet zich op het kussen vallen. Anne zette haar weer rechtop.

'Kom, gekkie, eet je soep voordat die koud wordt.'

Haley nam nog een paar lepels soep. Anne kende haar inmiddels goed genoeg om de kleine radertjes in haar hersenen te zien draaien als ze ergens diep over nadacht.

'Anne?' vroeg ze uiteindelijk.

'Ja, liefje?'

'Wil jij mijn mama zijn tot mijn mama geen engel meer is?'

De tranen schoten in Annes ogen terwijl ze Haley stevig omhelsde en een kus boven op haar hoofd gaf. 'Ik zal je mama zijn zo lang als dat kan,' fluisterde ze. 'Wat zeg je daarvan?'

Haley knikte, ging op Annes schoot zitten en stopte haar duim in haar mond.

'Ben je klaar voor je dutje, liefje?' vroeg Anne zachtjes.

'Nee.'

'Nee? Volgens mij heb je slaap.'

'Nee!' jammerde Haley.

'Waarom niet?'

'Dan komt Slechte Papa!'

'En als ik bij je blijf, zodat Slechte Papa niet bij je kan komen?'

Er biggelden twee grote tranen over haar wangen. 'Nee! Dan pakt Slechte Papa jou ook!'

'Nee, schatje, dat gebeurt niet. We zijn hier veilig, weet je nog?'

Haley was niet overtuigd en bleef huilen met haar duim in haar mond.

'Weet je wat?' zei Anne. 'We gaan nu niet aan Slechte Papa denken. We gaan een spelletje doen. Wil je een spelletje doen?'

'W-w-wat voor spelletje?'

'We gaan "stel je voor" spelen. Ken je dat spelletje?'

Haley schudde haar hoofd.

'Je weet hoe Slechte Papa eruitziet,' zei Anne. 'Wat voor kleur heeft zijn kleding?'

'Z-z-zwart.'

'Niet meer,' zei Anne. 'We gaan het wit maken. Wit met grote, roze stippen. Kun je je dat voorstellen?'

Haley aarzelde en knikte daarna.

'En hij draagt grote, slappe clownschoenen. Kun je je dat voorstellen?'

Dit keer knikte ze een beetje sneller.

'En heeft hij een grote, ronde, rode neus?'

Nog een knikje.

'Een neus die toetert als een claxon als je erin knijpt. Kun je je dat voorstellen?'

'Uh-huh.'

'Het is Slechte Papa niet meer. Hij is gewoon een gekke clown. Kun je je dat voorstellen?'

Ze kreeg geen antwoord. Anne keek naar beneden. Haley sliep.

Ze schoof achteruit op de bank in een comfortabelere positie, met Haley slapend tegen zich aan. Het was bijna één uur. Sara Morgan had gebeld om te vragen of ze Wendy langs mocht brengen, een bezoek dat niet alleen goed zou zijn voor Haley, maar ook voor Wendy.

Anne wist dat Wendy het moeilijk had, en Sara klonk verschrikkelijk gespannen. Steve en zij zouden het waarschijnlijk niet redden en dat was heel moeilijk voor Wendy. Anne wilde dat ze het gevoel had dat ze een veilige haven had als ze die in de toekomst nodig had.

Verdorie. Ze zou vandaag geen tijd hebben om naar Dennis te gaan. Ze zou moeten bellen om het door te geven aan de hoofdverpleegster. En ze moest dokter Falk bellen.

Het schuldgevoel overspoelde haar als een koude golf. Ze haatte het om een afspraak met Dennis te missen, vooral als ze hem iets beloofd had. Ze was naar de boekwinkel gegaan om wat stripboeken voor hem uit te zoeken bij wijze van beloning. Natuurlijk was de kans groot dat hij de opdracht die ze hem had gegeven niet had gemaakt, maar toch haatte ze het om zich niet aan haar belofte te houden. Te veel mensen hadden hem in zijn korte leven laten vallen.

Je kunt niet de hele tijd maar iedereen redden, Anne, zei ze tegen zichzelf.

60

'Wat bedoel je ermee dat Marissa Fordham de moeder van het kleine meisje niet is?' vroeg Dixon.

De meeste rechercheurs waren naar de strategiekamer gekomen om te lunchen. Aan de muur hingen foto's van twintig bij vijfentwintig.

Vince liet Dixon de foto zien van Gina en Marissa in Cabo San Lucas in maart 1982, en legde de betekenis van de data uit.

Aan het eind van zijn verhaal staarde Dixon hem stomverbaasd aan.

'Ik ben perplex,' zei hij uiteindelijk. 'Als Haley Marissa's kind niet is, van wie is ze dan wel?'

'Ik weet het niet,' zei Vince. 'Ik weet niet wat ik moet zeggen.'

'Denk je dat Marissa de veronderstelde vader chanteerde met een kind dat niet van hem is? Godsamme. Ik dacht dat ik alles al gehoord had.'

'Haley was een baby toen Marissa hier kwam wonen,' merkte Mendez op. 'Niemand heeft haar ooit zwanger gezien.'

'En toch nam iedereen aan dat Haley haar kind was,' zei Dixon. 'Dus... waar heeft ze de baby vandaan?'

'Dat is de vraag,' zei Vince. 'Je kunt niet gewoon een winkel binnenlopen en een baby kopen.'

'Maar je kunt er altijd een stelen,' suggereerde Mendez. 'Of ze kan geadopteerd zijn.'

'De moord heeft misschien helemaal niets te maken met chantage,' zei Hamilton terwijl hij de augurk van zijn tonijnsalade haalde. 'We hebben geen harde bewijzen om die theorie te ondersteunen. Er is niets dubieus aan haar bankrekeningen. Ze kan ergens anders geld weggezet hebben, maar alles lijkt tot nu toe legaal.'

'Wie zou zich bovendien laten chanteren zonder bewijs dat het kind van hem is?' vulde Trammell aan. 'Een vaderschapstest is veel goedkoper dan iemand betalen om zijn mond te houden.'

'Chantage is een pokerspel,' zei Vince. 'Als je geen groot schandaal aan je naam verbonden wilt hebben, zou je de vrouw dan provoceren? Misschien heeft ze foto's van jou en haar in een compromitterende positie en kan ze aan God en iedereen bewijzen dat je seks met haar hebt gehad. Als je niet betaalt, is je reputatie naar de maan, of het nu wel of niet jouw kind is.'

'Dan neemt iedereen toch aan dat het jouw kind is,' zei Mendez.

'Tegen de tijd dat de vaderschapstest is gedaan, is het resultaat niet belangrijk meer,' zei Vince. 'Je reputatie, je huwelijk, je carrière, wat dan ook, is al beschadigd.'

'Misschien heeft Bruce Bordain gelijk,' zei Dixon. 'Als je het soort man bent dat vreemdgaat, kun je beter van tevoren betalen.'

Hij zuchtte en liet zijn schouders heel even zakken terwijl hij nadacht.

Vince leunde achterover in zijn stoel en vroeg zich af wat voor invloed dit op Haleys leven zou hebben. Ze had net de enige moeder die ze ooit had gekend verloren. Was haar echte moeder ergens naar haar op zoek? Vroeg die zich af waar haar dochtertje was gebleven, wat er van haar was geworden of misschien zelfs of ze nog leefde?

'Goed,' zei Dixon. 'Waar Haley Fordham vandaan is gekomen, is niet relevant voor de theorie dat Marissa de man chanteerde die dacht dat hij Haleys vader was. Het maakt niet uit of hij dat was of niet. Het maakt uit wat hij gelooft. We gaan dus verder zoals we van plan waren. Of deze misdaad het gevolg is van het chanteren van een man die een onwettig kind heeft of dat het een andere reden had, is op dit moment niet belangrijk.'

'Het is belangrijk voor degene van wie de baby echt is,' merkte Hicks op.

'De moord is onze eerste prioriteit,' zei Dixon. 'Die lossen we op, daarna gaan we op zoek naar ontvoeringen van baby's in het voorjaar van 1982. We weten dat Gina en Marissa hiernaartoe zijn gekomen vanuit LA. We gaan ons richten op ontvoeringen in LA County, Orange County, Riverside en Ventura, maar eerst moeten we de moordenaar pakken.'

'Of we moeten Gina Kemmer levend vinden,' zei Mendez.

Dixon pakte de hoorn toen de telefoon op de tafel overging. Zijn ogen gingen onmiddellijk naar Mendez.

'Hij komt eraan,' zei hij, waarna hij ophing. 'Sara Morgan is hier voor je.'

Mendez liep de gang in met Dixon op zijn hielen.

'Ik wil niet dat je alleen met haar praat,' zei de sheriff. Hij stak zijn handen in de lucht om het verweer dat in Mendez' keel omhoog borrelde voor te zijn. 'Het is niet omdat ik je niet vertrouw, Tony, het is omdat Steve Morgan advocaat is en jij je al op glad ijs hebt begeven.'

Hij knikte, ongeduldig om Sara te zien. Er moest iets helemaal mis zijn als ze naar het politiebureau was gekomen.

'Goed,' zei Mendez. 'Vince kent Sara. Ik zal haar vragen of ze het geen probleem vindt als hij erbij zit.'

Hij liep al weg voordat Dixon antwoord kon geven.

De receptionist had Sara naar de kleine wachtruimte bij het kantoor van de rechercheurs gebracht. Aan de muur hing een bord waarmee iedereen werd gesommeerd om zijn pistool in te leveren bij de balie. Ze zag er verschrikkelijk uit. Zijn eerste indruk was dat ze twee blauwe ogen had, en zijn driftbui begon al op te komen voordat hij zich realiseerde dat de donkere kringen rond haar ogen werden veroorzaakt door spanning en slaapgebrek. Ze zag er mager en breekbaar uit, alsof een man haar moeiteloos in tweeën kon breken.

Als Steve Morgan dat had geprobeerd, zou Mendez hem met zijn blote handen vermoorden.

'Sara, is er iets mis?'

Hij zag dat ze trilde toen ze opstond.

'Kan ik onder vier ogen met je praten?' vroeg ze, haar stem zo ijl dat hij haar nauwelijks verstond.

'Gaat het over Steve?' vroeg hij terwijl hij een hand op haar schouder legde om haar in balans te houden.

'Ja.'

'Oké. Door wat er gebeurd is tussen Steve en mij, moet er iemand bij het gesprek zitten. Je kent Vince Leone. Is het goed als hij erbij komt?'

Ze knikte met een gebogen hoofd.

'Mooi. We gaan hiernaartoe,' zei hij. Hij legde zijn hand op haar onderrug om haar voorzichtig door de gang naar de verhoorkamers te leiden.

'Gaat het wel met je?' vroeg hij zachtjes.

'Nee,' zei ze.

'Kan ik iets voor je halen voordat we gaan zitten? Wil je een glas water of een kop heel smerige koffie?'

Ze probeerde te glimlachen en schudde haar hoofd.

'Waar is Wendy? Is alles goed met haar?'

'Ze is bij Anne.'

'Oké. Mooi. Dat is mooi.'

Hij keek door het glazen raam in de deur naar verhoorkamer één.

Vince zat al te wachten. Hij stond op toen Mendez de deur openhield voor Sara.

'Sara,' zei Vince rustig. 'Ik heb van Anne gehoord dat Wendy vanmiddag bij Haley op visite is.'

'Ja.'

'Ga zitten, liefje,' zei hij terwijl hij een stoel voor haar naar achteren trok. 'Je lijkt een beetje van streek.'

Mendez nam de stoel aan het eind van de tafel en legde zijn onderarmen op het tafelblad om te voorkomen dat hij zijn hand zou uitsteken om haar aan te raken. Vince had die reserve niet en legde zijn hand op Sara's hand.

'Het is in orde, Sara,' zei hij met zijn kalme, bijna vaderlijke stem. 'Het is in orde. Je bent hier bij vrienden.'

Ze knikte en kneep haar ogen dicht om de tranen tegen te houden.

'Tony en ik hebben alle verhalen die er zijn al gehoord,' ging Vince verder, in een poging haar op haar gemak te stellen. 'Er is niets waarmee je ons nog kunt choqueren.'

Sara haalde oppervlakkig en trillend adem. 'Ik denk dat Steve Marissa vermoord kan hebben.'

Vinces wenkbrauwen gingen een stukje omhoog. 'Waarom denk je dat, Sara?'

'Ik verdacht hem ervan dat hij een verhouding met haar had,' zei ze. Ze trilde zo erg dat ze haar armen om zichzelf heen sloeg alsof ze het ijskoud had.

Mendez stond op, trok zijn colbertje uit en legde dat rond haar schouders, waarbij hij haar een troostend kneepje gaf.

'Wanneer begon je dat voor het eerst te denken?' vroeg hij nadat hij weer op zijn plek was gaan zitten.

'Vorige winter toen het project voor de poster voor het Thomas Centrum begon. Daarna ontdekte ik dat ze een cliënt van hem was... Dat ze al een tijd een cliënt was. Moeten we het daar op dit moment over hebben?'

Vince pakte haar hand vast. 'Het spijt me, liefje. Ik weet dat het moeilijk is. Het is een heel nare tijd voor je. Maar je beseft toch dat je niet alleen bent? Wij zijn er voor je.'

Sara knikte en keek naar Mendez. 'Ik heb tegen hem gezegd dat hij weg moest gaan. Ik heb gezegd dat hij moest vertrekken.'

'Heb je Steve verteld dat hij moest vertrekken?' vroeg Mendez. 'Wanneer heb je dat gedaan?'

'Gisteravond. Hij heeft 's ochtends niet eens gebeld om te vertellen wat er was gebeurd. Wendy zag zijn auto op de oprit staan, maar hij was niet thuis en er lag bloed... We wisten niet wat we ervan moesten denken. Wendy dacht dat hij vermoord was.'

Mendez, die zich onnozel en schuldig voelde, had de neiging om zijn hoofd tegen de muur te rammen. 'O, Sara, het spijt me zo. Ik kan niet geloven dat hij je niet gebeld heeft. Als ik dat had geweten, had ik je gebeld.'

'Het is jouw schuld niet dat Steve een klootzak is,' zei ze. 'Net als het mijn schuld niet is dat zijn moeder een prostituee was. In Steves ogen is alles altijd de schuld van een ander. Vroeger was hij niet zo, maar hij is de afgelopen anderhalf jaar zo veranderd dat ik hem niet meer herken.'

'Is zijn gedrag veranderd?' vroeg Vince. 'Op welke manier?'

'Hij was gelukkig. Hij vond het heerlijk dat we een gezin waren. We waren zijn droom die uitgekomen was. En toen begon hij langer te werken en raakte hij meer betrokken bij zijn werk voor het vrouwencentrum, en hij begon gewoon te veranderen. Ik weet dat jullie dachten dat hij een verhouding met Lisa Warwick had toen ze vermoord werd. En toen werd Peter Crane gearresteerd. Dat was moeilijk voor hem. Hij leek zich nog meer terug te trekken en praatte nog minder.'

'Marissa en jij waren toch vriendinnen?' vroeg Vince.

Sara schudde haar hoofd. 'Ik wist wie ze was. Ik heb haar pas afgelopen april of mei leren kennen.'

'Nadat je vermoedde dat Steve een verhouding met haar had?' vroeg Mendez.

'Ja. Ik wilde weten... Als hij verliefd op haar was, wilde ik weten waarom. Waarom op haar? Waarom niet op mij?' legde Sara uit. De pijn in haar stem was zo rauw dat Mendez haar in zijn armen wilde nemen.

Vince verschoof op zijn stoel en leunde naar voren, met Sara's hand nog steeds in de zijne en zijn knieën bijna tegen die van haar. Ze gaf hem haar andere hand, had het lichamelijke contact nodig, moest Vinces kracht voelen.

'Het is goed, Sara,' fluisterde hij. 'Je mag me zo stevig vasthouden als nodig is, liefje. Oké?'

Ze boog bijna dubbel door de emotionele pijn. Mendez stond op en hurkte naast haar zodat hij haar kon verstaan. Hij legde een hand tegen de rugleuning van haar stoel om te voorkomen dat hij de tranen van haar wangen zou vegen.

'Steve was afgelopen zondag niet in Sacramento,' zei ze. 'Ik weet niet waar hij wel was. Ik heb hem gisteravond verteld dat ik wist dat hij daar niet was geweest. Hij werd heel boos en zei: "Denk je dat ik bij Marissa was? Denk je dat ik haar zevenenveertig keer heb gestoken en haar keel heb doorgesneden?"'

De haren in Mendez' nek gingen overeind staan. Vince en hij keken elkaar aan.

'Heeft hij dat precies zo tegen je gezegd, Sara?' vroeg Mendez.

'Ja. Hij probeerde me bang te maken. Ik herkende hem niet eens toen hij die dingen zei.'

'Waarom heb je me niet gebeld?'

'Ik wilde dat hij wegging,' legde ze uit. 'Ik wilde gewoon dat hij vertrok. En Wendy was zo van streek...'

'Heeft Wendy gehoord dat hij dat zei?' vroeg Vince.

'Ik weet het niet. Ik weet niet wat ze gehoord heeft. Ik dacht dat ze in bed lag. Steve schreeuwde tegen me en plotseling kwam ze de kamer in; ze sloeg hem en schreeuwde tegen hem dat ze hem haatte. Het was afschuwelijk. Ik wilde hem gewoon weg hebben.'

'En ging hij toen?'

'Ja.'

'Weet je waar hij nu is?' vroeg Mendez.

'Ik weet het niet. Hij kan op kantoor zijn. Daar is hij waarschijnlijk. Het regent, dus hij kan niet golfen.'

Mendez kwam overeind en liep de verhoorkamer uit en door de gang naar de kantine waar Dixon en Hicks via het gesloten televisiecircuit naar het gesprek met Sara stonden te kijken.

'Is die informatie naar de pers gelekt?' vroeg hij. 'Het aantal steekwonden?'

'Officieel niet,' zei Dixon. 'Meerdere steekwonden is alles wat we vrijgegeven hebben. Als de pers een cijfer heeft, komt dat van het mortuarium.'

'Ik kan niet geloven dat degene die Marissa Fordham heeft vermoord, heeft geteld hoe vaak hij gestoken heeft,' zei Hicks. 'Het is gedaan in een aanval van woede, in razernij.'

'Ik weet het,' zei Mendez. 'Maar zevenenveertig? Dat is heel dicht bij het juiste aantal. We kunnen het niet negeren alleen omdat het onwaarschijnlijk lijkt. Wat weten wij ervan? Misschien is het om een of andere reden een belangrijk getal voor hem. We moeten met hem praten.'

'Hij zal hier niet vrijwillig naartoe komen,' zei Dixon. 'We hebben helemaal geen bewijs. Weet je nog wat bewijs is, Tony? Dat is wat we gebruiken om iemands schuld voor een rechtbank te bewijzen. Als we proberen hem naar het bureau te halen voor een officieel verhoor en hij een advocaat in de arm neemt – wat hij natuurlijk doet, want halló, hij is een advocaat – dan zijn we de lul.'

'Hij kan een moordenaar zijn.'

'Jij blijft bij hem uit de buurt,' zei Dixon kalm.

'Goed, want ik ben in staat om hem te vermoorden om wat hij haar aandoet,' zei hij eerlijk terwijl hij naar de monitor wees.

'We moeten ervoor zorgen dat hij met Vince praat,' zei Dixon. 'En jij moet kalmeren.'

61

'Bill, kun je ons even alleen laten?' vroeg Dixon.

'Natuurlijk, baas.' Hicks trok zijn wenkbrauwen naar Mendez op terwijl hij de kamer uit liep en hen alleen liet.

Dixon keek met een harde blik in zijn laserblauwe ogen naar Mendez. 'Ga je naar bed met Sara Morgan?'

'Nee!' zei Mendez, ervan overtuigd dat hij er waarschijnlijk eerder schuldig dan beledigd uitzag.

'Ik zie je lichaamstaal ten opzichte van haar namelijk, en daarin zie ik eigendom.'

'Vince is degene die haar handen vasthoudt!'

'Ik maak me geen zorgen om Vince. Ik maak me zorgen om jou,' zei Dixon. 'Hij geeft haar de oom Vince-behandeling. Jij hebt het gezicht van haar man gisteren bewerkt, en kom niet bij me aan met die "hij heeft mij eerst geslagen"-onzin. Hij heeft je misschien eerst geslagen, maar jij hebt hem geslagen om hem pijn te doen. Dat vind ik geen prettig idee, Tony.'

Daar kon Mendez niet veel op zeggen. Hij keek naar de vloer terwijl Dixon wachtte met het geduld van een man die honderden misdadigers heeft verhoord.

'Ik vind het erg voor haar,' gaf Mendez toe. 'Ze is een mooie, getalenteerde, intelligente vrouw. Ze verdient het niet om op die manier behandeld te worden.'

'En jij bent de prins op het witte paard die haar komt redden.'

Mendez zei niets.

'Dat is bewonderenswaardig, Tony,' zei Dixon. 'Dat meen ik. Je bent een fijne vent. Elke moeder zou er trots op zijn om jou als haar zoon te hebben. Maar je begeeft je op glad ijs. Als het lukt om Steve Morgan voor deze moord te pakken, dan kan ik geen zweem van indiscretie gebruiken.'

'Begrepen, sir.'

Dixon bestudeerde hem zo lang dat hij zich ongemakkelijk begon te voelen, maar hij bleef staan als een goede marinier.

'Ik probeer niet om een klootzak te zijn, Tony,' zei Dixon. 'Maar ik wil dat je twee dingen in je oren knoopt. Ten eerste ben je rechercheur en heb je een moord op te lossen. Ten tweede is Sara Morgan op dit moment kwetsbaar. Ze zal voor de eerste veilige haven in de storm kiezen. Breng de zaak of je carrière niet in gevaar voor niets meer dan een gebroken hart.'

De spieren in Mendez' brede kaak trokken van verlegenheid om het hele gesprek. Jezus. Hij voelde zich een schooljongen die een standje kreeg van de vader van een meisje omdat hij in de bioscoop had geprobeerd haar beha los te maken.

'Nee, sir,' zei hij.

Dixon, die met zijn armen over elkaar op de kantinetafel zat, leek absoluut niet overtuigd.

'Ik wil niet dat je alleen met haar bent,' zei hij.

'Goed, sir.'

De sheriff zuchtte. 'Darren Bordain wacht op je in verhoorkamer twee. Ik wil dat je een paar minuten de tijd neemt om je op dat gesprek te concentreren, daarna gaan Bill en jij met hem praten.'

'Begrepen, sir.'

Dixon gaf hem een vaderlijk klopje op zijn schouder terwijl hij de kantine uit liep. Hicks kwam terug met een Snickers uit de automaat in de gang. Hij had nog net zulke opgetrokken wenkbrauwen als waarmee hij de kantine had verlaten.

Ze gingen aan de tafel zitten en staarden naar het beeldscherm. Ze zagen dat Vince nog steeds met Sara praatte en haar vragen stelde over Marissa Fordham.

'Heeft Marissa ooit laten doorschemeren of verteld dat Steve en zij een relatie hadden?'

'Nee. Ze was altijd vriendelijk en hartelijk. Het is moeilijk om Marissa te beschrijven. Ze was heel openhartig en toch wist je dat er meer speelde, maar misschien verbeeldde ik me dat alleen.'

'Ik denk dat ik weet wat je bedoelt,' zei Vince. 'Sommige mensen hebben veel lagen, en alleen de bovenste lijkt ongecompliceerd.'

Ze knikte.

'Dus hoewel Marissa je niet het gevoel gaf dat ze een relatie met Steve had, was je toch bang dat er meer aan de hand was.'

'Dat kwam door Steve. Hij praatte niet over haar en verborg zijn ontmoetingen met haar.' Ze stopte even om na te denken over wat ze vervolgens ging zeggen. 'Steve en Wendy en ik kwamen Marissa en Haley tegen tijdens het muziekfestival, en Haley keek naar Steve en noemde hem papa.'

De bekentenis deed haar duidelijk pijn. Vince klopte op haar schouder.

'Trek je daar niet te veel van aan, Sara,' zei hij. 'Haley is nogal in de war over het papa-concept.'

Hicks draaide zich om en keek Mendez van opzij aan. 'Ga je daar weer naar binnen?'

'Nee.'

'Heb je een kop koffie nodig?'

'Ik heb een borrel nodig.'

'Later.'

'Een heel sterke.'

'Bordain wacht op ons in kamer twee.'

'Ik weet het,' zei Mendez, met zijn ogen nog steeds op de monitor gericht. Het irriteerde hem dat Vince haar aanraakte. Net als het Vince irriteerde als Mendez binnen een halve meter van Anne kwam. Hmm...

'Ga mee,' zei Hicks, die zich van de tafel liet glijden. 'Laten we gaan luisteren naar wat het Gouden Kind te vertellen heeft.'

Darren Bordain zat in de verhoorkamer, onberispelijk gekleed in een krijtstreepkostuum dat eruitzag alsof het meer had gekost dan Mendez' auto. Hij glimlachte soepel terwijl Mendez naar de tafel liep en zijn hand uitstak.

'Hoe gaat het vandaag met je moeder?'

'Ze heeft het druk gehad met iedereen vertellen over haar schokkende ontmoeting met de dood gisteravond,' zei Bordain. Hij leunde ontspannen en met zijn benen over elkaar geslagen naar achteren op zijn stoel. Een pakje sigaretten en een aansteker lagen voor hem op tafel. 'Ik weet zeker dat jullie het vanavond op het nieuws van elf uur kunnen zien.'

'Geloof je haar niet?' vroeg Hicks.

'Mijn moeder liegt nooit.'

'Maar je lijkt er niet erg bezorgd om dat iemand heeft geprobeerd haar te vermoorden.'

'Het is ze niet gelukt,' merkte Bordain op.

'Jullie zijn gisteravond tegelijkertijd om ongeveer half elf uit het restaurant vertrokken, nietwaar?' vroeg Mendez.

'Ja.'

'En je bent meteen naar huis gegaan?'

'Ja.'

'Was je alleen?'

'Ja,' zei Bordain, die geïrriteerd begon te raken. 'Ik dacht dat ik hier was om jullie te helpen met het opstellen van een tijdschema met betrekking tot Marissa.'

'We moeten hetzelfde doen met de zaak van je moeder,' zei Mendez. 'We kunnen het best alles tegelijk aanpakken, denk je ook niet?'

'Dat zal wel, maar ik vind de suggestie niet prettig,' zei Darren Bordain. 'Word ik ervan verdacht dat ik mijn moeder van de weg heb gereden?'

'We hebben gewoon een duidelijk beeld nodig van wat er gisteravond gebeurd is,' zei Hicks.

'Ik heb mijn moeder niet van de weg gereden,' zei hij. 'Ik weet niet hoeveel duidelijker ik dat beeld kan maken.'

'We worden betaald om iedereen te verdenken, Darren,' legde Mendez uit. 'De meeste intermenselijke misdaden worden gepleegd door daders die hun slachtoffers kennen. Familie is altijd een onderdeel van een onderzoek zoals dit. Het is niet persoonlijk bedoeld.'

'Voor mij is het moeilijk om het niet persoonlijk te zien,' zei Darren Bordain.

Hij tikte een sigaret uit het pakje op de tafel en stak die op, waarna hij de rook naar het akoestische tegelplafond blies.

'Ik weet dat ik veel ironische opmerkingen over mijn moeder maak,' zei hij. 'Maar jezus, ik zou haar nooit vermoorden.'

'We beschuldigen je nergens van, Darren,' zei Hicks.

'Misschien moet je het als volgt zien,' zei Mendez. 'Onze vragen zijn misschien irritant voor jou, maar de persoon voor wie we werken is gewoonlijk gewond of dood en heeft de luxe niet om zich geïrriteerd te voelen.'

Bordain erkende het punt met een knikje. 'Goed gezegd. Ik zal stoppen met zeuren.'

'Wanneer heb je Marissa Fordham voor het laatst gezien?' vroeg Hicks.

'Ik heb Marissa vorige week zondag gezien, de zondag voordat ze is vermoord. Er was een herfstfestival in de Licosto Winery tussen Oak Knoll en Santa Barbara. Eten bereid door plaatselijke koks, wijn proeven, ritjes met een paard en wagen en spelletjes voor de kinderen. We waren met een groepje uit Oak Knoll. Marissa had Haley meegenomen. Hoe is het trouwens met haar?'

'Goed, gezien de omstandigheden,' zei Mendez. 'Haar geheugen komt met de dag meer terug.'

Darren Bordain fronste zijn voorhoofd en tikte de as van zijn sigaret in de kleine asbak die voor hem stond. 'Ik hoop dat dat goed is.'

'Waarom zou het niet goed zijn als ze de naam van haar moeders moordenaar kan noemen?'

'Neem je me in de maling? Ze heeft alles toch gezien? Zou jij de rest van je leven zo'n herinnering willen meedragen? Het zou beter voor haar zijn als ze zich er nooit meer iets van zou herinneren.'

'Dat is ook beter voor de moordenaar.'

'Waarschijnlijk wel.'

'Heeft Marissa je ooit verteld dat iemand haar lastigviel, of dat iemand haar bang maakte of zo?' vroeg Hicks.

Darren Bordain trok een elegante wenkbrauw op. 'Marissa? Bang? Nee. Kennen jullie die bierreclame over het leven omarmen?'

'Heeft ze ooit iets tegen je gezegd over Haleys vader?'

'Nee. Ik kreeg de indruk dat het een gevoelig onderwerp was. Hoe openhartig en vrijgevochten ze ook was, er was altijd een bepaalde terughoudendheid in Marissa. Het was alsof je achtennegentig procent van haar kreeg, wat veel was, tot je begon na te denken over de ontbrekende twee procent die ze nooit aan iemand gaf. Ik denk dat ze gekwetst is. Ik neem aan door Haleys vader.'

'Weet je wie hij is?'

'Nee. Ze had Haley al toen ze hier kwam wonen. Ik nam aan dat hij woont waar ze vandaan kwam.'

'De oostkust.'

'Dat kan.'

'Zou het je verbazen als ik je vertelde dat Marissa vanuit Los Angeles hiernaartoe verhuisd is?' vroeg Mendez.

'Niets over Marissa kan me verbazen.'

'Zou het je verbazen als je wist dat haar echte naam niet Marissa Fordham was?'

Darren Bordain haalde zijn schouders op. 'Ik weet het niet. Waarom zou me dat iets kunnen schelen? Ze was wie ze was. Ga je me vertellen dat ze een spionne of zo was? Of dat ze in een getuigenbeschermingsprogramma zat?'

'Wat vond je van je moeders relatie met Marissa?' vroeg Mendez. 'De dochter die ze nooit heeft gehad.'

'Tja, omdat ik de dochter die mijn moeder nooit heeft gehad niet kan zijn, vond ik het geen probleem.'

'Je moeder gaf veel geld uit aan Marissa.'

'Mijn moeder geeft veel geld uit. Punt uit. Gelukkig is mijn vader stinkend rijk. Mijn moeders hobby's hebben geen invloed op mijn leven.'

'Kon het je helemaal niets schelen?' vroeg Mendez.

Bordain keek hem strak aan. 'Nee. Ik mocht Marissa graag. Ze had een fantastische *joie de vivre*. Als ze mijn moeder zover kreeg om haar rekeningen te betalen, was dat fijn voor haar.'

Mendez probeerde hem wat meer onder druk te zetten. 'Waarom denk je dat iemand Marissa heeft vermoord, haar borsten heeft afgesneden en die naar je moeder heeft gestuurd?'

'Ik weet het niet. Is dat jullie werk niet?'

'Het is een heel persoonlijk misdrijf,' zei Mendez. 'Ten eerste de moord. Iemand doodsteken is een heel persoonlijk misdrijf. De borsten naar je moeder sturen is ook een buitengewoon persoonlijk gebaar. Het is een enorme *fuck you*, neem me niet kwalijk dat ik me zo uitdruk.'

'Ik weet niet wat je wilt dat ik zeg.'

'Ben je onlangs in Lompoc geweest?' vroeg Hicks.

'Nee. Waarom zou ik daar naartoe gaan?'

'Een van jullie Mercedes-dealers zit daar.'

'Ja, maar we hebben een goede manager. Ik heb geen reden om daar naartoe te gaan als ik net zo goed de telefoon kan pakken. Ik verdeel mijn tijd tussen Oak Knoll en Santa Barbara.'

'Waar was je afgelopen zondagavond?' vroeg Mendez.

'De avond dat Marissa is vermoord?' Bordain probeerde te lachen. 'Willen jullie mijn alibi?'

Niemand lachte mee.

'We willen graag weten waar je was.'

Hij treuzelde en stak nog een sigaret op. Zijn handen trilden een beetje. 'Ik was bij Gina thuis.'

Mendez en Hicks keken elkaar een hele tijd aan.

'Was je bij Gina Kemmer?'

'Ja. Ze had wat vrienden uitgenodigd. Marissa belde om te zeggen dat ze het te druk had om te komen. We aten pizza en keken een paar films. Ik was om half twaalf thuis.'

'Heb je de laatste tijd nog iets van Gina gehoord?' vroeg Mendez.

'Een paar dagen geleden.' Hij leek steeds minder op zijn gemak door het tempo en het karakter van de vragen. 'Dat heb je me gisteravond ook gevraagd. Waarom?'

'Waar was je afgelopen woensdag vanaf vijf uur 's middags?' vroeg Hicks.

Bordain zuchtte ongeduldig, tikte de as van zijn sigaret, nam nog een trekje en blies de rook door zijn neusgaten. 'Ik heb tot ongeveer

zes uur gewerkt, heb wat gedronken bij Capriano's, heb gegeten...'
Zijn geheugen leek niet mee te werken. 'Ik weet het niet. Ik ben naar
huis gegaan. Ik kan geen rekenschap afleggen van elk uur van elke
dag van mijn leven, jullie wel?'

'Ik ben bijna altijd hier,' zei Mendez. 'Heb je Gina Kemmer die dag
niet gezien?'

'Nee. Ze belde me 's middags over de begrafenis van Marissa. Ik
heb haar niet gezien. Waarom?'

'Gina Kemmer wordt sinds woensdagmiddag vermist,' zei Hicks.

'Vermist?' vroeg Bordain onnozel, alsof hij de betekenis van het
woord niet begreep.

'Inderdaad,' zei Mendez. 'Ze zal niet in staat zijn om je alibi voor de
avond waarop Marissa is vermoord te bevestigen, omdat niemand haar
de afgelopen twee dagen heeft gezien of iets van haar heeft gehoord.'

Bordain keek van de ene rechercheur naar de andere.

'Ik denk dat ik nu ga,' zei hij, waarna hij abrupt opstond. 'Ik vind
de kant die dit gesprek op gaat niet prettig.'

Mendez leunde achterover in zijn stoel en spreidde zijn handen.
'Als je niets verkeerd hebt gedaan, is er niets om je ongemakkelijk
over te voelen.'

'Luister,' zei Bordain terwijl hij zijn sigaretten en aansteker van
tafel griste. 'Ik heb niets te maken met de moord op Marissa. Ik heb
geen afgesneden borsten naar mijn moeder gestuurd. Ik heb niet geprobeerd haar van de weg te rijden. Waar Gina ook is, ik heb haar
daar niet naartoe gebracht.'

'Ben je bereid om een leugendetectortest te doen?' vroeg Hicks.

'Nee, dat ben ik niet,' zei hij. 'En jullie hebben geen reden om me
hier te houden, dus...'

'Het staat je op elk moment vrij om te vertrekken,' zei Mendez.
'We hebben alleen nog een foto nodig voordat je gaat.'

'Waarvoor?'

'Voor Haley. We zijn van plan haar foto's te laten zien van alle
mannen in haar moeders leven om te zien of ze reageert.'

'Absoluut niet,' zei Darren Bordain boos. 'Gaan jullie mijn foto
laten zien aan een vierjarig meisje dat getraumatiseerd is en waarschijnlijk een hersenbeschadiging heeft? Loop naar de hel.'

Hij liep naar de deur en Mendez stond op om hem uit de kamer te
laten.

'Sommige mensen die hier binnenkomen zijn minder vrij om te
gaan dan anderen,' zei hij.

Bordain zei niets en liep haastig de gang door. Vince kwam uit de kantine om hem te zien vertrekken.

'Dat nam hij niet goed op,' zei Mendez.

Vince haalde zijn schouders op. 'Dat kun je wel zeggen.'

62

Halverwege de ladder werd het stil om haar heen. Gina had geen idee hoeveel tijd het haar had gekost om zo ver te komen. Het leek alsof er dagen voorbij waren gegaan. Elke stap naar boven was moeilijker dan de vorige, haar lichaam was uitgeput, haar hersenen verloren steeds vaker de realiteit. Na elke ijzeren ring die ze omhoog klom moest ze langer rusten, en werd de aanvechting om gewoon te gaan slapen en zich in de volgende dimensie te laten vallen sterker.

Ze dacht dat ze misschien zou gaan huilen, maar het was alsof alle aspecten van haar – haar lichaam, geest en ziel – uit elkaar dreven en het contact met elkaar kwijtraakten. En nu Marissa niet meer tegen haar praatte, galmde de stilte in haar oren.

Ze stond op het punt het op te geven. Het kleine beetje verrot voedsel dat ze had gegeten had ze uitgebraakt door de pijn en de inspanning van het bewegen. De adrenaline die ze in het begin had gebruikt om te klimmen, was verdwenen.

Ze was uitgehongerd en uitgedroogd en had geen energiereserves meer om uit te putten. Ze wist het niet, maar het geconcentreerde zuur in haar lege maag begon zich een weg door haar maagwand te vreten. Ze was zich bewust van de pijn omdat het nieuw en scherp was. De pijn in haar gebroken enkel was zo enorm en aanhoudend dat het op een of andere manier een oorverdovende witte ruis in haar hoofd was geworden. De pijn in haar schouder, op de plek van de schotwond, dreunde als een grote trom. De wond was waarschijnlijk geïnfecteerd.

Ik wil gewoon liggen.

Niemand zei tegen haar dat ze dat niet mocht doen.

Ze kon zich niet herinneren hoe lang ze op de ijzeren ring had gestaan. Ze had haar goede arm door de ijzeren lus gehaakt en haar hoofd tegen de smerige betonnen wand gelegd om te rusten. Maar één minuut... en nog één... en nog één...

In een klein hoekje van haar brein was ze heel bang, maar dat kleine stemmetje was niet sterk genoeg om haar wakker te houden. Het probeerde te schreeuwen, maar leek van heel ver weg te komen.

Ik wil niet dood!

Haar hartslag was snel en oppervlakkig. Ze vroeg zich verzwakt af of dat betekende dat er niet voldoende bloed naar haar hersenen stroomde.

Als ze maar gewoon kon liggen om uit te rusten. Als de pijn maar een tijdje zou stoppen...

Als ze maar gewoon los kon laten...

Plotseling liet ze los, en haar lichaam voelde gewichtloos, alsof het eeuwig bleef vallen en vallen.

Néé!

'Nee!'

En *báng.* In één klap vormden alle afzonderlijke delen van haar weer één geheel, en haar lichaam schokte alsof ze een elektrische schok had gekregen. Ze pakte de ijzeren ring stevig vast toen haar goede voet weg begon te glijden.

Klim! riep Marissa's stem. *Verdomme, Gina, klim!*

Terwijl haar lichaam schokte van de droge snikken, dwong Gina zichzelf de volgende ring te pakken.

Ik kan het niet. Het lukt me niet. Ik ben zo moe. Ik voel me zo zwak.

Je kunt het, Gina! Je moet. Doe het voor mij. Doe het voor Haley. Nog één. Vooruit. Vooruit!

Nog één.

En daarna nog één.

Haar hoofd raakte het vermolmde luik. Ze duwde het open en even later lag ze op de grond, in de modder, terwijl de stromende regen haar tot op het bot doorweekte.

63

'Ik ben gek op feestdagen,' zei Franny terwijl hij koffie inschonk. Hij voelde zich thuis waar hij ook was, vooral in Annes keuken. 'Thanksgiving, Kerstmis, "kinderen uit groep acht die vuurwerk in het toilet gooien"-dag.'

Het loodgieterswerk dat daar het gevolg van was geweest had de kinderen en docenten van Oak Knoll Elementary een onverwacht lang weekend bezorgd.

'Ik ben blij met het gezelschap van een andere volwassene,' zei Anne. 'Het kan uitputtend zijn om het brein van een vierjarige te volgen.'

'Ze zijn op die leeftijd nog niet afgestompt door de maatschappij,' zei Franny terwijl hij room bij zijn koffie schonk en er kaneel op strooide. 'Alles is nog mogelijk.'

Ze gingen naar de zitkamer met de grote bank en de ramen die uitkeken op de achtertuin. Het regende nog steeds. Haley en Wendy speelden aan een kant van de kamer met poppen. Franny en Anne gingen allebei in een leren stoel bij de ramen zitten.

'Haley heeft me gevraagd of ik haar mama wil zijn zolang haar mama een engel is,' zei Anne.

'O!' De tranen sprongen in Franny's ogen. 'Dat moet in een kinderboek komen!'

'Een kinderboek over de dood?'

'Ze gaan er beter mee om dan wij. Wat heb je tegen haar gezegd?'

'Ik heb natuurlijk ja gezegd. Ik zou haar altijd willen houden,' zei Anne weemoedig.

'Misschien gebeurt dat wel.'

'Zo mag ik niet denken. Ik weet zeker dat ze ergens familie heeft. Dat heeft iedereen toch?'

'Dat betekent niet dat ze bij hen moet wonen,' zei Franny. 'Stel dat haar familieleden tandeloze rednecks zijn die in caravans wonen in een van die staten in het midden van het land waar ze al hun eten frituren? Of stel dat het kermisklanten zijn?' vroeg hij. Zijn fantasie ging zoals gewoonlijk met hem op de loop. 'Voordat je het weet staat Haley op de kermis als de Bebaarde Kleuter.'

Anne grinnikte; ze waardeerde de afleiding die haar vriend haar bezorgde.

'Dit is een fijne manier om een regenachtige middag door te brengen,' zei ze. 'Prettig gezelschap, iets warms drinken en kijken hoe de kinderen spelen.'

Franny glimlachte zo naar haar dat zijn ogen in spleetjes veranderden.

'Wat?' zei Anne.

'Je zult zo'n goede moeder zijn!' zei hij.

'Als Vince en ik ooit weer samen in bed liggen,' zei Anne droog.

'Slaap je bij Haley?'

Anne knikte. 'Ze heeft verschrikkelijke nachtmerries.'

'Daar weet jij alles van. Heeft ze de naam van de m-o-o-r-d-e-n-a-a-r al genoemd?'

'Nee. Ze noemt hem Slechte Papa. Ze zegt dat hij zwarte kleren droeg. Vince gaat foto's meenemen van alle mannen die met haar moeder omgingen. Misschien haalt ze er een uit. Maar er is altijd een kans dat de moordenaar een masker droeg.'

'Ben je niet bang dat hij Haley probeerde te v-e-r-m-o-o-r-d-e-n omdat ze hem kon identificeren? Waarom anders?'

'Misschien is hij gewoon heel wreed,' zei Anne. 'Wat denk je daarvan?'

'Mama Anne!' riep Haley, die van de andere kant van de kamer kwam aanrennen. 'Kijk eens naar het popje dat Wendy me heeft gegeven!'

'Dat is een hele mooie pop, vind je niet?'

'Ik ga haar Kitty noemen,' verkondigde Haley, 'omdat ik een kitten wil.'

'Oké. Dat is een mooie naam.'

Anne rolde met haar ogen naar Franny terwijl Haley wegholde. 'Ze zet ons zwaar onder druk om een katje te nemen.'

'Ze kon niet schattiger zijn als ze mijn kind was,' zei Franny.

De bel ging en Anne sprong op alsof ze een elektrische schok had gekregen; ze voelde het bloed uit haar gezicht wegtrekken. In paniek raken door het geluid van de bel als ze niemand verwachtte, was een van de nare dingen die ze had overgehouden aan haar beproeving.

Franny fronste zijn voorhoofd. 'Ik kijk wel wie het is.'

Anne volgde hem op een afstand naar de voorkant van het huis, terwijl ze probeerde te kalmeren door zichzelf te vertellen dat er geen reden voor paniek was. Peter Crane zat in de gevangenis. Hij kon niet aan de andere kant van de deur staan, klaar om haar aan te vallen.

Het was inderdaad Peter Crane niet, maar Anne realiseerde zich dat het een heel ander soort dreiging was toen ze Franny hoorde zeggen: 'Maureen Upchurch. Hoe is het met je neefje? Hebben ze hem al opgesloten?'

'Wat doe jíj hier?'

'In tegenstelling tot sommige mensen heb ik vrienden,' zei Franny.

Anne liep om hem heen en zag Maureen Upchurch en Milo Bordain voor haar deur staan.

Omdat ze grote moeite had met onverwachte gasten, en omdat Vince bij de FBI had gewerkt, hadden ze hun uiterste best gedaan om hun adres geheim te houden. Maar Maureen kende haar adres natuurlijk omdat Haley bij haar woonde. En nu stond ze voor haar deur, met de gebruikelijke ontevreden gezichtsuitdrukking.

'Wat een verrassing,' zei Anne. 'Wat kan ik voor de dames doen?'

'En dat "dames" zegt ze om beleefd te zijn,' fluisterde Franny achter haar. Anne deed een stap naar achteren en trapte op zijn voet.

'Het is een formaliteit,' zei Maureen. 'Ik heb er bij rechter Espinoza op aangedrongen om het verplichte thuisbezoek te doen zodat we een verslag van de situatie kunnen maken.'

'Een telefoontje vooraf zou prettig geweest zijn,' zei Anne.

'Het heeft een reden dat de thuisbezoeken onverwacht zijn,' antwoordde Upchurch.

'O mijn god!' riep Franny terwijl hij op zijn wangen sloeg. 'Ik ga de seksspeeltjes verstoppen!'

Milo Bordain, onberispelijk gekleed in een geruite Burberry-regenjas, draaide zich naar Maureen Upchurch. 'Wie ís dat?'

Franny liep om Anne heen en stak zijn hand uit. Milo Bordain pakte hem niet. 'Francis Goodsell, drie keer uitgeroepen tot Californische Docent van het Jaar in de categorie Kleuterschool. Wat een prachtige sjaal. Hermès?'

Milo Bordain bracht een gehandschoende hand naar de sjaal, die ze rond haar camelkleurige, kasjmieren coltrui had gedrapeerd, alsof ze bang was dat hij zou proberen hem van haar af te pakken.

Anne concentreerde zich op Maureen Upchurch. 'En heb je rechter Espinoza verteld dat je onaangekondigd met nog iemand op sleeptouw langs zou komen? Ik weet dat je erop staat dat de regels in acht genomen worden, Maureen, en ik weet vrij zeker dat het niet geoorloofd is om zomaar iemand mee te nemen.'

'Dat is mijn schuld,' zei Milo Bordain. 'Maureen weet hoe graag ik Haley wil zien. Ze was zo vriendelijk om me mee te vragen. Ik hoop dat je het niet erg vindt, Anne.'

'Dat vind ik wel,' zei Anne bot.

'Maar Haley is als een kleindochter voor me,' ging Milo wanhopig verder. 'Ik ben haar moeder kwijt...'

'Ja, ik weet het,' zei Anne. 'Ik vind het heel erg voor u, mevrouw Bordain. En echt, ik wil niet moeilijk doen. Maar als Haleys voogd probeer ik haar een zekere mate van structuur te geven. Als mensen zomaar komen opdagen kan dat te opwindend zijn voor een klein kind, vooral voor een kind dat een traumatische gebeurtenis heeft meegemaakt.'

'Maar Haley kent me,' pleitte Milo Bordain terwijl de tranen over haar wangen dreigden te rollen. 'Ik heb me zoveel zorgen om haar gemaakt! Ik moet er de hele tijd aan denken hoe bang ze is geweest en welke afschuwelijke herinneringen haar teisteren. Ik wilde zelf een afspraak met je maken, maar ik wist niet hoe ik met je in contact moest komen. En ik heb een cadeautje meegenomen,' zei ze. Ze hield een pakje omhoog ter grootte van een schoenendoos, verpakt in regenboogkleurig papier met een grote roze strik.

Anne zweeg even terwijl ze de voors en tegens tegen elkaar afwoog. Ze zag Milo Bordain als een bedreiging voor haar voogdijschap over Haley, maar het was waarschijnlijk slimmer om de vrouw als vriend dan als vijand te hebben. En ze wist wat verlies was. Anne wist wat een leegte haar moeders dood binnen in haar had achtergelaten. Milo Bordain leed onder het verlies van haar surrogaatdochter...

Uiteindelijk zuchtte ze. 'Ik ga Haley vertellen dat u hier bent, zodat ze voorbereid is.'

Ze liep naar de achterkant van het huis met Franny vlak naast haar.

'Ik ga naar de keuken,' fluisterde hij. 'Om een kruis van knoflook te maken om ze af te weren.'

Anne ging naar de zitkamer.

'Haley, liefje,' zei ze terwijl ze op de poef naast de bank ging zitten, waar Haley druk bezig was haar nieuwe pop in bed te stoppen. 'Er is iemand voor je.'

Haley sperde haar ogen open. 'Is het mijn mama?'

'Nee, meisje. Het is mevrouw Bordain. Herinner je je haar nog?'

Haley fronste haar voorhoofd en schudde haar hoofd.

'Misschien noem je haar anders. Wendy, heb jij mevrouw Bordain wel eens in Marissa's huis gezien?'

Wendy, die verdiept was in een herhaling van de *Brady Bunch*, schudde haar hoofd.

'Haley! Ik ben het, tante Milo!'

Milo Bordain en Maureen Upchurch hadden zichzelf binnengelaten. Ze kwamen de zitkamer in als een angstaanjagend duo: Milo Bordain zo lang als een man en Maureen Upchurch zo dik als een olifant met een wijde, zwarte regenjas.

Haley, die moe was van het spelen met Wendy, begon onmiddellijk te huilen. Slechte Papa was groot en droeg zwarte kleren.

Anne pakte haar op en draaide zich zo dat Haley ze niet kon zien. 'Maureen, doe je jas uit. Die zwarte jas maakt haar bang.'

'Mijn jas? Waarom zou die haar bang maken?'

Anne staarde naar haar. 'Doe je jas uit.'

Er verscheen begrip op Milo Bordains gezicht.

'De aanvaller droeg vast een zwarte jas,' zei ze, waarna ze tegen Maureen Upchurch snauwde: 'Doe je jas uit, Maureen.'

Anne negeerde hen terwijl ze Haley probeerde te kalmeren.

'Het is goed, liefje. Je tante Milo mist je zo dat ze hiernaartoe is gekomen om je te zien, en ze heeft een cadeautje voor je meegenomen.'

De tranenstroom stopte. Eén grote traan hing nog aan de rand van een wimper. Ze haalde trillerig adem en keek naar Milo Bordain.

'Hallo, Haley!' Bordain maakte haar stem hoger en zachter. 'Hoe is het met je?'

'Mijn mama is een engel,' zei Haley.

'Ik weet het, liefje. We missen haar, nietwaar?'

Haley knikte terwijl haar duim naar haar mond ging. Ze liet haar hoofd op Annes schouder rusten.

'Ze wordt snel moe,' legde Anne uit. 'Ga zitten.'

Ze ging met Haley op schoot op de bank zitten. Milo Bordain koos de poef. Anne gaf haar een punt in haar voordeel omdat ze dichtbij ging zitten en niet voor een stoel koos die twee meter verder stond. Upchurch was druk bezig met controleren of er stof op de tafels lag en bekeek de kwaliteit van de meubels jaloers.

'Haley,' zei Milo Bordain met het cadeau in haar uitgestrekte hand. 'Ik heb iets speciaals voor je meegenomen om in Annes huis te hebben.'

Haley pakte het cadeau aan en trok aan de strik.

'Die houden we zodat je hem in je haar kunt dragen,' zei Anne terwijl ze het lint weglegde.

Haley was haar huilbui vergeten en trok het papier snel van de doos.

'Het is een kitten!' riep ze toen ze de knuffel uit het vloeipapier haalde.

'Ik dacht dat je je eigen kittens waarschijnlijk zou missen,' zei Milo Bordain. 'Dit is een kitten die je overal mee naartoe kunt nemen.'

Anne voelde haar hart een beetje verzachten ten opzichte van Milo Bordain. Ze had nagedacht over het cadeau, en had duidelijk aandacht gehad voor Haleys obsessie met katten en kittens.

'Wat zeg je dan, Haley?' drong Anne aan.

'Dank je wel, papa Milo!'

'Tante Milo,' corrigeerde Anne haar.

'Het hindert niet,' zei Milo Bordain. 'Haley zegt altijd tegen me dat ik een jongen moet zijn omdat ik een jongensnaam heb.'

Haley had genoeg van de volwassenen; ze liet zich van de bank glijden en nam haar nieuwe schat mee om aan haar vriendin te laten zien. 'Wendy, kijk eens naar mijn kitten! Ik heb een kitten gekregen, maar het is geen echte. Hij ziet er alleen zo uit.'

'Gaaf, Haley,' zei Wendy. 'Laten we hem bij je poppen leggen.'

'Ze noemt iedereen die ze ziet papa,' zei Anne.

'Dat is Marissa's schuld,' zei Milo Bordain met een zweem van verbittering in haar stem. 'Ik heb haar keer op keer gezegd dat ze moest trouwen om Haley een vader te geven, maar ze wilde niet naar me luisteren.'

'Kwamen haar vrienden bij haar thuis?' vroeg Anne.

'Niet op een ongepaste manier. Marissa was een erg gewetensvolle moeder. Maar ze was bevriend met veel mannen. Ik vond dat altijd heel verwarrend voor Haley.'

'Ze heeft vriendjes en vriendinnetjes met een moeder en een vader,' zei Anne. 'Het is normaal dat ze dat ook wil.'

'Hoe is ze eronder?' vroeg Milo Bordain. 'Ik heb me zorgen om haar gemaakt.'

'Het is net een achtbaan. Kinderen van Haleys leeftijd denken dat de dood tijdelijk is, en ze hebben zich psychologisch nog niet voldoende ontwikkeld om een rouwproces te kunnen doorlopen zoals volwassenen dat doen. Dat is voor ons zelfs al moeilijk. Hoe verwarrend moeten die gevoelens dan voor een kind zijn. Haley is het ene moment van streek omdat haar moeder er niet is, en het volgende moment is ze verdiept in een tekenfilm of vertelt ze dat ze sprookjesprinses wil worden. Als ze ouder wordt en meer begint te begrijpen, zal ze waarschijnlijk door de verschillende stadia van rouw gaan. Het is een lang proces.'

'Heeft ze iets gezegd over wat er is gebeurd of wie hen heeft aangevallen?' vroeg Maureen Upchurch terwijl ze in Vinces mannenstoel ging zitten.

'Ze heeft nachtmerries over een gestalte met zwarte kleding,' zei Anne. 'Ze noemt hem Slechte Papa. Misschien krijgen we nooit een naam van haar te horen, omdat haar onderbewustzijn dat blokkeert.'

'Arm klein ding,' zei Milo Bordain van slag. 'Haar hele leven staat op zijn kop.'

Haley kwam terug met haar nieuwe speeltje onder haar arm. 'Waar zijn mijn echte kittens?'

'Ik heb Hernando gevraagd om de moederkat en de kleine katjes naar mijn huis te brengen zodat we ze eten kunnen geven en kunnen verzorgen,' zei Milo Bordain. 'Ze wonen nu in de schuur bij de paarden en de kippen. Je moet maar snel eens bij ze op bezoek komen.'

Haley begon te stralen en draaide zich naar Anne. 'Mag dat, mama Anne? Mag dat, alsjeblieft?'

Anne kreeg de onverwachte klap en kon niets doen, behalve blijven zitten en hem in ontvangst nemen. Milo Bordain had haar bewust of onbewust in het nauw gedreven.

'Mama Anne?' Milo Bordain trok een wenkbrauw op.

'Zo noemt Haley me graag,' legde Anne uit. 'Het geeft haar een beetje gevoel van veiligheid.'

'Het lijkt volkomen misplaatst,' zei Maureen Upchurch.

'Ze is vier jaar,' antwoordde Anne. 'Laat haar dat zeggen als ze dat wil.'

Haley sprong ongeduldig op en neer. 'Mag het, alsjeblieft, alsjeblieft, alsjeblieft?'

'Ik zou het heerlijk vinden als je met Haley bij me op bezoek komt!' zei Milo Bordain, die zich herstelde na haar afkeurende reactie. 'Haley zou het zo leuk vinden. Ze houdt van alle dieren. Nietwaar, liefje? We hebben vee en paarden en schapen en geiten en kippen. Je moet met haar bij me op bezoek komen. Dan laat ik Hernando en Maria een picknick voor ons klaarmaken bij het meer.'

Voordat Anne adem kon halen om te weigeren, stond Haley voor haar met haar grote ogen en hoopvolle, kleine, engelachtige gezicht.

'Mama Anne! Mag het? Mag het, alsjeblieft, alsjeblieft?'

'Dat zien we nog wel,' zei Anne.

'O,' zei Haley terwijl ze naar haar tante Milo keek. 'Dat betekent nee.'

'Het betekent dat we het nog wel zien.'

'Ik snap niet waarom je niet met haar kunt langskomen,' zei Bordain, die geïrriteerd raakte.

Franny redde haar van het ongemakkelijke moment door met een blad met thee en koekjes uit de keuken te komen. 'Theetijd voor alle kittens! Ik bedoel kinderen!' riep hij.

Anne gaf de twee vrouwen een rondleiding door het huis om Maureen Upchurch' jaloerse nieuwsgierigheid te bevredigen en werkte ze daarna naar buiten met het excuus dat het tijd was voor Haleys dutje en de belofte om Milo Bordain te bellen over het eventuele uitje naar de hoeve.

Toen ze terugkwam in de zitkamer zaten de meisjes naast elkaar op de bank naar een paarse dinosaurus op de televisie te kijken. Haley had haar duim in haar mond en haar ogen halfdicht. Anne liet zich op de leren stoel bij het raam vallen en keek naar Franny.

'Die zag ik niet aankomen,' zei ze. 'Dat had gemoeten, maar ik heb het niet gezien.'

'Je bent een moeder met slaapgebrek.'

'Hoe kan ik wedijveren met een hoeve?'

'Dat kun je niet, maar je verslaat haar op het gebied van warme, donzige liefde. Het enige donzige aan die oude travo zijn haar snorharen.'

Anne lachte vermoeid om de opmerking. 'Wat is ze?'

Franny rolde met zijn ogen. 'O, alsjeblieft, Anne Marie. Je verpest mijn beste opmerkingen met je tragische ouderwetsheid. T-r-a-v-o als in t-r-a-v-e-s-t-i-e-t! Als die geen ballen onder haar rok heeft, verbergt ze ze ergens anders.'

'Je bent gewoon afschuwelijk.'

'Eerlijk!' lachte hij. 'Ik snap niet hoe ze zo'n prachtige zoon heeft kunnen krijgen.'

'Wie is haar zoon?'

'Darren "u verdient een Mercedes" Bordain. Kijk je geen televisie? Hij doet alle reclames. Hij is prachtig! En zo goed gekleed.'

'Hij klinkt als de man voor jou.'

'Natuurlijk zit hij in de kast. Zo diep dat zelfs de mode van vorig jaar hem daar niet kan vinden.'

'Dat kan betekenen dat hij hetero is,' zei Anne.

'Je verpest mijn fantasieën altijd.'

'Jij denkt dat elke knappe man stiekem homo is.'

'Ik denk niet dat Vince homo is.'

'Godzijdank,' zei Anne. Ze zuchtte. 'O, Franny... Vertel me alsjeblieft dat het ergens vijf uur is.'

'Liefje, het is altijd ergens vijf uur,' zei hij terwijl hij een glas rode wijn achter de lamp op de bijzettafel vandaan haalde.

Anne nam een slokje, proefde, slikte het door en zuchtte. 'Ik hou van je, Franny.'

'Ik weet het, liefje,' zei hij. 'Dat doet iedereen.'

64

Vince zat in zijn auto en keek naar het kantoor van Quinn, Morgan en Partners, de gerespecteerde advocatenpraktijk die gespecialiseerd was in familie- en burgerrecht.

Steve Morgan was geen partner geworden door roekeloos of dom gedrag. Integendeel, Vince wist dat hij heel intelligent, heel selectief en heel voorzichtig was.

Hij had een paar keer tegenover Steve Morgan gezeten tijdens het onderzoek naar de Zie-Geen-Kwaad-moorden. De agenten hadden voldoende aanwijzingen dat hij seks had gehad met het slachtoffer Lisa Warwick, maar hij had het nooit toegegeven. Zelfs het dreigement over DNA-technologie – wat ze nog niet helemaal hadden, maar waar ze mee bluften – had hem niet aan het wankelen gebracht.

Vince wist dat Steve Morgan een moeilijke jeugd had gehad, met een prostituee als moeder en zonder vaderfiguur in zijn leven.

Naar eigen zeggen hield hij veel van zijn moeder, maar Vince had bij mannen met een soortgelijke jeugd gemerkt dat die zogenaamde liefde vaak een dekmantel was om een enorme haat te verbergen. Jongens die in zo'n situatie en zonder man als positief rolmodel in hun leven opgroeiden, voelden zich vaak kwetsbaar en in de steek gelaten door hun enige ouder, hun moeder. Ze zagen hoe hun moeder zichzelf verlaagde en hoe andere mannen haar vernederden en uitbuitten. Dit leidde er over het algemeen toe dat de jongens vrouwen minachtten en gebrek aan respect voor ze hadden, en dat ze een enorme woede bij zich droegen, die op een bepaald moment tot het gebruik van geweld kon leiden.

Steve Morgan was intelligent, haalde goede cijfers op school en was een van de besten van zijn klas aan de Universiteit van Californië in Berkeley, waar hij Sara had ontmoet. Daarna had hij rechten gestudeerd aan de Universiteit van Zuid-Californië, waar hij prachtige cijfers had gehaald. Er volgden een paar goede banen in Greater Los Angeles, een huwelijk, een baby, een verhuizing naar Oak Knoll om een betere kwaliteit van leven te krijgen en een baan bij Don Quinn, die hij tijdens zijn eerste baan na zijn rechtenstudie had ontmoet.

En al die tijd had hij achtergestelde vrouwen verdedigd. Het was bewonderenswaardig.

Toch waren de wielen op een gegeven moment van de rails gelopen, en de vraag was waarom. Hoewel hij Tony's theorie dat Steve Morgan met Peter Crane had samengewerkt in de Zie-Geen-Kwaad-moorden met de grond gelijk had gemaakt, was het niet moeilijk om een man met Morgans psychopathologie te zien in de rol van een moordenaar die het vooral had voorzien op prostituees, achtergestelde vrouwen... en vrijgevochten single moeders met een vriendenkring die vooral uit mannen bestond.

Hoe groot was de kans op twee uiterst intelligente, georganiseerde, seksueel sadistische seriemoordenaars in een stadje met de omvang van Oak Knoll, en dan ook nog in dezelfde periode? Astronomisch klein. En dat die twee dan ook nog vrienden waren? Vince zou het wiskundige brein van Zander Zahn moeten hebben om dat uit te rekenen.

Het was iets wat alleen in Hollywood op een filmscherm kon gebeuren, zoals Jack the Ripper en Markies de Sade die samenwerkten in één stad.

Vince wist natuurlijk dat het voorkwam dat moordenaars samenwerkten. Hij had zowel Larry Bittaker als Roy Norris geïnterviewd, die berucht waren om de buitengewoon wrede moorden op vijf jonge vrouwen in Los Angeles in 1979. En Kenneth Bianchi en zijn neef Angelo Buono, die eveneens in 1979 in LA waren opgepakt voor de moord op tien jonge vrouwen in de beruchte Hillside Strangler-moorden.

Maar een team had precies de juiste mensen nodig met de juiste combinatie van slechte chemie. Eén partner was altijd dominant, de ander volgde. En als ze in een moeilijk parket zaten in een politie-verhoorkamer, viel de een de ander altijd razendsnel af om zo een lagere gevangenisstraf te krijgen. Omdat psychopaten alleen om zichzelf en hun eigen welzijn gaven, bezaten ze geen loyaliteit ten opzichte van de partner.

Vince was ervan overtuigd dat Morgan niet met Peter Crane had samengewerkt in de Zie-Geen-Kwaad-moorden. Cranes moorden waren het uiterst methodische en ritualistische werk van een man met een heel specifieke, seksueel sadistische fantasie.

De moord op Marissa Fordham was een moord uit woede geweest, puur en simpel. Ze was net zolang gestoken tot de woede van de moordenaar verdwenen was. Het afsnijden van haar borsten en het mes in haar vagina waren postmortale statements geweest.

Nu moest Vince uitzoeken of Steve Morgan tot zulke woede in staat was.

Hij stapte uit zijn auto, sloeg de kraag van zijn jas op tegen de motregen en stak de straat over naar Quinn, Morgan en Partners, waar hij de receptioniste met zijn allercharmantste glimlach begroette.

'Vince Leone. Ik ben hier voor meneer Morgan,' zei hij.

De jonge vrouw fronste haar voorhoofd en fluisterde: 'Het spijt me, meneer Morgan is vandaag niet te spreken voor cliënten.'

'Laat hem alstublieft weten dat ik hier ben,' fluisterde Vince terug. 'Ik weet zeker dat hij een uitzondering voor me maakt.'

Hij pakte een boterballetje van de snoepschaal op de balie terwijl de vrouw Morgan belde.

De receptie was heel smaakvol, met verschillende grijstonen en blauwgroene en bordeaux accenten. Het straalde luxe uit en creëerde een sfeer van kalmte en betrouwbaarheid, eigenschappen die je in een familieadvocaat zocht.

'U mag meteen naar binnen, meneer Leone,' mompelde de receptioniste.

'Dank u wel.'

Steve Morgan zat achter zijn grote bureau met het uiterlijk van een verliezer in een professionele bokswedstrijd. Mendez had hem goed te pakken gehad. Beide ogen waren blauwzwart – het ene erger dan het andere – en zijn neus was een ingetapete, gezwollen, paarse massa. Uit het feit dat de man geen aangifte deed, leidde Vince af dat hij een enorme hoeveelheid zelfhaat bezat. Ergens dacht Morgan dat hij het verdiende.

'Ik moet nu echt een verdachte zijn,' zei Morgan. 'Als ze hun geheime wapen op me afsturen.'

Vince stak zijn handen in de lucht. 'Maak je geen zorgen, ik werk niet meer voor de FBI.'

'Ik kan argumenteren dat je hier als agent van het politiebureau bent.'

'Niets wat je in deze kamer zegt kan of zal tegen je gebruikt worden in een rechtbank.'

'Je bent hier dus zomaar.'

'Ik heb Sara vandaag gesproken.'

'O.'

Vince ging zitten. Ze keken elkaar even aan terwijl ze allebei de gedachten van de ander probeerden te lezen voordat het schaakspel begon.

'Laat ze me arresteren?'

'Waarvoor? Heb je de wet overtreden?'

'Ze was behoorlijk van streek toen ze me gisteravond op straat zette.'

'Het lijkt erop dat je daar flink aan hebt meegewerkt.'

'Ik hou er niet van om te worden beschuldigd van dingen die ik niet heb gedaan,' zei Morgan. 'Vooral niet door de vrouw met wie ik getrouwd ben. Ik heb mijn trouwbelofte altijd heel serieus genomen.'

'Tot wanneer?' vroeg Vince. 'Jij en ik weten allebei dat je haar niet trouw bent geweest, Steve. Je hoeft tegen mij niet te liegen.'

Morgan zuchtte. 'Ik vermoed dat het niet uitmaakt als ik je vertel dat mijn huwelijk jou niet aangaat.'

'Nee, dat gaat me namelijk wel aan nu Sara naar me toe is gekomen om er met me over te praten.'

Morgan kneep zijn goede oog samen. 'Waarom zou Sara met jou praten?'

'Sara en Anne zijn het afgelopen jaar bevriend geraakt. Maar misschien weet je dat niet... omdat je het te druk had met al die andere vrouwen en zo.'

'Maar waarom heeft ze dan met jou gepraat en niet met Anne?'

Vince glimlachte. 'Omdat Anne je niet in de gevangenis kan smijten als dat nodig is.'

Morgan was onverstoorbaar. 'Wat me terugbrengt op mijn oorspronkelijke vraag. Laat Sara me ergens voor arresteren?'

'Nee.'

Vinces blik gleed over het bureaublad. Morgan had geen poging gedaan om te verbergen dat hij dronk. Een zwaar kristallen glas met drie vingers vloeistof stond links van het vloeiblad. Een fles Hennessey Irish whisky stond boven op een boek over de Californische scheidingswet.

'Ik mag Sara graag,' zei Vince. 'Ze is een aardige meid. Ze is slim, heeft talent en is heel aantrekkelijk. En ze houdt van je.'

'Dat is nauwelijks te geloven, vind je niet?'

Vince schudde zijn hoofd. 'Nee. Ik snap het. Je bent een knappe man – meestal tenminste. Je bent een doorzetter. Je toont mededogen met de misdeelden van de samenleving. Je doet goed werk. Ze heeft me verteld dat je veel hebt overwonnen in je leven. Dat is bewonderenswaardig. Waarom zou ze niet van je houden?'

Morgan haalde nauwelijks zichtbaar zijn schouders op.

'Ze heeft je baby gekregen,' ging Vince verder. 'Ze heeft je een prachtige dochter geschonken. Jullie hadden alles wat je je maar kon wensen.'

Steve Morgan nam een flinke slok whisky en leunde achterover in zijn stoel.

'En toen verpestte ik het, nietwaar?'

Vince haalde zijn schouders op. 'Jij mag het zeggen. Op een bepaald moment zijn de wielen van de rails gelopen. Begon je te denken dat ze je niet kon begrijpen omdat zij uit een fijn gezin kwam? Of misschien begon je te denken dat je haar niet verdiende. Je kon niet aan haar tippen, dus kon je het net zo goed verpesten in plaats van te wachten tot zij ook tot die conclusie was gekomen.'

Steve Morgan zei niets.

'De meeste vrouwen trouwen onder hun stand, dat is een bekend gegeven,' zei Vince. 'Ik spreek uit ervaring. Ik heb heel veel geluk gehad en dat weet ik. Niemand weet wanneer het geluk voorbij is, maar ik probeer te ontspannen en een gegeven paard niet in de bek te kijken. Paarden bijten namelijk.'

Hij bedacht dat het een goed teken was dat Steve hem niet vroeg om te verdwijnen. Dat betekende iets. Morgan luisterde. Verwerkte hij wat hij zei of verbaasde hij zich over de onzin die die idioot uit Chicago uitkraamde?

'Stel je jezelf die vragen, Steve?' vroeg hij kalm. 'Je bent een slimme kerel. Jezus, kijk naar je diploma's,' zei hij terwijl hij naar de muur achter in het kantoor wees. 'Hoe kan zo'n slimme kerel zo verdomd stom zijn? Stel je die vraag aan jezelf?'

'Elke dag,' mompelde Morgan, waarna hij nog een slok whisky nam.

Er ging een kleine schok van opwinding door Vince heen. Raak. Steve praatte niet alleen, hij biechtte iets op. Hij voelde zich onwaardig. Misschien snapte hij zelf niet dat hij iets wat zo perfect was zomaar had weggegooid.

'Mag ik daar wat van?' vroeg Vince terwijl hij naar de fles Jameson wees.

Morgan haalde zijn schouders op. 'Waarom niet?'

Hij stak zijn hand uit naar de boekenkast achter hem en haalde nog een glas tevoorschijn, dat hij over het bureau naar Vince toe schoof. Vince schonk voor zichzelf in, nam een slokje en genoot van de zachte, rookachtige smaak van de drank.

'Lekker,' zei hij. 'De Italianen kunnen druiven persen, maar ze verslaan de Ieren met hun whisky niet.'

Morgan pakte zijn glas en toostte hem toe.

'Dus,' zei Vince. 'Wat denk je? Heb je het kapotgemaakt? Is het voorbij?'

'Zeg jij het maar. Ze heeft met jou gepraat.'

Vince trok een gezicht. 'Het ziet er niet goed uit.'

Er gleed een nauwelijks merkbare, verdrietige glimlach over Steve Morgans gezicht. 'Ik verdien mijn geld met mensen te overreden om het van mijn kant te zien.'

In eerste instantie klonk het alsof hij wilde proberen om Sara terug te winnen. Maar Vince had eigenlijk het gevoel dat hij Sara er al van had overtuigd dat ze bij hem weg moest gaan.

'Je hebt haar gisteravond behoorlijk bang gemaakt,' zei Vince. 'Waarom? Om haar de genadeslag te geven? Wilde je haar duidelijk maken wat een klootzak je bent? Of wil je echt dat ze denkt dat je die vrouw hebt vermoord?'

'Dat denkt ze toch al.'

'Het zou toch waar kunnen zijn?' vroeg Vince.

Morgan zei niets, maar schonk nog wat whisky voor zichzelf in.

'Je was zogenaamd in Sacramento toen het gebeurde,' zei Vince. 'Maar daar was je niet. En doe geen moeite om daarover te liegen, want Cal Dixon heeft een mannetje die sporen volgt als een bloedhond.'

'Ik was niet waar ik had gezegd dat ik was.'

'Je was bij een vrouw.'

'Ik leg geen verklaring ten nadele van mezelf af.'

'Je wordt liever beschuldigd van een moord dan dat je toegeeft dat je vreemdgaat hoewel iedereen toch al weet dat je rondneukt? Dat klinkt niet logisch.'

'Misschien is het dat wel voor de vrouw bij wie ik was.'

'Dat klopt als het Marissa Fordham was.'

'Die was het niet.'

'"Denk je dat ik haar zevenenveertig keer heb gestoken en haar keel heb doorgesneden?" Dat heb je gezegd. Hoe ben je aan dat getal gekomen, Steve?'

'Waarom? Had ik gelijk?'

'Je zat behoorlijk in de buurt,' zei Vince. 'Niet dat de meeste moordenaars tellen als ze op die manier met een mes tekeergaan, maar ik kan je vertellen dat er vreemdere dingen zijn gebeurd.'

'Als ik het heb gedaan, zou ik stapelgek zijn om dat te zeggen,' zei Morgan.

'Ja,' zei Vince. 'Zo gek als een deur.'

Morgan dronk het laatste restje whisky langzaam op en zette zijn glas geruisloos neer. Daarna keek hij Vince recht aan. 'Je hebt geen bewijs dat mij met de moord op Marissa in verband brengt omdat er geen bewijs ís dat mij met de moord op Marissa in verband brengt, omdat ik haar niet heb vermoord. En nu wil ik dat je vertrekt, Vince. Bedankt dat je bent langsgekomen.'

65

Kruip, Gina. Blijf daar niet gewoon liggen. Kruip!
Marissa zat op handen en knieën in de modder met haar hoofd naar beneden gebogen. *Kruip! Verdomme, Gina! Je kunt het nu niet opgeven!*
Maar ik ben zo moe, en het is hier zo fijn.
Nee, dat is het niet. Hoe stom kun je zijn? Het regent. Je ligt met je gezicht in de modder!
Ik heb het zo warm. Ik heb het heet. Waarom heb ik al deze kleren aan?
O mijn god. Je hebt het niet warm. Je hebt het koud. Hoor je me? Hoor je me?
Hou je kop, Marissa. Ik hoor iets in de verte. Wop, wop, wop, wop. Dat is een helikopter, stommerd.
Noem me geen stommerd. Het was allemaal jouw idee.
Ik probeerde iets goeds te doen. We hebben iets goeds gedaan!
Je bent dood.
Hoe kun je me dan zien? Hoe kun je me dan horen? Gina? Gina!
Het enige wat ze wilde was slapen, maar Marissa pakte haar goede arm en probeerde haar mee te trekken.
Kruip! Je moet het voor Haley doen! Je moet naar de brandgang toe. Als je het tot de brandgang redt, vinden ze je!
De brandgang. Ze herinnerde zich dat ze midden in de nacht over een brandgang gereden waren en dat ze met een pistool in haar rug naar de put was gelopen.
Wie?
Waar heb je het over?
Wie gaat me vinden?
Ik weet het niet! Brandweermannen. Grote, knappe brandweermannen.
Ik hou van brandweermannen. Mijn vader was brandweerman.
Nee, dat was hij niet. Je vader verkocht verzekeringen.
Dat is mijn hallucinatie.
O, verdomme! Kruip, Gina! Je gaat dood als je niet begint te krui-

pen! Je wilt niet dood! Je kunt niet doodgaan! Je bent de enige die de waarheid kent. Je moet het voor Haley doen. Kruip, Gina!

Voor Haley. Gina verzamelde al haar krachten om het te proberen. Ze klauwde met haar goede hand in de rotsachtige grond en voelde haar nagels breken. Ze moest houvast krijgen. Ze trok haar goede been op en zette zich af.

Ze verwachtte pijn te voelen, verschrikkelijke, verblindende pijn. Ze voelde niets. Het was alsof haar hersenen en haar lichaam niet meer verbonden waren. Ze was heel zwak, maar ze had geen pijn meer.

Marissa pakte haar arm en trok er opnieuw aan. Gina trok haar goede been op en zette zich af. Ze was zo'n dertig centimeter naar voren geschoven.

Hoe ver is het naar de brandgang?

Niet ver. Blijf doorgaan. Blijf je afzetten.

Ze herhaalde de beweging telkens opnieuw, met rustpauzes ertussen. Elke keer dat ze zich inspande voelde ze zich zwakker worden, tot ze haar goede been niet meer dan een paar centimeter kon optrekken en ze niet verder vooruitkwam dan dat.

Ik kan het niet, Marissa. Het is te ver. Het is te laat.

Wat wil je dan doen met je tijd? Je kunt net zo goed doorgaan tot je doodgaat.

Ik wil niet dood. Ik wil niet dood. Ik wil niet dood.

Ze wilde niet dood. Ze kon niet doodgaan. Ze was de enige die het verhaal kende.

66

'Ik weet niet wat ik jullie nog meer kan vertellen,' zei Mark Foster, die Mendez en Hicks volgde naar de verhoorkamers. 'Ik heb niet het gevoel dat ik een grote hulp voor jullie kan zijn.'

'Het is zoals ik aan de telefoon al zei, Mark,' zei Hicks. 'We proberen een gedetailleerd tijdschema van Marissa Fordhams leven in de week voordat ze is vermoord op te stellen.'

'Dingen die onbelangrijk lijken voor jou kunnen de puzzel voor ons oplossen,' zei Mendez. Hij opende de deur naar verhoorkamer twee en gebaarde Foster om naar binnen te gaan.

Ze gingen rond de kleine tafel zitten. Foster keek om zich heen, ogenschijnlijk een beetje gespannen.

'Ik ben nog nooit in deze situatie geweest,' gaf hij toe. 'Dit heb ik alleen op televisie gezien.'

'We gaan niet met een lamp in je gezicht schijnen of een grote vent met een koperen boksbeugel binnenhalen,' verzekerde Mendez hem. 'Behalve als je antwoorden ons niet aanstaan.'

Ze lachten allemaal beleefd.

Foster droeg zijn uniform – een kakibroek en blauw overhemd – maar hij had een pullover en een blauw colbertje toegevoegd aan de combinatie om de kilte van de dag te bestrijden. Hij leek het nu te warm te hebben.

'Wil je een kop koffie?' vroeg Mendez. 'Het is rotweer vandaag.'

'Nee, dank je,' zei Foster terwijl hij de regendruppels met een zakdoek van zijn bril veegde. 'Ik heb op het nieuws gezien dat jullie op zoek zijn naar Gina Kemmer. Hebben jullie haar al gevonden?'

'Nee. Nog niet. Jij was toch bevriend met haar?'

'Ja.'

'Je hebt met haar gepraat op de dag dat ze verdween,' zei Hicks.

Foster sperde zijn ogen open. 'Wat? Wanneer dan?'

'Woensdag. Laat in de middag.'

'Eh...' De radertjes in Fosters hoofd draaiden terwijl hij in zijn geheugen zocht. Een beetje koortsachtig, dacht Mendez. 'Woensdag... O, ja. Ik had het heel druk die dag. Gina belde. Ze wilde over een herdenkingsplechtigheid voor Marissa praten. Ik had geen tijd om erop in te gaan.'

'Wanneer heb je haar voor het laatst gezien?'

'Zondagavond. Ze had wat vrienden op bezoek. Jullie denken toch niet dat er iets met haar gebeurd is?'

'We weten het niet,' zei Mendez. 'Ik heb met haar gepraat op de middag dat ze verdween. Ze leek heel erg van streek.'

'Tja, om Marissa op die manier te verliezen...' zei Foster. 'Ze waren net zusjes. Ze was hysterisch toen ik haar sprak nadat het nieuws net bekend was geworden.'

'Heeft ze iets gezegd? Een reden waarom ze dacht dat iemand Marissa Fordham iets willen aandoen?' vroeg Hicks.

'Nee, mijn god, we waren allebei in shock. Jullie denken toch niet dat de moordenaar het ook op haar gemunt had?'

Mendez haalde zijn schouders op. 'Dat is mogelijk.'

Foster schudde zijn hoofd. 'Ik kan me niet voorstellen dat iemands geest zo ziek is dat hij zoiets doet. Ze zeggen dat ze tweeënzeventig keer gestoken is en dat haar lichaam verminkt is. Dat is krankzinnig. Wie dat gedaan heeft moet toch krankzinnig zijn?'

'Dat is niet aan ons om over te oordelen,' zei Mendez. 'Wij pakken ze alleen en sluiten ze op.'

'Ik hoop dat jullie deze bijna te pakken hebben.'

'Je zei dat je Marissa voor het laatst in Los Olivos hebt gezien.'

'Eigenlijk klopt dat niet. Ik heb haar een week voordat ze is vermoord op het herfstfestival van de Licosto Winery gezien. Fantastische wijn. Koks uit de hele streek. Marissa was er met Haley. Hoe is het met Haley?'

'Het gaat goed met haar,' zei Hicks. 'We hopen dat ze in staat is om de moordenaar te identificeren.'

'Dat is nogal wat om een vierjarig kind mee te belasten.'

'Ze is onze enige levende getuige.'

Foster schudde bezorgd zijn hoofd.

'Heeft iemand Marissa die dag lastiggevallen?' vroeg Mendez.

'Marissa liet alles van zich af glijden,' zei Foster. 'Ze had die ochtend een aanvaring met mevrouw Bordain gehad, maar daar haalde ze haar schouders over op.'

'Waar ging dat over?'

'Iets belachelijks,' zei hij. 'Ik ken Milo vrij goed omdat we allebei in het comité voor het zomermuziekfestival zitten. Ze is heel dominant, maar ze denkt zelf dat ze dat met de beste intenties doet. Zodra ergens twee of meer mensen bij elkaar zijn, vormt Milo een comité om iets te organiseren.'

'Ze is manipulatief,' zei Mendez.

'Het komt nooit bij haar op dat andere mensen een andere mening hebben dan zij,' zei Mark Foster. 'Ze trekt mensen in haar kringetje en verwacht dat ze doen wat zij wil. Marissa was het tegenovergestelde. Ze gaf Milo meestal haar zin, maar soms verzette ze zich en weigerde ze, alleen om Milo te laten weten dat ze dat kon.'

'Kun je ons een voorbeeld geven?' vroeg Hicks.

'Natuurlijk. Milo is bijvoorbeeld heel politiek bewust. Bruce en zij zijn grote contribuanten van hun partij. Ze wilde dat Marissa op een geldinzamelingsactie voor een kandidaat zou verschijnen. Ze had Marissa's jurk uitgekozen, een afspraak bij de kapper gemaakt, alles. Maar Marissa heeft een andere politieke mening dan de Bordains, en ze weigerde het te doen. Milo heeft twee weken niet tegen haar gepraat.'

'Was dat een moeilijke positie voor Marissa? Dat ze het haar sponsor naar de zin moest maken?' vroeg Mendez.

'Niet binnen redelijke grenzen, maar Milo is niet altijd redelijk. Ze is verwend. Ze wil dat de dingen op haar manier gaan of ze pakt haar barbiepoppen en gaat naar huis.'

'En Darren Bordain?' vroeg Hicks.

'Wat is er met hem?'

'Jullie zijn bevriend.'

'Ja.'

'Wat waren zijn gevoelens voor Marissa?'

'Ze waren maatjes. Ze vonden het leuk om over Milo te roddelen.'

'Zijn ze ooit meer dan vrienden geweest?' vroeg Mendez.

'Nee.'

'Zijn ze ooit minder dan vrienden geweest?'

Foster fronste zijn hoofd verward. 'Ze waren vrienden. Ik weet niet goed wat je bedoelt.'

'Mevrouw Bordain was blijkbaar zo gehecht aan Marissa en Haley dat ze bijna familie leken,' zei Mendez. 'Misschien veroorzaakte dat een vreemde gezinsdynamiek. Misschien wekte het jaloezie.'

'O god, nee.' Foster schudde zijn hoofd. 'Het maakte Marissa en Darren juist bondgenoten.'

'Is er een kans dat Darren de vader van Haley is?' vroeg Mendez bot.

Fosters wenkbrauwen schoten omhoog. 'Ik denk het niet. Ik bedoel, je zou het hem moeten vragen, maar ik denk het niet.'

'Is er een kans dat jij Haleys vader bent?' vroeg Hicks.

'Nee,' antwoordde Mark emotieloos. 'Ik weet niet wie Haleys vader is. Marissa praatte daar nooit over, en niemand anders vond dat nodig. Het was niet belangrijk.'

'Misschien is het wel degelijk belangrijk voor iemand geweest,' zei Mendez. 'Misschien was het belangrijk genoeg om er een moord voor te plegen.'

De deur ging open. Dixon stak zijn hoofd naar binnen en wees naar Mendez.

'Wat is er?' vroeg Mendez nadat hij de gang in was gelopen en de deur achter zich had dichtgedaan.

'Ik wil dat Hicks en jij naar het Mercy General gaan. De reddingsbrigade heeft een vrouw in de heuvels gevonden. Het kan Gina Kemmer zijn. Het ziet er niet best uit.'

'Waar hebben jullie haar gevonden?' vroeg Mendez.

Hij stond samen met Tom Scott, het hoofd van de reddingsbrigade, achter de deuren van de ambulanceoverkapping bij de spoedeisende hulp van het Mercy General. Tom was een veertiger met de gespierde bouw van een professionele footballverdediger en het hoekige gezicht van een stripverhaalheld.

Hicks kwam terug van de trauma-afdeling met een verbeten gezicht en een knikje. 'Ze is het.'

'Ze bevond zich ongeveer vijftig meter van een brandgang in het Dyer Canyon-gebied. Mijn hond heeft haar gevonden. We waren in dat gebied op zoek naar een man. Mijn jonge hond ging ervandoor. Hij is net in training. Ik was van plan hem daar flink voor op zijn kop te geven, dus ging ik achter hem aan. Toen ik over de heuvel was, zag ik dat hij probeerde de vrouw aan haar arm mee te trekken. Hij trok aan haar en blafte en begon weer aan haar te trekken. En gelukkig maar. Er is daar veel struikgewas en kreupelhout. We zouden haar niet gezien hebben. De helikopter was eerder over dat gebied gevlogen en had niets gezien.'

'In wat voor conditie is ze?' vroeg Mendez.

Scott rolde met zijn ogen en schudde zijn hoofd. 'Slecht. Ze heeft een schotwond in de linkerschouder. Het lijkt erop dat de kogel erdoorheen is gegaan, maar de wond is rood en warm en zit vol pus. Ze heeft haar rechterenkel op een afschuwelijke manier gebroken. Allebei de botten zijn geknapt. Je kon haar voet helemaal ronddraaien.'

'O mijn god,' zei Mendez.

Hicks werd een beetje bleek door de levendige beschrijving.

'Ernstig uitgedroogd. Ernstig onderkoeld,' ging Scott verder. 'Ze ijlde toen we bij haar waren.'

'Is ze bij bewustzijn?'

'Nee. Het zou me erg verbazen als ze het zou redden. Ik weet niet wat ze allemaal heeft meegemaakt, maar het moet verschrikkelijk geweest zijn. Het leek of ze rattenbeten op haar handen, benen en gezicht had. En ze stonk! Alsof we haar uit een riool in Calcutta hadden gehaald.'

'Heeft ze iets gezegd toen jullie haar vonden?' vroeg Mendez. 'Heeft ze een dader genoemd? Iets?'

'Nee, ze brabbelde alleen onsamenhangend. Tegen de tijd dat ze in de helikopter lag, was ze bewusteloos. Ik heb nog nooit zo'n lage bloeddruk gezien bij iemand die nog een hartslag had.'

Hij knikte door de glazen ramen naar de auto van de reddingsbrigade, waar zijn partner wachtte. 'Ik ga de papieren in orde maken, maar ik zie jullie straks op de plek waar we haar gevonden hebben en dan laat ik alles zien.'

'Shit,' zei Mendez terwijl de forse man wegliep. 'We hebben niet veel geluk.'

'Niet?' vroeg Hicks. Hij keek om naar de trauma-afdeling. 'Je zou Gina moeten zien. Als je nog iets te goed hebt van de grote man daarboven, is het nu tijd om daar gebruik van te maken.'

Mendez sloeg een kruis. 'Help haar, God. Help ons, God. Hoe eerder, hoe beter.'

67

De plek waar Gina Kemmer was gevonden en uit de klauwen van de dood was getrokken door een Duitse herdershond, lag in een rotsachtig niemandsland tussen een aantal woningen, waaronder de huizen van Zander Zahn en Marissa Fordham en de hoeve van de Bordains. De plek lag een eind van de brandgang waarover Zander Zahn bijna elke dag had gelopen om zijn ochtend te beginnen bij zijn vrijgevochten vriendin Marissa en haar dochtertje.

Nu het begon te schemeren, was het gebied niet rustig of afgelegen meer. De brandgang stond vol politieauto's. Draagbare lampen waren gericht op de plek waar Gina was gevonden door de reddingsbrigade, en op de plek waar ooit een aantal boerderijen had gestaan, die lang geleden verlaten waren en waar weinig meer van over was.

'We hebben de sleepsporen tot hier gevolgd,' zei Tom Scott luid om boven de drie helikopters die boven het gebied cirkelden – een van de politie en twee van televisiezenders in Los Angeles – uit te komen. 'Het lijkt erop alsof ze uit deze oude put gekropen is. Degene die op haar heeft geschoten, heeft haar daarin gegooid en haar voor dood achtergelaten. Ze moet een enorme wilskracht gehad hebben om daaruit te komen.'

Mendez en Hicks schenen met de lichtbundels van hun Maglites op het gat in de grond. De put was niet meer dan anderhalf tot een meter tachtig breed en waarschijnlijk zes meter diep. Onderin lag de meest walgelijk stinkende berg vuilnis die Mendez ooit had geroken.

'Jezus,' zei hij. 'Als de val je niet doodt, doet de stank het wel.'

'Mensen hebben jarenlang hun afval in deze put gegooid,' zei Scott. 'Waarschijnlijk doet de helft van de mensen in deze vallei dat. En de jeugd komt hier feesten. Er liggen veel bierblikjes. Ik kwam hier vaak toen ik op de middelbare school zat.'

Hij scheen met zijn lamp in de put en op de roestige, gebogen stukken wapening die boven elkaar in de muur waren gemetseld en een primitieve ladder vormden. 'Ik denk dat haar voet in een van die ringen is blijven steken toen ze naar beneden is gegooid. Daardoor is haar enkel geknapt als een tandenstoker.'

'Ik zie beweging onder in de put,' zei Mendez.

'De ratten hebben daar beneden een feestmaaltijd,' zei Scott. 'Ze gaan naar binnen door holen of tunnels in de aarde en komen in de put via de plekken waar het oude beton verdwenen is. God weet wat daar beneden allemaal krioelt. Ratten, muizen, slangen, schorpioenen...'

'Weet je zeker dat ze daar beneden heeft gelegen?' vroeg Hicks.

'Ik durf het niet te zweren, maar het leek er volgens mij wel op. Als je bedenkt hoe ze stonk, heeft ze daar een hele tijd gelegen.'

'Ze wordt sinds woensdagmiddag vermist,' zei Mendez.

De grote man was onder de indruk. 'Wauw. Als die meid het redt, moet ik haar ontmoeten. Wat een kanjer.'

Grappig, dacht Mendez. Dat zou hij niet gezegd hebben toen hij Gina Kemmer had ontmoet. Hij had gedacht dat zij de bangste van de twee vriendinnen was geweest. Je wist nooit hoe mensen reageerden tijdens rampen, als ze gedwongen werden om iets te doen.

Hicks ging een van de technisch rechercheurs halen om de put in te gaan.

'Al gaf je me geld, dan zou ik het nog niet doen,' zei Scott.

Mendez lachte. 'Met die schouders zou je er niet eens in passen, kerel.'

'Mooi. Ik heb niets met muizen. Als er muizen naar me toe komen, echt man, dan gil ik als een klein meisje.'

'Er is een groot man voor nodig om dat toe te geven, Tom.'

De technisch rechercheur liep protesterend met Hicks mee. 'Neem je me verdomme in de maling? Wil je dat ik daar naar beneden ga?'

'Jij bent van de technische recherche,' zei Hicks. 'De put moet onderzocht worden.'

'Ik krijg niet genoeg betaald om dat te doen.'

'Dat moet je met de districtscommissaris bespreken,' antwoordde Mendez. 'In de tussentijd wil ik weten of er daar beneden bewijs ligt.'

'Pas op voor de muizen!' riep Tom Scott hem na terwijl hij naar beneden klom.

'Fuck you!'

De leider van de reddingsbrigade lachte, deed een stap naar achteren en keek ernstig om zich heen.

'Jezus, wat een eenzame plek om te sterven.'

Zahns woning lag zo'n vijfhonderd meter verder achter een heuvel. Marissa Fordhams woning lag ongeveer een kilometer naar het zuiden. De hoeve van de Bordains lag nog verder naar het noordwesten. Niemand hoorde je hier schreeuwen. Niemand hoorde je hulpgeroep uit de put komen. Er was hier niets, behalve konijnen, coyotes en ratel-slangen.

Het was niet vreemd dat iemand Gina Kemmer hiernaartoe had gebracht om haar te vermoorden.

Hij draaide zich weer naar Tom Scott. 'Heb je geen teken gevonden van ons vermiste wiskundegenie?'

Scott schudde zijn hoofd. 'Nee. Nada.'

Het was moeilijk voor te stellen dat Zander Zahn iemand neerschoot. Maar het was nog moeilijker voor te stellen dat hij iemand stak, en dat had hij in elk geval gedaan. Waar was hij verdomme gebleven?

Iedereen die in deze omgeving woonde zou deze plek kennen. Iedereen die in deze heuvels wandelde. Iedereen die misschien een lange wandeling met Marissa Fordham had gemaakt.

'Jullie zijn me heel wat verschuldigd,' zei de technisch rechercheur toen hij weer naar boven was geklommen met een grote bruine papieren bewijszak over zijn arm.

'Wat heb je daar, Petey?' vroeg Hicks.

'Zwarte kleding. Het lijkt erop alsof er opgedroogd bloed op zit. Heel veel bloed.'

Scott trok hem het laatste stuk uit de put, alsof hij een stuk speelgoed was, en zette hem op de grond. Hij opende de zak en Hicks stak zijn hand erin en haalde er een groot, zwart sweatshirt uit dat gekreukt en stijf was. Ze schenen er allemaal met hun zaklantaarns op.

'Doorweekt,' zei Mendez. 'Iemand heeft een bloedbad genomen.'

En de kans was groot dat het bloed waarin diegene had gebaad van Marissa Fordham was.

'Heren,' zei hij. 'Eindelijk hebben we wat bewijs.'

68

'Eindelijk hebben we iets,' zei Dixon. 'Halleluja.'

'Ik heb agenten op pad gestuurd om de bewoners van het gebied te vragen of ze woensdagavond iets hebben gezien,' zei Mendez terwijl hij zijn jas uitdeed. 'Het is daar ontzettend verlaten, maar misschien hebben we geluk.'

'Is er al iets bekend over Gina Kemmer?' vroeg Hicks.

'Ze is nog steeds in kritieke toestand,' zei Dixon. 'Het is moeilijk te voorspellen of ze de nacht haalt.'

'Ze heeft het tot nu toe gered,' zei Mendez. 'Ze had al drie keer dood moeten zijn.'

'Laten we hopen dat ze nog wat vechtlust heeft,' zei Dixon.

'Post er iemand bij haar kamer?' vroeg Mendez. 'De moordenaar is de enige in het district die niet onder de indruk zal zijn van haar overlevingsverhaal.'

'Het district?' zei Dixon. 'Wat denk je van het land? Ik heb alle televisiezenders op mijn dak voor interviews. Er schijnen nauwelijks nog hotelkamers vrij te zijn in de stad. Door de moord op Marissa en de verhalen over Haley, Zander Zahn en Gina zijn de ogen van heel Amerika op ons gericht. Alweer.'

'Onze moordenaar begint vast zenuwachtig te worden,' zei Vince. 'Als hij dat nog niet was. Het is erg als een vierjarig meisje hem kan identificeren, maar het is nog veel erger als een volwassen vrouw daartoe in staat is. Hij voelt zich in een hoek gedreven. Hij heeft te veel fouten gemaakt.'

'Darren Bordain was vandaag behoorlijk zenuwachtig,' zei Mendez. 'Hij weigerde een leugendetectortest en wilde zelfs zijn foto niet laten nemen. En zijn alibi voor de avond van de moord is Gina Kemmer, die nota bene vermist was.'

'Hij vond het vandaag absoluut niet fijn om in het middelpunt van de belangstelling te staan,' zei Vince. 'Afgaand op zijn lichaamstaal denk ik dat hij iets verbergt.'

'Hij kan een relatie met Marissa gehad hebben,' zei Hicks. 'Hij kan gedacht hebben dat hij Haleys vader is. Misschien heeft hij ontdekt dat dat niet zo is. Misschien heeft hij ontdekt dat Marissa nooit een baby heeft gekregen.'

'En nooit een baby had kunnen krijgen,' zei Dixon. 'Ik heb vandaag met de patholoog-anatoom gepraat. Ze kon niet zeggen wanneer, maar Marissa Fordhams baarmoeder is verwijderd.'

'Daar zou ik ook woedend over zijn,' zei Campbell. 'Na vier jaar gechanteerd worden ontdekken dat het kind niet alleen niet van mij is, maar zelfs niet van haar?'

Mendez knikte terwijl hij zich het scenario voorstelde. 'Bordain komt erachter. Hij is razend. Er knapt iets bij hem. Hij vermoordt haar. Zijn moeder was dol op Marissa. Ze was de dochter die ze nooit had gehad. Hij stuurt haar de borsten om te zeggen: "Hier heb je de verdomde dochter die je nooit hebt gehad. Ze was een oplichter en ik heb haar vermoord."'

'Dat kan heel goed,' zei Dixon. 'Te goed. Darren Bordain is een slimme vent. Zou hij zo'n duidelijk signaal geven door de borsten naar zijn moeder te sturen? Ik neig nog steeds naar misleiding. Iemand speelt met ons.'

'Vince, hoe zit het met Steve Morgan?' vroeg Mendez. 'Heeft hij met je gepraat?'

'Ja. Hij is een gesloten klootzak,' zei Vince. 'Ik ben in de loop der jaren heel wat harde noten tegengekomen, maar deze is niet te kraken. Hij heeft me een paar kijkjes in zijn innerlijk gegeven en heeft de deur daarna dichtgedaan.'

'Maar kan hij een moordenaar zijn?' vroeg Dixon.

'Ik weet het niet zeker,' gaf Vince toe, die het gesprek nog steeds in zijn hoofd afspeelde. Hij was uitgeput van het mentale spel. Zijn hersenen deden pijn van de inspanning en hij voelde zich zwak.

'Er is iets in hem waardoor hij anderen wil laten geloven dat hij inderdaad zo slecht kan zijn,' zei hij. 'Hij heeft veel zelfhaat.'

'Wat heeft hij erover gezegd dat hij het aantal steekwonden wist dat het slachtoffer had?' vroeg Hicks.

'Goed geraden.'

'Om de donder niet!' viel Mendez uit.

Vince haalde zijn schouders op en spreidde zijn armen. Hij wilde dat hij iets definitievers te melden had. 'Ik weet het niet. Als hij het heeft gedaan, als hij het getal wist – wat onwaarschijnlijk is – waarom zou hij het dan zeggen?'

'Om ons belachelijk te maken,' zei Mendez. 'Hij weet dat we niets over hem hebben.'

'Hij geeft toe dat hij op de avond van de moord niet op de plek was die hij had opgegeven,' zei Vince. 'Maar hij wilde me niet vertellen waar hij wel was geweest. Hij was bij een andere vrouw, maar hij noemt haar naam niet, behalve als hij daar niet onderuit komt. En op dit moment is dat niet zo.'

'Laten we zeggen dat het Marissa was,' zei Mendez.

'Maar waarom zou hij haar vermoorden?'

'Ze dreigde om het aan Sara te vertellen.'

'En wat dan nog?' vroeg Vince. 'Sara is er al ruim een jaar van overtuigd dat hij haar bedriegt. Ze is bevriend geraakt met Marissa omdat ze dat wilde bewijzen. Dat wist hij. Dan is er toch geen reden om haar te vermoorden?'

'Hij heeft een gewelddadig karakter,' zei Mendez, die zichtbaar gefrustreerd raakte. 'Misschien is er gewoon iets in hem geknapt. Misschien heeft ze zijn moeder een drugshoer genoemd.'

'Daar krijg je klappen voor. Dat weten we zeker,' zei Vince. 'Morgan is een gecompliceerde man. En hij heeft het afgelopen jaar een enorme verandering in zijn persoonlijkheid ondergaan. Dat is een waarschuwing. Er is een reden waarom hij zelfdestructief is geworden.'

'Hij ging naar bed met twee vrouwen die allebei vermoord zijn,' zei Mendez. 'Dat vertelt me dat hij een van hen of allebei heeft vermoord, of dat hij iemand anders niet heeft tegengehouden om ze te vermoorden. Als ik hem was, zou ik me voor allebei de mogelijkheden verantwoordelijk voelen.'

Mendez en zijn ridderlijke kant. Maar was Steve Morgan echt zo anders? dacht Vince. Als zijn redenen om achtergestelde vrouwen te helpen altijd zo onbaatzuchtig waren geweest, dan verschilden ze in dat opzicht niet zoveel. Hij had iemand geholpen. Zijn vrouw had hij daarbuiten gehouden omdat zij volgens hem niet gered hoefde te worden. Trouwens, ze stond niet sympathiek tegenover zijn zaak. Sara was jaloers op de tijd die hij aan anderen besteedde.

'Peter Crane was zijn vriend,' zei Vince. 'Lisa Warwick was zijn minnares. Hij denkt waarschijnlijk dat hij had moeten voorkomen wat er is gebeurd, maar dat heeft hij niet gedaan. En nu – als hij een verhouding met Marissa had – is Marissa ook dood. Laten we zeggen dat hij haar niet vermoord heeft. Hij zakt steeds dieper weg in zelfdestructie. Hij vecht met een rechercheur. Hij maakt ruzie met zijn vrouw, probeert haar af te schrikken door haar te laten denken dat hij een moordenaar is. Uiteindelijk om zichzelf te straffen.'

'Toch denk ik niet dat we hem uit kunnen sluiten,' zei Dixon.

'Dat klopt,' beaamde Vince. 'Je kunt hem niet uitsluiten. Niet tot we weten waar hij was in de nacht dat Marissa is vermoord. Of waar hij was toen Gina verdween.'

'Ik kan je vertellen waar hij was toen Gina verdween,' zei Mendez. 'Bill en ik probeerden zijn gangen na te gaan. Hij had zijn vrouw verteld dat hij zou overwerken, maar hij was niet op kantoor. Hij heeft me later verteld dat hij een etentje met een cliënt in Malibu had. Ik denk dat hij dat verzonnen heeft. Hij kwam pas midden in de nacht thuis. Ik stond hem op te wachten.'

'Hoe zit het met Bordain?' vroeg Dixon.

'Hij zegt dat hij geen verantwoording kan afleggen over elke minuut van elke dag,' zei Hicks.

'Wat betekent dat hij geen alibi heeft.'

'Dat denk ik ook.'

'En Mark Foster?'

'Op de dag dat Gina verdween hebben we vroeg in de avond met hem gepraat,' zei Hicks. 'Daarna had hij een repetitie. Daarna niets.'

'We weten bij benadering wanneer Gina die middag van huis is gegaan,' zei Mendez. 'Maar we kunnen niet weten wanneer ze een afspraak met haar ontvoerder had. Dat kan vroeg of laat geweest zijn.'

'Misschien dit, misschien dat,' klaagde Dixon. 'Ik krijg hier hoofdpijn van. Ik wil iets tastbaars. Hebben we de foto's al om aan het meisje te laten zien?'

'Bordain weigerde zijn foto te laten maken, we weten niet waar Zahn is, Steve Morgan wilde niet,' zei Hamilton. 'Maar het is me gelukt een serie samen te stellen met foto's uit het Oak Knoll-magazine. Het is niet ideaal en houdt geen stand voor een jury, maar het is beter dan niets.'

'Onze getuige is vier jaar. Zij houdt ook geen stand voor een jury, maar we hebben iets nodig om mee te werken. Het is de poging waard.' Dixon keek naar Vince. 'Is Anne het ermee eens?'

'Ja. Ik heb het met haar besproken. Maar als jullie het vanavond willen doen, kunnen we beter gaan, *pronto*.' Hij hief zijn arm en tikte op zijn horloge. 'Kinderen van vier moeten op tijd naar bed.'

69

'Ik wilde dat we het niet zo laat hoefden te doen,' zei Anne. 'De avonden zijn moeilijk. Ze wil al niet slapen omdat ze nachtmerries heeft.'

'We hebben geen keus, lieverd,' zei Vince. 'We hebben een moordenaar los rondlopen die flipt als hij ontdekt dat Gina Kemmer niet dood is. Tijd is essentieel.'

Anne zuchtte. 'Ik weet het.'

Ze stonden in de deuropening van Haleys kamer en keken naar Haley, die in haar roze pyjama op het bed zat en speelde met Honey-Bunny en de nieuwe knuffel die Milo Bordain haar had gegeven.

Sara had Wendy opgehaald en was meteen na het avondeten naar huis gegaan. Anne en Haley hadden het avondritueel samen doorgenomen, wat bestond uit een bad, een rustig spelletje, een verhaaltje en daarna slapen. De routine zou Haley een gevoel van stabiliteit geven, en de steeds kalmere activiteiten zouden haar helpen ontspannen en haar hersenen rust geven.

Anne kende de waarde van zo'n vast patroon uit eigen ervaring tijdens het afgelopen jaar, en nu kon ze die moeilijke periode op een positieve manier gebruiken voor Haley. Maar vanavond moest ze van dit patroon afwijken om te proberen de gruwelijkste herinnering op te halen die een kind kon hebben: de herinnering aan een monster.

Vince, die haar emoties voelde, legde zijn hand op haar schouder. 'We laten ze samen aan haar zien,' zei hij. 'Jij en ik. Oké?'

'Oké,' zei Anne. 'Laten we zorgen dat het snel achter de rug is.'

Vince draaide zich naar Mendez. 'Duim maar voor ons.'

Mendez ging op een bank in de gang zitten wachten.

Vince duwde Anne met een hand op haar onderrug de kamer in. Haar hart klopte in haar keel.

'Haley, we gaan een spelletje doen, liefje,' zei ze. Ze voelde zich een wolf in schaapskleren.

Haley keek met grote ogen naar haar op. 'Wat voor spelletje?'

'We gaan foto's bekijken,' zei Vince, die op de rand van het bed ging zitten. 'Ik leg ze op het bed en dan mag jij ernaar kijken en ons vertellen of je iemand van de mensen op de foto's kent.'

Haley ging op haar knieën zitten en leunde zijwaarts tegen Anne aan. Ze kauwde op het topje van haar wijsvinger terwijl Vince de foto's neerlegde.

Anne keek oplettend naar haar gezicht, op zoek naar een zweem van expressie die op herkenning kon wijzen.

Haley stak haar vinger uit. Anne hield haar adem in.

'Dat is Zander,' zei Haley terwijl ze naar het wiskundegenie met zijn grote ogen en woeste bos grijs haar wees. Ze keek naar Vince en trok haar neus op. 'Is hij niet raar?'

'Hij ziet er best grappig uit op deze foto, vind je niet?' zei Vince. 'Ken je nog iemand anders?'

Haley bestudeerde de foto's een voor een. Met uitzondering van Steve Morgan wist Anne alleen wie ze waren omdat Vince haar dat had verteld. Het hoofd van de muziekafdeling van het McAster. Een architect. Steve Morgans partner van het advocatenkantoor.

Darren Bordain op een foto uit een tijdschrift, waarop hij keurig gekleed samen met zijn vader en zijn moeder aanwezig was op een liefdadigheidsevenement. Hij was bijna een dubbelganger van Milo.

Steve Morgan, knap, gekleed voor een partijtje golf, met een brede, witte grijns die zijn gelaatstrekken spleet. Het was moeilijk voor Anne hem zo vrolijk te zien terwijl ze wist dat hij Sara en Wendy zoveel verdriet deed met zijn foute gedrag. Hij zat in deze serie foto's op zijn gunstigst als een man die zijn vrouw had bedrogen en op zijn ongunstigst als een moordverdachte.

Haley bekeek ze allemaal heel zorgvuldig. Anne hield haar adem in, evenals Vince, die net zo aandachtig als Anne naar de reacties van het meisje keek.

Uiteindelijk keek Haley op en ze glimlachte engelachtig. 'Dat zijn allemaal papa's.'

Ze wees alle gezichten aan en noemde hun namen.

'Papa Mark en papa Don en papa Bob en papa Steve en papa Milo en papa Darren en Zander.'

'Papa Zander?' vroeg Vince.

Haley schudde haar hoofd. 'Alleen Zander.'

Anne voelde zich slap van opluchting. Ze wist dat de politie een positieve identificatie nodig had, maar ze kon het niet helpen dat ze blij was dat Haley het gezicht van de persoon die haar had gewurgd en verstikt niet had gezien.

'Zie je Slechte Papa erbij?' vroeg Vince.

Haley negeerde hem en draaide zich in plaats daarvan naar Anne om. 'Mama Anne, lees je een verhaaltje voor?'

'Natuurlijk liefje. Over een paar minuten. Ga maar onder de dekens liggen, dan ben ik terug voordat je het weet.'

'Doe je het licht niet uit?'

'Nee. Ik doe het licht niet uit.'

'Slechte Papa komt als het licht uit is.'

'Slechte Papa kan hier niet komen,' zei Anne terwijl ze de foto's van het bed oppakte.

Ze liep achter Vince aan naar de gang en trok Haleys deur gedeeltelijk dicht.

Mendez kwam met een gespannen gezichtsuitdrukking overeind.

Vince schudde zijn hoofd. 'Niets. Misschien was het die avond te donker om de moordenaar te herkennen. Of misschien brengt ze iemand alleen met Slechte Papa in verband als hij helemaal in het zwart gekleed is.'

'Weet je, mensen zien er anders uit als ze je aanvallen,' zei Anne zachtjes. 'Ik herinner me hoe Peter Crane eruitzag toen hij boven op me zat en me wurgde. Zijn ogen waren vlak en koud, als van een beest. De hoeken van zijn gezicht staken uit, alsof de huid strak tegen het bot getrokken was. Hij zag er niet uit als Tommy's vader, of als de favoriete tandarts van Oak Knoll, of als de man die vlak daarvoor voor mijn deur had gestaan. Het was alsof hij een masker had afgezet, waarna ik zag hoe hij echt was.'

Vince sloeg zijn armen om haar heen en trok haar dicht tegen zich aan, alleen om haar te laten voelen dat hij er was en haar zou beschermen.

'Misschien heeft Haley de man die haar pijn heeft gedaan niet herkend omdat het geen man was, maar een monster,' zei ze.

Mendez zuchtte verslagen. 'Ik kan mijn moeder maar beter bellen en vragen of ze een kaarsje voor Gina Kemmer brandt. Zij is de enige die deze man kan identificeren.'

Anne liep terug naar Haleys kamer. Door wat ze had verteld, was het verschrikkelijke beeld van Peter Cranes gezicht zo helder terug dat het pijnlijk was. Haar hart sloeg snel en oppervlakkig en ze voelde zich zowel mentaal als fysiek zwak.

Als dat Haley bespaard kon blijven...

'Laten we vanavond een verhaaltje verzinnen,' zei ze terwijl ze naast haar kleine protegee ging zitten. 'Er was eens een land zonder monsters en zonder gemene mensen en zonder slechte papa's...'

Toen Haley in slaap was gevallen, glipte Anne van het bed en liep op kousenvoeten naar beneden. Het was stil in huis, op de zachte, rokerige saxofoonmuziek na die uit Vinces kantoor kwam. Hij zat achter zijn bureau met de bureaulamp aan en staarde geconcentreerd door zijn leesbril naar de aantekeningen die hij had gemaakt.

Hij keek naar haar op, glimlachte, zette zijn bril af en legde hem weg. Hij zag er moe uit. Anne woelde met haar vingers door zijn dikke haar en glimlachte terug.

'Ga mee naar bed, papa Vince,' zei ze.

'Mmm...' Hij drukte zijn wang tegen haar borst en zuchtte. 'Ik ben zo uitgeput, zo kapot, zo krachteloos... en toch wil ik je, mevrouw Leone.'

Hij trok haar gezicht naar beneden en gaf haar een intense, lange, sexy kus.

'Maar...?' vroeg Anne toen ze weer in de realiteit was.

'Maar... ik wil deze aantekeningen nog een keer doornemen. Ik kan het gevoel niet van me afzetten dat het antwoord voor me ligt en ik het gewoon niet zie.'

'Misschien heb je er te lang naar gekeken.'

'Zodat ik door de bomen het bos niet meer zie? Misschien wel. Het verstopt zich waarschijnlijk in het volle zicht. En ik maak me zorgen over Zahn,' ging hij verder. 'Ik heb hem te veel onder druk gezet. Ik ben bang dat ik iets in hem heb ontketend wat hij niet meer terug kan draaien.'

Anne streek met een duim over de blauwe plek op zijn wang waar Zander Zahn hem had geraakt. 'We kunnen het omslagpunt van iemand anders niet weten. Het grootste deel van de tijd weten we dat niet eens van onszelf, tot het te laat is. Ik heb naar die foto's gekeken...' zei ze. 'Ik weet zeker dat niet een van die mannen geloofde dat hij kon doen wat Marissa die avond is aangedaan. En toch heeft een van hen het waarschijnlijk gedaan.'

Vince knikte en verbrak even later de sombere stilte.

'Hoe kom jij zo slim?' vroeg hij plagerig.

'Ik heb een goed huwelijk gesloten,' zei Anne glimlachend. 'Ga mee naar boven. Dan mag je me een verhaaltje vertellen.'

Ze liepen hand in hand de trap op.

Vince dempte zijn stem. 'Er was eens een man die van zijn vrouw hield...'

70

De donder rommelde. In de verte zag Dennis lichtflitsen. Hij vond het prachtig als het 's nachts onweerde, maar het was gestopt met regenen en dat kwam hem prima uit. Het vuur brandde beter zonder regen.

Dennis had het gevoel dat hij een onweersbui in zijn hersenen had. De woede rommelde en donderde en dan – *báng!* – volgde er een lichtflits. Hij was zo kwaad dat hij schreeuwend wilde rennen, ronddraaien, met zijn armen zwaaien, tegen dingen aanbotsen. Daarna wilde hij dat zijn handen in messen veranderden zodat hij zich al stekend een weg door massa's mensen kon banen en het bloed overal naartoe spoot. Hij zou om zijn as draaien en mensen doormidden slaan en hun hoofd van hun romp snijden.

En de laatste zou juf Navarre zijn. Hij zou haar steken en steken, een miljoen keer, net als het artikel in de krant over de man die een vrouw had vermoord. Hij zou zijn messen in haar steken: in haar keel en haar ogen en haar hersenen. En ze zou de hele tijd blijven leven, tot hij haar hoofd eraf sneed.

Ze moest hem niet. Ze was weer niet gekomen. En niemand had hem verteld dat ze niet zou komen. Hij had heel hard gewerkt aan zijn opstel over de moord, zoals ze had gewild. Twee hele bladzijden.

Dennis had een hekel aan schrijven. De letters gingen niet altijd de goede kant op en hij snapte niet waar hij leestekens moest zetten. Hij schreef wat er in zijn hoofd opkwam, maar het kwam er niet uit als bij andere mensen, zoals die stomme nerd Tommy Crane of Wendy Morgan. Zij deden alles goed. Dennis deed alles verkeerd.

Maar hij had zijn opstel gemaakt omdat juf Navarre had gezegd dat ze iets cools voor hem mee zou nemen als hij het af had. Niemand had Dennis ooit iets gegeven omdat hij iets had bereikt. Voornamelijk omdat hij nooit iets bereikte. Bovendien had zijn vader altijd gezegd dat hij stom was en nooit iets zou bereiken, dus waarom zou hij het proberen?

Juf Navarre had waarschijnlijk hetzelfde gedacht, en daarom was ze niet gekomen. Waarom zou ze zich druk maken? Waarom zou ze haar tijd aan hem besteden als ze kinderen zoals Tommy en Wendy kon lesgeven? Of kon neuken met die man van de FBI, wat ze waarschijnlijk de hele tijd deed omdat ze een hoer was.

Dennis zou haar wat laten zien. Hij ging gróte dingen doen, te beginnen met vanavond.

Hij zocht ver onder zijn matras en haalde zijn voorraad tevoorschijn. Hij stopte zijn geld en snoep en alle dingen die hij mee wilde nemen in een plastic tas met een trekkoord die iemand in de prullenbak had gegooid.

Hij verstopte de tas onder zijn vieze wasgoed in de kast, en pakte daarna de dingen die hij nodig had om brand te stichten. Brand. Hij had er goed over nagedacht en wist precies waar hij moest beginnen.

De verpleegster was een halfuur geleden langsgekomen. Hij zou voldoende tijd hebben.

Dennis sloop zijn kamer uit, keek of de zwak verlichte gang leeg was en sprintte daarna naar de lege kamer aan het eind van de gang. Het licht van het parkeerterrein scheen door het raam naar binnen, waardoor hij voldoende zicht had.

Dennis had zich het afgelopen jaar een paar keer in deze kamer verstopt. Het was de kamer waar het personeel overtollige apparatuur bewaarde, zoals rolstoelen, standaards voor infusen, bedtafeltjes en stoelen. Een paar groene zuurstoftanks waren in een verre hoek van de kamer geschoven, bijna onzichtbaar vanaf de deuropening, en ver weg van de sprinkler aan het plafond.

Er waren allerlei dingen in de kamer om te verbranden, zoals papieren handdoeken en oude kranten. Dennis maakte proppen van het papier en vormde een stapel op de vloer. Hij legde er een zuurstoftank op. Hij had in een televisieprogramma gezien dat zuurstoftanks konden exploderen. Van het idee dat hij iets kon laten exploderen, kreeg Dennis een erectie.

Dit was iets waar hij goed in was, vuurtjes stoken. Toen hij nog heel klein was, was hij al gefascineerd geweest door vuur. Bijna elke keer dat hij lucifers of een aansteker te pakken had gekregen, stak hij iets in brand, zoals een stuk papier of een stapel bladeren. Hij stal graag sigaretten en stak ze op en verbrandde levende kevers en spinnen met de gloeiende punt.

Misschien gaf juf Navarre hem iets heel speciaals om het ziekenhuis tot de grond toe af te branden, dacht hij, en hij moest heel erg zijn best doen om niet hardop te lachen.

Dennis knipte de aansteker aan en staarde naar de vlam die aan de lucht likte. Hij pakte de gekreukte bladzijden van zijn opstel en stak ze in brand, daarna gooide hij ze op de stapel papierproppen en liep snel de kamer uit.

Hij liep terug naar zijn eigen kamer, met twee onderbrekingen om de prullenmanden in de kamers van slapende patiënten in brand te steken. Toen hij terug was in zijn kamer, pakte hij de plastic tas met spullen en wachtte bij de deur.

Het leek een hele tijd te duren voordat het brandalarm afging. Dennis dacht al dat de vlammen gedoofd waren en hij voelde de teleurstelling opkomen. Maar toen gebeurde er van alles tegelijk. Het brandalarm ging af, iemand begon te gillen en de zuurstoftanks in de kamer aan het eind van de gang explodeerden.

Plotseling renden er mensen door de gang langs zijn kamer. Dennis deed de deur open en liep naar buiten. Er kwamen oranje vlammen uit de deur aan het eind van de gang. Verpleegsters trokken patiënten uit de nabijgelegen kamers. Andere patiënten liepen zelf de gang in, kwijlend en verward.

Zwarte rook kolkte zijn kant op, stinkend naar brandend plastic. Recht tegenover de kamer van Dennis kwam een man gillend zijn kamer uit rennen, met zijn brandende armen in de lucht gestoken.

Dennis staarde gefascineerd naar hem en begon toen te rennen.

In de chaos van hollende en schreeuwende mensen, het jankende alarm en de sprinklers die aangingen, merkte niemand dat een twaalf-jarige jongen de deur uit liep en in de nacht verdween.

71

Verstoppen.

Hij kreeg de gedachte in het nevelige grijs van de vroege dageraad. Verstoppen in het volle zicht.

Vince glipte uit bed, trok een joggingbroek en een T-shirt aan en liep de gang door. Anne was midden in de nacht naar Haley gegaan toen Slechte Papa in haar dromen was verschenen. Hij keek naar binnen en voelde een steek in zijn hart. Ze lagen dicht tegen elkaar aan te slapen. Ze konden gemakkelijk moeder en dochter zijn met hun donkere haar en wipneusjes.

Hoe zenuwslopend de omstandigheden ook waren, Haley paste naadloos in hun leven, alsof ze er thuishoorde. Als hij erover nadacht, kon Vince bijna niet geloven dat ze nog maar een paar dagen bij hen was.

Hij liep de trap af naar de keuken en zette een beker koffie die hij gloeiend heet opdronk, maar hij had de cafeïne nodig.

Verstoppen.

Het woord kwam weer in hem op en hij ging naar zijn kantoor en deed de bureaulamp aan. Nadat hij op zijn stoel was gaan zitten, zette hij zijn bril op en begon hij te zoeken tussen de aantekeningen die hij over Zander Zahn had gemaakt.

Volgens de politieagent in Buffalo had Zahns moeder de jongen op verschillende manieren mishandeld; ze had hem onder andere dagenlang opgesloten in een kast en was toen zelf weggegaan.

Hij pakte de telefoon en belde Mendez, die slaapdronken opnam.

'Wakker worden, junior,' zei Vince. 'Je moet een huiszoekingsbevel voor me regelen.'

'We hebben het huis gisteren doorzocht,' zei Mendez. 'Hij was er niet. Waarom denk je dat hij er nu wel is?'

Ze stonden voor de poort van Zander Zahns woning. Er was vanaf de kust mist opgekomen, waardoor de vallei een spookachtige, buitenaardse sfeer had gekregen. Het leek heel gepast.

Verschillende verslaggevers waren hen de stad uit gevolgd, maar waren tegengehouden door agenten. Een van de meest briljante wiskundige breinen van het land werd vermist en was mogelijk betrokken bij een wrede misdaad. Amerika kwijlde bij het verhaal.

'Hij voelt zich veilig als hij zich verstopt,' zei Vince.

'Zijn moeder sloot hem toch op in een kast?' vroeg Hicks. 'Zou hij daar juist niet claustrofobisch van worden?'

'Voor sommige mensen geldt dat inderdaad,' beaamde Vince. 'Voor anderen is de kooi veiliger dan de wereld buiten de kooi. Zahns omgeving moet overzichtelijk en ordelijk zijn. Als hij in paniek is omdat hij het gevoel heeft dat hij de controle verliest, denk ik dat hij zich verstopt. En hoe kleiner de ruimte, des te beter.'

'O mijn god,' zei Rudy Nasser. 'Ik heb hem een paar keer in zijn kantoor op school onder zijn bureau gevonden. Ik heb nooit begrepen waarom.'

'Nu weet je het,' zei Vince. 'Hij voelde zich waarschijnlijk overweldigd. Onder het bureau was dan de veiligste plek. We moeten overal kijken waar hij zich kan verstoppen. Kledingkasten, keukenkastjes, de koelkasten in de tuin. Overal.'

'Ik heb altijd gedacht dat Zanders obsessie voor die vrouw slecht zou aflopen,' merkte Nasser op. 'Maar dit had ik nooit verwacht.'

'Waarom was je er zo tegen dat Marissa en hij bevriend waren?'

'Als hij bij haar in de buurt was of over haar praatte, was het alsof hij zich in een andere dimensie bevond. Dromerig en vreemd. Niet dat Zander niet vreemd is natuurlijk, maar het leek me gewoon ongezond. Ik probeer om hem zo veel mogelijk geconcentreerd op zijn werk te houden. Als hij bij haar was, veranderde zijn hoofd in een heliumballon en zweefde hij weg.'

'Denk je dat hij verliefd op haar was?'

'Ja, en zij had hem moeten ontmoedigen.'

'Heb je ooit een foto van Zanders moeder gezien?' vroeg Vince.

'Nee, waarom?'

'Ik durf er wat onder te verwedden dat ze op Marissa leek, of dat Marissa op haar leek.'

'Denk je dat hij een soort moederobsessie voor haar had?' vroeg Nasser, duidelijk geschokt door het idee.

'Niet zoals Oedipus,' legde Vince uit. 'Ik denk dat ze in Zanders hoofd de moeder die hij nooit had gehad vertegenwoordigde.'

Hij opende het deksel van een lange vrieskist en keek erin. Leeg.

'Ik kende Marissa niet,' ging hij verder. 'Maar volgens de meeste berichten was ze een fantastische moeder en een aantrekkelijke, levendige vrouw die openstond voor de wereld om haar heen. Zanders moeder was een manisch-depressieve vrouw die hem martelde omdat hij anders was en hem in een kast opsloot als ze geen zin had om hem in haar buurt te hebben.'

'Ik wist het niet over zijn moeder,' zei Nasser.

'Nee. En jij, als gezonde jonge man met oog voor vrouwen, keek naar Marissa Fordham en zag een seksueel wezen. Zander kijkt niet op die manier naar de wereld. Ik denk dat hij naar Marissa keek en de essentie van haar zag – de moeder, de vrijgevochten geest, de vrouw die het leven omarmde en nergens bang voor was.'

'Zander is bang voor het leven,' zei Nasser. 'Hij is overal bang voor, behalve voor getallen.'

'Getallen drukken geen sigaretten op je uit omdat je anders bent.'

Mendez riep vanuit de deuropening. 'Vince, je moet even komen kijken.'

'Kun je de kamer met kunstledematen overtreffen?' vroeg Vince terwijl ze naar binnen liepen.

'Nee, maar misschien ben ik in staat om een verklaring te geven voor de kamer met kunstledematen.'

Ze liepen Zahns keuken in en Mendez wees naar een kast gevuld met witte plastic tassen. Hij pakte een van de tassen en hield hem open zodat Vince erin kon kijken.

De tas zat vol medicijnpotjes. Medicijnpotjes vol pillen. Vince greep in de tas en pakte er een paar, hield ze op armlengte afstand en kneep zijn ogen tot spleetjes om de etiketten te lezen.

Antidepressiva, medicatie voor paniekstoornissen, een nieuw medicijn dat Vince was tegengekomen toen hij las over obsessief-compulsieve stoornissen.

'Die idioot verzamelt zijn eigen medicijnen,' zei Mendez. 'Je hebt hem gisteren misschien onder druk gezet, maar ik zou zeggen dat hij al met één voet in de afgrond stond.'

'Jezus...' Vince zuchtte en schudde zijn hoofd.

'Deze pillen zijn bedoeld om hem te helpen,' zei Mendez. 'De man is verdomme een genie. Waarom zou hij ze niet innemen?'

'Misschien vond hij de bijwerkingen niet prettig. Misschien vertrouwde hij zijn dokter niet en was hij bang dat die hem vergiftigde. Misschien stond de obsessief-compulsieve stoornis het gewoon niet toe.'

Wat de reden ook was, het resultaat was niet goed.

Toen ze Zahn nergens hadden gevonden, stapten Vince en Mendez in de auto. Ze konden pas wegrijden toen de anderen hun auto's hadden gekeerd en zich een weg baanden door de rijen nieuwsbusjes en verslaggevers.

'Laten we naar Marissa's huis gaan,' stelde Vince voor.

'Waarom?'

'Mijn intuïtie,' zei Vince. 'We hadden extra mensen nodig om Zahns woning te doorzoeken. Als hij bij Marissa is, kunnen we beter met z'n tweeën zijn.'

Nu de plaats delict helemaal was doorzocht en de media over waren gegaan op acutere zaken, zoals Gina Kemmer en de vermiste Zander Zahn, was de aandacht voor Marissa Fordhams woning verdwenen. Eén agent postte nog steeds aan het eind van de oprit om sensatiezoekers weg te houden, maar Dixon had de surveillancewagen onder de peperboom in Marissa Fordhams voortuin teruggeroepen.

Door de mist en het dode gras leek het alsof Marissa Fordhams huis al heel lang leeg stond. Grappig zoals dat gebeurde als mensen uit een woning wegtrokken. Plotseling leek de verf dof en afgebladderd, en de verlichte ramen waren veranderd in gapende, zwarte gaten. De bloemen die Marissa zorgvuldig had onderhouden toen ze nog leefde, waren overwoekerd door onkruid en hadden verzorging nodig.

Ze gingen het huis binnen en keken om zich heen. Heel langzaam draaide Mendez aan de deurknop van de garderobekast in de hal en trok hem open. Geen Zahn.

Ze doorzochten het huis methodisch, controleerden kasten en keukenkastjes, en kwamen uiteindelijk in Marissa's slaapkamer, waar de eerste aanval had plaatsgevonden en de muren en het plafond vol zaten met bloed dat van het mes van de moordenaar was gespat.

Vince legde een vinger op zijn lippen en gebaarde naar Mendez dat hij achter moest blijven.

'Zander,' zei hij terwijl hij naar de kast liep. 'Zit je daar binnen? Ik ben het, Vince.'

Geen antwoord.

Vince sloot zijn vingers ronde de oude, witte, porseleinen deurknop en draaide hem langzaam, heel langzaam om.

'Ik ga de deur opendoen, Zander,' zei hij. 'Je hoeft niet bang te zijn. Ik wil je alleen zien en zeker weten dat je in orde bent.'

Hij trok de deur centimeter voor centimeter open.

Zander Zahn zat naakt en met een verwilderde blik in zijn ogen gehurkt in de kast, ineengedoken als een veer, met in zijn hand een heel groot mes.

Later dacht Vince dat hij het had moeten zien aankomen, maar op dat moment, toen Zander Zahn zich op hem wierp, was er geen tijd om na te denken.

72

'Wat heeft hij gedaan?'

Anne voelde het bloed uit haar gezicht wegtrekken. Willa Norwood, haar supervisor, stond in de hal net achter de voordeur met een ongepast feestelijk uiterlijk in haar kleurige Afrikaanse *dashiki* en *kufi*.

'Ze denken dat hij brand heeft gesticht in het psychiatrisch ziekenhuis.'

'O mijn god,' zei Anne. 'Ik moet even gaan zitten.'

'Het is gisteravond rond middernacht gebeurd,' zei Willa terwijl ze via de zitkamer – waar Haley opgekruld op de bank naar een tekenfilm zat te kijken – naar de keuken liepen.

'Hij heeft zes maanden geleden brand gesticht in zijn prullenmand,' zei Anne. 'Hoe kan het dat hij weer lucifers te pakken heeft gekregen?'

'Ik weet het niet. Blijkbaar is het vuur in een opslagruimte begonnen,' zei Willa. 'Ik weet niet waarom die niet op slot was. Maar Dennis is er eerder op betrapt dat hij daar rondscharrelde.'

'Heeft iemand hem gezien?' Anne gebaarde dat Willa aan de ontbijttafel moest gaan zitten en liet zich zelf ook op een stoel vallen.

'Een andere patiënt zegt dat Dennis zijn kamer in is gegaan en brand heeft gesticht in zijn prullenmand. Dit is heel erg, Anne.'

'Ik weet het. Ik heb geprobeerd te bedenken waar naartoe hij overgeplaatst kan worden...'

'Nee,' zei Willa.

Door de blik in de ogen van de vrouw begon Annes hart te bonken.

'Ik bedoel dat het héél erg is. Een van de patiënten heeft derdegraads brandwonden opgelopen toen hij probeerde de prullenmand te verplaatsen.' Ze haalde diep adem om het ergste nieuws te vertellen. 'En een zuurstoftank is door een muur geslagen en heeft de vrouw in de kamer ernaast gedood.'

'O.'

Het woord kwam naar buiten op de ademhaling die Annes longen helemaal leek te legen. Ze bleef zitten, niet in staat om te bewegen of te praten of te denken.

'O wat vreselijk,' fluisterde ze. Dennis had iemand gedood. Moedwillig of niet, hij was nu iemand die hij volgens eigen zeggen het meest bewonderde: een moordenaar. 'Waar is hij? Ik moet... Misschien kan Franny op Haley passen...'

'We weten niet waar hij is, Anne,' zei Willa. 'Hij is verdwenen.'

'Verdwenen? Waar naartoe? Een jongen van twaalf zonder geld of plek om te wonen.'

'In alle verwarring door de brand en de explosie en het behandelen van de gewonden heeft niemand hem zien vertrekken. Hij wordt vermist.'

Het ziekenhuis was omringd door open terrein. Iedereen kon op elk moment komen of gaan. Ook de patiënten – behalve die op de gesloten afdeling – konden het gebouw uit lopen en van het terrein af gaan, en deden dat soms. Het personeel had gewoonlijk alles onder controle, maar dit was een chaotische situatie geweest. Iedereen was natuurlijk geconcentreerd op de brand en de gewonden.

Dennis had een vrouw gedood. Hij zou in de krant over zichzelf kunnen lezen.

'Het is mijn schuld,' zei Anne.

Willa legde haar hand op Annes arm. 'Nee, dat is het niet. Je hebt meer voor dat kind gedaan dan wie dan ook.'

'Ik kon gisteren niet naar hem toe. Ik had beloofd dat ik zou komen en dat ik iets speciaals voor hem zou meenemen als hij zijn opstel af had.'

'Dat geeft hem geen excuus om brand te stichten in het ziekenhuis.'

'Iedereen heeft hem in de steek gelaten. Ik probeerde de enige te zijn die dat niet deed.' Ze schudde haar hoofd en vloekte zachtjes. Haar gedachten tolden rond als stukjes van een caleidoscoop. 'Wat moeten we nu doen?'

'De politie is ingeschakeld. Ze zijn op zoek naar hem. Ik denk niet dat jij iets moet doen.'

'Ja,' zuchtte Anne. 'Ik heb al genoeg gedaan, nietwaar? De rechtbank wilde hem na het eerste incident in een jeugdinrichting plaatsen. Ik heb gesmeekt dat dat niet zou gebeuren.'

'Je probeerde te doen wat je dacht dat het beste voor het kind was, Anne. Dat is het enige wat je kunt doen.'

'Hij gaat daar nu naartoe.'

'Daar is niets aan te veranderen.'

'Nee.'

'Je hebt gedaan wat je kon, meisje,' zei Willa terwijl ze op haar hand klopte.

'Ik weet het,' zei Anne. 'Ik zou alleen willen dat het voldoende was geweest.'

Dennis had het grootste deel van de nacht gelopen – voorzichtig, zodat niemand hem zag, waar hij heel goed in was – voordat hij bij zijn oude huis kwam. Vroeger zwierf hij 's nachts overal in de stad rond, keek door ramen naar binnen en zag mensen seks met elkaar hebben en dat soort dingen. Eén keer had hij een man gezien die een opblaaspop neukte. Dat was heel gek geweest.

Hij wist niet wat er was gebeurd met zijn woning of hun spullen. Nu zijn vader en moeder dood waren en hij in het psychiatrisch ziekenhuis zat, waren zijn stomme halfzusjes bij een familielid gaan wonen die niets met hem te maken wilde hebben.

Ha! Ze zouden verbaasd zijn als ze zijn foto in de krant zagen.

Dennis was geschokt toen hij eindelijk bij zijn oude huis was en zag dat bijna alles eruit was gesloopt: de muren, de vloeren en het tapijt. Er stond een enorme container op de oprit die vol troep zat, zoals bouwplaten en linoleum en een gebroken toiletpot.

Dennis besloot dat het hem niet kon schelen dat alle spullen van de Farmans weg waren. Ze hadden toch niets moois gehad. En de meeste schatten van Dennis hadden in zijn rugzak gezeten, die de rechercheurs van hem afgepakt hadden. Ze hadden de goede spullen waarschijnlijk verdeeld, zoals het zakmes dat hij van zijn vader had gestolen en de aansteker die hij uit zijn moeders tas had gejat. Waarschijnlijk had niemand de gedroogde ratelslangkop willen hebben.

Hij had een koude nacht in het huis doorgebracht, zonder dekens of een bed, maar hij was nu een misdadiger, dus moest hij het ermee doen. Vandaag zou hij wat spullen stelen en een plek zoeken om die te verstoppen. Er werd altijd verteld dat er zwervers in Oakwoods Park zaten. Misschien kon hij daar ook wonen.

Toen het buiten licht werd, liep hij naar de buurtwinkel terwijl hij met gekruiste vingers hoopte, hoopte, hoopte, dat de oude koelie die vaak in de winkel werkte er niet was. Hij had Dennis tientallen keren naar buiten geschopt omdat hij iets probeerde te stelen of stiekem in pornoblaadjes las.

Het was een smerige Paki. Zo had Dennis' vader de oude man genoemd, dus noemde Dennis hem ook zo.

Gelukkig stond er een lang, dik meisje met puisten achter de toonbank en was het heel druk met mensen die koffie en donuts en burrito's en zo kochten, dus lette ze niet op Dennis.

Hij liep door de gangpaden, pakte hier en daar wat kleine dingen en stopte die in de buidel van zijn capuchonsweatshirt: een vacuüm verpakt worstje, een rol zuurtjes en een bandenspanningsmeter omdat hij er altijd al een had willen hebben.

Hij kon pakken wat hij wilde. Hij was de baas. Niemand kon hem vertellen wat hij moest doen, vooral dat stomme wijf van een juf Navarre niet.

De televisie die achter de toonbank aan de muur hing toonde het ochtendnieuws. Dennis keek met één oog, in afwachting of hij een foto van zichzelf op het scherm zou zien.

Een vrouw was gered nadat ze in een put was gevallen. Er waren geen nieuwe aanwijzingen in het onderzoek naar de moord op de plaatselijke kunstenares Marissa Fordham. Een krankzinnig uitziende vent met wit haar werd vermist. Eindelijk verscheen er een beeld van het psychiatrisch ziekenhuis met vlammen die uit een raam op de tweede verdieping sloegen.

Dennis liep dichter naar de toonbank toe en spitste zijn oren om het te horen. Volgens de verslaggever was het vuur beperkt gebleven tot de tweede verdieping en was de schade aan het gebouw minimaal. Maar – en dat was het opwindende deel, Dennis plaste bijna in zijn broek toen hij het hoorde – één persoon was naar het ziekenhuis gebracht met derdegraads brandwonden en één persoon was gedood – gedóód! – toen een zuurstoftank door een muur was gevlogen.

Hij had iemand vermoord! De opwinding was bijna te veel voor hem. Jezuschristus! Hij had iemand vermoord! Hij was een moordenaar!

Om het te vieren kocht hij een burrito en een flesje Mountain Dew met het geld dat hij van de verpleegster had gestolen. En omdat hij zich een supermoordenaar voelde, besloot hij dat hij sigaretten zou kopen.

'En een pakje Marlboro,' zei hij.

Het meisje met de puisten keek op hem neer. 'Laat je nakijken en donder op.'

'Ze zijn voor mijn moeder.'

'Dat lieg je.'

'Dat lieg ik niet, en ze is een echt rotwijf. Wil je dat ik haar ga halen? Ze zit in de auto.'

Het meisje keek uit het raam alsof ze zijn moeder zocht, rolde daarna met haar ogen en gaf hem de sigaretten en het wisselgeld. Stomme koe.

Dennis pakte zijn spullen en liep naar buiten. Hij ging pas zitten om zijn burrito te eten toen hij uit het zicht van de winkel was.

Hij voelde zich anders dan twintig minuten geleden. Twintig minuten geleden was hij gewoon een kind geweest. Nu was hij een moordenaar. Hij voelde zich groter en sterker en gemener. Hij zou iedereen laten zien hoe slecht hij was. En hij zou beginnen met die teef van een juf Navarre.

73

Hij had geen rekening gehouden met het mes.

Zahn kwam op hem af als een wild beest, en Annes opmerking flitste door Vinces hoofd: 'Weet je, mensen zien er anders uit als ze je aanvallen.'

'Vince!' riep Mendez terwijl hij zijn wapen trok.

Zahns arm kwam in een boog naar beneden en het licht ketste af op het lemmet van het mes. In een reflex kreeg Vince zijn pols te pakken en hij stapte opzij om buiten het bereik van het wapen te komen.

'Zahn! Laat het mes vallen!' riep Mendez. 'Laat verdomme dat mes vallen!'

Zahn hoorde hem niet. Alle redelijkheid en beschaving waren verdwenen, gedomineerd door angst en demonen. Hij worstelde om zich uit Vinces greep te bevrijden, waardoor ze eerst tegen het bed en daarna tegen een nachtkastje tuimelden.

De waanzin gaf Zahn extra kracht. Vince was vijftien centimeter langer en vijfentwintig kilo zwaarder, maar het enige wat hij kon doen, was achteruit strompelen terwijl Zahn hem bleef aanvallen.

'Laat verdómme dat mes vallen!' schreeuwde Mendez opnieuw.

Vanuit zijn ooghoeken zag Vince dat hij om hem heen liep om Zahn te kunnen neerschieten.

Zahn draaide zich om en trok zich los uit Vinces greep. Hij wankelde naar achteren en viel hard tegen de muur. Vince greep zijn kans om over de boxspring naar de andere kant van het bed te duiken.

'Laat verdómme dat mes vallen!'

'Tóny! Niet schíeten!' riep Vince.

Zahn had een verbaasde uitdrukking op zijn gezicht, alsof hij niet wist waar hij was of wie hij was en wie zij waren. Hij keek naar het mes in zijn hand, zijn arm nog steeds gespannen, klaar om te steken.

'Zander,' zei Vince. 'Zander! Ik ben het, Vince. Leg het mes neer.'

Zahn staarde gefascineerd naar het mes in zijn hand, alsof de hand niet aan zijn arm vastzat.

Mendez stond in schiethouding, zijn armen recht voor zich, zijn vinger op de trekker van het wapen. Alles aan hem was strakgespannen als een veer. Zijn donkere ogen waren helder en hard als gepoetste onyx.

'Zander, leg het mes neer,' zei Vince, die het volume van zijn stem liet dalen. 'Je moet het mes neerleggen. Wordt je arm niet moe?'

Zahn keek onzeker. Zijn vingers waren gekromd om het handvat van het mes.

'Ben je niet moe, Zander?' vroeg Vince. 'Je hebt een zware dag achter de rug.'

Hij liet de zin in de stilte hangen en stelde zich voor dat de woorden zich een weg zochten naar Zahns hersenen en, eenmaal daar aangekomen, worstelden om verwerkt te worden.

'Ik ben heel moe, Vince,' zei Zander met zijn ijle, zachte stem. De blik in zijn opengesperde ogen was nog steeds glazig en veraf. Hij leek naar een andere dimensie te staren. 'Ik ben heel moe. Verschrikkelijk moe.'

'Leg het mes dan neer,' zei Vince terwijl hij langzaam naar het voeteneind van het bed liep. 'Je hebt dat ding niet nodig. Leg het neer en dan gaan we zitten en dan kun jij uitrusten.'

'Het spijt me zo,' zei Zahn.

'Het is goed. Alles is goed. Het is niet erg, er is gelukkig niets gebeurd.'

Hij deed voorzichtig een stap in Zahns richting, zijn arm voor alle zekerheid gestrekt voor zich.

'Nee,' mompelde Zander.

'Ben je hiernaartoe gekomen om Marissa te zien?' vroeg Vince kalm.

'Marissa. Marissa is weg.'

'Je mist haar, hè?' zei Vince. 'Ze was heel speciaal voor je. Ze accepteerde je zoals je was, toch?'

'Marissa,' mompelde Zahn. 'Marissa is weg.'

'Dat spijt me, Zander. Ze was speciaal voor jou en nu is ze weg. Dat is angstaanjagend. Ze heeft je alleen gelaten en nu voel je je niet veilig. Maar je bent veilig bij ons. Dus waarom leg je het mes niet weg?'

'Het spijt me,' zei Zahn. Zijn vingers klemden nog steeds rond het handvat van het mes. 'Het spijt me zo.'

'Waar heb je spijt van, Zander?'

'Het spijt me zo. Het spijt me heel erg.'

'Waar heb je spijt van, Zander?' vroeg Vince. 'Heb je iets verkeerds gedaan? Heb je iets slechts gedaan, Zander?'

Zander begon licht met zijn bovenlichaam te wiegen, een teken dat hij geagiteerd raakte.

'Erg slecht,' zei hij. 'Ik ben erg slecht. Verschrikkelijk slecht. Slecht, slecht.'

'Dat vind ik niet, Zander,' zei Vince. 'Waarom leg je het mes niet weg, dan kunnen we erover praten. Je arm is vast heel moe.'

Zahn wiegde harder.

'Zo moe,' zei hij. 'Heel moe. Het spijt me.'

'Heb je Marissa pijn gedaan, Zander? Heb je daar spijt van? Heb je Marissa pijn gedaan?'

'Marissa, Marissa. Mama, mama. Het spijt me zo.'

'Heb je Marissa pijn gedaan, Zander?'

'Heel moe. Verschrikkelijk moe. Ik moet nu gaan.'

Nadat Zander Zahn dat had gezegd, liet hij het mes zakken en stak het in zijn buik.

74

Dennis had speciale herinneringen aan Oakwoods Park. Hij had altijd tussen de bomen gespeeld in plaats van op het speelterrein en het picknickgedeelte waar alles netjes en schoon was. Het beboste deel van het park was veel leuker. Hij had daar uren doorgebracht met oorlogje of indiaan of piraat spelen, of hij deed net of hij een ontvoerder was. Dat was zijn favoriete spel. Hij zou een ander kind ontvoeren en hem vastbinden en doodsbang maken. Dat was grappig.

Dit was de plek waar ze vorig jaar de dode vrouw hadden gevonden. Cody en hij hadden Tommy Crane en Wendy Morgan achternagezeten, en ze waren van een dijk gerold. Tommy was zowat boven op haar terechtgekomen. Ze was voor het grootste deel begraven, alleen haar hoofd stak nog uit de grond, en een hand met een vinger die er bijna af was gebeten door een hond.

Toen niemand keek, had Dennis de vinger eraf gebroken en in zijn zak gestopt.

Hij liep nu tussen de bomen door, op zoek naar een goede plek om zijn spullen op te bergen. Hij zou hier vannacht bivakkeren, maar eerst moest hij een deken stelen omdat het verdomd koud was en de grond en de dode bladeren nat waren. Maar hij zou niet klagen. Hij was nu een man.

Het eerste wat hij nodig had, was een vermomming. Zijn foto zou in alle nieuwsprogramma's vertoond worden en de politie zou op zoek naar hem zijn. Met zijn rode haar zouden ze hem gemakkelijk kunnen herkennen.

Hij liep tussen de bomen door naar de rand van het speelterrein, waar een paar kinderen een voetbal heen en weer schopten. Ze zagen eruit alsof ze in groep zeven zaten en waren allebei kleiner dan hij. Een van hen droeg een zwarte baseballpet met het logo van de Raiders voorop.

'Hé,' zei hij terwijl hij naar de jongens toe liep. 'Mag ik meedoen?'

De jongen met de pet keek naar hem op. 'Wie ben jij?'

'Ik ben de jongen die je een rotschop gaat geven. Geef me de bal.'

De andere jongen pakte de bal van de grond en hield hem vast, klaar om het op een lopen te zetten.

'Je kunt me maar beter de bal geven,' zei Dennis. 'Ik heb gisteravond iemand vermoord en ik kan jou ook vermoorden, stomme lul.'

Het kind sperde zijn ogen open en zette het op een lopen.

Dennis pakte de andere jongen bij zijn arm en gaf hem een klap op zijn hoofd.

De jongen gilde als een meisje. Dennis pakte zijn pet en duwde de jongen op de grond, daarna draaide hij zich om en rende naar het bos terug voordat de ouders van een van de kinderen verschenen.

Het was heel gemakkelijk gegaan, maar dat was natuurlijk ook logisch. Hij was nu een gemene, ijskoude moordenaar. Het was geen kunst om de pet van dat joch af te pakken.

Met zijn nieuwe buit laag over zijn voorhoofd naar beneden getrokken begon hij te lopen. Hij had een wapen nodig. Hij wilde dat hij een pistool te pakken kon krijgen, maar niemand zou een pistool aan een twaalfjarige jongen verkopen, ook al had hij iemand vermoord.

Messen waren trouwens toch beter. Hij had het een fijn gevoel gevonden om zijn zakmes in Cody's buik te steken. Hij had dat moment het jaar erna telkens opnieuw beleefd. Het wond hem op als hij eraan dacht, en als hij dacht aan hoe het zou voelen als hij een mes in juf Navarre stak.

Het was een beetje als neuken, dacht hij. Als hij haar neukte, zou hij zijn pik telkens weer in haar steken en dan zou ze schreeuwen. Als hij haar stak, zou hij zijn mes telkens weer in haar steken en dan zou ze ook schreeuwen.

Cool.

Hij liep door de straatjes in de wijk waar zijn vroegere school stond. De huizen waren oud en hadden losstaande garages, wat goed was omdat niemand in huis het zou horen als hij rondkeek. En een garage was een goede plek om een wapen te vinden. Mensen bewaarden van alles in hun garages.

Hij koos een garage met een smalle zijdeur die niet op slot was en liep naar binnen. Er hingen allerlei gave dingen aan de muren en er lag van alles op een werkbank. Elektrisch gereedschap, tuingereedschap, normaal gereedschap.

Een schroevendraaier zou kunnen, dacht hij. Hij pakte er een, voelde het gewicht ervan in zijn hand en probeerde ermee te steken. Niet slecht.

Tussen het tuingereedschap lag een kapmes dat supergaaf was, maar het was te groot. Hij kon niet met een kapmes door de stad lopen zonder dat de mensen het merkten.

Plotseling zag hij het. Aan een gaatjesbord achter de werkbank hing houtbewerkingsgereedschap, zoals beitels en gutsen en zo. De meeste hadden een lemmet van tien tot vijftien centimeter met een gebogen houten handvat dat heel lekker in zijn hand zou liggen.

Dennis ging op een koelapparaat staan om erbij te kunnen en zocht er twee uit: één voor elke hand. De ene was dun en scherp en had een geul in het midden van het lemmet. De ander was recht en puntig.

Ze pasten perfect in de buidel van zijn sweatshirt.

Vrolijk liep hij de zijdeur uit en ging op weg naar het huis van juf Navarre, dat maar een paar huizenblokken verder lag.

Dennis was al eerder bij het huis geweest. Niet omdat ze hem had uitgenodigd, maar omdat hij 's nachts langs was gegaan om door de ramen naar binnen te kijken. Het was een heel mooi huis met een grote veranda aan de voorkant en rozen in de achtertuin.

Dennis' hart bonkte terwijl hij met zijn handen in de buidel van zijn sweatshirt over het trottoir liep. Hij had geen echt plan. Hij hoopte dat ze niet op het nieuws had gezien dat hij een moordenaar was en dat ze hem binnen zou vragen. Ze zou verbaasd zijn om hem te zien. Dat was zeker.

Hij begon bijna te giechelen toen hij dacht aan de dingen die ze misschien tegen hem zou zeggen.

Je moet geen mensen vermoorden, Dennis. Dat is niet lief.

Hoe kan ik je je verrassing geven als jij brand sticht met je huiswerk?

Ze zou er spijt van krijgen dat ze niet langs was gekomen.

Dennis belde aan en stak zijn handen in de buidel, zijn vingers rond het handvat van zijn wapens. Zijn hart sloeg snel, zijn handpalmen waren nat van het zweet.

De deur ging open en een oude, magere man keek met een gefronst voorhoofd op hem neer. Hij was beslist honderd jaar, maar hij was gekleed als een golfer.

'Wie ben jij?' vroeg de man.

Dennis moest even slikken.

'Ik ben Dennis. Is juf Navarre thuis?' vroeg hij terwijl hij probeerde zijn hals te rekken om in het huis te kunnen kijken.

'Mijn dochter woont hier niet meer,' zei de oude man. 'Ze is eindelijk getrouwd.'

'Ze was mijn lerares in groep zeven,' zei Dennis. 'Ik wil haar graag spreken omdat... ze de beste lerares was die ik ooit heb gehad... en... ik maai gras en ze heeft tegen me gezegd dat ik haar gazon misschien mag maaien.'

'Tja, ze woont hier niet. Ze woont bij het college in de buurt. Deze wijk was niet goed genoeg voor haar,' zei hij verbitterd. 'Ik ben blij dat ik van haar af ben. Ze was niet bepaald een goede huishoudster.'

Dennis wist niet wat hij daarop moest zeggen.

Een kleine, mollige vrouw met zwart haar dat hoog op haar hoofd was samengebonden kwam naar de deur.

'Waarom sta je hier met de deur open? Je laat alle kou naar binnen. Het kan je dood worden,' zei ze met een grappig accent. Ze zag eruit of ze Chinees was of van een eiland of zo kwam. Dennis wist het niet zeker.

'Dat zou je wel willen,' snauwde de oude man tegen haar.

'Als jij doodgaat, krijg ik niet meer betaald,' zei de vrouw. 'Waarom denk je dat ik je in leven houd, oude man?'

'Om mijn scherpzinnige opmerkingen.'

De vrouw keek naar Dennis. 'Wat wil je, jochie?'

'Hij wil bij Anne op bezoek,' zei de oude man en hij gebaarde met zijn hand naar Dennis alsof hij hem weg wilde sturen. 'Schrijf haar adres voor hem op.'

75

'Ze zijn hem aan het opereren,' verkondigde Mendez terwijl hij Vince een kop koffie gaf.

Vince zat uitgeput en verdoofd op een stoel in de wachtruimte van de spoedeisende hulp.

Waarvoor had Zahn zich verontschuldigd? Wanneer was hij slecht geweest? Dertig jaar geleden? Een week geleden?

Marissa, Marissa. Mama, mama.

Had hij die twee door elkaar gehaald en Marissa vermoord? Of had hij gezegd dat ze de moeder was die hij nooit had gehad?

'Wauw,' zei Mendez. 'Een briljante vent zoals hij... Ik neem aan dat het waar is wat ze zeggen over de dunne lijn tussen genialiteit en krankzinnigheid.'

'Ik denk het,' mompelde Vince.

'Hij was dus in een dissociatieve toestand toen hij uit die kast kwam en je aanviel?'

'Zoiets.'

'Hij zag er inderdaad krankzinnig uit. Denk je dat hij ook zo was toen hij achter Marissa aan ging?' Hij knipte met zijn vingers toen er een gedachte bij hem opkwam. 'Ik moet zijn bloedgroep hebben zodat we die kunnen vergelijken met het bloed op het sweatshirt – voor het geval hij zichzelf heeft gesneden tijdens de aanval.'

Vince zei niets.

Mendez keek hem aan met een gefronst voorhoofd. 'Is alles in orde?'

'Ja hoor.'

'We hebben onze zaak net opgelost, ouwe. Op het papierwerk na.'

'De gek heeft het gedaan,' zei Vince zonder het enthousiasme waarnaar Mendez op zoek was.

'Tja, hij heeft het gedaan,' zei Mendez. 'Hij heeft min of meer bekend.'

Vince hield zijn hoofd schuin. 'Min of meer.'

Mendez stond geïrriteerd op en begon te ijsberen. 'Wat wil je verdomme dan? Een Perry Mason-moment?'

'Ja, dat zou prettig zijn.' Vince stond op en gooide zijn koffie in de afvalbak.

'Denk je nog steeds dat je hem ertoe gedreven hebt?' vroeg Mendez. 'Hij heeft al twee mensen vermoord voordat je hem ontmoette, Vince. Die vent is stapelgek.'

'Vergeef me dat ik daar niet blij mee ben,' zei Vince.

De deuren gingen open en Cal Dixon kwam binnen, achtervolgd door een stuk of tien verslaggevers die allemaal tegelijkertijd vragen naar hem schreeuwden. Dixon negeerde ze en gebaarde naar Mendez en Vince. De drie liepen een onderzoekskamer in terwijl politieagenten en ziekenhuisbewaking de meute weer naar buiten duwden.

Mendez vertelde het verhaal. Dixon luisterde met zijn armen over elkaar geconcentreerd naar alle details. Vince zat op de onderzoekstafel met zijn onderarmen op zijn dijbenen en zei niets.

'Dus dat is het?' vroeg Dixon. 'Zahn werd krankzinnig en vermoordde haar?'

'En daarna werd hij opnieuw krankzinnig en probeerde hij Gina Kemmer te vermoorden,' zei Vince. 'En daarna werd hij opnieuw krankzinnig en stuurde hij de doos met borsten naar Milo Bordain. En daarna werd hij nog een keer krankzinnig toen hij haar zonder reden van de weg probeerde te rijden.'

Mendez zuchtte gefrustreerd. 'Hij werd gek, vermoordde Marissa en probeerde Haley te vermoorden. Hij moest proberen dat te verbergen, dus schoot hij op Gina en dumpte hij haar in de put. Hij liep elke dag over die brandgang.'

'Je moet kiezen,' argumenteerde Vince. 'Hij is gek of hij is het niet. Als hij Marissa in een dissociatieve toestand heeft vermoord, is het onwaarschijnlijk dat hij zich dat herinnert. Hij probeert niet iets te verbergen waarvan hij niet weet dat hij het heeft gedaan.'

'Hij wist het toen hij zijn bebloede kleding de volgende dag vond,' merkte Mendez op. 'Hij weet dat hij zijn moeder heeft vermoord. Dat heeft hij ons verteld.'

'En wie heeft het hém verteld? De politie, de psychiaters, de maatschappelijk werkers.'

'Misschien is hij toch niet gek,' probeerde Dixon. 'Misschien is zijn gekte een toneelstukje. Hij is er eerder mee weggekomen. Waarom zou hij het niet nog een keer proberen?'

'Je hebt hem nooit ontmoet. Je hebt nooit met hem gepraat,' snauwde Vince. 'Het is geen toneelstukje.'

'Waarom vallen we elkaar hierover aan?' vroeg Dixon.

'Omdat het verdomme niet logisch is, daarom,' zei Vince geïrriteerd. 'Hoe zit het dan met al die onzin met Milo Bordain?'

'Misschien mag hij haar niet,' zei Mendez. 'Misschien wilde hij net doen of haar zoon het gedaan heeft.'

'We hebben het over een man die het niet aankan om naar Ralph's te gaan om boodschappen te doen, maar die wel twee borsten in een doos stopt en helemaal naar Lompoc rijdt om zich schuldig te maken aan een complot tegen de familie Bordain?' zei Vince ongelovig. 'Denk verdomme na!'

'Hij zei min of meer dat hij het gedaan heeft!' zei Mendez.

'Maar hij hééft het niet gezegd.'

'Hij heeft zichzelf met een koksmes met een lemmet van twintig centimeter gestoken!'

'En wat is er gebeurd met je theorie dat Steve Morgan het heeft gedaan?'

Een corpulente, roodharige verpleegster in een overall trok de deur open en stak haar hoofd naar binnen. 'Houden jullie alsjeblieft je kop! Ze kunnen jullie in Milwaukee nog horen!'

Mendez stak een hand op. 'Ik weet het. Als Zahn de borsten naar Milo Bordain heeft gestuurd, zal iemand in dat postkantoor het zich herinneren. Als je hem hebt gezien, vergeet je hem niet. Bill en ik gaan naar Lompoc om de foto van Zahn te laten zien.'

'Goed,' zei Dixon. 'Het zou prettig zijn als we iets anders hebben dan speculaties om aan de officier van justitie te geven... áls Zahn blijft leven.'

'We hebben zijn bloed waarschijnlijk op dat sweatshirt,' zei Mendez.

'Als hij zichzelf heeft gesneden, waar zijn de wonden dan?' vroeg Vince. 'Hij had geen verwondingen aan zijn handen.'

'Als Gina Kemmer het redt, hebben we een identificatie.'

'Is er nog nieuws over haar?' vroeg Dixon.

Mendez fronste zijn voorhoofd. 'Het klinkt niet goed. Ze heeft een infectie en haar bloeddruk is niet stabiel, maar ze weten niet waarom.'

Nog steeds opgewonden liet Vince zich van de tafel glijden en hij liep doelbewust naar de deur.

'Waar ga je naartoe?' vroeg Mendez.

'Ik ga Rudy Nasser bellen. Hij moet weten wat er gebeurd is.'

76

'Anne? Waarom is het leven zo verschrikkelijk?'

Omdat ze dolgraag wilde ontsnappen aan de treurige sfeer bij haar thuis, had Wendy gesmeekt of ze weer bij Anne en Haley op bezoek mocht.

Ze zaten naast elkaar op de bank, maar keken niet naar de film die opstond. Haley zat opgekruld aan een kant van de bank en had gedaan of ze een kat was, waarna ze in slaap was gevallen.

'Ik weet dat het soms zo lijkt,' zei Anne.

'Soms? De héle tijd,' zei Wendy dramatisch. 'Kijk naar alle slechte dingen die zijn gebeurd. Tommy's vader, Dennis Farman, de spaceshuttle, Tsjernobyl, Haleys moeder. En nu gaan mijn vader en moeder scheiden en Dennis heeft iemand vermoord!'

Het was moeilijk om een geschikt antwoord te geven, maar Anne probeerde iets positiefs te vinden.

'Ik heb het afgelopen jaar veel nare dingen meegemaakt,' zei ze. 'Maar aan de andere kant heb ik Vince ontmoet, en we zijn verliefd geworden en getrouwd.'

'Ik trouw nooit,' verkondigde Wendy. 'Ik weet niet waarom mensen de moeite nemen als ze uiteindelijk toch gaan scheiden. Marissa was niet getrouwd, en zij was hartstikke gaaf. En ze had Haley.'

'Het is niet gemakkelijk om een alleenstaande ouder te zijn,' zei Anne. 'Het is voor twee mensen al veel werk als je het goed wilt doen. Waar praat Haley de hele tijd over?'

'Kittens.'

'Behalve kittens.'

'Papa's.'

'Ze heeft nooit een papa gehad, maar ze wil er zo graag een dat ze alle mannen papa noemt,' zei Anne.

'Ze komt er nog wel achter dat ze heel anders zijn dan ze lijken,' zei Wendy. 'Ik dacht altijd dat mijn vader cool was, maar hij is gewoon een rotzak. Hij is zo gemeen tegen mijn moeder.'

'Op wat voor manier?'

'Hij is altijd boos en zegt gemene dingen en maakt haar aan het huilen.'

'Ik ga niet proberen excuses voor je vader te bedenken,' zei Anne. 'Ik weet niet wat zijn probleem is, maar ik denk dat ik rustig kan zeggen dat hij er een heeft.'

Wendy rolde met haar ogen. 'Ja, duh. Zoals zijn verhoudingen met andere vrouwen. Ik hoor ze ruziemaken. Ik ben niet doof en ik ben geen klein kind. Ik kijk naar *Dynasty*. Mama denkt dat hij een verhouding met Marissa heeft gehad. Ik hoop dat dat niet waar is.'

'Dat hoop ik ook.'

'Marissa was zo cool,' zei Wendy. 'Ze hield van het leven en deed wat ze wilde, maar op een goede manier. Ze was zo aardig. Ze vroeg naar mijn dromen en wat ik wilde worden en zo. En toen ik het haar vertelde, zei ze: "Wauw, Wendy! Dat is zo geweldig! Daar moet je voor gaan!"'

'Ik wilde dat ik haar had gekend,' zei Anne.

'En ze maakte al die prachtige kunst, en ze hielp mijn moeder met haar kunst,' ging Wendy verder. 'Ik wil het niet weten als ze slechte dingen deed. Mijn moeder mocht haar graag. Hoe kon mijn moeder haar graag mogen als ze dacht dat Marissa een verhouding met mijn vader had?'

'Ik weet het niet,' zei Anne. 'Het lijkt mij dat ze geen vriendinnen konden zijn als dat waar was.'

Het leek zo vreemd en verkeerd om over verhoudingen te praten met een elfjarige, maar Wendy wist duidelijk waarover ze het had, in elk geval tot op zekere hoogte. Anne wilde Wendy het gevoel geven dat ze elk onderwerp met haar kon bespreken. Als ze over verhoudingen praatte als ze elf was, wat zou ze dan doen als ze twaalf was?

'Mensen maken het leven zo ingewikkeld,' ging Wendy verder, waarna ze zuchtte.

Ze zaten een tijdje zwijgend naast elkaar terwijl Wendy speelde met de zes goedkope zilveren armbanden die ze aan een arm droeg.

Ze keek weer naar Anne. 'Mag ik blijven logeren? Alsjeblieft? Ik wil niet naar huis. Vince en jij zijn cool. Ik kan bij Haley slapen.'

'En je moeder dan?' vroeg Anne. 'Ze is op dit moment behoorlijk gedeprimeerd. Denk je niet dat je thuis moet zijn om haar gezelschap te houden? Ze voelt zich gekwetst en ik weet zeker dat ze zich heel eenzaam voelt.'

Wendy fronste haar voorhoofd en trok aan een losse draad van haar paarse beenwarmer. 'Ik weet het.'

Anne sloeg een arm rond haar schouders en gaf haar een knuffel. Ze herinnerde zich maar al te goed dat zij de enige was die haar moeder kon troosten als haar vader zich misdroeg. Anne was degene op wie haar moeder steunde als ze weer eens achter een van Dick Navarres vele slippertjes was gekomen. Anne herinnerde zich dat ze had gedacht dat het heel oneerlijk was dat ze volwassen moest zijn terwijl ze nog maar een kind was. Ze had het haar vader enorm kwalijk genomen. Dat deed ze nog steeds.

In haar hoofd maakte ze een aantekening om hem toch te bellen om te vragen hoe het met hem ging, omdat haar moeder dat gewild zou hebben. Dick was nooit blij, of ze nu belde of niet. Klagen was zijn specialiteit. Godzijdank had hij tegenwoordig Ling, zijn verpleegster, om ruzie mee te maken.

'Misschien kunnen we je moeder overhalen om hier een paar dagen te komen logeren,' zei Anne.

Wendy vrolijkte op bij het idee. Godzijdank waren er momenten waarop ze nog steeds het kind was dat ze verdiende te zijn, in plaats van de kleine volwassene die haar omgeving haar dwong te zijn.

'Dat zou fantastisch zijn,' zei ze. 'Dan is het net of we een meidenslaapfeestje hebben... op Vince na.'

'Vince kan daar wel tegen.'

Haley bewoog en Anne trok de deken tot haar schouders op.

'Ga je Haley houden?' vroeg Wendy.

'Ik weet het niet.'

'Waar moet ze anders naartoe? Ze wordt toch niet naar een weeshuis of zo gestuurd?'

'Nee, dat gebeurt niet. Eerst moeten de autoriteiten uitzoeken of ze familie heeft.'

Wendy trok een gezicht. 'Ik deed gisteren net of ik die afschuwelijke mevrouw Bordain niet kende. Ze is zó erg een woord dat ik niet mag zeggen.'

'Ken je haar van Marissa?'

Wendy knikte. 'Maar ze kent mij niet omdat ik een kind ben en wat haar betreft net zo goed een steen zou kunnen zijn.'

'Maar ze houdt van Haley,' zei Anne. 'Haley is bijna een kleindochter voor haar.'

'Het zal wel,' zei Wendy. 'Ze was Marissa altijd aan het commanderen. Doe dit, doe dat. Doe dit niet, doe dat niet.'

'Echt?' zei Anne terwijl ze Wendy's woorden in overeenstemming probeerde te brengen met Milo Bordains vertolking van de rouwende bijna-moeder.

'Ik hoorde haar een keer tegen Marissa schreeuwen: "Ik kan dit allemaal van je afpakken!" En toen riep Marissa: "Dat kan ik ook, en dat weet je!"'

'Ik vraag me af wat ze daarmee bedoelde,' zei Anne.

Wendy haalde haar schouders op. 'Ik weet het niet. Toen mevrouw Bordain me zag, begon ze tegen mij te schreeuwen omdat ik ze had afgeluisterd.

Dat kan ik ook, en dat weet je.

Wat zou Marissa van haar sponsor kunnen afpakken? Zichzelf? Haley?

'Wil je warme appelcider met kaneelstokjes?' vroeg Anne. 'Het is zo'n sombere dag.'

Anne stond op en trok haar trui om zich heen terwijl ze naar de keuken liep. De rest van het huis profiteerde niet van de warmte van de open haard in de zitkamer.

Ze deed alleen de lamp boven het fornuis aan en pakte wat ze nodig had. Ook al was het middag, buiten leek het bijna avond. De mist was de hele dag niet opgetrokken en de wolken hingen zwaar tot vlak boven de grond.

Ze vroeg zich af waar Dennis was, en of hij een plek had gevonden die hem tegen de elementen beschermde. De politie zou haar bellen als ze hem hadden opgepakt. Hoe zou ze hem nu nog kunnen helpen? Twaalf jaar of niet, hij zou bijna zeker naar een jeugdinrichting gestuurd worden tot hij achttien was. Ze zou proberen hem naar een inrichting te krijgen waar een goede psychiater aan verbonden was...

Ze draaide zich om en keek door het raam naar buiten terwijl ze zich vanbinnen voelde verkillen. Ze haatte het om de rolgordijnen omhoog te hebben als het buiten donker werd. Vaak had ze het gevoel dat er iemand bij haar naar binnen stond te kijken.

Terwijl ze de jaloezieën naar beneden deed kwam het niet bij haar op dat er inderdaad iemand stond te kijken.

77

'Wist je dat hij zijn medicijnen niet innam?' vroeg Vince.

Nasser schudde zijn hoofd. 'Hij doet erg geheimzinnig over persoonlijke zaken. Ik haal de medicijnen voor hem op, maar ik heb er geen zicht op wat er daarna mee gebeurt.'

Ze stonden in de vochtige kou onder de ambulanceoverkapping. Nasser had een sigaret nodig gehad. Hij had de kraag van zijn marineblauwe overjas opgeslagen tegen de kilte. Samen met zijn donkere gelaatstrekken en het met een scheerapparaat getrimde sikje gaf het hem een nogal sinister uiterlijk.

'Heeft hij het ooit met je gehad over een vrouw die Bordain heet?'

'Ik kan het me niet herinneren. Waarom zou hij?'

'Ze was Marissa's sponsor. Ze is de eigenares van het huis waarin Marissa woonde.'

'O, dan weet ik wie ze is,' zei Rudy Nasser. 'Zander was bang voor haar.'

'Bang?'

'Ze intimideerde hem en maakte dat hij zich klein voelde.'

'Denk je dat Zander het soort man is die iemand terugpakt voor zoiets?'

'Zander? Hoe zou hij dat moeten doen?' vroeg Nasser. 'Haar bekogelen met een kwaadaardige wiskundige vergelijking? Hij gaat niet eens naar de winkel om kauwgom te kopen.'

'Dat dacht ik al.'

Ze zwegen even. Nasser rookte zijn sigaret op en drukte hem uit in de bak met zand die boven op een grote afvalbak stond.

Hij knikte naar het gebouw. 'Het duurt lang.'

'Het was een lang mes,' zei Vince.

'Denk je dat hij het redt?'

'Ik weet het niet.'

'Hij is zo kwetsbaar,' zei Nasser. 'Het is alsof hij niet thuishoort in deze wereld, snap je?'

'Hij heeft het moeilijk gehad.'

'Denk je dat hij Marissa heeft vermoord?'

'Nee, dat denk ik niet,' zei Vince. 'Laten we een ritje gaan maken. Misschien kunnen we het bewijzen.'

Ze reden in Nassers oude 3-serie BMW over de donkere plattelandsweg. De schokdempers hadden het moeilijk en het stoffen open dak trilde alsof het elk moment weg kon vliegen.

In de opkomende duisternis straalde Zahns woning een lugubere sfeer uit. De mist kronkelde rond de oude koelkasten en rijen vreemde tuinsculpturen. Het huis was donker en afwijzend. In de verte jankten coyotes.

Nasser liet hen binnen en deed het hallicht aan.

Vince liep naar de kamer met de dossierkasten die zo dicht tegen elkaar aan stonden dat hij nauwelijks tussen de rijen door kon lopen.

'Ik bewaar alle papieren,' had Zahn tegen hem gezegd.

Hij had er niet aan gedacht toen ze het huis 's ochtends doorzocht hadden, omdat ze op zoek waren naar een man en niet naar een document. Zelfs Zander Zahn zou zich niet in een dossierkast proberen te verstoppen.

Toen het bij Vince op was gekomen, leek het zo simpel dat hij zichzelf wel voor zijn kop had kunnen slaan. Als Marissa Haleys geboortebewijs zou willen verbergen op een plek waar niemand zou kijken, waar kon ze dat dan beter doen dan in het huis van een verzamelaar? En wie kon ze meer vertrouwen dan haar zonderlinge vriend Zander? Zander, die zo toegewijd en zo gecharmeerd van haar was. Natuurlijk zou hij het voor haar bewaren en het nooit aan iemand vertellen. Zijn loyaliteit aan Marissa was onvoorwaardelijk.

De dossierkasten zaten propvol documenten over elk denkbaar onderwerp. Een hele rij van zo'n vierenhalve meter lang en anderhalve meter hoog bevatte niets anders dan wiskundige documenten.

Dossierkast na dossierkast vol met papieren over alles wat hem ooit vreemd of interessant of juist of relevant had geleken. Alles was gealfabetiseerd. Het was heel veel: dossierkasten met financiële verslagen, kopieën van medische dossiers, artikelen over de aard van een genie, de mysteries van autisme en de neefjes daarvan.

'Kan ik helpen?' vroeg Nasser.

'Ik zoek naar alles wat betrekking heeft op Marissa of Haley Fordham.'

'Goed, dan begin ik hier.'

Ze werkten zwijgend urenlang door en eindelijk, op het moment dat Vince bijna niets meer zag door het slechte licht, vond hij het. Op het dossier stond alleen een M. Hij haalde het uit de la en bestudeerde het document dat erin zat. Het was een vervalsing, maar het was goed gedaan. Tegen de tijd dat ze het hadden gekopieerd en een kopie van de kopie hadden gemaakt, was het onmogelijk om dat nog te zien. En voor de man die als vader werd genoemd, zou het authentiek genoeg lijken.

'Wat is het?' vroeg Nasser, die probeerde er een blik op te werpen. Vince sloot de map. 'Het motief.'

Hij nam de map mee naar het ziekenhuis en ging op zoek naar Mendez, die op de afdeling intensive care was en door de glazen wand naar Gina Kemmers kamer staarde, met Darren Bordain naast zich.

'Hoe is het met haar?' vroeg Mendez. 'We hebben haar familie in Reseda opgespoord. Haar ouders zijn onderweg hiernaartoe.'

'Mooi. Het maakt misschien verschil als ze hun stemmen hoort.'

'Ik wilde naar binnen gaan om met haar te praten,' zei Bordain.

'Alleen familie,' zei Mendez.

'Mijn vrienden zijn mijn familie. Gina en Marissa maakten deel uit van die groep.'

'Regels zijn regels,' zei Vince. Hij zocht de ogen van Mendez en gebaarde met zijn hoofd dat hij bij Bordain weg moest lopen.

Ze deden drie stappen opzij voordat Mendez zachtjes zei: 'Zahn heeft het niet gered.'

Vince zuchtte.

'De chirurg zei dat als ze één gat dichtmaakten, er een ander opensprong. Het was ook een enorm mes. Met alle schade aan zijn organen, het bloedverlies en de infectie was hij gewoon niet sterk genoeg om het te redden.'

'Misschien vindt hij nu rust.'

Vince dacht aan wat Nasser had gezegd: *Hij is zo kwetsbaar. Het is alsof hij niet thuishoort in deze wereld, snap je?*

Misschien zou Zahn meer mededogen in de volgende wereld vinden.

Mendez' oog viel uiteindelijk op de manilla dossiermap onder Vinces arm. 'Wat is dat?'

'Dit?' vroeg Vince alsof hij het vergeten was. Hij gaf de map aan Mendez. 'Wat luchtig leesvoer.'

Mendez sloeg hem open en bekeek het document twee keer grondig terwijl hij zijn ogen opensperde.

'Jezus.'

'Ja,' knikte Vince. 'Ik dacht al dat je dat zou zeggen.'

78

Vince had gebeld om te zeggen dat het opnieuw laat zou worden en dat ze moesten beginnen met eten. Anne nam de meisjes mee naar de keuken om haar te 'helpen' en gezelschap te houden.

'Wat eten we?' vroeg Wendy.

'Macaroni met kaas,' zei Anne, die de ingrediënten uit de koelkast haalde en op het kookeiland zette. 'De echte, zoals mijn moeder die altijd maakte. Haley, vind je macaroni met kaas lekker?'

Haley zat op handen en knieën op de keukenbank te spelen met haar knuffelkat. 'Miauw. Ja. Miauw. Miauw.'

Wendy lachte. 'Haley, ben je een kitten?'

'Miauw. Miauw. Miauw.'

Anne zette een pan met water op het fornuis, waarna ze een ui pelde en in de keukenmachine snipperde.

'Mama Anne? Wanneer kunnen we naar mijn katjes toe?'

'Ik weet het nog niet, liefje. We wachten op een mooie, zonnige dag.'

'Is dat morgen?'

'Ik weet het niet.'

'Ik hoop dat het morgen is.'

'Haley, hoe heten je katjes?' vroeg Wendy.

'Snuitje en Mitty en Banjer.'

'Wat een grappige namen,' zei Anne.

Ze genoot terwijl Haley een verhaal vertelde over Banjer. Ze was zelf opgegroeid in een huis dat vaak was gevuld met spanning en verdriet en haar moeders wanhopige pogingen om een zo goed mogelijke vrouw te zijn voor een man die dat helemaal niet verdiende. Anne had haar hele jeugd op haar tenen door dat mijnenveld gelopen, en in tegenstelling tot Wendy had ze toen ze een jaar of elf was elke dag gewenst dat haar ouders zouden scheiden.

Dit was zoals een gezin moest zijn. Van elkaar genieten. Samen zijn. Het plaatje was alleen niet compleet omdat Vince er niet was. Het maakte voor Anne niet uit dat het haar kinderen niet waren. Ze hield ervan ze om zich heen te hebben, ze te leren kennen, hun karakters te ontdekken.

Het leven was goed.

Tot de deurbel ging.

Anne droogde haar handen af aan een keukenhanddoek en liep naar de voordeur, terwijl ze zoals altijd mompelde dat alles in orde was, dat ze op een veilige plek was, dat Peter Crane niet op haar stoep zou staan.

Dennis Farman stond er echter wel.

79

'Breng je veel tijd in Los Angeles door, Darren?' vroeg Mendez.

Darren Bordain was zenuwachtig en wantrouwig, en was dat geweest vanaf het moment dat Mendez hem had gevraagd om met hem mee te gaan naar het politiebureau. Zijn eerste reactie was geweest dat hij weigerde, maar hij had beseft dat hij beter wel kon gaan toen Mendez hem vroeg waarom hij niet wilde.

Als hij weigerde was het net of hij iets te verbergen had. Hij had al geweigerd om zijn foto te laten nemen. Hij had geweigerd om een leugendetectortest te ondergaan. Als hij weigerde om mee te gaan om naar een nieuw bewijsstuk te kijken waar hij misschien wat licht op kon werpen, zouden ze beslist denken dat hij iets te verbergen had.

'Ik kom daar misschien één keer per maand.'

'Zaken? Plezier?'

'Gewoonlijk een beetje van allebei. Ik heb op UCLA gezeten. Ik heb daar vrienden.'

'Kende je Gina of Marissa uit LA?'

'Nee. Ik heb al verteld dat ik ze heb ontmoet nadat ze hier zijn komen wonen in – wat was het? – '81 of '82,' zei Darren. 'Waarom vragen jullie dat? Ik dacht dat jullie me iets wilden laten zien.'

'Daar komen we zo op,' zei Mendez.

De gesloten dossiermap lag tussen hen in op tafel. Bordain keek ernaar alsof er een ratelslang uit zou kunnen kruipen die hem zou aanvallen.

'Je hebt ons ook verteld dat je nooit een relatie met Marissa hebt gehad,' zei Mendez.

'Dat klopt. We waren gewoon vrienden. We gingen met dezelfde groep mensen om.'

'Vond je haar niet aantrekkelijk?'

'Natuurlijk vond ik haar aantrekkelijk. Ze was een mooie vrouw.'

'Een mooie, alleenstaande, vrijgevochten vrouw,' zei Mendez. 'Het was waarschijnlijk niet zo moeilijk om haar in bed te krijgen.'

'Dat is een belediging.'

'Voor jou?'

'Voor Marissa. Zo was ze niet.'

'Ze was een alleenstaande vrouw met een kind.'

'Dat betekent niet dat ze zomaar met iemand meeging.'

'En je bent nooit in de verleiding geweest om dat uit te proberen?' vroeg Mendez.

'Nee.'

'Ook al heb je toegegeven dat je moeder het verschrikkelijk had gevonden als jullie een relatie hadden gekregen?'

Bordain rolde met zijn ogen en verschoof voor de tiende keer op zijn stoel. 'Alleen omdat mijn moeder iets verschrikkelijk vindt, betekent niet dat ik het daarom doe.'

'En heeft iemand je gezien toen je naar huis ging na het etentje met je ouders?'

'Ik weet het niet. Vraag het mijn buren,' zei hij duidelijk geïrriteerd. 'Ik dacht dat we dit allemaal al besproken hadden. Ik heb mijn moeder niet van de weg gereden.'

'Hmm...'

Mendez trok de map naar zich toe, sloeg hem open, keek naar het document, zuchtte en sloot de map weer, waarna hij hem terug schoof.

'Je zegt dat je Marissa niet kende voordat Haley was geboren,' zei hij.

'Dat klopt. Dat zeg ik, maar je lijkt het niet te begrijpen.'

'Dat is het niet, Darren. Het is alleen dat ik hier een document heb dat nogal tegenstrijdig is met wat jij me vertelt.'

Bordain keek naar de dossiermap, maar raakte hem niet aan. Het zweet parelde op zijn bovenlip. Hij veegde het weg, tikte een sigaret uit het pakje op tafel en stak hem op.

Mensen dachten altijd dat ze er kalm en relaxed uitzagen als ze rookten. Ze hielden er alleen nooit rekening mee dat als hun handen ook maar een beetje trilden, het met een sigaret tussen hun vingers leek of ze parkinson hadden.

Darren Bordains handen trilden.

'En ik heb een probleem met je verhaal waar je was op de avonden dat Marissa is vermoord en je moeder van de weg is gereden,' ging Mendez verder. 'Alleen thuis is niet bepaald een goed alibi.'

'Ik was me er op dat moment niet van bewust dat ik een alibi nodig zou hebben.'

'Het lijkt erop dat je veel alleen thuis bent voor een man die zo populair is,' zei Mendez. 'Etentjes met vrienden, al die liefdadigheids-evenementen waar je naartoe gaat. En daarna ga je alleen naar huis.

Dat lijkt me niet logisch. Je bent rijk, charmant, knap. Ik zou denken dat je nooit alleen hoeft te slapen.'

'Misschien ben ik niet zo'n losbol als jij blijkbaar graag wilt dat ik ben,' zei Darren terwijl hij de as in de asbak tikte. Hij tikte te hard omdat hij zenuwachtig was; een deel miste de asbak en belandde op de tafel. Hij vloekte zachtjes, stopte de sigaret weer in zijn mond en veegde de as snel op de vloer.

'En dan hebben we dit nog,' zei Mendez, die langzaam met zijn vinger op de dossiermap tikte. Hij deed het opnieuw en opnieuw en opnieuw en opnieuw, tot het geluid de stille kamer leek te vullen als water dat uit een kraan drupte.

Hij kon bijna zien hoe Darren Bordains zenuwen het begaven.

'Waarom laat je het me niet gewoon zien, zodat we het achter de rug hebben?' snauwde Bordain. 'Wat het ook is, er is waarschijnlijk een logische verklaring voor.'

Mendez deed alsof hij erover nadacht en haalde zijn schouders op. 'Oké.'

Hij sloeg de map open en schoof hem over de tafel.

'Je moet vooral letten op het vakje waarin de naam van de vader staat.'

Terwijl hij naar het geboortebewijs keek, trok de kleur eerst uit Darrens gezicht weg, waarna hij vuurrood werd.

'Dat is een leugen.'

'Het is een officieel document van het district Los Angeles.'

Bordain schudde zijn hoofd. 'Ik kan het niet zijn. Het is niet waar. Ik ben Haleys vader niet.'

'Nee? We hebben haar een foto van je laten zien. Ze noemde je papa.'

'Ze noemt alle mannen papa.'

'Ja, maar blijkbaar is het bij jou officieel,' zei Mendez terwijl hij met zijn vinger op het geboortebewijs tikte. 'Weet je toevallig wat je bloedgroep is, Darren?'

'A negatief.'

Mendez trok zijn wenkbrauwen op. 'Echt? Omdat we het sweatshirt hebben dat je droeg op de avond dat je Marissa hebt vermoord. Jezus, het was doordrenkt met bloed.'

'Marissa's bloed, niet dat van mij.'

'Marissa's bloed, AB positief. Heel veel. Maar ook een beetje A negatief,' loog hij. 'Ze moet je hebben gekrabd, of je hebt jezelf gesneden. Messen worden glibberig als ze onder het bloed zitten.'

'Dit is belachelijk!' riep Darren Bordain naar het plafond terwijl hij zijn armen in de lucht stak. 'Ik heb Marissa niet vermoord!'

'Hoe kom je aan die snee op je pols?'

Darren Bordain keek naar zijn linkerpols en trok de manchet van zijn overhemd er snel overheen. 'Ik... ik... Dat moet op de golfbaan gebeurd zijn.'

'Golfen ze tegenwoordig met messen?' vroeg Mendez. 'Interessant. Dat wil ik ook wel eens proberen.'

Darren Bordain duwde zijn stoel naar achteren en stond op. 'Ik ben hier klaar. Ik hoef niet langer met je te praten. Ik ben vrij om te gaan.'

Hij liep naar de deur en duwde de kruk naar beneden, maar er gebeurde niets.

'Het is precies zoals ik gisteren al vertelde, Darren,' zei Mendez. 'Sommigen van onze gasten zijn niet zo vrij om te gaan als anderen.'

80

'Dennis, wat doe je hier?' vroeg Anne.

Hoe was hij verdorie aan haar adres gekomen? Hun telefoonnummer was geheim en ze had een postbus in plaats van een woonadres op haar visitekaartjes staan.

'Hoe heb je me gevonden?' vroeg ze.

'Ik heb het aan uw vader gevraagd.'

'Ben je naar het huis van mijn vader gegaan?'

Dennis knikte. 'Ja. Hij is heel oud.'

'En hij heeft je mijn adres gegeven?'

'Ja.'

O mijn god. Die man wordt mijn dood nog eens.

Annes blik gleed langs Dennis naar de surveillancewagen die bij de stoep stond geparkeerd. De agent at een broodje en lette niet op, maar waarom zou hij letten op een kleine jongen met een baseball-pet? Het was zijn taak om Anne en Haley te beschermen tegen een moordenaar.

'Ik heb het ziekenhuis in brand gestoken,' verkondigde Dennis.

'Ik weet het, dat heb ik gehoord,' zei Anne kalm.

'Het was heel cool,' zei hij met de glazige, onnatuurlijke blik in zijn ogen die hij kreeg als hij over moordenaars en misdaden praatte. 'Er kwam een man zijn kamer uit rennen en zijn armen stonden in brand! En hij schreeuwde. Het was zo cool! En toen explodeerde de zuurstoftank en toen – *bám* – ging hij dwars door een muur en doodde een vrouw!'

Anne kreeg het ijskoud door zijn duidelijke enthousiasme, niet alleen omdat hij haar choqueerde maar door de details van wat hij had gedaan. De verbrande man en de dode vrouw betekenden helemaal niets voor hem behalve dan dat hij er zelf plezier aan beleefde.

'Waarom heb je het gedaan, Dennis?'

Hij haalde zijn schouders op, zijn handen in de buidel van zijn te grote sweatshirt met capuchon. 'Omdat ik het wilde. Omdat ik boos was. U zei dat u gisteren zou komen en dat hebt u niet gedaan. U zei dat u iets leuks mee zou nemen, maar dat hebt u niet gedaan.'

'Ik heb gebeld om te zeggen dat ik niet kon, Dennis.'

'Nee, dat heb je niet gedaan,' zei hij boos. 'Je hebt niet gebeld. Het kan je niet schelen. Je bent een leugenaar.'

'Dennis...'

'Hou je kop!' schreeuwde hij terwijl zijn woede op het punt stond te exploderen. 'Je bent gewoon een stomme kut en ik haat je!'

Voordat Anne kon reageren, had Dennis zijn handen uit de buidelzak gehaald en kwam hij zwaaiend en schreeuwend op haar af. Ze wist niet wat hij in zijn handen had tot ze iets scherps en puntigs in haar borst voelde steken. Tegen de tijd dat ze het besefte had hij nog twee keer gestoken.

Er was niets wat ze kon pakken om hem mee te slaan en ze wilde het huis niet in rennen. Als Dennis Wendy of Haley zag, wist ze dat hij niet zou aarzelen om hen ook aan te vallen.

Ze probeerde zijn armen te grijpen terwijl hij naar haar uithaalde, maar zijn wapens sneden in haar handen en onderarmen. Ze schreeuwde tegen hem: 'Dennis! Stop daarmee! Stop daar onmiddellijk mee!'

Wendy hoorde haar en kwam de keuken uit rennen. Zodra ze Dennis zag, begon ze zo hard als ze kon te schreeuwen. En vlak achter haar liep Haley.

'Wendy, rennen!' schreeuwde Anne terwijl Dennis haar weer stak. 'Neem Haley mee en ren!'

Haley stond aan het eind van de gang te gillen.

O mijn god, dacht Anne terwijl ze probeerde haar aanvaller af te weren. Ze ziet het opnieuw gebeuren.

Dennis was uitzinnig. Hij was groot voor zijn leeftijd en sterk, en hij bleef schreeuwend en met zijn wapens zwaaiend op haar af komen, waardoor Anne naar achteren werd gedreven. Ze waren inmiddels buiten het zicht van de agent die bij de stoep stond geparkeerd.

'Ik haat je!' schreeuwde Dennis terwijl hij tegen haar aan duwde.

Annes voeten raakten verstrikt in de zijne en ze viel achterover. Haar achterhoofd stuiterde hard op de vloer. Het werd zwart voor haar ogen.

Dennis Farman ging boven op haar zitten met een arm omhoog, klaar om haar in haar borstkas te steken.

81

'Ik heb Marissa niet vermoord,' zei Darren Bordain.

Mendez stond op. 'Waarom ga je niet even zitten? Ik ga een kop koffie halen. Wil jij ook?'

Bordain keek naar hem of hij stapelgek was geworden. 'Of ik een kop koffie wil? Nee, ik wil verdomme geen kop koffie! En nee, ik wil niet zitten!'

Hij had grote zweetplekken in de oksels van zijn blauwe overhemd met het kleine, geborduurde logo op de zak: MEF.

'Ik ben zo terug,' zei Mendez onverstoorbaar.

Hij liep naar de gang en zette koers naar de kantine, waar Dixon, Hicks en Vince naar het beeldscherm keken.

Vince sloeg op zijn rug. 'Goed gedaan, junior.'

'Je hebt hem in een hoek gedreven,' zei Dixon. 'Ik snap niet dat hij nog niet om een advocaat heeft gevraagd.'

'Ik denk dat hij je iets wil vertellen,' zei Vince. 'Maar dat hij het niet kan.'

'Als hij opbiecht dat hij haar heeft vermoord, dan kan hij het niet meer terugnemen,' zei Mendez.

Vince liep naar de projector en spoelde de band terug. 'Kijk wat hij doet als je vraagt naar de bewuste avonden.'

Mendez staarde naar de monitor terwijl wat er net was gebeurd op het beeldscherm verscheen.

'Kijk naar hem als je hem vraagt of iemand hem thuis heeft zien komen. Kijk hoe hij zijn schouders optrekt, alsof hij zijn armen om zich heen wil slaan.'

'Beschermend?' zei Mendez.

'En dat gebeurt ook als je hem onder druk zet over zijn alibi's,' zei Vince. 'Hij verbergt iets.'

'Het feit dat hij een moordenaar is?' suggereerde Hicks.

'Voer de druk op,' zei Vince. 'Eens zien wat hij doet.'

'Oké.'

Mendez schonk twee bekers koffie in en liep terug door de gang.

'Ik heb er toch een voor je meegenomen,' zei hij terwijl hij de bekers op tafel zette. 'Hij is vandaag niet slecht. Iemand heeft Irish Cream-bonen meegenomen.'

Bordain was gaan zitten en had opnieuw een sigaret opgestoken. Hij negeerde de koffie. Zijn handen trilden nog steeds.

'Ik heb Marissa niet vermoord,' zei hij opnieuw. 'Ik had geen reden om Marissa te vermoorden.'

'Ik denk dat je het zat werd dat ze je chanteerde.'

'Ik word niet gechanteerd.'

'Het is ironisch, vind je niet?' zei Mendez. 'Je zei dat je met het idee speelde om een relatie met haar te beginnen om je moeder te ergeren. Maar dan raakt ze zwanger en je krijgt een buitenechtelijk kind en je houdt die informatie voor je, terwijl je moeder daar pas echt over zou flippen.'

'Het is niet ironisch. Het is niet waar.'

'Je kunt niet uitleggen waar je was op de avond dat ze is vermoord. Je naam staat op het geboortebewijs van haar dochter. En je zit hier tegenover me te zweten als een hoer in een kerk.'

'Op de avond dat Marissa is vermoord was ik bij Gina thuis,' zei Darren.

'Gina, die nog steeds heel handig in coma ligt.'

'Ik heb niet geprobeerd om Gina te vermoorden.'

'Wilde je daarom vanmiddag haar kamer binnengaan? Om de klus af te maken?'

'Dat is belachelijk.'

'Ze kan je niet helpen, Darren. Je hebt zelf toegegeven dat je bij haar bent weggegaan en om half twaalf alleen thuis was.'

Darren Bordain sloot zijn ogen en slikte hard. Mendez wachtte en zag hoe hij zijn schouders optrok om tegen te houden wat niet naar buiten mocht.

'Darren,' zei Mendez zachtjes terwijl hij voorover boog. 'Er is niets erger dan moord. Dat is de jackpot. Het wordt niet erger dan dat. Wat je me ook vertelt, erger kan het nooit zijn.'

Darren Bordain glimlachte verbitterd; de tranen sprongen in zijn ogen. 'Je komt niet uit mijn wereld.'

'Ik ga je vertellen wat je rechten zijn en in de gevangenis stoppen. Is dat een probleem in jouw wereld?'

'Je hebt geen bewijs dat ik Marissa heb vermoord.'

'Niet zoveel als ik zou willen,' gaf Mendez toe. Hij tikte met de rand van de map op de tafel. 'Maar ik heb een fantastisch motief.'

'Ze is mijn kind niet. Ze kan mijn kind niet zijn.'

Opnieuw het beschermende gebaar.

'Waarom niet?' vroeg Mendez.

'Ik heb Marissa niet vermoord.'

'Geef me iemand die je alibi bevestigt.'

Bordain zette zijn ellebogen op tafel en begroef zijn gezicht in zijn handen.

'Dat kan ik niet,' zei hij gekweld.

Dat was niet 'dat kan ik niet' omdat hij niemand had die zijn verhaal kon bevestigen, dacht Mendez. Het was 'dat kan ik niet' omdat hij de naam van de persoon die het kon bevestigen niet wilde geven.

Mendez merkte dat hij naar het logo op de borstzak van Darrens overhemd staarde. Hij had het eerder gezien. Niet in een winkel. Hij lette niet op dat soort dingen. Zijn zus Mercedes kocht het grootste deel van zijn kleding voor hem.

MEF.

Hij dacht terug aan de gesprekken die hij de afgelopen week met verschillende mensen had gevoerd. Waar was Darren Bordain geweest op de avond van de moord op Marissa? Gina Kemmer had wat vrienden uitgenodigd, met inbegrip van Darren Bordain en Mark Foster. Waar had Darren Marissa voor het laatst gezien? Bij het Licosto Winery-evenement, dezelfde plek waar Mark Foster haar voor het laatst had gezien. Met wie had Mark Foster een etentje gehad op de avond dat hij Marissa met Steve Morgan in Los Olivos had gezien? Met Darren Bordain? Als hij het Steve Morgan vroeg, zou die dan Darren Bordain zeggen?

Geen logo. Een monogram.

Mark Foster. Mark E. Foster, het heteroseksuele hoofd van de muziekafdeling van McAster.

Darren Bordain was vanochtend opgestaan en had per ongeluk of misschien met een bepaalde reden het overhemd van zijn minnaar Mark Foster aangetrokken.

'Je bent een homo,' zei Mendez. 'Je was met Mark Foster samen toen Marissa is vermoord.'

Bordain gaf geen antwoord. Hij wilde blijkbaar liever naar de gevangenis voor een moord dan toegeven dat hij homoseksueel was.

'Je draagt zijn overhemd,' merkte Mendez op.

'Is dat zo?' zei Bordain. Hij was in de war, maar hij gaf zich niet zomaar gewonnen. 'De stomerij heeft vast een fout gemaakt.'

'Wist Marissa het?'

'We hebben nooit een gesprek over de service van de stomerij gehad.'

'Vond ze dat het geheimhouden van je seksuele voorkeur geld waard was?'

Darren Bordain was de enige erfgenaam van Bruce Bordains fortuin en Milo Bordains enige hoop op een kleinkind. Hij was klaargestoomd voor een grote politieke carrière in een partij die nooit een homoseksuele kandidaat zou binnenhalen. Het schandaal zou enorm zijn, en was het waard om een moord voor te plegen.

Maar Darren Bordain had het geheim een hele tijd bewaard en was niet van plan het zomaar prijs te geven.

'Wil je echt dat we hierin gaan graven?' vroeg Mendez. 'Vertel me de waarheid. Het hoeft niet buiten de muren van deze kamer te komen.'

Bordain lachte. 'Ja, natuurlijk.'

'Je hebt liever dat we je vrienden... en je vijanden vragen gaan stellen?'

'Ik heb geen alibi nodig,' zei Bordain terwijl hij zijn zelfbeheersing langzamerhand terugkreeg. 'Ik ben nooit met Marissa naar bed geweest, en ik heb haar niet vermoord. En omdat ik weet dat je geen bewijs tegen me hebt dat ik een moord heb gepleegd omdat ik geen moord heb gepleegd, ga ik nu weg of bel ik mijn advocaat. De keus is aan jou.'

Mendez zuchtte. Ze hadden niets om hem vast te houden. Als hij een advocaat belde, zou hij hem niet meer kunnen verhoren. Verdomme. Hij had Bordain heel even in een hoek gedreven. Hij had meer tijd nodig.

Mendez zuchtte en tikte opnieuw met de dossiermap op tafel. Hij had in elk geval Darrens naam op het geboortebewijs van Haley Fordham.

'Moet ik geloven dat er nog een andere Darren Bruce Bordain rondloopt in Zuid-Californië?' vroeg hij.

'Inderdaad,' zei Darren. 'Dat klopt. Mijn vader.'

82

Anne kreeg haar arm op tijd omhoog om Dennis' steek te blokkeren en probeerde hem met haar andere arm op zijn hoofd te slaan. Maar daardoor was haar linkerschouder onbeschermd en hij was snel genoeg om zijn wapen tot het handvat in het kuiltje van haar schouder te steken.

Dit was ongelooflijk. Ze lag op de grond en hij had haar volkomen in zijn macht. Hij stak haar met twee verschillende wapens. Ze zou in de gang van haar eigen huis vermoord worden door een twaalfjarige jongen die ze alleen had willen helpen.

En ergens achter haar zag een vierjarig kind haar tweede moord in minder dan een week tijd.

Ze hoorde Haleys hysterische gegil. Waar was Wendy naartoe? Was ze door de achterdeur naar buiten gerend om de agent te waarschuwen die in zijn auto een broodje at, zich niet bewust van wat zich afspeelde in het huis dat hij moest bewaken?

Boven haar, op haar maag, zat de razende Dennis nog steeds. Zijn ogen puilden uit. Zijn gezicht was zo rood dat ze zijn sproeten niet zag. Zijn mond stond open, een gapend gat waaruit een woest, dierlijk geluid kwam, dat ontstond in een gruwelijk deel van zijn ziel.

De stank van urine was sterk. Alle controle was verdwenen en hij had in zijn broek geplast door zijn woede-uitbarsting.

Terwijl hij zijn arm hief om haar opnieuw te steken, probeerde Anne haar heupen te draaien om hem van haar af te gooien.

'Stop daarmee! Stop daarmee! Stop!' schreeuwde Wendy.

Plotseling sloeg het hoofd van Dennis Farman opzij en spoot er bloed uit zijn mond en wang op de muur.

'Stop! Stop daarmee!'

Wendy sloeg hem opnieuw met de pook van de open haard en raakte zijn schouder, en even later zijn zij.

Dennis viel verdwaasd opzij.

De agent riep vanuit de voortuin: 'Mevrouw Leone? Is alles in orde daarbinnen?'

Nee, dacht Anne terwijl ze bloedend op de vloer lag. Het is niet goed.

Niets was goed.

83

Darren Bruce Bordain.

De naam was al generaties lang in de familie, waarbij afwisselend de eerste naam Darren of de tweede naam Bruce als roepnaam werd gebruikt.

Mendez stond op, liep de kamer weer uit en ging naar de kantine, waar zijn publiek al net zo verbijsterd keek als Mendez zich voelde.

'Wat moeten we nu in vredesnaam doen?' vroeg hij.

'Moeten we geloven dat Bruce Bordain Haleys vader is?' vroeg Hicks.

'Denken dat hij dat is,' corrigeerde Vince hem.

'En Darren Bordain is zo bang dat zijn geaardheid uitkomt dat hij liever als moordverdachte naar de gevangenis gaat?' zei Mendez.

'Hij weet dat hij niet naar de gevangenis gaat. Hij is veel te slim om daarin te trappen,' mopperde Dixon. 'Nu weten we dat die hele verdomde familie een motief had om Marissa te vermoorden. Wat een nachtmerrie.'

'Je beker vloeit over, Cal,' zei Vince. 'Papa Bordain senior heeft een kind bij haar verwekt en zij heeft hem gechanteerd. Bordain junior heeft een kind bij haar verwekt en ze heeft hem gechanteerd. Of ze wist dat junior homoseksueel is en chanteerde hem daarmee. Ik weet niet welk motief ik het liefste heb.'

'Wat we ook kiezen, de media zullen een verhaal ruiken en de Bordains zullen razend op me zijn,' zei Dixon.

'Begin met de homoseksuele insteek,' stelde Vince voor. 'De Bordains zullen elkaar beschermen, maar Mark Foster is een buitenstaander.'

Dixon knikte. 'Bill, jij haalt Mark Foster op voor een gesprek.'

'En Bordain?' vroeg Mendez.

'Hou hem voorlopig hier,' zei Vince. 'Laat hem weten dat Foster in een andere verhoorkamer zit.'

'Oké.'

Ronde drie, dacht Mendez terwijl hij terugliep naar de verhoorkamer. Een agent met een grimmige gezichtsuitdrukking kwam naar hem toe lopen terwijl Mendez de deur open wilde doen.

'Is Vince Leone hier?'
'In de kantine. Wat is er aan de hand?'
'Iemand heeft net geprobeerd zijn vrouw te vermoorden.'

84

Vince wachtte niet op een uitnodiging om de trauma-afdeling van het Mercy General binnen te gaan. Hij stormde als een dolle stier door de dubbele deuren, waardoor het personeel als bange muizen uit elkaar stoof.

Hij rende de onderzoekskamer in zonder na te denken, waarmee hij zijn vrouw doodsbang maakte. Hij trok haar in zijn armen en omhelsde haar te stevig, waarna hij haar onmiddellijk losliet toen hij haar hoorde kermen van de pijn.

'O mijn god. O mijn god,' mompelde hij terwijl hij het haar voorzichtig uit haar gezicht streek. 'Liefje. Jezus, is alles goed met je?'

Ze knikte. Niet tevreden keek Vince haar onderzoekend aan. Haar handen en onderarmen waren bezaaid met snij- en steekwonden. Op verschillende plekken was het bloed door het papieren nachthemd gesijpeld, vooral bij haar schouder.

'Jezus christus,' mompelde hij. 'Waar is de dokter? Hebben ze je al onderzocht?'

'We zijn net binnen.'

'En waar is die verdomde dokter dan?'

'Schreeuw niet tegen me!' snauwde Anne.

Vince legde zijn handen op haar schouders. Hij wist niet wie er meer van slag was, Anne of hij. 'Het spijt me, schat. Ik schreeuw niet tegen jou.'

'Ja, dat doe je wel,' beschuldigde ze hem scherp fluisterend. 'En praat zachtjes, anders maak je Haley wakker.'

Vince zag het kleine meisje nu pas op de onderzoekstafel liggen, bijna helemaal bedekt door een grote, grijze deken.

'Ze heeft een kalmerend middel gehad,' zei Anne, die zich omdraaide om Haleys haar met de vingertoppen van haar bloederige handen te strelen. 'Ze heeft gezien wat er is gebeurd. Ze stopte niet meer met schreeuwen en ik zat onder het bloed. Het was afschuwelijk.'

'Ssstt, ssstt, ssstt, liefje.' Hij probeerde zowel zichzelf als Anne te kalmeren. Zijn ademhaling was te snel, en hij voelde zich licht in zijn hoofd. 'Het spijt me, schatje. God, je hebt me gek van angst gemaakt. Toen die agent het kwam vertellen...'

Hij stopte, drukte zijn lippen op de hare en streelde met zijn hand over de achterkant van haar hoofd, waarna die rood en kleverig van het bloed was. 'O mijn god.' Hij liep de hal in en riep: 'Waar is de dokter verdomme?!'

De grote, roodharige verpleegster van eerder ging met een kwade uitdrukking op haar gezicht voor hem staan. 'Meneer, u kalmeert of u moet hier weg.'

'O ja? En wie neem je daarvoor mee, Zonnestraaltje?' vroeg Vince terwijl hij zijn vinger naar haar uitstak. 'Tien van jou kunnen me hier nog niet weg krijgen. Mijn vrouw ligt in die kamer, en ik wil dat ze wordt onderzocht door een dokter.'

'Vince! Hou daarmee op!'

Anne stond gewond in de deuropening en keek hem fel aan.

'Hou daarmee op en kom onmiddellijk naar binnen!'

'Ik mag haar,' verkondigde de verpleegster. 'Ze is te goed voor jou. Gedraag je en luister naar haar. De dokter is er binnen een paar minuten. Hij behandelt een hoofdwond verderop in de gang.'

'Het spijt me, schat,' zei hij terwijl hij achter haar aan de kamer in liep. 'Je moet gaan liggen. Ga alsjeblieft liggen.'

'Ik wil niet liggen,' zei ze. Haar grote bruine ogen vulden zich met tranen. 'Ik wil dat je me vasthoudt.'

'O, schat van me.'

Vince nam haar in zijn armen alsof ze was gemaakt van gesponnen glas, en hield haar vast terwijl ze huilde. Zijn hart bonkte zo hard dat hij dacht dat het zou barsten.

'Vertel me wat er gebeurd is.'

Het verhaal kwam er met horten en stoten uit. Vince deed zijn best om niet te reageren zoals zijn hersenen wilden reageren. Hij wilde woedend worden. Hij wilde Dennis Farman opzoeken en zijn hoofd tegen de muur kapotslaan. Hij slikte het allemaal in om Anne niet van streek te maken, die bezorgder was over Wendy en Haley dan over zichzelf.

'Het enige waaraan ik kon denken, was dat ik haar moest beschermen en dat ik haar die aanval helemaal opnieuw liet beleven,' zei ze.

'Het was jouw schuld niet, Anne.'

'Natuurlijk was het mijn schuld,' zei ze boos. 'Je hebt me gewaarschuwd me niet in te laten met Dennis, maar ik wilde niet naar je luisteren. Ik moest proberen hem te helpen, en kijk wat er gebeurd is.'

'Schat, je hebt niet tegen hem gezegd dat hij het ziekenhuis in brand moest steken. Je hebt niet tegen hem gezegd dat hij mensen moest vermoorden. Je hebt hem niet verteld waar we wonen. Hoe heeft hij dat trouwens ontdekt?'

'Vraag me dat op dit moment alsjeblieft niet. Ik ben te erg van streek.'

'Sjjj...' Vincent hield haar vast en wiegde haar. 'Waar is Wendy?'

'Ergens in de gang met Sara. Hoe moet ik Sara ooit weer onder ogen komen? Haar dochter komt bij me op bezoek en moet uiteindelijk een kind met een pook op zijn hoofd rammen! Waarom blijven deze dingen met me gebeuren?'

'Ik weet het niet, schat,' zei hij terwijl hij haar dicht tegen zich aan hield. 'Ik denk dat het gebeurt omdat je te veel om anderen geeft. Als je je niets van Dennis Farman had aangetrokken, was hij een jaar geleden naar een jeugdinrichting gegaan om zijn levenslange carrière in de gevangenis te beginnen. Als je je niets van Haley had aangetrokken, was ze nu bij Milo Bordain.'

Hij duwde haar een stukje van zich af en streelde met zijn handen heel voorzichtig over haar wang. 'Als je je niet zoveel van anderen aantrok... zou ik niet zoveel van je houden dat ik mezelf in het openbaar volkomen belachelijk maak.'

Anne probeerde te glimlachen, maar de tranen lagen nog steeds op de loer. 'Ik heb het gevoel dat ik er een grote bende van gemaakt heb. Wat gaat er nu met Haley gebeuren? Ze liep gevaar in ons huis. Maureen gaat haar weghalen bij ons.'

'Over mijn lijk,' beloofde Vince haar. 'Of dat van haar.'

'Milo Bordain gaat morgen de voogdij aanvragen.'

'Maak je geen zorgen over de Bordains. Die hebben andere problemen.'

Er werd op de deur geklopt. Vince keek met een gefronst voorhoofd naar de dokter die binnenkwam.

'Dat werd verdomme tijd.'

'Vince...'

Hij hield zijn mond en kon nauwelijks weerstand bieden aan de behoefte om woedend te worden, elke keer dat de dokter Anne aanraakte en haar daarmee pijn deed. Hij was bijna misselijk toen hij de wonden zag die Dennis Farman haar had toegebracht. Godzijdank had ze maar één ernstige steekwond, maar meerdere wonden moesten gehecht en verbonden worden, en gecontroleerd worden op infecties.

Anne stuurde hem de kamer uit en hij ging er niet tegenin, in de wetenschap dat hij niet in staat zou zijn toe te kijken als de liefde van zijn leven werd geprikt met naalden.

Hij liep de deuren uit naar de ambulanceoverkapping, omdat hij de vochtige, kille buitenlucht nodig had om zijn hoofd helder te krijgen. Hij had zijn jas op het politiebureau laten liggen en droeg nog steeds het overhemd dat hij aanhad toen Zander Zahn hem had aangevallen met een mes. Hij wilde de dag van zich af wassen met een warme douche en naakt tussen de lakens kruipen met zijn vrouw.

De adrenaline was inmiddels uit zijn lichaam verdwenen, waardoor hij zich zwak en trillerig voelde. Hij ging op een bank zitten, leunde met zijn armen op zijn dijbenen en liet zijn hoofd hangen, terwijl hij probeerde zijn hartslag en ademhaling onder controle te krijgen.

Toen hij weer kon denken, drong het met alle hevigheid tot hem door wat hij vanavond had kunnen verliezen. Voor de tweede keer in ruim een jaar tijd was hij zijn grote liefde, zijn tweede kans op een leven, zijn kostbare Anne, bijna kwijtgeraakt.

Hij stond zichzelf toe om zijn angst te voelen en te huilen.

Nadat de wonden waren gehecht en ze was gewassen, trok Anne een operatieoverall aan die ze had geleend van een verpleegster, waarna ze op de onderzoekstafel ging zitten om op Vince te wachten.

Ze streelde Haleys haar. De gedachte dat de kinderbescherming haar weg zou halen was ondraaglijk. De gedachte dat ze bij Milo Bordain moest gaan wonen was ondenkbaar. De gedachte dat Anne het meisje vanavond een tweede levende hel op aarde had laten meemaken was verpletterend.

Wat zou dit nieuwe trauma bij Haley teweegbrengen, zo vlak nadat haar moeder was vermoord en ze zelf bijna was gewurgd? Anne was doodsbang vanwege de psychische schade die het misschien zou veroorzaken. Ze zou hard moeten nadenken over haar toekomst als vertegenwoordigster van kinderen als er een kans was dat ze haar geliefden daarmee in gevaar bracht.

Aan de andere kant was Haley waarschijnlijk niet in haar leven gekomen als ze geen vertegenwoordigster was geweest.

Het kleine meisje deed slaperig haar ogen open en keek Anne aan. 'Mama Anne? Ben je nu een engel?'

'Nee, liefje,' fluisterde Anne. 'Alles is goed.'

'Je viel,' zei Haley terwijl de tranen begonnen te stromen. 'Die jongen liet je vallen.'

'Maar alles is nu in orde, meisje, en die jongen komt nooit meer naar ons huis.'

'Hij is net zo gemeen als Slechte Papa,' zei ze. De spanning in haar gezichtsuitdrukking en stem nam toe. Ze begon te huilen, ging op haar knieën zitten en stak haar armen uit naar Anne, die haar dicht tegen zich aan trok.

'Heeft Slechte Papa dat met je mama gedaan?' vroeg Anne, die zichzelf haatte omdat ze het vroeg.

Haley knikte tegen haar schouder en begon hard en hysterisch te huilen.

'Slechte Papa heeft mama op de grond gegooid en haar geslagen en geslagen!'

'O, nee. Het spijt me, liefje. Het spijt me zo dat je dat moest zien. Je moet zo bang geweest zijn.'

Anne hield haar dicht tegen zich aan terwijl de verschrikking van die avond Haley als een afschuwelijke zwarte golf overspoelde. Anne zag het tafereel voor zich: de zwarte gestalte die Marissa Fordham tegen de grond sloeg, de arm die omhoogkwam en naar beneden ging, telkens opnieuw, terwijl de moordenaar het mes steeds opnieuw in haar lichaam stootte.

'Was je bang, liefje?'

Haley knikte snikkend. 'I-i-ik v-v-verstopte m-m-me!'

'Dat was heel verstandig,' zei Anne.

'M-m-maar toen z-z-zei ik nee!' huilde Haley. 'Ik zei: nee, je mag mijn mama geen pijn doen.'

O mijn god, dacht Anne. Ze kon zich precies voorstellen hoe Haley uit haar verstopplek kwam om naar haar moeder te rennen. De moordenaar kon haar niet in leven laten zodat ze haar verhaal zou vertellen. Godzijdank had hij haar niet gestoken.

Had ze zijn gezicht gezien? Was het te donker geweest? Was hij iemand die ze kende en vertrouwde of een vreemde die ze nooit had gezien?

'Heeft Slechte Papa iets tegen je gezegd?' vroeg ze.

'Nééé!' jammerde Haley. 'Ik wil mijn mama!'

Het verdriet stroomde onstuitbaar uit haar. Anne hield haar stevig vast en wiegde haar en bood haar alle troost die ze had. Toen een verpleegster haar hoofd om de hoek van de deur stak om te vragen of ze hulp nodig had, schudde Anne haar hoofd. Ze liet Haley haar emoties uiten in plaats van ze op te kroppen.

Het duurde niet lang voordat het over was. Haley was nog steeds snel uitgeput en ze stopte met huilen en leunde tegen Anne aan. Anne streelde haar haar en fluisterde tegen haar dat ze veilig was, maar ze voelde zich een leugenaar na wat er met Dennis was gebeurd.

Het zou heel lang duren voordat Haley zich weer veilig zou voelen... en dat gold ook voor haar. Ze had het gevoel dat alle vooruitgang die ze had geboekt na haar ontvoering en de poging tot moord van haar afgenomen was en dat ze was teruggeduwd in de lange tunnel. Het gevoel van wanhoop daarover was zo hevig, dat ze alleen nog wilde liggen en ontsnappen door te slapen en te bidden dat de nachtmerries haar niet zouden achtervolgen.

85

'Hoe lang kennen Darren Bordain en jij elkaar?' vroeg Mendez.

Voor de eerste keer sinds hij Mark Foster had ontmoet, zag hij een kleine barst in het onverstoorbaar goede humeur van de man.

'Niet dat weer,' zei Foster. Hij deed zijn ogen dicht en zuchtte. 'Darren heeft Marissa niet vermoord.'

'Dat was niet wat ik vroeg.'

'Ik ken Darren vijf of zes jaar.'

'En hoe lang hebben jullie een relatie?'

'Hoe bedoel je?'

'Hoe lang zijn jullie al minnaars?'

'Godsamme.' Hij keek naar Hicks. 'Heb je me hiervoor naar het bureau gehaald? Wat is er mis met jullie? Waarom blijven jullie volhouden dat ik homoseksueel ben? Ik ben geen homo, hoewel niemand daar iets mee te maken heeft. Darren is geen homo. En kunnen jullie een beslissing nemen? Eerst denken jullie dat hij Haleys vader is, en nu denken jullie dat hij een homo is? En wat zou dat uitmaken? Als hij een homo was, zou dat nog geen reden zijn om Marissa te vermoorden.'

'Dat zou het wel zijn als hij niet wilde dat zijn geheim bekend werd,' zei Mendez. 'Ik denk dat die informatie erg kostbaar voor hem zou zijn.'

'Je kent zijn moeder,' zei Hicks. 'Hoe zou ze reageren op zulk nieuws?'

'Ik heb geen idee.'

'Je hebt ons verteld dat je haar goed kent,' zei Mendez. 'Ik ken haar nauwelijks en zelfs ik kan je vertellen dat ze een egoïstische, racistische snob is. Homofoob past daar volgens mij heel goed bij.'

Foster masseerde zijn nek in een poging de spanning weg te wrijven. 'Hebben jullie hier een reden voor?'

'Jazeker,' zei Mendez.

'Duurt het nog lang voordat ik die te horen krijg?'

'En zijn vader?' vroeg Mendez. 'Hij lijkt het soort machoman die niet al te blij zou zijn als zou blijken dat zijn zoon zijn interesse voor strippers en hoeren niet deelt.'

'Ik ken meneer Bordain niet goed.'

'Je verkeert niet in dezelfde kringen?'

'Nee,' zei Foster. 'Maar goed, waarom stellen jullie deze vragen? Waarom vragen jullie het de Bordains niet? Waarom vragen jullie het Darren niet? Hij is hier toch?'

'Waarom denk je dat?' vroeg Hicks.

'Hij heeft me gebeld om dat te vertellen voordat jullie hem meenamen.'

'Waarom zou hij dat doen?'

'Omdat we met een groep uit eten zouden gaan. Hij heeft gebeld om te zeggen dat hij het niet redde.'

'Attent.'

'Ja. Is dat ook al een misdaad?'

'Nee,' zei Mendez. 'Heeft hij je verteld dat hij een van jouw overhemden draagt?'

'Wat?'

Mendez ging met een vinger langs het borstzakje van zijn eigen overhemd. 'Met een monogram. MEF.'

'Er moet een vergissing bij de stomerij zijn gemaakt.'

'Mmm... Dat zou natuurlijk kunnen. Of misschien heb je het in zijn huis achtergelaten op de avond dat Marissa vermoord is.'

Foster wist niet zeker wat hij daarop moest antwoorden. Hij wachtte af waarmee Mendez zou komen.

'Luister, Mark,' zei hij. 'We hebben Haleys geboortebewijs, waarop staat dat Darren Bordain haar vader is.'

'Dat kan niet.'

'Waarom zeg je dat?' vroeg Hicks. 'Als Darren hetero is, zou dat toch kunnen?'

'Haley was al geboren voordat Darren Marissa ontmoette.'

'Dat zegt hij,' merkte Mendez op. 'Het probleem met Darrens verhaal is dat hij geen alibi heeft voor de avond waarop Marissa vermoord is, en hij heeft twee erg sterke motieven om haar dood te willen. Hij zegt dat hij alleen thuis was, wat hem niet bepaald helpt. Ik geloof hem niet. Ik denk dat er iemand is die zijn alibi kan bevestigen. Ik geloof niet dat hij alleen thuis was. Ik denk dat hij met iemand samen was, en dat hij probeert diegene te beschermen.'

'Als jij die persoon bent, Mark,' zei Hicks, 'kun je dit nu ophelderen en kan iedereen met zijn leven doorgaan.'

'Waarom zouden jullie me geloven?' vroeg Foster. 'Darren is een vriend van me. Ik zou voor hem kunnen liegen. Jullie moeten mijn verhaal bevestigd krijgen, en dat doen jullie door aan iedereen te vragen of ik een homo ben en of Darren een homo is. Omdat jullie dat toch gaan doen, kan ik net zo goed naar huis gaan en jullie jullie werk laten doen.'

'Je gaat hem niet helpen?' vroeg Mendez.

'Hij heeft jullie niet verteld dat ik bij hem was,' antwoordde Foster. 'Er is niets om hem te helpen. We winnen er allebei niets mee als ik zeg dat ik bij hem was.'

Gefrustreerd leunde Mendez achterover en tikte met zijn pen tegen het tafelblad. Dit kreeg je als je een spelletje schaak speelde met iemand met hersenen. Het was zoveel gemakkelijker om de gemiddelde stomme crimineel tegenover je te hebben.

'Goed,' zei hij zuchtend. 'Dan gaat het onaangenaam worden, en daar kan ik niets aan doen, behalve van tevoren mijn verontschuldigingen aanbieden.'

'Je zult begrijpen dat ik je verontschuldigingen niet accepteer, Tony,' zei Mark Foster terwijl hij opstond. 'Jullie halen mijn naam door het slijk en brengen mijn carrière in gevaar door een schandaal te creëren over iets wat niet bestaat.'

'Tja,' zei Mendez. 'Ik denk dat het gemakkelijker voor je is om mij de schuld te geven dan verantwoordelijkheid te nemen voor je eigen keus om geen antwoord te geven op mijn vragen of ervoor uit te komen wie je bent.'

Foster keek hem aan met een koude blik in zijn ogen. 'Je hebt er geen idee van wie ik ben.'

'Nee,' beaamde Mendez. 'En jij bewaart dat geheim al zoveel jaar, dat ik me afvraag of je het antwoord zelf weet.'

'Ik leef elke dag met mezelf,' zei Foster. Hij draaide zich naar Hicks. 'Als je het niet erg vindt, wil ik nu graag naar huis.'

'Tweede ronde,' zei Mendez toen hij de kantine in liep.

'Ga naar huis,' zei Dixon. 'Morgen is een nieuwe dag.'

'Heb je al nieuws over Anne?'

'Dennis Farman heeft op een of andere manier ontdekt waar ze woont. Hij heeft haar aangevallen met een paar beitels die hij ergens gestolen heeft. Ze heeft steekwonden, maar het komt in orde.'

'Jezus,' mompelde Mendez. 'Ze is de enige op de planeet die ooit heeft geprobeerd iets goeds voor hem te doen. Waar is die kleine klootzak nu?'

'Onder bewaking in het Mercy General. Blijkbaar was Morgans

dochter er ook en heeft ze hem flink met een pook op zijn hoofd ge-ramd.'

'Goed zo, Wendy.'

'Zodra de dokter hem ontslaat, wordt hij overgebracht naar een jeugdinrichting,' zei Dixon. 'Wat mij betreft mag hij daar wegrotten tot hij achttien is.'

Mendez trok zijn colbertje aan en liep naar de deur. 'Zorg ervoor dat ze weten dat ze alle lucifers moeten opbergen.'

86

Dennis lag in zijn ziekenhuisbed en staarde naar het plafond. Hij kon zijn handen niet bewegen omdat ze waren vastgebonden aan het bed. Zijn hoofd voelde als een pompoen omdat hij was geslagen met een pook.

Die stomme Wendy Morgan. Op een dag zou hij het haar betaald zetten. Hij zou het ze allemaal betaald zetten.

Het was niet zo dat hij nog nooit op zijn hoofd was geslagen. Zijn vader had een keer een bierflesje op zijn hoofd geramd, waarna hij halfbewustcloos was geweest en had overgegeven. Hij had twee weken daarna nog een piep in zijn oor gehad.

Juf Navarre was niet bij hem op bezoek gekomen. Hij hoopte dat dat betekende dat hij haar had vermoord en dat ze nu dood was. Dat zou betekenen dat hij twee mensen had vermoord, en hij was nog niet eens een puber. Iedereen zou hem serieus nemen. Hij voelde zich heel stoer als hij daaraan dacht.

Daarna dacht hij aan wat er nu ging gebeuren en voelde hij zich niet zo stoer meer. Hij zou niet teruggaan naar het ziekenhuis omdat hij had geprobeerd dat in brand te steken. Hij zou naar een jeugdinrichting gaan, waar niemand op bezoek zou komen.

Niemand wilde hem helpen. Het zou niemand ooit meer iets kunnen schelen hoe hij zich voelde. Hij had de enige persoon in zijn leven die dat wel gedaan zou hebben vermoord: juf Navarre.

Hij had niemand. Helemaal niemand. En dat zou voor altijd zo blijven. Hij was gemeen en slecht en hij deugde nergens voor, zoals zijn vader altijd had gezegd. En niemand in de hele wereld kon het iets schelen. Hij was helemaal alleen.

Voor het eerst in lange tijd huilde Dennis Farman zich in slaap.

87

'Zo, wat heeft dit te betekenen, Cal?' vroeg Bruce Bordain.

Hij was geïrriteerd en deed maar een halfslachtige poging om dat te verbergen. De verblindend witte glimlach was getemperd en er hing een zekere spanning om hem heen. Hij had het niet kunnen waarderen dat een politieagent zijn ontbijt had verstoord voor een gedwongen bezoek aan het politiebureau.

'Had je de telefoon niet gewoon kunnen pakken om met me te praten?' zei hij tegen de sheriff. 'Ik moet voor twaalf uur een vliegtuig halen.'

'We proberen je niet op te houden, maar dit gesprek wil je niet over de telefoon voeren, Bruce,' zei Dixon terwijl hij voor hem uit liep naar de verhoorkamers.

'Krijg ik nog te horen waar dit over gaat?' vroeg Bordain. 'Ik hou niet van verrassingen, behalve als ze tweeëntwintig zijn met grote tieten en naakt uit een verjaardagstaart springen.'

'Tja,' zei Dixon, die de deur naar verhoorkamer één opende en gebaarde dat Bordain naar binnen kon lopen, 'dan kan ik rustig zeggen dat je dit niet prettig gaat vinden.'

'Had ik mijn advocaat mee moeten nemen?' vroeg Bruce Bordain.

'Ik wil niet dat iemand mijn kantoor binnen komt lopen terwijl wij dit gesprek voeren, Bruce, vandaar de verhoorkamer. Als je op een bepaald moment besluit dat je je prettiger voelt als je advocaat aanwezig is, dan staat het je vrij hem te bellen.'

De laatste resten van zijn glimlach verdwenen. 'Ik vind je toon niet prettig.'

'Ga zitten,' zei Dixon.

Bordain koos ervoor om met zijn gezicht naar de deur en zijn rug naar de muur te zitten. Dixon nam de stoel aan het eind van de tafel. Mendez ging met zijn rug naar de deur zitten, maar draaide zijn stoel een halve slag.

'Bruce' begon Dixon. 'Ik heb je vorige keer gevraagd hoe goed je Marissa Fordham kende...'

'En ik heb je verteld dat dat goed genoeg was om een praatje met elkaar te maken.'

'Hoe intiem is zo'n praatje, meneer Bordain?' vroeg Mendez.

'Wat bedoel je daarmee? Vragen jullie me of ik haar naaide? Denken jullie dat ik de knuffelartiest van mijn vrouw vlak onder haar neus neukte? Denken jullie dat ik dood wil?'

'We hebben meer belangstelling voor het jaar voordat Milo Marissa Fordham begon te steunen,' zei Dixon.

'1981,' verduidelijkte Mendez. 'U hebt haar ontmoet in Los Angeles. Ze heette toen Melissa Fabriano.'

Bordain knipperde niet eens met zijn ogen. 'Ik heb die naam nog nooit gehoord.'

'We hebben ontdekt dat ze een tijd bij restaurant Morton's heeft gewerkt,' zei Dixon. 'Als gastvrouw. Je bent gek op steak, nietwaar, Bruce?'

'Ik hou van een lekker stuk vlees,' zei hij. 'En ik geef toe dat ik ook van een lekkere kont hou. Maar ik kende Marissa niet voordat Milo haar aan me voorstelde.'

Mendez tikte met de rand van de dossiermap tegen de tafelrand en wisselde een veelzeggende blik met Dixon.

'Hebt u uw zoon de afgelopen tijd nog gesproken, meneer Bordain?' vroeg Mendez.

'Ik heb gisteren met Darren gepraat. Hij is naar de hoeve gekomen om te kijken hoe het met zijn moeder was. We hebben samen ontbeten.'

'Weet u of Darren een relatie had met Marissa Fordham voordat ze hier kwam wonen?'

'Ik zou het niet weten. Darren deelt de details van zijn liefdesleven niet met me. Waar willen jullie naartoe?'

'We hebben gisteravond met Darren gepraat,' zei Dixon. 'Hij ontkent ook dat hij Marissa kende voordat ze hier in 1982 is komen wonen.'

'Mooi, ik ben blij dat dat opgehelderd is,' zei Bordain terwijl hij ging staan. 'Mijn zoon en ik kenden Melissa Fabriano allebei niet voordat ze Marissa Fordham werd.'

'Het probleem is dat we in het bezit zijn van een document dat iets anders suggereert,' zei Dixon.

Bordains ogen gingen meteen naar de dossiermap. Hij ging weer zitten.

'En wat is dat?'

Mendez opende de map en schoof hem over de tafel.

'Dit is een kopie,' zei Dixon. 'We hebben het originele document veilig opgeborgen.'

Bordain haalde een leesbril uit het borstzakje van zijn lichtgele overhemd en zette die op zijn neus. Mendez keek of hij een emotionele reactie vertoonde terwijl hij het document las. Dat gebeurde niet. Bruce Bordain was niet gekomen waar hij was door een gebrek aan pokertalent.

'Dat is een leugen,' zei hij en hij schoof de map terug.

'Het is een nogal overtuigende leugen,' zei Dixon. 'Naar het zich laat aanzien.'

'Het is nog steeds een leugen.'

'Marissa kwam hier in 1982 met haar babydochter wonen,' zei Mendez. 'Uw vrouw begon haar bijna onmiddellijk te steunen...'

'Milo houdt van kunst.'

'...door haar een maandelijks bedrag van vijfduizend dollar te betalen. En ze bood haar een plek om te wonen en te werken. Dat is de coup van de eeuw volgens deskundigen in de kunstwereld.'

'Iemand moet de lotto winnen.'

'En deze ongelooflijk gelukkige, jonge vrouw blijkt toevallig een geboortebewijs te hebben waarop ene Darren Bruce Bordain wordt genoemd als de vader van haar kind,' zei Dixon. 'Moeten we geloven dat dat toeval is, Bruce? Want ik moet je vertellen, voor het geval je dat niet wist, dat ik niet van gisteren ben.'

Bruce wreef met zijn hand over zijn gezicht en krabde achter zijn oor terwijl hij naar de grond keek.

'We zijn nog steeds niet bij de kern van de zaak aangekomen, nietwaar?' vroeg hij.

'Chanteerde ze je?'

'Dat is niet wat je kwijt wilt,' zei Bordain. 'Kom op, ga ervoor, Cal.'

'Meneer Bordain, waar was u op de avond dat Marissa Fordham werd vermoord?' vroeg Mendez.

'Ik was het hele weekend in Las Vegas.' Hij haalde zijn portefeuille uit zijn zak en viste er een visitekaartje uit. 'Als jullie met mijn gezelschap van die avond willen praten, moeten jullie dit nummer bellen.'

Mendez pakte het kaartje en keek ernaar. Pinnacle Escorts. 'Vooraf betalen,' zei Mendez. 'Niet achteraf.'

'Blijkbaar moet mijn zoon die les nog leren.'

'Laat je je zoon hiervoor opdraaien, Bruce?' vroeg Dixon. 'Dat had ik niet van je verwacht.'

'Hij zal verantwoordelijkheid voor zijn eigen daden moeten nemen.'

'O, maar dat doet hij,' zei Mendez.

'Daar heb je het al.'

'Gisteravond heeft hij toegegeven dat hij homoseksueel is.'

Bordain kwam halverwege uit zijn stoel en wees met een vinger naar Mendez. 'Dat is een verdomde leugen!'

'Dat zou het zijn als het niet waar was,' zei Mendez.

'Mijn zoon is geen flikker. Hij is… Hij is… Hij probeert hier alleen onderuit te komen,' zei hij terwijl hij naar de dossiermap wees. 'Het is zijn kind. De vrouw heeft hem gebeld en verteld dat ze zwanger was. Hij heeft haar een cheque voor een abortus gestuurd. Die heeft ze niet ondergaan. Daarna kwam ze naar Oak Knoll met de baby. Ik weiger mijn zoon te laten trouwen met een of andere hippiekunstenares met een liefdeskind. Hij moet rekening houden met zijn toekomst.'

'Je hebt haar dus afgekocht,' zei Dixon. 'Weet Milo waarom ze die cheques uitschrijft?'

'Natuurlijk weet ze dat.'

'En dat vindt ze geen probleem?'

'Milo weet wat haar te doen staat. Ze beschermt haar zoon.'

'Dat is de beste draai die je aan het verhaal kunt geven,' zei Dixon. 'Darren heeft een vrouw zwanger gemaakt. Mannen zijn nu eenmaal mannen, en het bewijst onvoorwaardelijk dat hij een echte man is. Daarna neemt de familie de vrouw en het kind op om ze te steunen. Bijzonder grootmoedig. Absoluut het juiste om te doen. Het probleem is alleen dat de vrouw dood is, Bruce.'

'Ik heb het niet gedaan,' zei Bordain. 'Ik was in Vegas.'

'Met een privévliegtuig binnen handbereik en een groep goed betaalde alibigetuigen,' zei Mendez. 'Houdt dat stand?'

'Als de Hoover Dam,' zei Bordain. 'Omdat het waar is.'

'En Darren kan het niet gedaan hebben,' zei Mendez. 'Omdat hij druk bezig was met het neuken van zijn homovriend.'

Een enorme ader klopte op Bordains voorhoofd. 'Dat is een leugen! Hou verdomme je kop!'

'U kunt niet van twee walletjes eten,' zei Mendez droog. 'Darren heeft een kind bij deze vrouw verwekt, was het zat om gechanteerd te worden en heeft haar vermoord, óf hij heeft haar niet vermoord omdat hij in bed lag met zijn vriend. Wat wordt het, meneer Bordain? Welke van de twee is minder erg voor u?'

'Jullie kunnen ze allebei een vaderschapstest laten doen,' zei Dixon. 'Dan is het duidelijk wie wat met wie heeft gedaan.'

'Voor zover ik weet is daarvoor een wijziging nodig van de grond-wet, die beschermt namelijk tegen zelfbeschuldiging,' zei Bordain.

Hij stond opnieuw op en dit keer meende hij het. 'We zijn klaar. Als je hier verder over wilt praten, Cal, bel mijn advocaat dan. Hij staat in het telefoonboek onder "Fuck You".'

88

'Als Bruce Bordain het heeft gedaan, of het heeft laten doen, waarom zou hij de borsten dan naar zijn vrouw sturen?' zei Hicks. 'Of een poging doen haar van de weg te rijden?'

'Om het te laten lijken of iemand de familie bedreigt,' zei Campbell.

'Maar het lijkt of iemand alleen de vrouw bedreigt,' merkte Trammell op.

Ze pakten een donut, alleen om het stereotype te bevestigen. De strategiekamer rook naar vet en koffie.

'Ik zet mijn geld nog steeds op Darren,' zei Mendez. 'Hij heeft geen alibi, behalve als Mark Foster gaat praten. En zelfs als Foster alles opbiecht, is het een getuigenis van een minnaar. Het is waardeloos. Waarom zou hij niet voor Darren liegen? Is dat geen onderdeel van zijn taak?'

'En jouw moeder vraagt zich af waarom je single bent?' vroeg Campbell.

'Ja, kom op,' zei Mendez. 'Echt. Zou je niet liever hebben dat mensen denken dat je homoseksueel bent dan dat ze je van een moord verdenken? Hij gaat naar de gevangenis voor moord.'

'Als een mooie jongen als Darren Bordain de bak in draait, ontdekt hij snel genoeg hoe hij een goede minnaar moet zijn,' zei Trammell.

'Stel dat hij denkt dat hij Haleys vader is, of dat hij erachter komt dat hij de hele tijd bedrogen is...,' zei Mendez. 'Hij vermoordt haar en doet alsof het de daad van een krankzinnige is geweest. Hij stuurt de borsten zelfs naar zijn moeder. Daarna vertelt hij iedereen dat hij het niet gedaan kan hebben door iets toe te geven wat zo schandalig is dat niemand ooit zou denken dat hij daarover liegt.'

'Juist,' zei Dixon. 'En wie gelooft dat Milo Bordain dit allemaal weet en vrolijk de chantagecheques uitschrijft terwijl ze Marissa Fordham behandelt als de verloren dochter?'

Hamilton floot zachtjes. 'Het lukt deze mensen zelfs om Shakespeares hoofd te laten duizelen.'

'Tony,' zei Dixon. 'Bill en jij gaan naar Lompoc met de foto's. Doe er een foto van Bruce Bordain bij. Als een van hen die doos heeft opgestuurd, hebben we onze moordenaar.'

'Fantastisch idee, baas,' zei Hicks. 'Op één ding na.'

'En dat is?'

'Het is zondag.'

'Shit. Hoe kan dat nu?' zei Dixon met een gefronst voorhoofd.

'Hoe zit het met Gina Kemmer?' vroeg Trammell.

'Er is nog geen verandering in haar toestand,' zei Hicks. 'De dokters hebben niet veel hoop.'

'Dan hebben we geen keus. We moeten met Milo Bordain praten.'

'Het probleem daarvan is dat Milo Bordain niet met ons zal willen praten,' zei Mendez. 'Daar steekt Bruce een stokje voor.'

'Ze doet het wel als ze denkt dat ze iedereen als pionnen over het schaakbord kan schuiven naar de plek die zij wil,' zei Dixon. 'Ik ga haar de kans bieden om ons met onze neus de goede richting op te zetten. Ik denk dat ze niet in staat is daar weerstand aan te bieden.'

'Veel geluk, baas,' zei Mendez. 'Eén vraag nog: heb je al je tetanusinjecties gehad?'

'Ik wel. En jij?' vroeg Dixon terwijl hij naar de deur liep. 'Jij gaat namelijk met me mee.'

89

Gina, je moet wakker worden.

Waarom?

Je moet wakker worden zodat je het verhaal kunt vertellen.

Maar dit is zo heerlijk. Het is net slapen, maar dan beter.

Je kunt niet op deze manier blijven liggen. Al je spieren zullen verschrompelen en je lichaam zal wegteren tot je eruitziet als een versteend lijk.

Getver.

En je weet toch dat je mond openhangt? Je kwijlt.

Je bent zo'n kreng, Marissa.

Ik hou ook van jou.

Gina's mond bewoog als eerste. Ze probeerde hem te openen en te sluiten. Ze was uitgedroogd. Ze moest iets drinken, maar niemand merkte het. De verpleegsters hadden het druk. Een van hen had net nog bij haar gekeken en ze zouden pas over vijftien tot twintig minuten weer bij haar kijken, behalve als een van de apparaten begon te piepen.

Dat was niet erg. Ze was moe van de inspanning om haar mond te bewegen. Ze zou nog een tijdje rusten en het later opnieuw proberen.

Doe je ogen open, Gina.

Wat? Ik probeer uit te rusten. Ga weg.

Je bent klaar met uitrusten. Je moet je ogen openen.

Ze zitten vast.

Je moet je ogen openen. Er is zoveel te zien.

Zoals wat?

Dat zul je wel zien.

Wat moet ik zien?

Dat zie je als je je ogen opent.

Je bent zo irritant.

Haar oogleden waren loodzwaar. Gina probeerde ze open te krijgen. Het waren net stenen gewichten. Misschien lagen er munten op. Dat had ze gezien in een oude western. Als iemand was overleden, legde de begrafenisondernemer munten op de oogleden om ze dicht te houden.

Misschien was ze toch dood.

Maar als ze dood was, hoe kon haar hart dan sneller gaan slaan? Dan zou het helemaal niet slaan.

Ze was dus niet dood.

Ze deed beter haar best haar ogen open te doen. Achter de kleine kier een waas van kleuren. Maar dat was het beste wat ze op dit moment kon doen. Ze zou het later nog een keer proberen.

Beloof het, Gina.

Ik beloof het, Marissa.

90

De regen en de mist van de afgelopen dagen waren verdwenen, en nu was de lucht kristalhelder en de hemel stralend, schitterend blauw. Terwijl ze naar de Bordain-hoeve reden was het alsof ze meespeelden in een reclame voor een luxe automerk, behalve dat ze in een normale politieauto reden.

Op deze weg, die werd omzoomd door brede eiken en witte hekken, werden de reclames voor Bordain Motor Cars opgenomen: een prachtige, zilveren sedan nam de bochten terwijl Darren Bordain met zijn elegante en welgestelde uiterlijk tegen het witte hek leunde en iedereen vertelde dat ze een Mercedes verdienden.

Het geïmporteerde ruigharige rode vee van de Bordains graasde van het smaragdgroene gras aan de rand van de blauwe waterpoel. Terwijl Mendez door de poort stuurde en ze over de oprit reden, scharrelden exotisch uitziende kippen in allerlei kleuren en fantastische pluimen op hun kop al kakelend onder de weelderige peperbomen om voedsel van de grond te pikken.

Milo Bordain, die met een enorme strooien hoed op en loszittende tuinkleding aan haar rozen verzorgde, zag er kalm en relaxed uit. Gezien de omstandigheden had Mendez dat niet van haar verwacht. Ze keek zelfs nauwelijks op van haar werk.

'Natuurlijk wist ik het,' zei ze terwijl ze een enorme, verlepte, zalmkleurige roos van zijn steel knipte. 'Ik ben geen idioot, Cal. Ik weet hoe de wereld in elkaar steekt. Ik weet hoe mannen in elkaar steken.'

'En je vond het geen probleem om je te laten chanteren door Marissa?'

'Die toevallig het onwettige kind van uw zoon had?' zei Mendez.

Ze keek naar hem alsof hij een irritante horzel was die om haar heen zoemde.

'Ik heb verteld dat Haley als een kleinkind voor me is.'

'Omdat ze uw kleinkind ís.'

'Nu haar geboortebewijs boven water is gekomen, heb ik met onze advocaat gesproken om de adoptieprocedure te starten. De rechtszaak vindt natuurlijk achter gesloten deuren plaats. Het is niet nodig dat de hele wereld de omstandigheden van Haleys geboorte kent.'

'Het nieuws zou Darrens politieke toekomst kunnen schaden,' zei Dixon.

Milo Bordain lachte. 'Als ik je zou vertellen hoeveel machtige politici in deze staat een of twee liefdesbaby's hebben, zou je je schamen voor je naïviteit, Cal.'

'Maar hoeveel politici hebben homoseksuele relaties?' vroeg Mendez.

Voor één keer sprak ze rechtstreeks tegen hem. Nu kwamen haar klauwen naar buiten. 'Mijn zoon is geen homo,' snauwde ze. 'En als je volhardt in deze lijn van onderzoek, zullen mijn man en ik jou persoonlijk en het politiebureau een proces aandoen voor laster en imagoschade.'

'Gelooft u liever dat Darren Marissa vermoord heeft dan dat hij de voorkeur geeft aan mannelijk gezelschap?'

'Darren heeft Marissa niet vermoord. Daar had hij geen reden voor. En Marissa had geen reden om iemand te chanteren. Er werd goed voor haar gezorgd.'

'Ik heb gehoord dat ze het zat was om door u overheerst te worden,' zei Mendez. 'Misschien had ze er geen zin meer in om de dochter te zijn die u nooit hebt gehad.'

'Dat is onzin. Marissa was een artiest. Artiesten hebben buien. Misschien waardeerde ze mijn leiding niet altijd, maar ze was absoluut blij met de resultaten,' zei ze. 'Ik heb haar geïntroduceerd bij de juiste mensen, haar werk is geëxposeerd voor een publiek waar ze zelf nooit toegang tot gehad zou hebben.'

'En ik weet zeker dat u haar dat ingewreven hebt zodra u daar de kans voor kreeg,' zei Mendez.

Milo Bordain keek geïrriteerd naar Dixon. 'Waarom blijf je het goedvinden dat hij me irriteert, Cal?'

'Dat is zijn werk.'

Zijn antwoord stond haar niet aan. Ze zou een koningin geweest moeten zijn, dacht Mendez. In de tijd dat monarchen de opdracht konden geven mensen te laten onthoofden, zoals bij Marissa was gebeurd.

'Misschien was u degene die genoeg van haar kreeg,' opperde hij. 'Ze was rebels. Ze heeft niet de juiste waardering getoond voor alles wat u voor haar hebt gedaan. Ze kende alle Bordain-geheimen.'

'Dat is belachelijk,' zei ze terwijl de tranen in haar ogen sprongen. Ze draaide zich naar Dixon om. 'Ik hield van Marissa.'

'Niet voldoende om haar met uw zoon te laten trouwen,' drong Mendez aan.

'Marissa wilde helemaal niet trouwen! Ze had haar kunst, ze had Haley. Ze was gelukkig met haar leven! Ik ben verpletterd door wat er met haar is gebeurd!' ging ze verder. 'Ik weet niet wie haar vermoord heeft, maar mijn man en mijn zoon en ik waren het zeker niet! En ben je vergeten dat ik ook bedreigd ben? Iemand heeft me die... die dóós gestuurd. Iemand heeft geprobeerd me van de weg te rijden! Wordt daar iets aan gedaan?'

'Dat doen we zodra we een aanwijzing hebben,' zei Dixon. 'Op dit moment kunnen we niets doen.'

'Je doet vast pas iets als ik dood op de vloer lig,' snauwde ze. 'Dat is een enorme geruststelling voor me. En ik heb gehoord dat Gina Kemmer niet ver hiervandaan is gevonden. De moordenaar houdt zich hier schuil en jullie verspillen kostbare tijd met het beschuldigen van mensen die geen enkele reden hebben om...'

Mendez' pieper onderbrak haar woordenstroom. Hij verontschuldigde zich en liep naar de auto om zich te melden. Toen hij de boodschap had gekregen, rende hij terug en zette hij Milo Bordain uit zijn hoofd.

'We moeten gaan,' zei hij tegen Dixon. 'Gina Kemmer is bij bewustzijn.'

91

'Ze is af en toe even bij,' zei Hicks bij de liften naast de intensive care. 'Ze vecht om wakker te worden, is een paar seconden bij bewustzijn en zakt dan weer weg.'

'Heeft ze iets gezegd?' vroeg Dixon.

'Niks zinnigs. Ze mompelt verward dingen zoals "hou op", "ga weg", "laat me met rust".'

'Ik vraag me af tegen wie ze praat,' zei Mendez. 'Haar aanvaller? Heeft ze een naam genoemd?'

'Nee.'

'Is haar familie hier?' vroeg Dixon.

'Die zijn gaan lunchen.'

Er zaten korsten op de rattenbeten en de blauwe plekken zagen er afschuwelijk uit, maar Mendez vermoedde dat ze er vergeleken met het alternatief – ze had tenslotte dood moeten zijn – vrij goed uitzag. Het schot dat bedoeld was om haar te vermoorden was door haar schouder gegaan, waar het weinig schade had aangericht. Ze was kranig genoeg om op vuilnis te overleven en koppig genoeg om met maar twee werkende ledematen de ladder op te komen.

Vince zat naast haar te wachten. Op de dag dat ze haar hadden ondervraagd, had hij voornamelijk het woord gevoerd en zijn stem was sterk en karakteristiek. Als Gina contact zou zoeken, zou het met hem zijn.

'Hoe is het met Anne?' vroeg Dixon.

'Gewond, uitgeput, van streek,' zei hij.

'Dat joch is de personificatie van het kwaad,' zei Mendez. 'Mijn moeder zou zeggen dat hij de zoon van de duivel is.'

'Ik geloof dat zelfs de duivel niks van hem zou moeten hebben,' zei Vince.

'Twaalf jaar en zijn leven is voorbij. Hij is ontwricht. Wat moeten we met hem doen?'

'Opsluiten en de sleutel weggooien,' zei Dixon. 'Hoe is het met het meisje? Ze was erbij.'

'Ze was doodsbang toen ze zag dat Dennis probeerde Anne te steken. Maar het is positief dat het herinneringen losgemaakt lijkt te hebben. Nog steeds geen naam van de moordenaar, maar ze lijkt meer toegang tot haar herinneringen te hebben.'

Gina Kemmer bewoog. 'Niet doen,' mompelde ze.

Vince boog zich naar haar toe. 'Praat je tegen ons, Gina? Ik ben Vince Leone. Weet je nog wie ik ben? Ik ben een paar dagen geleden bij je thuis geweest.'

Gina bewoog en kermde.

'Kun je je ogen opendoen en met ons praten, Gina?'

'Nee,' zei ze met een ijle, zwakke stem.

'Natuurlijk kun je dat,' zei Vince. 'Je bent met één arm en één been uit een put geklommen. Als je dat kunt, kun je ook je ogen openen en met ons praten. Vooruit. Je kunt het. Je moet ervoor vechten, Gina.'

'Nee, Marissa, hou op.'

Vince trok zijn wenkbrauwen op. 'Wordt mijn stem hoger?'

Mendez lachte. 'Als ze denkt dat je Marissa bent, is ze aan het hallucineren.'

'Hé, je hebt me nog nooit in een rok gezien.'

'Ai, ai, alleen al bij de gedachte word ik helemaal dol,' zei Mendez.

'Vooruit, Gina,' zei Vince. 'Je mist alle pret. Doe je ogen open en praat met ons.'

Mendez dacht dat hij haar zag worstelen om Vinces instructies op te volgen. Ze fronste haar voorhoofd en haar mond vertrok.

'Dat is beter,' zei Vince. 'Je bent bijna bij ons, Gina. Vooruit.'

Ze deed haar oogleden open alsof ze loodzwaar wogen.

'Hé, daar is ze,' zei Vince. 'Wat een lelijke koppen om aan je bed te zien, vind je niet?'

Haar lippen weken vaneen alsof ze vastgeplakt zaten. Mendez pakte het glas water van het nachtkastje en duwde het rietje tussen haar lippen. Ze zoog eraan en kreeg een klein beetje vocht binnen.

'Je hebt een paar akelige dagen achter de rug,' zei Vince. 'Herinner je je dat?'

Ze knikte.

'Weet je nog wie er op je geschoten heeft, Gina?'

Ze knikte opnieuw. Zelfs die kleine inspanning putte haar uit. Haar ademhaling versnelde en leek moeizamer te gaan.

'Weet je nog wie dat was, Gina?' vroeg Vince.

Ze knikte opnieuw, en deed daarna zichtbaar haar best om voldoende energie te verzamelen om de naam uit te spreken.

'Mark.'

92

Zondagen in Oak Knoll waren dagen vol muziek. Een concert van het McAster-koor, kamermuziek op de Plaza in het centrum, een student die in een boekwinkel een Spaanse gitaar bespeelde. In de oude episcopaalse kerk gaf Mark Foster met zijn koperkwintet een vooruitblik op het komende wintermuziekfestival.

De kerk was bijna vol. Culturele activiteiten werden altijd goed bezocht in Oak Knoll. Door de academische gemeenschap van het McAster en de grote hoeveelheid welgestelde gepensioneerden was er voor alle voorstellingen voldoende publiek.

Het kwintet was midden in 'Lo, How a Rose E'er Blooming' toen Hicks en Mendez samen met een paar geüniformeerde agenten de kerk binnenkwamen. De agenten liepen naar de buitenste gangpaden. Mendez en Hicks liepen via het middenpad naar voren en bleven beleefd wachten tot het nummer afgelopen was.

Foster wilde bedanken voor het applaus van het publiek en draaide zich om. Zijn mond viel open toen hij hen zag. De agenten kwamen vanaf de zijkanten op hem af.

'Wat is er aan de hand?' vroeg Foster.

Mendez deed een stap naar voren. 'Mark Foster, je staat onder arrest voor de ontvoering van en poging tot moord op Gina Kemmer. Je hebt het recht om te zwijgen...'

Foster werd lijkbleek en keek naar de agent die met handboeien op hem af kwam.

'Niet wegrennen,' waarschuwde Mendez hem. 'Doe het niet.'

Maar net als elk in de hoek gedreven dier was Fosters instinct om te vluchten te sterk.

Mensen in het publiek hielden hun adem in en gilden terwijl hij langs Hicks rende en naar de zijdeur spurtte. Mendez rende achter hem aan, greep hem bij zijn kraag toen hij de deur open had en duwde hem naar buiten, waardoor zijn gezicht een stenen pilaar raakte.

Terwijl hij Foster – die nu een kapotte bril, een gebroken neus en een gespleten lip had – de handboeien omdeed, zei hij: 'Ik zei nog zo dat je niet moest wegrennen.'

Vince wachtte op hen in de verhoorkamer met een kop koffie, wat documenten en een notitieblok waarop hij iets schreef toen ze binnenkwamen.

Hij keek over zijn leesbril heen naar Foster.

'Meneer Foster,' zei hij terwijl hij ging staan en zijn hand uitstak, waarmee hij Foster eraan herinnerde dat hij handboeien droeg. 'Vince Leone.'

'Meneer Foster dacht dat hij harder kon rennen dan ik,' zei Mendez toen hij Foster op een stoel zette.

Vince fronste zijn voorhoofd. 'O... Nooit wegrennen, meneer Foster. Dat geeft de indruk dat u schuldig bent.'

'Ik heb niets gedaan.'

'Waarom rent u dan weg?' vroeg Vince terwijl hij ging zitten. 'Beseft u hoe dat overkomt?'

'Ik word lastiggevallen.'

'Nee, ik geloof dat u gearresteerd bent. Wat wordt gevolgd door het nemen van vingerafdrukken en overbrenging naar de districtsgevangenis.'

Vince maakte notities, bladerde een paar pagina's terug, zette zijn leesbril af en legde hem weg.

'Gina Kemmer is vanmiddag bij bewustzijn gekomen.'

'Dat is goed nieuws,' zei Mark Foster.

'Niet voor u. Gina heeft ons verteld dat u op haar hebt geschoten en haar in een verlaten put hebt gegooid, waarna u haar voor dood hebt achtergelaten.'

'Dat is belachelijk!' zei Foster, en hij probeerde te lachen. 'Gina is een vriendin! Ze is in de war. Ze moet een hersenschudding of zo hebben.'

'Nee, die heeft ze niet. Ze heeft tijdens de val haar been gebroken, maar ze heeft haar hoofd niet gestoten. Er liggen stapels afval op de bodem van de put, wat een redelijk zachte landing garandeert.'

'Waarom zou ik haar zoiets aandoen?' vroeg Foster.

'Ik heb nog een tip voor u: stel nooit een vraag waarvan het antwoord u niet aanstaat. Nadat Marissa was vermoord, werd Gina bang omdat ze te veel wist,' zei Vince. 'Gina is een lieve meid en is niet geschikt voor geheimen. Ze wilde gewoon haar boetiek hebben en in haar huisje wonen met haar vrienden in de buurt. Dat is het enige wat Gina wil. Maar haar beste vriendin wordt vermoord en ze is bang dat ze misschien weet wie dat gedaan heeft. Ze bedenkt dat ze zo snel mogelijk moet verdwijnen, voordat er ook iets met haar gebeurt. Daar heeft ze echter geld voor nodig. Dus belt ze een vriend:

u. Ze denkt dat u haar wel een kleine "lening" wilt geven, maar voordat ze het goed en wel beseft, ligt ze in de kofferbak van uw auto.'

Foster schudde zijn hoofd. 'Dat is nooit gebeurd.'

'Ik merk dat u dit niet vaak bij de hand hebt gehad, meneer Foster,' zei Vince. 'Tip drie: ontken niet wat onweerlegbaar bewezen kan worden.'

'We hebben je auto in beslag genomen, Mark,' zei Mendez. 'Hij staat in onze garage en op dit moment doorzoekt de technische recherche hem met een fijnmazige kam – letterlijk. Het enige wat we hoeven te vinden is een haar.'

'Hebt u een pistool, meneer Foster?' vroeg Vince.

'Nee.'

'Als je dat wel hebt en het is geregistreerd, dan komen we daarachter,' zei Mendez.

'Ik heb geen pistool.'

'Heeft Darren Bordain een pistool?'

'Dat moeten jullie hem vragen.'

'O, dat gaan we zeker doen,' zei Mendez.

'Mark – mag ik Mark zeggen? – je komt niet op me over als een agressieve man,' zei Vincent. 'Je moet je erg bedreigd hebben gevoeld door Gina. Je hebt vast gedacht dat ze ervoor kon zorgen dat je iets wat heel belangrijk voor je was zou kwijtraken. Je carrière bijvoorbeeld.'

'Ze dreigde om Bruce Bordain over jou en Darren te vertellen, nietwaar?' zei Mendez. 'Bruce zit in het bestuur van het McAster. Als hij van je af wil, ben je weg.'

'Je ontleent je status aan je carrière, nietwaar, Mark?' zei Vince. 'Je bent trots op wat je bereikt hebt. Mensen van jouw leeftijd bereiken de status niet die jij in jouw wereld hebt bereikt. Of wel soms?'

'Of heb je het voor Darren gedaan?' vroeg Mendez. 'Als Gina het zou vertellen, kon hij zijn politieke carrière gedag zeggen. Het zou me ook niet verbazen als zijn ouweheer hem zou onterven. Ook al is Haley Fordham zijn kind.'

Foster zuchtte. 'Misschien valt het jullie op dat ik niet meewerk. Ik ben niet van plan iets te zeggen, behalve dat ik het niet gedaan heb.'

'Het slachtoffer heeft je geïdentificeerd,' zei Mendez. 'Dit gaat niet goed voor je aflopen, Mark. Je moet bedenken hoe je je kunt redden uit deze chaos. Als Darren Marissa heeft vermoord...'

'Darren heeft Marissa niet vermoord.'

'Hoe kun je dat weten, behalve als je die avond bij hem bent geweest.'

'Dat weet ik omdat...'

Dixon klopte op de deur en duwde hem met een grimmige gezichtsuitdrukking open. 'Meneer Fosters advocaat is er. Met de complimenten van Darren Bordain.'

93

'Hij ging bekennen!' riep Mendez. 'Nog tien seconden en hij zou bekend hebben! Hij stond op het punt te zeggen dat hij Marissa vermoord had! Nog tien seconden!'

Ze wachtten in de strategiekamer terwijl de advocaat van Bordain met zijn nieuwe cliënt praatte.

Vince luisterde niet naar Mendez' tirade. Hij liep naar het whiteboard en maakte een notitie op het tijdschema bij woensdagavond.

Ong. 18.00 - 18.30 uur: Gina Kemmer ontvoerd door Mark Foster.

Gina was niet in staat geweest om meer dan een paar woorden achter elkaar te zeggen voordat ze door uitputting in slaap viel. De dokter had uiteindelijk ingegrepen en hen de kamer uit geschopt.

'Laten we hierover nadenken,' zei Vince terwijl hij zich van het board af draaide. 'Laten we teruggaan naar woensdagavond. Gina is bang. We nemen aan omdat ze weet wie Marissa heeft vermoord. Ze besluit dat ze de stad uit moet voordat haar ook iets overkomt. Ze gaat naar Mark Foster toe. Als ze dacht dat Mark Foster Marissa had vermoord, was ze nooit naar hem toe gegaan.'

De opwinding verdween van Mendez' gezicht en er bleef alleen frustratie over. 'Maar hij stond op het punt om te zeggen...'

'Wat je wilde horen?' vroeg Vince. 'Hij kon net zo gemakkelijk op het punt gestaan hebben om te bekennen dat hij bij Darren Bordain was geweest.'

'Waarom zou Foster haar anders proberen te vermoorden?' vroeg Hicks.

'Ze heeft hem bedreigd,' opperde Vince. 'Ze kende hem en Bordain. Marissa en zij legitimeerden hun relatie. Ze waren vaak met z'n vieren. Foster en Bordain noemden allebei Gina als hun alibi voor zondagavond.'

'Ze werden gebruikt als rookgordijn voor de relatie tussen Bordain en Foster,' zei Hicks.

'Ze heeft dus wanhopig geld nodig om de stad uit te komen. Misschien klopt het wat ik tegen Foster heb gezegd en heeft ze gedreigd hun relatie aan Bordains vader bekend te maken. Hij zit in het bestuur van het McAster. Bruce Bordain kan Mark Fosters carrière ruïneren. Gina kan Mark én Darren ruïneren. Voordat Gina het weet, ligt ze in de kofferbak van een auto.'

'En Foster dumpt haar toevallig in dezelfde verlaten put waar Marissa's moordenaar het bebloede sweatshirt heeft gegooid?' zei Mendez sceptisch.

'Die put lijkt een publieke afvalplek,' zei Vince. 'Hij ligt midden tussen Marissa's huis en de hoeve van de Bordains. Foster heeft hem misschien ontdekt terwijl hij daar een wandeling maakte, of Darren heeft tegen hem gezegd dat hij haar daar naartoe moest brengen. Dat weten we op dit moment niet.'

'Hoe dan ook,' zei Mendez, 'ik denk niet dat het toeval is dat het sweatshirt daar lag. Ik denk dat we heel goed naar zowel Bordain als Foster moeten kijken. Zelfs al verdacht Gina Foster niet, dan wil dat niet zeggen dat hij het niet gedaan heeft.'

'Gina overleeft het in elk geval,' zei Dixon. 'Zodra ze sterk genoeg is, krijgen we het hele verhaal te horen.'

'Weten we of Darren Bordain een wapen in zijn bezit heeft?'

'Daar kunnen we morgen pas achteraan,' merkte Hicks op.

'In de tussentijd zorgen we voor een huiszoekingsbevel voor Fosters woning en kantoor,' zei Dixon. 'En we gaan Darren Bordain schaduwen. Ik laat Trammell en Campbell beginnen met posten.'

'Het net begint zich te sluiten, jongens,' zei Vince, bijna tevreden, maar niet helemaal.

Op weg naar huis haalde hij eten bij Piazza Fontana. Het glas wijn dat Gianni Farina met hem wilde drinken, sloeg hij af. Het enige wat Vince wilde, was naar huis, naar Anne en Haley.

Hij had het vreselijk gevonden om ze die middag achter te laten toen hij het telefoontje kreeg dat Gina Kemmer bij bewustzijn was. Haley was rusteloos geweest en was overal boos om geworden.

Anne dacht dat ze worstelde met de herinneringen en emoties die los waren gekomen doordat ze had gezien dat Anne werd aangevallen door Dennis Farman. Als die herinneringen naar de oppervlakte van Haleys bewustzijn begonnen te komen, kon een identificatie van de moordenaar van haar moeder op komst zijn.

Bovendien worstelde Anne met haar eigen gevoelens. Door de posttraumatische stress-stoornis en haar twijfel en wanhoop over hoe ze Dennis Farman had aangepakt, was ze er beroerd aan toe, en Vince wilde niets liever dan er voor haar zijn als klankbord, of haar gerust-stellen, of haar gewoon vasthouden.

Hij wist hoe ze zich voelde. Hij vroeg zich nog steeds af of Zander Zahn, als hij hem voorzichtiger had aangepakt, nog in leven zou zijn.

Terwijl hij de oprit op reed en zijn auto zich vulde met de geuren van lasagne en kip piccata, bedacht hij hoe anders het was om thuis te komen bij iemand die zijn dag met hem kon delen, in plaats van dat hij zijn beroepsleven aan het eind van de dag wegstopte en pro-beerde iemand te zijn die hij niet was en te leven met iemand die niet echt wist wie hij was.

'Je bent een geluksvogel, Vince,' zei hij, waarna hij het huis in liep om de avond met zijn vrouw door te brengen.

94

'Ik wil mijn katjes zien!' jengelde Haley.

Ze zaten aan de ontbijttafel en probeerden de dag ondanks Haleys uitbarstingen te beginnen. Eerst wilde ze niet uit bed komen, daarna wilde ze zich niet aankleden. Anne had vervolgens toegegeven, en bewaarde het als onderhandelingsmiddel voor na het ontbijt. Daarna was het geroosterde krentenbrood niet goed, en nu dit.

Anne wist waar het opstandige gedrag vandaan kwam. Het meisje worstelde met de herinneringen en emoties die naar de oppervlakte waren gekomen door Dennis' aanval. Ze was gefrustreerd en bang voor die gevoelens, en had de mogelijkheden niet om ermee om te gaan. Maar natuurlijk maakte het begrip daarvoor het niet gemakkelijker uit te houden.

Vince keek Haley met een strenge blik aan en ze ging op de bank zitten. 'Ophouden,' zei hij kalm. 'Of je gaat nergens naartoe, jongedame.'

De tranen schoten in Haleys ogen en ze begon te jammeren.

Anne en Vince negeerden haar.

'Weet je zeker dat je dit aankunt?' vroeg Vince.

'Nee, maar ik denk dat het een goede afleiding is,' zei Anne. 'Voor ons allebei.'

Hoewel ze geen tijd met Milo Bordain wilde doorbrengen, had Anne besloten dat het een goede dag was om Haley mee te nemen naar de hoeve van de Bordains om haar kittens te zien. Ze zou frisse lucht en beweging krijgen, en kon zich concentreren op iets anders dan de verwarde kluwen gevoelens in haar hoofd.

Voor haar gold hetzelfde. Het zou haar goed doen om frisse lucht in te ademen, dieren en natuur om zich heen te hebben.

'Zorg ervoor dat Milo Bordain je niet van streek maakt,' waarschuwde Vince. 'Ze denkt dat ze gaat a-d-o-p-t-e-r-e-n. Niemand heeft haar verteld dat ze geen poot heeft om op te staan omdat de vaderschapskwestie niet is wat zij denkt dat het is.'

Vince had haar verteld wat hij wist. Iedereen wachtte op het verhaal van Gina Kemmer, die waarschijnlijk de enige was die de ware omstandigheden rond Haleys geboorte kende.

Anne probeerde de mogelijkheid dat Haley ergens ouders had uit haar hoofd te zetten. Ze moest erin geloven dat Marissa Fordham – die volgens de meeste verhalen een liefhebbende, fantastische moeder en een liefhebbende, fantastische vrouw was geweest – dit kostbare kind niet had gestolen. Er moest een andere verklaring zijn.

Haleys gejengel was opgehouden en ze knabbelde aan een bosbessenmuffin.

'We gaan een ritje in een politieauto maken, Haley,' zei Anne. 'Dat wordt leuk.'

'Waarom?'

'Omdat, als je hebt ontbeten, je tanden hebt gepoetst en aangekleed bent, een politieagent ons naar tante Milo's hoeve brengt om de katjes te zien,' zei Anne.

Haley begon te stralen en haar boze bui was voorbij.

Vince vertrok naar het ziekenhuis, in de hoop dat Gina Kemmer meer zou vertellen nu haar kracht terugkeerde.

Anne trok een spijkerbroek en een oversized flanellen overhemd aan, vanwege haar stijfheid en wonden, en deed haar haar in een paardenstaart. Ze trok Haley een tuinbroek en een coltrui aan, vlocht haar haar, en daarna vertrokken ze naar het platteland.

Het was een prachtige dag voor de rit door de vallei naar de hoeve van de Bordains. Anne en Haley zaten naast elkaar op de achterbank van de surveillancewagen, achter de tralies als een stel misdadigers.

Haley keek uit het raam. 'Dit is de weg naar mijn huis,' zei ze. 'Denk je dat mijn mama er is als we naar mijn huis gaan?'

'Nee, liefje. Je mama is een engel in de hemel, weet je nog? Denk je dat de kittens blij zijn om je te zien?'

Ze knikte, speelde met de knuffelkat die Milo Bordain haar had gegeven en miauwde.

Toen ze het terrein van de Bordains op reden, wist Haley niet hoe snel ze uit de auto moest komen. Milo stond op ze te wachten, gekleed in rijkleding, elk haartje perfect op zijn plaats.

Haley rende naar haar toe. 'Waar zijn mijn katjes? Waar zijn mijn katjes?'

'Wat denk je ervan om tante Milo eerst gedag te zeggen?' zei Anne.

'Hallotantemilo, waar zijn mijn katjes?'

Milo Bordain produceerde een van haar geoefende comitévoorzitterlachjes. 'Anne, ik ben zo blij dat je hebt besloten om Haley hiernaartoe te brengen. Ik heb haar zo gemist!' Ze boog zich voorover in een poging Haleys aandacht te trekken. 'Ik heb je zo gemist, Haley!'

Haley fronste haar voorhoofd. 'Waar zijn mijn katjes!'

'Haley,' waarschuwde Anne. 'Als je je misdraagt gaan we naar huis.'

'De katjes zijn in de schuur,' zei Milo Bordain, waarmee ze het moment redde.

De hoeve, die aan de voet van de heuvels lag, was echt een plaatje, met oude klimrozen en witte klimmende nachtschade en paarse morning glory die over hekken en prieeltjes groeide. Peperbomen en enorme eiken stonden verspreid over het terrein. Bloembedden vol viooltjes grensden aan de paden en bijgebouwen. Prachtige grijze paarden met lange, golvende manen en staarten graasden in groene weilanden. Kleurige kippen – het perfecte boerderij-accessoire – zochten verspreid over het terrein voer en pikten dat van de grond.

'Het is hier prachtig,' zei Anne.

'Dank je. Het is veel werk, maar ik geniet ervan,' zei Milo Bordain. 'We hebben jarenlang in de stad gewoond, maar we vinden het hier heerlijk. Oak Knoll is een fantastisch stadje. We vinden het fijn om betrokken te zijn bij het college en diverse verenigingen. En Bruce vind het fantastisch om in de weekenden de hereboer te spelen.'

'Is meneer Bordain hier vaak?' vroeg Anne, die probeerde de gaten in Marissa Fordhams leven op te vullen. Als Milo het grootste deel van de tijd alleen was, was het logisch dat ze een tweede gezin in de vorm van Marissa en Haley had geadopteerd.

Milo Bordain lachte geforceerd. 'Hij heeft het erg druk. Hij breidt op dit moment zijn parkeerterreinkoninkrijk uit in Las Vegas. Daar is hij vandaag.'

Ze was een eenzame vrouw, dacht Anne. En nu werd haar zoon verdacht van de moord op haar surrogaatdochter. De spanning was zichtbaar in haar houding en in de fijne rimpels op haar voorhoofd en rond haar mond. Ze voelde zich waarschijnlijk bedreigd. Marissa was van haar afgenomen, en nu haar zoon… Ze zou zich meer dan ooit vastklampen aan Haley.

Haley rende voor hen uit naar de schuur.

'Ze worstelt met haar herinneringen,' zei Anne. 'Dat uit zich in vervelend gedrag.'

'Herinnert ze zich iets?'

'Ja. In het begin was het erg vaag, maar nu begint ze gedetailleerder te vertellen wat er is gebeurd.'

'Echt? Maar ze heeft de naam van de moordenaar niet genoemd?'

'Nee.'

'Tja, ik hoop dat ze dat doet zodat de rechercheurs ermee stoppen mijn zoon de schuld te geven. Het is belachelijk om te denken dat Darren Marissa iets had willen aandoen. Absoluut bespottelijk,' zei ze terwijl ze steeds bozer werd. 'Ik moet zeggen dat ik erg teleurgesteld ben in Cal Dixon.'

Haley kwam de schuur uit rennen. 'Mama Anne! Schiet op! Kom naar mijn katjes kijken!'

Dankbaar voor de onderbreking versnelde Anne haar pas en ze stak haar hand uit. Haley pakte hem vast en trok haar mee naar de schuur en de katjes.

95

Gina was wakker en aanspreekbaar toen Vince het ziekenhuis in kwam. Hoewel ze er nog steeds vreselijk uitzag, had ze een beetje kleur op haar gezicht en haar ogen stonden helderder.

'Ik hoor dat ze je vandaag naar een gewone kamer verplaatsen,' zei Vince. 'Dat is een enorme vooruitgang. We dachten dat we je kwijt waren, jongedame.'

'Ik neem aan dat ik taaier ben dan jullie dachten,' zei ze, maar ze klonk nog steeds zwak en fragiel en Vince vermoedde dat de energie die ze had al snel verbruikt zou zijn.

'Ik denk dat je waarschijnlijk ook taaier bent dan je zelf had gedacht,' zei hij. 'Dat is goed om te weten, nietwaar?'

'Ik had het liever niet ontdekt,' verzuchtte ze. 'Hebben jullie Mark gearresteerd?'

Vince knikte. 'Het moet een verschrikkelijke schok voor je geweest zijn. Dat spijt me.'

'Het lijkt nog steeds niet echt. Ik zou nooit iets gedaan hebben om Darren of Mark kwaad te doen. We waren vrienden! Ik was zó bang. Het enige waaraan ik kon denken, was vluchten. Ik dacht dat Mark me zou helpen. Toen hij dat weigerde... Ik was al in paniek en toen zei ik het eerste stomme ding dat in mijn hoofd opkwam.'

'Je hebt hem bedreigd,' zei Vince.

Gina knikte terwijl de tranen tussen haar gesloten oogleden drongen. 'Ik zou het nooit, nooit, nooit echt gedaan hebben. Dat had hij moeten weten. Ik kan niet geloven dat hij op die manier reageerde. Hij was altijd zo'n aardige man... dacht ik.'

'We kunnen mensen heel goed kennen, Gina, en toch niet weten waartoe ze in staat zijn als ze in een hoek gedreven worden. Mark heeft zijn geheim het grootste deel van zijn leven met zich mee gedragen. Hij was er bang voor, hij was bang voor wat het zou aanrichten, terwijl hij zo hard gewerkt had om iets te bereiken.'

'Waarom kunnen mensen niet gewoon zijn wie ze zijn?' vroeg ze. 'Ook in de muziekwereld zijn homoseksuele mannen. Hij zou niet de enige zijn.'

'Hij zou de enige met de naam Mark Foster zijn,' zei Vince. 'Met zijn ouders en opvoeding, hoe die ook is geweest. Hij zou de enige zijn die een relatie had met Darren Bordain, die blijkbaar een grote politieke toekomst voor zich heeft.'

'Ik denk het,' zei ze zachtjes. Haar emoties hadden een slechte invloed op haar energie. De kleur verdween van haar wangen. 'Het was het afschuwelijkste moment van mijn leven toen hij me ineens aanviel. Het was alsof... Ik kan het niet beschrijven. Het was alsof hij iemand was die ik nog nooit had gezien. Dat was het ergste moment – erger dan toen hij op me schoot.'

Vince zag haar energie verdwijnen. Ze vocht nog steeds tegen een infectie en leed daarnaast aan emotionele en psychologische uitputting.

'Gina, ik weet dat je moe bent en we hebben een heleboel met je te bespreken, maar we zullen proberen het niet in één keer te doen. Ik moet je alleen vragen of je weet wie Marissa heeft vermoord.'

Ze was heel even stil, alsof ze naar binnen keek en het niet prettig vond wat ze zag. 'Ik dacht dat ik dat wist. Nu... weet ik het niet meer.'

'Wie dacht je dat het was?'

'Bruce. Bruce Bordain.'

96

'Dat is me nogal wat,' zei Hicks. 'Kun je je voorstellen dat een van die mannen – Foster of Bordain – in staat is tot wat Marissa Fordman is aangedaan?'

'Nee, maar een van de twee heeft het toch op z'n geweten.'

'Je moet stapelgek zijn om zoiets te doen en dan gewoon weg te lopen alsof er niets is gebeurd,' zei Mendez. Ze reden door de straten van Lompoc, op zoek naar het postkantoor. 'Anne heeft verteld over het moment dat Crane haar aanviel, dat hij er heel anders uitzag dan de man die ze kende. Het was alsof hij een monster was die zijn masker afzette toen hij achter haar aan ging. Misschien zit daar iets in.'

'Toen ik pas rechercheur was, werkte ik aan een verkrachtingszaak,' zei Hicks. 'Een man die deed alsof hij in dienst was van een gasbedrijf kreeg een vrouw zover dat ze hem in haar appartement liet. Normaal uitziende man. Vriendelijk. Ze koesterde geen enkele argwaan tegen hem tot hij zijn gereedschapskist neerzette en zich omdraaide. Ze zei dat hij in iemand anders was veranderd. Hij draaide zich om en keek naar haar en ze was meteen doodsbang. Hij sloeg met een klauwhamer op haar hoofd en verkrachtte haar, en ze zei dat hij tijdens de verkrachting af en toe stopte en haar likte alsof hij een hond of een wolf was. Ze vertelde dat ze aan zijn ogen zag dat hij niet menselijk was.'

'Hebben jullie hem gepakt?'

'Ja. De man had een lampenwinkel, een vrouw en kinderen. Hij leek zo normaal als wat.'

'Daar is het,' zei Mendez terwijl hij naar rechts wees.

Ze parkeerden en gingen naar binnen. Er stonden twee medewerkers achter de balie: een surftype met geblondeerd stekeltjeshaar en een forse vrouw met lichtblauwe oogschaduw en lange nagels.

Ze wachtten op hun beurt achter een vrouw die postzegels kocht en een man die zijn post ophaalde na een lange vakantie. Toen ze aan de beurt waren, stelde Hicks zich voor aan het surftype en legde uit waar ze voor kwamen, terwijl Mendez de foto's – een verzameling foto's en plaatjes die uit het Oak Knoll-magazine waren geknipt – op de balie legde.

'Hij is hier waarschijnlijk een week geleden geweest,' zei hij.

'Dude, dat weet ik niet,' zei het surftype. 'Ze lijken allemaal op elkaar. Weet je hoeveel gezichten ik hier elke dag langs zie komen? Dat weet ik echt niet meer.'

Hij zag eruit alsof hij grote moeite had om zelfs zijn eigen naam te onthouden.

'Het is heel belangrijk,' zei Hicks.

'Wat zat er in die doos, dude?'

'Menselijke lichaamsdelen,' zei Mendez.

Het surftype staarde hem aan. 'Dat meen je niet.'

'Echt,' zei Mendez.

'Dat verzin je! Je kunt geen menselijke lichaamsdelen via de post versturen, dude. Dat is verboden.'

'Tja, maar stel je voor wat hij heeft gedaan om ze in zijn bezit te krijgen,' zei Mendez. 'Dat is nog veel meer verboden.'

Het surftype trok een gezicht. 'Wauw... dude.'

Hij draaide zich om naar zijn collega. 'Monique, kom eens kijken. Jij kunt goed gezichten onthouden.'

Monique hielp haar klant verder en kwam er daarna bij staan. 'Gaat het om de vrouw in Oak Knoll? Die zevenennegentig keer gestoken is? Dat heb ik op het nieuws gezien. Het is heel erg wat daar gebeurt. Wat is er allemaal aan de hand in Oak Knoll? Jullie hadden die seriemoordenaar ook al. Stoppen ze iets in het water? Het is alsof jullie je in een draaikolk van het kwaad bevinden.'

'Dat hopen we niet,' zei Hicks.

Monique bestudeerde de foto's een voor een heel zorgvuldig en legde ze opzij als ze er klaar mee was. Het surftype hielp de volgende klant.

'Het zijn allemaal knappe mannen,' zei Monique. 'Ik vind het niet erg als die hier binnenkomen, als je begrijpt wat ik bedoel. Deze ziet eruit als een filmster,' zei ze terwijl ze de foto van Steve Morgan omhooghield. 'Maar hij deugt niet. Dat zie ik zo. Hij heeft een pruilmond. Ik vertrouw knappe mannen met pruilmonden niet.'

Ze keek een hele tijd naar Mark Foster. Bij de volgende foto aarzelde ze.

'Deze ziet er bekend uit,' zei ze.

Darren Bordain.

'Ik denk dat ik hem hier binnen heb gehad,' zei ze. Ze staarde naar de foto en kauwde op haar onderlip.

'Hij had een bruine doos van ongeveer dit formaat bij zich,' zei Hicks, die de afmetingen van de doos met zijn handen aangaf.

Monique dacht na.

'Hij is erg charmant…'

Ze fronste even en schudde haar hoofd. 'Nee, dat is niet wat ik me herinner van dat gezicht.'

Ze draaide de foto om, geen echte foto maar een pagina die uit het Oak Knoll-magazine was geknipt. Mendez had de andere mensen op de foto – de Bordains en nog een prominent gezin uit de omgeving tijdens een liefdadigheidsevenement – weggevouwen.

'O!' riep Monique. Ze tikte met een lange, krullende, paarse nagel op de foto en sperde haar ogen open. 'Díe herinner ik me!'

97

'Bruce Bordain?' zei Vince. 'Dacht Bruce dat hij Haleys vader was?'
Gina knikte vermoeid. 'Het is een lang verhaal.'

'Vertel me de korte versie maar, Gina,' zei Vince.

Bruce Bordain had de vorige dag haast gehad om het vliegtuig te halen. Als hij het land uit was, hadden ze geen tijd te verliezen.

'Ik ben zo moe,' zei ze.

'Ik weet dat je moe bent,' zei Vince terwijl hij door de glazen wand keek om te controleren of iemand hun kant op keek. Hij was al een keer uit haar kamer gegooid omdat hij haar overbelastte. 'Maar het is heel belangrijk, Gina. Jij wilt toch ook dat Marissa's moordenaar gepakt wordt?'

'Ja,' zei ze. Haar ademhaling versnelde. 'Natuurlijk.'

'Had Marissa een relatie met Bruce?'

'Ja. Ongeveer een jaar lang.'

'En op een bepaald moment vertelde ze dat ze zwanger was.'

'Dat klopt,' zei Gina.

'Gina, ik heb foto's van jou en Marissa gezien van een paar maanden voor Haleys geboorte. Ze was niet zwanger.'

Gina fronste haar voorhoofd van frustratie en uitputting. Er gleden een paar tranen over haar wimpers. 'Ik ben zo moe.'

'Ik weet het, liefje. Het spijt me echt,' zei Vince. 'Maar dit is zo belangrijk, Gina. Is Haley Marissa's dochter? Is ze Bruce Bordains dochter?'

'Nee.'

Marissa was zwanger geweest, maar Haley was haar dochter niet en Bruce Bordain was Haleys vader niet. Vince vloekte zachtjes. Hij moest een gruwelijke moord oplossen en zijn getuige raakte haar laatste restje energie kwijt.

'Chanteerde Marissa de Bordains?' zei hij.

'Het klinkt heel doortrapt,' zei ze. 'Maar zo was het niet. Ze probeerde iets goeds te doen. Voor Haley.'

'Gina, heeft Bruce Bordain vier jaar lang betaald voor een kind dat niet van hem is en heeft hij dat ontdekt?'

'Misschien wel,' gaf ze met een klein stemmetje toe. 'Marissa was het zat. Ze was er klaar mee dat Milo met haar speelde alsof ze een pop was. In het begin wilde ze dat hij zou betalen voor wat hij haar had aangedaan. Maar het was het niet waard.'

'Wat had hij haar aangedaan?' vroeg Vince.

De tranen liepen uit Gina's gesloten ogen. Ze gleed weg, ontsnapte aan de nare herinneringen.

'Gina?'

'Meneer Leone?' De hoofdverpleegster kwam met haar handen op haar heupen de kamer in lopen. 'Zorg ervoor dat ik u er niet weer uit moet gooien.'

Vince stak zijn vinger op. 'Nog één vraag.'

'Meneer Leone...'

'Gina, wat heeft hij Marissa aangedaan?'

Hij moest zich naar voren buigen om haar te horen.

'Hij heeft haar vermoord...'

98

'Die herinner ik me,' zei Monique van het postkantoor terwijl ze keek naar de foto van het gezin Bordain – Bruce, Milo en Darren – en een ander prominent gezin uit Oak Knoll in feestelijke kleding tijdens een liefdadigheidsevenement.

Mendez had verwacht dat ze naar Darren zou wijzen, maar dat deed ze niet. Ze wees ook niet naar Bruce Bordain.

Ze wees naar Milo.

'Weet je dat zeker?' vroeg Hicks, die net zo vertwijfeld klonk als Mendez zich voelde.

'Ik weet het heel zeker. Ik vergeet dat gemene kreng niet gauw. Ze was zo onbeschoft.'

'Is ze hier met de doos naartoe gekomen om hem te posten?' vroeg Mendez.

'Ja. Ze had hem in bruin papier verpakt en dichtgebonden met touw, net als een Thanksgiving-kalkoen,' zei Monique. 'Ik heb haar heel beleefd uitgelegd dat we geen pakjes verpakt in papier en dichtgebonden met touw aannemen omdat het vastraakt in de apparatuur. Ze reageerde alsof ik tegen haar had gezegd dat ze de doos in haar reet kon stoppen. Achteraf wilde ik dat ik dat had gedaan.'

Milo Bordain.

Mendez hoorde Monique niet meer. Hij probeerde te bedenken wat deze nieuwe draai in het Bordain-verhaal te betekenen had.

Hij knikte naar de deur. Hicks bedankte Monique en het surftype en volgde Mendez naar buiten.

'Mílo Bordain?' zei Mendez terwijl ze het postkantoor van Lompoc uit liepen. 'Milo Bordain?'

Ze stonden op de stoep voor het postkantoor, zich niet bewust van de burgers van Lompoc die het gebouw in en uit liepen. Mendez wist dat het brein van zijn partner hetzelfde deed als zijn brein: de radertjes draaiden als een gek.

'Ik snap het niet,' zei Hicks. 'Heeft ze de doos naar zichzelf gestuurd?'

'Heeft ze de doos zelf íngepakt?' zei Mendez, die misselijk werd bij het idee.

Hij kon het niet helpen dat hij zich de plaats delict voor de geest haalde, de enorme wreedheid, het bloed. Hij kon zich Marissa Fordhams gegil van angst voorstellen terwijl ze aan haar moordenaar probeerde te ontsnappen.

'Dat kan niet kloppen,' zei Hicks, het idee verwerpend. 'Die vrouw moet zich vergissen. Zo kan het niet gebeurd zijn.'

'Ze herkende de foto,' zei Mendez. 'We hebben haar niet eens gevraagd om naar die foto te kijken. En het gedrag is typisch voor Milo Bordain.'

Hicks schudde zijn hoofd. 'Onmogelijk. Geen enkele vrouw kan een andere vrouw zoiets aandoen. Vrouwen moorden niet zo... krankzinnig, gewelddadig. De borsten van een andere vrouw afsnijden? Nee.'

Een vrouw met een peuter op sleeptouw hoorde de laatste zin en liep met een wijde boog om hen heen naar het gebouw.

'Misschien heeft ze de doos gepost maar wist ze niet wat erin zat,' zei Hicks.

'Hoe kon ze niet weten wat erin zat?'

'Haar man of zoon kan de doos aan haar gegeven hebben om op de post te doen.'

'Aan zichzelf?' zei Mendez. 'En helemaal naar Lompoc rijden om dat te doen? Dat is niet logisch.'

'En het is wel logisch dat Milo Bordain een maniakale moordenaar is? Geen enkele vrouw kan een andere vrouw zoiets aandoen. Onmogelijk.'

Mendez legde zijn handen op zijn hoofd en liep rond in een kleine cirkel.

'Marissa was de dochter die ze nooit heeft gehad,' zei Hicks. 'Het kleine meisje was als een kleindochter voor haar.'

'Wás haar kleindochter,' zei Mendez. 'Dat dacht ze tenminste.'

'Waarom zou ze het meisje dan willen vermoorden?' vroeg Hicks. 'Welke oma doet zoiets?'

Mendez probeerde een kloppend scenario te bedenken. 'Milo Bordain en Marissa kregen ruzie. Misschien wilde Marissa meer geld of misschien had ze er genoeg van. Hoe dan ook, Milo breekt en wordt krankzinnig. Ze realiseert zich te laat dat het kleine meisje haar heeft gezien en kan identificeren. Ze moet haar ook vermoorden.'

'Een vrouw kan net zo gemakkelijk breken en iemand vermoorden als een man,' merkte Hicks op. 'Maar de verminking? Een mes in haar vagina steken?'

Twee oudere vrouwen die het postkantoor uitkwamen hapten naar adem en staarden naar hen.

Mendez pakte de foto en vouwde hem open. Bruce Bordain, Darren Bordain en zijn moeder bij een liefdadigheidsevenement.

'Kijk naar ze,' zei hij. 'Als het leeftijdsverschil er niet was, konden ze broer en zus zijn. Een tweeling zelfs.'

'De zoon trekt vrouwenkleding aan,' probeerde Hicks. 'De moeder heeft mannelijke trekjes. Hij heeft een vrouwelijke kant. Hij doet of hij zijn moeder is en brengt de doos naar het postkantoor.'

'Dat zou een fantastische film zijn,' zei Mendez. 'Maar het is volkomen onlogisch.'

Hicks gooide zijn armen in de lucht. 'Wat is er wel logisch aan dat knotsgekke gezin?'

'Ik weet het niet,' zei Mendez terwijl hij de autosleutels uit zijn zak haalde. 'Maar dat ontdekken we niet als we hier blijven staan. Laten we een telefoon zoeken en de baas bellen.'

99

Eenmaal uit het felle zonlicht was het zo donker in de schuur dat het even duurde voordat Annes ogen gewend waren.

De schuur was koel en rook naar vers hooi en paarden. Haley liet haar hand los, rende tot halverwege het middenpad en sloeg daarna rechtsaf. Anne volgde haar. De deur naar de voederplek stond open. Een brede schuifdeur gaf toegang tot een stuk beschaduwd gras waar drie gestreepte kittens zich om de beurt op een stuk oranje bindgaren stortten.

Haley liet zich op haar knieën in het gras vallen en pakte een eind van het touw. De kittens sprongen verrast in de lucht, renden weg en sprintten meteen terug.

Haley gilde en giechelde opgetogen om de bokkensprongen van de katjes. Anne stond in de deuropening naar haar te kijken, dolgelukkig om haar zo vrolijk te zien. Ze verdiende het om een tijdje niets anders dan kleinemeisjesgedachten over kittens in het gras te hebben.

'Mama Anne! Kom met mijn katjes spelen!'

Anne ging op het gras naast haar zitten en lette goed op toen Haley haar liet zien wat ze moest doen met het touw om te zorgen dat de kittens erop doken.

'Dit is Snuitje,' zei ze. 'En die met de witte poten is Mitty. En die daar is Banjer.'

Snuitje sprong met een kromme rug en zijn staart recht in de lucht omhoog, draaide zich om en rende de schuur in. Haley holde achter hem aan en botste tegen Milo Bordain aan.

Ze keek op naar de lange vrouw, wier gezicht en haar heel wit leken tegen de zwarte achtergrond van de donkere schuur.

'Oeps,' zei Anne lachend.

Maar Haley lachte niet, en Milo ook niet.

Haley deed een stap naar achteren en daarna nog een, haar ogen op Milo Bordain gericht.

'Haley?' zei Anne, in verwarring gebracht door de uitdrukking op haar gezicht.

Milo Bordain bukte zich. 'Haley? Wat is er aan de hand? Je weet toch wie ik ben? Ik ben tante Milo.'

Haleys onderlip begon te trillen en de tranen sprongen in haar ogen.

'S-s-s-slecht,' stamelde ze.

'Je bent niet expres tegen tante Milo aan gerend,' zei Anne. 'Het was een ongelukje.'

'S-s-s-slecht,' zei Haley opnieuw. 'Slechte Papa. Slechte Papa!'

Het duurde een seconde voordat Anne het begreep, maar toen vielen de stukjes op hun plek. Opgeslokt door de donkere achtergrond, met alleen haar gezicht duidelijk zichtbaar, had Milo Bordain haar doen denken aan de man die haar moeder had aangevallen. Darren Bordain was de belangrijkste verdachte en hij was het evenbeeld van zijn moeder.

'Slechte Papa! Slechte Papa!'

Milo fronste waardoor ze er nog dreigender uitzag en Haley begon te jammeren en te gillen.

'Haley!' snauwde ze. 'Stop daarmee!'

Voordat Anne kon reageren, pakte ze het meisje bij haar bovenarmen en schudde haar door elkaar.

'Haley! Stop daarmee! Stop onmiddellijk!'

Anne schoot naar voren en trok Haley in haar armen. Ze negeerde de pijn van haar verwondingen terwijl ze het kleine meisje dicht tegen zich aantrok. Ze wilde Milo Bordain op de grond smijten.

'Maak haar niet nog banger!' snauwde Anne.

'Jezus, ze kent me!' snauwde Milo terug. 'Ze stelt zich aan!'

'Ze is vier!' schreeuwde Anne terug.

Haley begon nog harder te huilen.

'Wat heb je haar aangepraat?'

'Niets!'

'Cal Dixon en je man proberen mijn zoon vals te beschuldigen...'

'Dat is belachelijk! Ze proberen de waarheid boven water te krijgen, wat die ook is.'

'Darren heeft Marissa niet vermoord.'

Anne liep weg van haar, met Haleys hoofd tegen haar schouder. 'Het is goed, liefje. Er is niets aan de hand.'

Haley huilde en kronkelde in haar armen. 'Nee!'

'Misschien moeten we maar gaan,' zei Anne. Ze draaide zich weer naar Milo Bordain. 'We gaan naar huis. Het is voor niemand een goede dag. We kunnen een andere keer terugkomen.'

'Nee!' zei Milo, onmiddellijk berouwvol. 'Nee, alsjeblieft, ga niet weg. Het spijt me heel erg dat ik mijn geduld verloor. Ik ben gewoon mezelf niet door alles wat er afgelopen week is gebeurd. Jullie mogen niet weggaan. Ik heb een picknick klaar laten zetten. We gaan naar het meer. Haley, wil je een ritje in een golfkar maken?'

Haley keek naar haar. Ze stond niet meer in de schaduw van de schuur en het spookbeeld dat haar bang had gemaakt, was verdwenen en vervangen door iemand die ze haar hele leven al kende.

'Zullen we een ritje in de golfkar gaan maken?' zei Milo Bordain en ze glimlachte geforceerd.

Nog steeds ongelukkig en uit haar humeur legde het meisje haar hoofd weer op Annes schouder en mompelde: 'Mama Anne...'

De spieren in Milo Bordains kaken verstrakten van irritatie vanwege Haleys naam voor Anne.

'Het is goed, liefje,' zei Anne. 'Wil je een ritje maken en picknicken?'

'De kar staat daar,' zei Milo terwijl ze voor hen uit liep.

De golfkar was, net als alles wat met Milo Bordain te maken had, opzichtig gedecoreerd en zag eruit als een Mercedes-Benz met een groot logo op de voorkant.

Anne stapte in en probeerde Haley naast haar op de voorstoel te zetten, maar Haley kroop weer op haar schoot en begon op haar duim te zuigen.

We hadden weg moeten gaan, dacht Anne. Naar de hel met Milo Bordains gevoelens. Alleen Haleys gevoelens waren belangrijk. En toch kon ze zich er niet toe brengen om tegen de vrouw te zeggen dat ze de golfkar moest keren en terugrijden.

Ze reden door het veld dat was afgezet met witte hekken en beschaduwd werd door grote bomen. Het ruigharige, rode vee keek met matige interesse naar ze toen ze langsreden.

Het meer – een nogal overdreven benaming voor een kunstmatig aangelegde vijver die was bedoeld voor brandbestrijding – glansde als een blauw juweel onder de heldere hemel. Milo had haar personeel vooruit gestuurd om de picknickplek in orde te maken, compleet met een tafel en een rood-wit geruit tafelkleed. Een grote gevlochten picknickmand met baguettes en groene en blauwe druiven die over de rand hingen stond aan één kant van de tafel.

'U hebt veel moeite gedaan,' zei Anne.

'O, nee, helemaal niet. Niets is te veel moeite om er een leuke dag van te maken. Het komt allemaal op organisatie aan.'

En goedkoop personeel, dacht Anne. Ze wees naar de tafel en boog zich naar Haley toe. 'Kijk, Haley, is dat niet prachtig?'

Haley leek niet onder de indruk. Ze duwde met een teen tegen het dashboard van de luxe golfkar en zei met haar duim in haar mond klagerig: 'Mama Anne...'

'Je moet er echt voor zorgen dat ze je niet zo noemt,' zei Milo Bordain geïrriteerd.

'Als het haar een veiliger gevoel geeft...' zei Anne. 'Het kan geen kwaad.'

'Je bent haar moeder niet.'

'Dat weet ik. En Haley weet dat ook.'

'Je wordt haar moeder ook niet.'

Anne beet op haar tong en dacht eraan wat Vince bij het ontbijt had gezegd. Milo Bordain dacht dat haar zoon Haleys vader was. Niemand had haar iets anders verteld.

'Haley weet dat haar moeder een engel in de hemel is. Nietwaar, Haley?'

'Daar zou ik niet zo zeker van zijn,' mompelde Milo.

We hadden naar huis moeten gaan, dacht Anne opnieuw. Dit was een vergissing. Waarom zou ze Haley – en zichzelf – aan deze onvriendelijke vrouw onderwerpen? Alleen om beleefd te zijn? Alleen om de vrede te bewaren? Haar tolerantie voor dit soort grootdoenerij was nagenoeg nul, en toch was ze hier.

Nu zaten ze vast in een veld met Milo Bordain, ver weg van de hoeve, realiseerde Anne zich. Ver weg van de agent die hen hiernaartoe had gebracht. Ze voelde een vaag gevoel van onbehagen opkomen.

We hadden naar huis moeten gaan...

100

Vince ging terug naar het politiebureau om met Dixon te praten over wat Gina Kemmer hem had verteld.

'Ze zei dat Marissa ongeveer een jaar lang een relatie met Bruce Bordain heeft gehad. Op een bepaald moment is Marissa volgens haar zwanger geworden, maar toen veranderde ze haar verhaal en gaf ze toe dat Haley Marissa's dochter niet is, en ook niet van Bruce Bordain.'

'Maar ze chanteerde hem?'

'Ja, maar Gina zei dat Marissa er genoeg van had, dat ze wilde dat Bordain betaalde voor wat hij haar had aangedaan, maar dat het al het gezeur niet meer waard was. Ze had er genoeg van om bij Milo onder de plak te zitten.'

'Wat heeft Bruce haar aangedaan?' vroeg Dixon.

Vince haalde zijn schouders op. 'Ik weet het niet. Ze zei dat hij haar heeft vermoord.'

Dixon fronste zijn voorhoofd. 'Wat bedoelde ze daar in vredes-naam mee?'

'Ik weet het niet. Op dat moment ben ik weggestuurd,' ging Vince verder. 'Gina zegt dat het verhaal veel langer is. Ze beweert dat ze iets goeds wilden doen.'

'Voor henzelf?'

'Voor Haley. Maar Gina denkt dat Marissa de Bordains ging ver-tellen dat Bruce de vader niet was.'

'Vier jaar betalen voor een kind dat niet van hem was,' zei Dixon. 'Dat is ongeveer een kwart miljoen dollar. Volgens mij zou iedereen daar woedend van worden, zelfs Bruce.'

'Weet je waar hij is?'

'Hij is gisteren naar Vegas gevlogen.'

'Ik zal het politiebureau in Vegas voor je bellen en kijken of ze hem kunnen schaduwen,' zei Vince. 'Als dit klopt, is hij absoluut vlucht-gevaarlijk.'

'En hij was bereid zijn eigen zoon hiervoor op te offeren,' zei Dixon. 'Dat is keihard.'

'Ik weet het,' zei Vince. 'Het is zoals je gisteren tegen hem hebt ge-zegd. Het is waarschijnlijk de beste draai die hij eraan kan geven. Als iedereen denkt dat Darren Marissa zwanger heeft gemaakt, zou dat alle geruchten over zijn homoseksualiteit overstemmen.'

Dixons telefoon ging. Hij drukte op de luidsprekerknop.

'Sheriff, rechercheur Mendez is op lijn één. Hij zegt dat het drin-gend is.'

Dixon drukte op lijn één. 'Tony, wat heb je voor ons?'

'Zit je?'

'Ja.'

'We hebben de foto's aan het personeel van het postkantoor laten zien.'

'Wie hebben ze geïdentificeerd?' vroeg Vince. 'Bruce?'

'Milo.'

'Wat zeg je?' zei Dixon.

'Milo Bordain. De medewerkster was er heel duidelijk over. Ik weet niet wat ik moet zeggen, baas. Ik weet niet zeker wat het te betekenen heeft.'

Vince voelde de grond onder zich wegzakken. Hij was al halver-wege de deur voordat Dixon iets kon zeggen.

'Waar ga je naartoe?'

'Anne heeft Haley meegenomen naar Bordains hoeve.'

101

'Ik heb Marissa niet gekend,' zei Anne. 'Wat was ze voor iemand?'

'Ze was natuurlijk fantastisch,' zei Milo Bordain terwijl ze druiven, kaas, crackers en brood uit de picknickmand haalde. Haley was op zoek naar vlinders. Anne hield een oogje op haar zodat ze niet te dicht bij het water kwam.

'Ze had talent,' zei Milo. 'Zoveel talent, maar ze was koppig. Ze had internationaal beroemd kunnen zijn, maar het ontbrak haar aan de benodigde discipline. Ik heb geprobeerd haar te begeleiden, maar ze wilde mijn advies niet altijd aannemen.'

'Weet u veel over de kunstwereld?' vroeg Anne onschuldig.

'Ik herken talent,' zei Milo defensief. 'En ik ken mensen. Ik ben erg goed in het bij elkaar brengen van de juiste mensen om bepaalde dingen te realiseren. Dat is deels waarom ik zo teleurgesteld ben in Cal Dixon. Hij had een toekomst voor zich, maar nu, na de manier waarop hij dit onderzoek heeft verknoeid...'

'Het is nog niet voorbij,' zei Anne, die hoopte dat ze de toenemende spanning bij Milo Bordain wat kon verminderen. 'De dingen kunnen zich in een andere richting ontwikkelen.'

'Dat mag ik hopen,' snauwde Milo. 'Ik doe alles voor deze gemeenschap, en dan is dit mijn dank? Dat de naam van mijn zoon door de modder wordt gesleurd?'

'Haley!' riep Anne. 'Kom je eten?'

Zodat we hier eindelijk weg kunnen.

Haley klom op de picknickbank, keek naar het eten en zei: 'Ik vind dit niet lekker.'

'Dit is een heerlijke lunch, jongedame,' zei Milo.

'Neem wat druiven,' stelde Anne voor.

'Nee.'

'Wat denk je van een cracker?'

'Nee! Ik wil met mijn katjes spelen!'

'Je gaat niet spelen tot na de lunch,' verkondigde Milo.

Haley trok een boos gezicht. 'Dat mag je niet tegen me zeggen. Je bent mijn mama niet!'

De uitdrukking op Milo's gezicht maakte Anne bang. 'Praat niet op zo'n toon tegen me, jongedame! Je wordt later net zo'n arrogant kreng als je moeder!'

Haley begon te huilen.

Anne wilde tekeergaan tegen Milo Bordain, maar haar intuïtie hield haar tegen. Was het zelfbehoud? Angst? Het enige wat ze zeker wist was dat ze weg moesten. Milo Bordains gedrag werd steeds grilliger.

'Het spijt me,' zei Anne tegen Milo terwijl ze opstond van de bank. Ze sloeg een arm om Haley heen, die nog steeds op de bank stond. 'Dit is gewoon niet de dag om dit te doen. Ik denk dat we moeten gaan.'

Bordain trok een wenkbrauw op. 'Na alle moeite die ik gedaan heb?'

'Het spijt me echt,' zei Anne, 'maar dit is een moeilijke tijd voor Haley.'

'Ze is gewoon een snotmeid,' zei Milo Bordain. 'Als je haar discipline zou bijbrengen...'

'Zo eenvoudig is het niet,' zei Anne.

'Ik heb je keer op keer gezegd...'

'Mama Anne...' jengelde Haley. 'Mama Anne...'

'Noem haar niet zo!' schreeuwde Milo.

Haley snikte.

'Oké, nu is het genoeg,' zei Anne. 'We gaan naar huis.'

'Je kunt niet zomaar weggaan,' zei Milo. 'Ik heb zoveel moeite gedaan...'

'Niemand heeft u gevraagd om moeite te doen,' zei Anne.

'Dat is zó typerend voor jou,' zei Milo Bordain. 'Je hebt nooit gewaardeerd wat ik voor je heb gedaan. Je bent gewoon een kleine, ondankbare hoer!'

De angst schoot als een bliksemflits door Anne heen. Milo Bordain praatte niet tegen haar. Milo Bordain kende haar niet, had nooit iets voor haar gedaan. Ze praatte tegen Marissa.

Automatisch ging Annes blik naar de picknicktafel en het mes dat daar lag om de kaas te snijden.

'Denk je dat je me gewoon in de steek kunt laten?' zei Milo.

'Mevrouw Bordain,' zei Anne kordaat. 'Tegen wie denkt u dat u praat? Ik ben Marissa niet.'

Milo Bordain luisterde niet. Haar gedachten waren elders. Ze deed een dreigende stap in Haleys richting. Anne trok haar naar achteren op de bank.

'Hou op!' schreeuwde Bordain. 'Hou op met huilen!'

'Slechte Papa!' schreeuwde Haley terug. 'Slechte Papa! Je hebt mijn mama pijn gedaan!'

O mijn god, dacht Anne. Ze meent het. Haley had Milo Bordain niet aangezien voor haar moeders moordenaar. Milo Bordain wás de moordenaar.

Bordain probeerde met twee handen Haley vast te grijpen. Haley gilde. Anne zwaaide haar van de bank, zette haar op de grond en schreeuwde: 'Rennen, Haley! Ga hulp halen!'

Doodsbang rende Haley een paar stappen en draaide zich toen snikkend om. 'Mama! Mama! Nee!'

Milo Bordain was één meter tachtig en minstens twintig kilo zwaarder. Toen ze Anne bij haar haar pakte en haar sloeg, zag Anne sterretjes. Bordain haalde haar arm naar achteren om opnieuw te slaan. Anne liet zich op haar knieën vallen, waarmee ze de vrouw uit evenwicht bracht en ze haar los moest laten.

Milo Bordain viel zijdelings tegen de tafel, waardoor het eten en drinken door de lucht vlogen. Anne scharrelde op handen en knieën naar voren, pakte de rand van de tafel en probeerde overeind te komen.

Ze stortten zich tegelijkertijd op het mes.

Een van hen raakte het handvat en het mes draaide buiten hun bereik.

Anne rende rond de tafel en stortte zich opnieuw op het mes.

Bordain wierp zich halverwege over de tafel en greep het mes bij het lemmet, waardoor ze in haar hand sneed. Er kwam een dierlijk gebrul uit haar keel, niet van pijn maar van woede.

Haley gilde en gilde. Anne zag vanuit haar ooghoeken dat ze buiten de gevarenzone was. Maar het kleine meisje kwam naar haar toe rennen.

'Nee! Nee! Doe mijn mama geen pijn!'

Milo Bordain draaide zich naar haar toe, het mes in haar bebloede hand geklemd.

Anne greep het eerste wat ze in te pakken kreeg – een stokbrood – en zwaaide daarmee alsof het een knuppel was. Ze raakte Bordain tegen de zijkant van haar hoofd, waarmee ze de aandacht van Haley afleidde.

'Laat haar gaan!' schreeuwde Anne, zonder dat ze wist of Milo Bordain haar hoorde. De ogen van de vrouw waren net vlakke stukken gekleurd glas. Haar gezicht was grotesk vertrokken en ze kwam opnieuw op Anne af met het mes.

Anne rende om de tafel heen en bukte zich om Haley van de grond te pakken. Haar enige gedachte was: rennen!

Terwijl ze al gewond was, moest ze vijftien kilo wriemelend, gillend kind oppakken en wegrennen.

Het kwam niet bij haar op dat ze daar niet toe in staat zou zijn.

Ze voelde het mes niet in haar zij steken terwijl ze het kind oppakte en begon te rennen.

De hoeve leek heel ver weg. Het was alsof haar voeten de grond raakten maar ze niet vooruitkwam. In de verte zag ze de agent naar hen toe rennen, maar hij kwam niet dichterbij.

Ze hoorde haar ademhaling, de lucht ging gierend haar longen in en uit. Ze hoorde haar voeten op de grond stampen. En heel in de verte hoorde ze een sirene.

Ze durfde niet achterom te kijken.

Plotseling raakte iets haar schouder en ze viel.

In een poging Haley te beschermen, draaide Anne zich om terwijl ze viel, waarbij ze de grond met haar schouder raakte. Op hetzelfde moment ging de agent in schiethouding staan en riep naar Milo Bordain dat ze het mes moest laten vallen.

Dat deed ze niet.

'Laat het mes vallen!' schreeuwde de agent.

Milo Bordain keek naar het mes in haar hand terwijl de afschuwelijke waarheid tot haar doordrong.

'Laat het mes vallen!'

Langzaam lieten haar vingers het handvat los. Het mes kletterde op de grond. Bordain viel op haar knieën en de emoties overspoelden haar. Ze deed haar mond open om te huilen, maar er kwam geen geluid. Ze krulde zich op tot een bal en haar brede schouders schokten terwijl ze geluidloos snikte.

In een poging adem te halen duwde Anne zich op haar knieën. Haley liet zich huilend in Annes armen vallen.

'Mama! Mama!'

'Het is goed!' hijgde Anne terwijl ze haar stevig vasthield. 'Alles is goed met ons! Alles is in orde. Het is voorbij.'

En toen, op een of andere manier, was Vince er. Hij pakte ze vast en ze waren veilig.

102

'Het was niet de bedoeling dat er iemand gewond zou raken,' begon Gina. 'Dit is nooit onze bedoeling geweest. Echt, we probeerden iets goeds te doen. Het moest voor iedereen goed aflopen, maar vooral voor Haley.'

'Laten we bij het begin beginnen, Gina,' zei Vince. 'Vertel ons over jou en Marissa.'

Dixon, Mendez, Hicks en Vince zaten in Gina's ziekenhuiskamer. Ze was er inmiddels sterk genoeg voor.

Ze mocht over een paar dagen naar huis, hoewel haar beproeving nog lang niet voorbij was. Ze zou geopereerd moeten worden aan haar enkel en zou daarna fysiotherapie krijgen. Het zou waarschijnlijk altijd een herinnering blijven aan wat ze had meegemaakt.

Inmiddels begonnen de oppervlakkige verwondingen te verdwijnen.

'Helemaal bij het begin,' begon ze. 'Marissa – ze was toen Melissa – en ik raakten bevriend in de brugklas. We woonden in Reseda. Ik was afkomstig uit een normaal gezin. Marissa groeide op in pleeggezinnen. Haar moeder was omgekomen bij een auto-ongeluk toen ze acht jaar was, en haar vader raakte aan alcohol verslaafd en kon niet voor haar zorgen. Het was heel treurig. Hij ging dood toen we in ons eindexamenjaar zaten.'

'Dus familie was waarschijnlijk heel belangrijk voor Marissa,' zei Vince.

'Ja. Ze vond het heerlijk om bij mij te zijn, en ze zorgde altijd voor de andere kinderen in de pleeggezinnen waar ze woonde. Jullie hebben haar niet gekend, maar Marissa was iemand die haar hart openstelde voor iedereen, met name voor kleine kinderen. Ze zei altijd dat ze ooit een groot gezin wilde hebben.'

Vince gaf haar een papieren zakdoekje en klopte op haar hand. 'Ik wilde dat ik haar had gekend,' zei hij. 'Het klinkt alsof ze een heel bijzondere vrouw was.'

Die chanteerde en fraude pleegde, wist hij. Maar mensen bestonden altijd uit meerdere lagen.

Gina knikte en moest heel even vechten tegen haar emoties.

'Jullie werden dus vriendinnen en toen...?' drong Mendez aan.

'We vonden allebei een baan, gingen weg en kregen andere baantjes. Maar we bleven altijd samen. Ik had alleen broers en Marissa had niemand, dus werden we zusjes van elkaar.'

'Waar waren jullie in 1981?' vroeg Dixon.

'We woonden in Venice, bij het strand. Ik werkte in het centrum van LA in een kledingwinkel. Marissa was een straatarme kunstenares. Ze verkocht haar schilderijen in de weekenden op het strand, en ze werkte als gastvrouw in Morton's steakhouse om de huur te betalen. Daar heeft ze Bruce Bordain ontmoet.'

'En werden ze... verliefd op elkaar?'

'Marissa werd verliefd op hem,' corrigeerde Gina hem. 'Ik weet niet waarom, misschien omdat ze geen vader had of zo. Ik bedoel, Bordain was oud genoeg om haar vader te zijn, maar ze hield echt van hem. Hij gaf haar het gevoel dat ze bijzonder was. Hij kocht cadeautjes voor haar, hij nam haar overal mee naartoe. Hij vertelde dat hij niet van zijn vrouw hield en dat ze niet bij elkaar woonden.'

'Maar voor hem was het tijdelijk?' vroeg Vince.

Gina knikte. 'Ze was gewoon een speeltje voor hem. En toen raakte ze zwanger en daarmee was het afgelopen voor hem. Ze belde hem om het te vertellen, en een paar dagen later kreeg ze een cheque met de post om een abortus te ondergaan. Kunnen jullie dat geloven?' vroeg ze vol afgrijzen. '"Regel het", stond er op het begeleidende briefje. Alsof het niets was. Alsof ze een wrat moest laten verwijderen. Daarna beantwoordde hij haar telefoontjes niet meer.'

'Heeft ze een abortus gehad?' vroeg Vince.

'Het was verschrikkelijk,' zei Gina. 'Ze wilde het niet. Ze wist niet wat ze moest doen. Ze wilde de baby houden. Ze wilde dat Bruce van haar hield. De stress maakte haar ziek. Daardoor kreeg ze een miskraam en alles ging mis. Ze kreeg een bloeding. Ik dacht dat ze dood zou gaan!'

'Toen is haar baarmoeder verwijderd,' probeerde Dixon.

Gina knikte. 'Het was erger dan wanneer hij haar had vermoord. Kinderen krijgen was Marissa's grootste doel in het leven.'

'Heeft het haar erg aangegrepen?' vroeg Vince. Marissa was op dat moment drieëntwintig. Jong, zonder familie om op terug te vallen, een baan als gastvrouw, en haar prins op het witte paard had een serie gebeurtenissen ontketend die haar fantasie over een perfect leven volkomen had geruïneerd.

'En waar komt Haley het verhaal binnen?' vroeg Mendez.

'Eén keer per week deden we vrijwilligerswerk in een vrouwen-centrum in Venice,' zei Gina. 'Daar ontmoetten we een meisje van onze leeftijd. Ze was zwanger. Ze noemde zich Star, maar we hebben haar echte naam nooit geweten. Ze zei dat ze naar LA was gekomen om filmster te worden, maar behalve het veranderen van haar naam is ze nooit verder gekomen.'

'En wie was de vader van haar baby?' vroeg Vince.

'Dat wisten we niet. Ik denk dat zij het ook niet wist. De ene dag vertelde ze dat hij een drugsdealer was, en de volgende dag was hij een acteur die niet aan de bak kwam of een bekende regisseur. Star vertelde dat ze de baby kwijt wilde, dat ze een abortus wilde. Daarna besloot ze weer dat ze de baby wilde houden, en begon ze te ver-tellen dat ze de baby zelf zou opvoeden en in een heel mooi appar-tement zou gaan wonen en dat ze alles voor de baby zou kopen. Maar ze had geen geld. Ik bedoel, ze was een dakloze, aan drugs ver-slaafde prostituee. Ze had geen geld om zichzelf te onderhouden, laat staan een baby. Marissa kon er niet tegen. Ze was bang voor wat Star zou doen met de baby, dat ze het kind misschien zou krijgen en in een afvalcontainer zou gooien, of in een toilet verdrinken. Of dat ze het kind zou verkopen. Marissa zei dat ze had gehoord dat mensen hun kinderen aan pedofielen verkochten. Ik wilde niet eens weten wat er allemaal kon gebeuren.'

'Dus Marissa bedacht een plan?' vroeg Vince.

'Ze stelde voor om de baby te nemen en tegen Bruce Bordain te zeggen dat het van hem was. De timing was goed. Hij had bergen geld. Het was een kleinigheid voor hem om voor de opvoeding van een baby te betalen. En voor Marissa's baby zou hij het ook gedaan hebben. De baby en Marissa zouden verzorgd worden. Ze zou in staat zijn zich op haar kunst te concentreren. Ze zou het kind krij-gen dat ze altijd had gewild. Het zou goed zijn voor iedereen.'

'Behalve voor Bruce Bordain,' merkte Mendez op.

'Tja… we hadden eerlijk gezegd geen medelijden met hem.'

'Dus Star kreeg de baby, en daarna? Nam Marissa haar gewoon mee?' vroeg Hicks.

'Nee, nee, zo ging het niet,' zei Gina. 'Ze hadden een deal. Marissa zou voor Stars ontwenningskliniek en voor de prenatale zorg van de baby betalen. Er zou nog een betaling volgen als de baby was ge-boren, en Star zou op het geboortebewijs laten zetten wat Marissa wilde.'

'Zodat het een particuliere adoptie was,' zei Vince.

'In principe wel. Marissa verkocht alles wat ze had en nam een tweede baan. Bordain mocht haar niet zien omdat ze natuurlijk niet zwanger was, dus moest ze haar baan bij Morton's opzeggen. Ze zei tegen haar baas dat ze stopte omdat ze zwanger was, in de wetenschap dat Bruce naar haar zou vragen als ze er niet was. Ze kreeg een baan in een visrestaurant in Santa Monica en werkte overdag in een boetiek. Ze wachtte tot vlak voor Haley geboren werd en belde toen Bruce om te vertellen dat ze de baby zou krijgen. Hij stuurde nog een cheque en hij zei tegen haar dat hij nooit meer iets van haar wilde horen.'

'Dus verhuisde ze naar Oak Knoll,' zei Mendez.

'Ze wist dat zijn vrouw daar woonde. Het was de enige plaats waar de Bordains een huis hadden dat binnen ons budget paste.'

'En wat was jouw aandeel, Gina?' vroeg Dixon.

'Het was een avontuur, zei Marissa tegen me,' vertelde Gina terwijl ze met haar ogen rolde vanwege het ultieme understatement. 'Ik dacht: waarom niet? We besloten dat we wat van het geld dat Bordain haar had gegeven en geld dat ik had gespaard zouden gebruiken om een boetiek te beginnen.'

'En dat was het moment waarop Marissa haar naam veranderde?' vroeg Mendez. 'Toen jullie hiernaartoe verhuisden?'

'Vlak daarvoor. Ze was bang dat Star van mening zou veranderen en op een dag op de stoep zou staan en Haley terug zou willen. Dus verzonnen we het hele verhaal dat ze uit Rhode Island afkomstig was en dat ze ruzie had met haar familie... Als een heldin uit een Sidney Sheldon-roman of zo. Het was opwindend.'

'Jullie zijn dus hier komen wonen,' zei Dixon. 'Bruce Bordain kon Marissa niet negeren als ze zich vlak onder de neus van zijn vrouw bevond. Heeft hij er ooit aan getwijfeld of hij de vader was?'

'Nee,' zei Gina. 'Ik dacht dat hij dat zou doen. Ik dacht dat hij een bloedtest of zoiets zou willen, en dan zouden we erbij zijn. Maar het geld was minder belangrijk voor hem dan de mogelijkheid dat Marissa in het openbaar een enorme scène zou maken, of misschien moet ik zeggen dat het minder belangrijk was voor mevrouw Bordain. Het was haar idee om Marissa zogenaamd te sponsoren.'

'Voor alle duidelijkheid...' zei Mendez. 'Marissa wilde Bruce Bordain chanteren en zijn vrouw kwam met een plan om haar in hun leven te houden?'

'Griezelig, hè?' zei Gina. 'Maar ik denk dat het op een vreemde manier bedoeld was om controle over haar man te hebben. En ze ging er echt in op. Ze behandelde Marissa en Haley alsof ze familie van haar waren, alsof ze levensgrote poppen waren. Hoewel Marissa een kunstenares was, richtte Milo de woning in zoals zíj dat wilde. Ze ontwierp het atelier zelfs – is dat niet krankzinnig? Ze vertelde Marissa wat ze moest aantrekken als ze naar evenementen ging, en als Marissa het niet deed, kreeg mevrouw Bordain een woede-aanval.'

'Hoe voelde Marissa zich daaronder?' vroeg Vince.

'Ze zei dat ze het maar voor lief moest nemen, en dat het niet uitmaakte als Milo haar wilde uitdossen. Ze hield ervan om spelletjes te spelen, om te kijken waarmee ze weg kon komen – de mensen met wie ze bevriend was, de mannen met wie ze uitging. Ze gaf Milo maar een bepaalde hoeveelheid controle en niet meer. Het werd de laatste tijd erger. Ze hadden vaak ruzie. Hoe onafhankelijker Marissa probeerde te zijn, des te dwingender werd Milo.'

Wat er alleen maar voor zou zorgen dat een vrijgevochten karakter als Marissa nog harder zou proberen om zich te bevrijden uit de greep van haar eigenares, dacht Vince. Het was een niets ontziende, neerwaartse spiraal in hun relatie die Bordains behoefte aan controle alleen maar verhoogde.

Op haar eigen manier was Milo Bordain niet zo anders in haar behoefte aan orde dan Zander Zahn was geweest. Het verschil was dat Zahn zijn behoefte aan orde op dode voorwerpen had geprojecteerd. Milo Bordain wilde controle over de mensen in haar leven, alsof het pionnen op een schaakbord waren.

'Ik heb tegen Marissa gezegd dat ze ermee moest stoppen,' zei Gina. 'Waarom zou ze zo leven? Het was ziek en verknipt. Ze moest weg bij de Bordains. Haar carrière als kunstenares kwam van de grond. Ze verdiende veel geld. De boetiek liep goed. Ze had de Bordains niet meer nodig.'

Dat was de reden waarom Marissa Fordham vermoord was, dacht Vince. Milo Bordain had het niet getolereerd dat Marissa – de dochter die ze nooit had gehad – en Haley – haar kleindochter – uit haar leven zouden verdwijnen. Haar levensechte poppen wilden uit haar levensechte poppenhuis ontsnappen en ze zou geen controle meer over ze hebben.

'En was Marissa dat van plan?' vroeg Mendez. 'Heeft ze tegen Milo gezegd dat het voorbij was?'

'Ze zou de waarheid vertellen en daarna zou het afgelopen zijn.'

'En dat was het ook,' zei Dixon.

'Ik kan niet geloven dat Milo het heeft gedaan,' zei Gina terwijl de tranen weer in haar ogen sprongen. 'Hoe kan een vrouw dat een andere vrouw aandoen? En hoe kon ze dat Haley aandoen?'

'Ze kon geen getuige achterlaten,' zei Mendez.

'Maar ze hield van Haley! Hoe kon ze haar dan zoveel pijn doen?'

'Mensen als Milo Bordain houden niet van mensen zoals de rest van ons van mensen houden, Gina,' legde Vince uit. 'Ze zijn het middelpunt van hun universum, en alle anderen zijn voorwerpen die om hen heen cirkelen. Ze kunnen denken dat het voorwerp mooi is, en dat ze het willen bezitten, maar uiteindelijk is het gewoon een ding voor ze.'

Gina werd overspoeld door emoties in een golf die ze niet kon tegenhouden. Ze begon te snikken en Vince vermoedde dat ze de polaroidfoto voor zich zag van haar hartsvriendin die afgeslacht op de keukenvloer lag.

Hij vroeg zich af of Milo Bordain dezelfde scène voor haar geestesoog zou zien. Waarschijnlijk wel, maar er zouden heel andere emoties aan verbonden zijn.

Ze zat nu in de gevangenis. Assistent-officier van justitie Kathryn Worth had ervoor gezorgd dat ze niet op borgtocht vrijkwam. Milo was betrapt met een mes in haar hand terwijl ze Anne en Haley achtervolgde. Geen enkele rechter zou het risico willen nemen, met hoeveel geld de Bordains ook zouden smijten.

Milo Bordain ging naar de gevangenis, waar ze de marionet van de staat zou zijn. Ze zou te horen krijgen wat ze moest dragen en waar ze moest slapen en wanneer ze moest eten. Vince vroeg zich af of ze ooit de ironie van die situatie zou inzien.

103

'Milo Bordain,' zei Mendez toen ze het ziekenhuis uit kwamen en de zon in liepen. 'Dat zag niemand aankomen.'

'Nee,' gaf Vince toe. 'De wreedheid van die moord... Zoiets reserveren vrouwen gewoonlijk voor ontrouwe echtgenoten, niet voor elkaar. Achteraf passen alle puzzelstukjes in elkaar. Ze had het gevoel dat Marissa van haar was, ze had haar gekocht en voor haar betaald, letterlijk. En net als elk verwend kind mocht niemand anders haar speeltje hebben als ze het zelf niet kon houden.'

Het klonk zo eenvoudig en logisch, dacht hij, en toch was het een van de meest verwrongen, krankzinnige moorden die hij ooit had geprobeerd op te lossen. Zijn ex-collega's bij de FBI hadden hem al gevraagd naar Quantico te komen om de moordzaak als studieobject te presenteren.

'De pers probeert een pakkende bijnaam voor haar te vinden en vergelijkt haar met de beruchte moordenares Lizzie Borden,' zei Mendez.

'Lizzie Borden is nooit veroordeeld,' zei Vince. 'Milo Bordain wordt voor altijd en eeuwig opgesloten, amen.'

'De Bordains hebben veel geld. Ze zullen proberen om haar verminderd toerekeningsvatbaar te laten verklaren.'

'Het kan me niet schelen wat ze proberen,' zei Vince, die zijn autosleutels uit zijn broekzak haalde. De wind stak op en blies zijn stropdas over zijn schouder. 'De jury krijgt foto's van de plaats delict te zien. Waar ze haar ook vastzetten, ze zal niet gauw meer vrijkomen.'

'Denk je dat ze gek is?'

'In wettelijke zin? Nee,' zei hij. 'Absoluut niet. Ze heeft Marissa uit woede vermoord. Ze dacht dat ze Haley, de enige getuige, had vermoord. Het afsnijden van de borsten was in eerste instantie misschien symbolisch – alles wat vrouwelijk was aan Marissa vernietigen – maar ze naar zichzelf sturen was absoluut eigenbelang.'

'Proberen de aandacht af te leiden door zichzelf als een slachtoffer te presenteren,' zei Mendez. 'Dat is nog eens ijskoud gedrag.'

'Ze is berekenend, niet gek,' zei Vince. 'Daarom was ze zo van slag toen ze de voogdij over Haley niet kreeg. Ze had bedacht dat als ze het kind onder haar hoede had, ze er in elk geval voor kon zorgen dat het meisje haar nooit zou identificeren als de moordenaar.'

'Ze is kwaadaardig,' zei Mendez. 'Dat zou een wettelijke term moeten zijn. Schuldig zijn aan kwaadaardigheid.'

'We kunnen naar alles kijken en dat vereenvoudigen,' zei Vince. 'Zelfs moord. Het kan allemaal teruggebracht worden tot het volgende: teleurstelling of verlangen. Iemand heeft niet gekregen wat hij wilde of iemand wilde iets wat hij niet kon krijgen.'

'Of beide.'

En het resultaat was uiteindelijk hetzelfde: gebroken levens en gestorven dromen. Marissa's leven had een overvloed aan belofte gehad, en dat was nu weg. Ze zou niet langer de kans hebben om de wereld een betere plek te maken met haar kunst of een fantastisch kind op te voeden. Milo Bordain, die een drijvende kracht in de gemeenschap was geweest en uitmuntend in het bijeenbrengen van geld voor liefdadigheidsdoelen, zou een leegte achterlaten. Mark Foster, die een fantastische carrière had opgebouwd, had zijn toekomst uit handen gegeven door zijn poging een geheim te bewaren. En Darren Bordain, die niets had geweten over de poging tot moord van zijn minnaar op Gina of zijn moeders moord op Marissa, bleef emotioneel gebroken achter zonder de twee belangrijkste mensen in zijn leven.

Bruce Bordain, die dit alles effectief in werking had gezet door zijn vrouw te bedriegen en de dromen van een jonge vrouw te vernietigen, kwam er zonder kleerscheuren vanaf.

'Hoe is het met Anne?' vroeg Mendez.

Vinces mondhoek ging omhoog in een glimlach. 'Ze is fantastisch. Ze is geslagen, gestoken, maar ze is ongelooflijk. Ik heb tegen haar gezegd dat als nog iemand probeert haar te vermoorden, ik haar voor haar eigen veiligheid opsluit.'

'Ze heeft een paar moeilijke dagen achter de rug.'

'Ze is bezorgder om Haley, maar het komt goed met Haley. Tussen jou en mij gezegd, gaan we daarvoor zorgen.'

'Gaan jullie haar adopteren?'

'Absoluut,' zei Vince. 'We krijgen een vliegende start van ons gezin met Haley Leone.'

Mendez grinnikte en sloeg hem op de rug. 'Gefeliciteerd.'

'Ik ben gelukkig,' zei Vince. 'En hoe zit het met jou?'

'Ik heb gehoord dat Steve Morgan het huis uit is. Hij heeft Sara verteld dat hij nooit een verhouding met Marissa heeft gehad. Marissa wilde hem niet hebben vanwege Sara en Wendy. Maar hij zou het gedaan hebben, en dat is wat telt.'

'En wat ga jij doen?'

Mendez stopte zijn handen in zijn zakken en haalde zijn schouders op terwijl hij tegen de auto leunde. 'Luisteren als ze wil praten.'

'Eén stap tegelijk.'

'Ja,' zei Mendez. Hij boog zijn hoofd. 'Misschien moet ik daar nu mee beginnen.'

104

Anne zag Haley in het gras spelen met de katjes die naar Casa Leone waren gekomen. Er was niet meer nodig dan een paar bijna-dood-ervaringen om ervoor te zorgen dat iemand de simpele dingen in het leven waardeerde.

'Maar waarom moesten al die slechte dingen gebeuren?' vroeg Wendy.

Ze zaten naast elkaar op de verandabank, Anne met haar arm rond Wendy's schouders. Sara had haar langs gebracht in de hoop dat ze een paar uur kon blijven terwijl Steve uit hun huis vertrok.

'Ik weet het niet,' zei Anne eerlijk. 'We krijgen geen fijne, keurige verklaring voor alles wat er gebeurt in het leven, goed of slecht. Ik neem aan dat het leven zo is: dingen gebeuren en de manier waarop we ermee omgaan maakt ons tot wie we zijn. We kunnen kiezen om ervan te leren en erboven uit te stijgen, of het opgeven en ons laten verslaan door de slechte dingen.'

'Het is zo moeilijk,' zei Wendy met tranen in haar ogen.

'Ik weet het liefje, maar je bent niet alleen, en je komt hier door-heen. Jij laat je niet verslaan door de slechte dingen,' zei Anne, en ze kneep in haar schouder. 'Ik heb iets voor je. Hou Haley even in de gaten. Ik ben zo terug.'

Anne ging naar binnen en kwam terug met een kleine houten pla-quette met een inscriptie op een koperen plaat.

'Iemand heeft me dit vorig jaar gegeven nadat... Na wat er gebeurd is. Ik keek er elke dag naar, en ik dacht erover na wat de tekst bete-kent en hoe het in mijn leven kon passen. En nu geef ik hem aan jou. En ik wil dat je er elke dag naar kijkt en nadenkt wat je voor jouw leven kiest.'

Op de plaat stond een citaat van Ernest Hemingway's *A Farewell to Arms*.

"Deze wereld breekt iedereen, en naderhand zijn velen zeer sterk op de plekken die gebroken zijn geweest."
    Ik hoop dat jij sterk wordt op de gebroken plekken.

'Begrijp je wat dat betekent?' vroeg Anne haar.

Wendy knikte en omhelsde haar voorzichtig. 'Ik mag me niet laten verslaan door de slechte dingen.'

Anne glimlachte. 'Ga lekker spelen met Haley en de katjes.'

Terwijl Wendy met Haley ging spelen, kwam Vince de veranda op en hij ging naast Anne zitten. Hij bukte zich om haar een zachte kus te geven.

'Hoe voel je je, mevrouw Leone?'

Anne keek op naar de glanzende donkere ogen van de man van wie ze hield. Wat zou de toekomst voor hen in petto hebben? Goede en slechte dingen. De adoptie van hun eerste kind en de rechtszaak tegen Peter Crane. Hun liefde was begonnen tijdens het onderzoek naar een seriemoordenaar en sterker geworden door alle gebeurtenissen na de gruwelijke moord op Marissa Fordham, maar hier waren ze.

'Ik ben gelukkig, meneer Leone,' zei ze. 'Heel gelukkig.'